U0924741

百年南开
日本研究文库

日本东亚政策研究

米庆余 著

江苏人民出版社

图书在版编目(CIP)数据

日本东亚政策研究 / 米庆余著. — 南京 : 江苏人民出版社，2019.7(2020.4 重印)
(百年南开日本研究文库)
ISBN 978-7-214-23283-0

Ⅰ. ①日… Ⅱ. ①米… Ⅲ. ①日本—对外政策—研究—东亚—近代 Ⅳ. ①D831.30

中国版本图书馆 CIP 数据核字(2019)第 043179 号

书　　名	日本东亚政策研究
著　　者	米庆余
特约编辑	康海源
责任编辑	史雪莲
装帧设计	刘葶葶
责任监制	陈晓明
出版发行	江苏人民出版社
出版社地址	南京市湖南路 1 号 A 楼，邮编：210009
出版社网址	http://www.jspph.com
照　　排	江苏凤凰制版有限公司
印　　刷	江苏凤凰数码印务有限公司
开　　本	652 毫米×960 毫米　1/16
印　　张	37.75　插页 4
字　　数	497 千字
版　　次	2019 年 8 月第 1 版　2020 年 4 月第 2 次印刷
标准书号	ISBN 978-7-214-23283-0
定　　价	132.00 元

“百年南开日本研究文库”编辑委员会

“百年南开日本研究文库”出版说明

2019年南开大学建校百年校庆，作为中国教育史上的大事，当然是值得纪念的。

如何使纪念百年南开的活动具有历史意义？我们很早就开始谋划和筹备。早在2015年春节期间，南开大学日本研究院原院长、教育部人文社会科学重点研究基地南开大学世界近现代史研究中心主任杨栋梁教授，向江苏人民出版社王保顶副总编提起，想以集体展示日本研究院研究成果的形式来纪念南开百年校庆。这一提议得到了保顶同志的大力支持，也得到了研究院各位同事的积极响应。后来经过商讨，编委会一致同意以“百年南开日本研究文库”作为南开日本研究者纪念百年校庆丛书的名称，本文库由江苏人民出版社和南开大学出版社分别出版。与百年校庆相适应，“百年南开日本研究文库”也应该是百年来南开日本研究业绩的展现。为此，编委会确定本文库由以下几个方面的成果构成。

第一，从南开大学创立到抗日战争胜利时期南开的日本研究成果。刘岳兵教授搜集相关文稿四十余万字，编成了《南开日本研究（1919—1945）》。这是一本专题性的南开大学校史资料集，对于研究和总结包括南开大学在内的这一时段中国日本研究的状况和特点，具有重要的史料价值。

第二,新中国建立以来,南开大学成立的实体日本研究机构研究者的成果。实体研究机构包括1964年成立的日本史研究室、2000年实体化的日本研究中心和2003年成立的日本研究院。

第三,1988年组建的南开大学日本研究中心,是以日本史研究室成员为核心,联合校内其他系所相关日本研究者成立的综合研究日本历史、经济、社会、文化、哲学、语言、文学的学术机构。在百年南开日本研究的历史发展中,日本研究中心具有重要的意义。本文库也包括该中心成员的成果。

今后,如果条件成熟,还可以将日本研究院的客座教授和毕业生的优秀成果也纳入这个文库中,希望将本文库建设成为一个开放的、能够充分且全面反映南开日本研究水平的成果展示平台。

在中国百年来的日本研究中,南开占有重要的一席之地。历史的发展和南开的先贤告示我们:日本研究对于中国的发展至关重要。中日关系值得我们认真思考,其经验教训值得认真总结。百年来,南开大学的日本研究者孜孜以求,探寻日本及中日关系的真相,取得了一定的成绩。吴廷璆先生主编的《日本史》(南开大学出版社1994年),是南开大学与辽宁大学两校日本研究者倾注近20年心血合力打造出来的。杨栋梁教授主编的十卷本“日本现代化历程研究丛书”(世界知识出版社2010年)及六卷本《近代以来日本的中国观》(江苏人民出版社2012年),也几乎是倾日本研究院全院之力而得到了学界认可的标志性研究成果。另外,在日本国际交流基金的资助下,南开大学日本研究中心从1995年开始由天津人民出版社出版的“南开日本研究丛书”,展现了中心成员在日本研究各具体专题上的业绩,产生了积极的社会影响。这些成果都是南开日本研究者集体智慧的结晶。

“百年南开日本研究文库”是南开大学日本研究院和南开大学世界近现代史研究中心相关学术成果的集体展示。我们相信,本文库将成为南开大学日本研究和南开大学世界史学科“双一流”建设的又一项标志性成果，她将承载南开精神、贯穿南开日本研究学脉，承前启后，为客观地了解日本、促进中日关系健康发展做出新的贡献；我们也想以此为实现“发展同各国的外交关系和经济、文化交流，推动构建人类命运共同体”的理想，培养全民族的国际视野和情怀，提高广大人民群众的世界历史知识和认识水平，尽我们的一份绵薄之力。

“百年南开日本研究文库”编辑委员会

2019 年 3 月 19 日

前　言

（一）本书是多年研究日本对外关系的文选。内容分九个专题（编），旨在“聚焦”日本国家对外关系的重大问题，以期把复杂的历史事件尽力说个明白。

（二）本书论证与评说的主要依据，是再现和解读日本国家的对外政策。因为对外政策才是日本国家对外行为的“推手”。让日本国家的对外政策出来作证，更能识别历史的真相。

（三）历史研究是份“苦差事”。求实求是、“扬清激浊”是研究者的本分，唯有锲而不舍、具有是非之心，才有希望走进历史的长河，发现事物的本质。

作者自序

二〇一八年元月

目　录

第一编　中日琉三国关系考

一　琉球的来历及《隋书》的原始记载

1　琉球国号的来历

“琉球国，在泉州之东，自福州视之，则在东北。是以，去必孟夏，而来必季秋，乘风便也。国无典籍，其沿革不能详然。隋兵劫之而不服，元使招之而不从。我太祖之有天下也，不加兵遣使，首效归附，其忠顺之心，无以异于越裳氏矣。”①这是明代册封使陈侃在《使琉球录》(1534 年)中，对古代中琉关系的记述，可谓相互地理位置清楚，往来关系明确。然而，上古时代的琉球，在中国人的眼里，却是一片茫然的神秘所在。

例如，《史记·秦始皇本纪》记载，始皇二十八年(公元前 219 年)，“齐人徐市等上书，言海中有三神山，名曰蓬莱、方丈、瀛洲，仙人居之。请得斋戒，与童男女求之。于是，遣徐市发童男女数千人，入海求仙人”。② 这三座“神山”是否包括琉球，现今似已无从考证。但从此始有徐

① 陈侃:《使琉球录》(二)，商务印书馆 1937 年版，第 53—54 页。

②《史记》卷六，秦始皇本纪第六，中华书局刊本，第 247 页。

市(福)东渡日本之说,而琉球《万国津梁钟》的铭文则称:“琉球国者,南海胜地”,是为大明、日域中间之“蓬莱岛也”。①

琉球国史《中山世鉴》(1650年成书)记称:“盖我朝开辟,天神阿摩美久筑之。”“当初,未〔有〕琉球之名。数万年后,隋炀帝令羽骑尉朱宽,访求异俗,始至此国。地界万涛间,远而望之,蟠旋蜿延,若虬浮水中,故因以名琉虬也。”②也就是说,中国隋朝时代(581—617年)始有“流虬”之称。查中国典籍,“虬”者,龙之一种也。东汉王逸在《楚辞章句》中云:“有角曰龙,无角曰虬”。以琉球群岛散在海上的地势而言,谓之“流虬”,实乃形之所似。但古代中国将“龙”作为华夏帝王的象征,而历代王朝作史,又多有忌讳。这可能正是《隋书·流求传》将“流虬”记称“流求”的缘故。此后,“北史、唐书、宋元诸史因之”,唯是汉字有别,或记作“琉求”(《宋史》),或记称“瑠求”(《元史》),也有记称“流鬼”者(《新唐书》)。日本僧人著述的《性灵集》则将之记称“留求”,《智证大师传》又记称“流梂”,③但发音未变。时至明代洪武五年(1372年),始称“琉球”。清代徐葆光在《中山传信录》中记称:琉球国土人“自呼其地曰屋其惹,盖其旧土名也”。④ 但周煌在《琉球国志略》中补正曰:“屋其惹”乃是土音,“令之作书,则仍是琉球”。⑤ 由此可见,琉球国之来历,乃是系于地势“若虬浮水中”。

日本学界,有谓明代以前的琉球之称,并不固定者。若就汉字而言,确实如此。但谓之并无意义,则属不确。

---

① 该钟于琉球尚泰久王五年(1458年)铸成。铭文见宫城荣昌:《琉球の历史》,吉川弘文馆1977年版,第87页。

② 《中山世鉴》首卷,见伊波普猷等编:《琉球史料丛书》第五,名取书店1941年版,第8页。

③ 见宫城荣昌:《琉球の历史》,第18页。

④ 徐葆光:《中山传信录》卷六,见《和刻本汉籍随笔集》第十五集,汲古书院1977年版,第170页。

⑤ 周煌:《琉球国志略》卷四。

2 《隋书·流求传》的原始记载

从现今保存的历史文献来看，有关古代琉球的记事，最早见于中国唐代贞观十年（公元 636 年）成书的《隋书·流求传》中。① 内载：

炀帝大业元年（公元 605 年），海师何蛮等人便对炀帝言称：每到春秋两季，"天清风静"之时，则可"东望依稀，似有烟雾之气"，但"亦不知几千里"。大业三年（607 年），炀帝派遣羽骑尉朱宽，"入海求访异俗"，遂与何蛮俱往琉球，因言语不通，"掠一人而返"。翌年，炀帝又令朱宽前往"慰抚"，但"流求不从，宽取其布甲而还"。是时，日本遣隋使（小野妹子）见之曰："此夷邪久国人所用也"。其所谓的"邪久国"，也即现今日本九州南部的屋久岛。也有主张包括琉球群岛者。从结果而言，朱宽等人似未达到使之顺从的目的。因而，大业六年（公元 610 年），炀帝复遣武贲郎将陈陵、朝请大夫张镇州（亦记作周），"率兵自义安浮海击之"。据《隋书·陈陵传》记载，陈陵等人率卒一万余人，"月余而至"琉球。当初，琉人"以为商旅"，"往往诣军中贸易"。后来，陈陵"率众登岸"，始有"其主欢斯渴刺兜遣兵拒战"。于是，陈陵派遣张镇州为先锋，领兵迎战"小王欢斯老模"，并斩其首级。以致"渴刺兜率众数千"，复来"逆战"。双方激战，"陵乘胜逐北"，"渴刺兜背栅而阵"，"从辰至未，苦斗不息"。但因琉人势寡，终被陈陵率众破阵，遂"斩渴刺兜，获其子岛槌，虏男女数千人而归"。②

就上述记载而言，从陈陵率兵至琉，琉人"往往诣军中贸易"，后至双方厮杀格斗，"虏男女数千人而归"，所用的时间，至少当在数日以上。加之此前朱宽等人，两次前往琉球，并"掠一人而返"等等，从而使当时的中国人，能够实地观察和了解当地的风土人情，乃至社会经济、政治，并在《隋书·流求传》中，留下多方面的记载。

---

①《隋书》卷八十一，中华书局刊本，第 1823—1825 页。以下引文不另作注。

②《隋书》列传二十九，陈陵传。

《隋书·流求传》对古代琉球的记载，多达1300余字，内含政治、经济、文化、地理，乃至风俗、人情等等。为了便于陈述，现将有关记事大体分类如次：

其一，对古代琉球地理方位的记载。内称："琉求国，居海岛之中。当建安郡东，水行五日而至"。这实际是对琉球的地理方位及其与大陆的距离，作了准确的记载。其中所说的"建安郡"，是为中国隋唐时期的地方建制，治所设在建瓯，所辖范围大体相当于现今的福建省。由是观之，这种记载与前述陈侃所说的"流求国，在泉州之东，自福州视之，则在东北"完全一致。至其所谓"水行五日而至"，根据后世出使琉球者的记载，以及琉球官方学者的记述，在无风向逆转等情况下，也完全与实际吻合。如琉球紫巾大夫、地理学者程顺则，在《指南广义》中称："福州五虎门至琉球姑米山，共四十更船。"①这"四十更船"，也即四天的时间，因为古人航海以十更为一日。若再加上从姑米山（即现今的久米岛）至琉球本岛那霸港的时间，仍需一日，则前后恰好是五天的时间。这说明隋唐时期的中国，对于琉球群岛及中国沿海岛屿的地理位置，业已非常了解。

这里，应该就便谈到的是，《隋书·流求传》中记载：大业六年，陈陵等人率兵远征琉球之时，自义安出海，先至"高华屿，又东行二日至鼊鼊屿，又一日便至流求"。从水路日程和地理状况来考察，其中所说的"鼊鼊屿"，当是现今冲绳的久米岛（姑米山）。② 而其中所说的"高华屿"，按水路日程而言，当是中国的钓鱼岛或其附近岛屿。

其二，对琉球"王"者的记载。《隋书·流求传》称："其王姓欢斯氏，名渴刺兜，不知其由来有国代数也。彼土人呼之为可老羊，妻曰多拔荼"。继而又称，其国中"有四五帅，统诸洞，洞有小王。往往有村，村有鸟了帅，并以善战者为之，自相树立，理一村之事……"。这种情况说明，

---

①《中山传信录》卷一，见《和刻本汉籍随笔集》第十五集，汲古书院1977年版，第37页。

② 请参阅拙文"《隋书·流求传》辨析"（《历史研究》1995年第6期）。日本学者比嘉春潮氏也认为《隋书·流求传》中所记载的鼊鼊屿，是现今冲绳县东部的久米岛（即历史记载的古米山），并认为高华屿是为中国的彭佳屿。见《新稿·冲绳的历史》，第46页。

公元七世纪前后的琉球社会，业已出现或形成了某种等级分化。其中所说的“王姓欢斯”，是为后世多有记载的“按司”（发音为阿基）。据称，“按司”是由“父亲”的发音演变而来的，且与“长者”属于同一语源。[①] 而“渴刺兜”与“可老羊”，则可能是古代琉球语中“首领”（发音卡拉）的语音汉字。至于“村有鸟了帅”的记载，据日本学者考察，似为“乌了帅”之误。而“乌了帅”乃是琉球古语“浦袭”（发音为乌拉欧索依）——村长的语音汉字。[②] 由此可见，当时的琉球尚处于“村落”或称之为“部落”的时代，因而“小王”分立，“各理一村之事”。但从中也形成了得以统率“诸洞”“小王”的“按司”，也即“按司”中的“按司”（后世记称为“世主”）。因此，《隋书·流求传》记称其“国有四五帅，统诸洞”，并称“犯罪皆断于鸟了帅，不伏则上请于王，王令臣下共议定之”等等。至于所谓“洞有小王”云云，据日本学者研究，乃是由于古代琉球人相信“太阳从东洞穴出，而落入西洞穴”，所以被视为如同太阳一般的“按司”，多住于山洞之中。[③]

其三，对琉球社会生产的记载。《隋书·流求传》称，“厥田良沃，先以火烧而引水灌之。持一插，以石为刃，长尺余，阔数寸，而垦之。土宜稻、粱、禾黍、麻、豆……”。这种记载，说明当时的琉球，在农耕种植上已有很大的进步。但因“其处少铁，刃皆薄小，多以骨角辅助”，所以在农耕生产上，又不免停滞在“刀耕火耨”的落后阶段。但是，从《隋书·流求传》的记载中，又可以得悉：当时的琉球人业已掌握了以木槽“曝海水为盐”，以“木汁为酢，酿米面为酒”的生产技术，而且掌握了“织斗篓皮并杂色苎及杂毛以为衣”，以及“织藤为笠”等生产技术。

其四，对琉球风俗、人情的记载。《隋书·流求传》称，其“男女皆以白苎绳缠发，从项后盘绕至额。其男子用鸟羽为冠，装以珠贝，饰以赤

① 见大城立裕：《冲绳历史散步》，第15—16页。

② 参阅比嘉春潮：《新稿·冲绳的历史》，第49—50页。宫城荣昌《琉球历史》一书中，将“村长”注音为“母拉欧撒”，更与“乌了帅”发音相近。

③ 见大城立裕：《冲绳历史散步》，第16页。

毛……。妇人以罗纹白布为帽，其形正方……。缀毛垂螺为饰，杂色相间，下垂小贝，其声如珮”。继而又称：“男子拔去髭鬓，身上有毛之处，皆亦除去。妇人以墨黥手，为虫蛇之文……产后以火自炙，令汗出”，以及“食皆用手，偶得异味，先进尊者”。对于死者，则是“浴其尸以布帛缠之，裹以苇草，衬土而殡”，但“南境风俗少异，人有死者，邑里共食之”等等。这些记载反映了古代琉球社会的风俗、人情，也再次说明了当时琉球社会发展的缓慢。也即，公元七世纪前后的琉球社会，尽管业已出现了等级分化，但依然保持着人类原始社会的种种风俗和习惯。

其五，对琉球社会及政治状况的记述。内称，当时的琉球“无赋敛，有事则均税。用刑亦无常准，皆临时科决。犯罪皆断于鸟了帅，不伏，则上请于王……。狱无枷锁，唯用绳缚。决死刑以铁锥，大如筋〔箸〕，长尺余，钻顶而杀之。轻罪用杖”。“无君臣上下之节”，也无“拜伏之礼”。但“王乘木兽，令左右舆之而行”。继而又称，其“国人好相争斗”，“两阵相当”，必有“勇者三五人出前跳躁，交言相骂，因相击射”。“如其不胜，一军皆走，遣人致谢，即共和解。收取斗死者，共聚而食之，仍以髑髅将向王所。王则赐之以冠，使为队帅”等等。

如此种种，说明当时的琉球业已形成了某种社会制约，但还相当落后。至于聚食死者，乃至将髑髅送至王所等等，中国元代汪大渊在其著述的《岛夷志略》中，也有台湾土著居民在“他国之人倘有所犯”之时，“则生割其肉以啖之”，并“取其头（颅）悬（于）木竿”的记载。① 从人类心理学的角度来考察，这种风俗可能是出于人类的自我保护意识，但也是社会生产落后的表现。此外，《隋书·流求传》记载，当时的琉球“俗事山海之神，祭以酒肴，斗战杀人，便将所杀人祭其神。或依茂树起小屋，或悬髑髅于树上，以箭射之，或累石系幡以为神主”。由是观之，古代琉球人聚食死者，或将所杀之人祭其神等，又与当时的原始信仰有关。

总之，《隋书·流求传》为后世考察古代琉球社会，留下了最早的，也

① 见汪大渊著、苏继庼校释：《岛夷志略注释》，中华书局 1981 年版，第 17 页。

是多方面的原始记载。从这个意义上讲,《隋书·流求传》弥补了琉球历史记载的遗阙。①

二　古代的日琉关系

1　日本古典中的“南岛”

现今冲绳列岛上的考古发掘,说明远古时代的琉球,便深受大陆和朝鲜半岛以及日本列岛的文化影响。继而,随着古代日本的社会发展和对外往来,有关“南岛”的记事,也先后出现在日本最早的官修国史《日本书纪》(720年成书)和《续日本纪》中。② 诸如:

推古天皇二十四年(公元616年)“三月,掖久人三口归化。夏五月,夜句人七口来之。秋七月,亦掖玖人二十口来之。先后并三十人,皆安置于朴井,未及还皆死焉”。又,二十八年(620年)“秋八月,掖玖人二口流来于伊豆岛”。

舒明天皇元年(629年)“夏四月……遣田部连于掖玖。是年也,太岁己丑”。又,三年(631年)“春二月……掖玖人归化”。

天武天皇六年(678)二月,“飨多祢(发音たね,也记作多)岛人等于飞鸟寺之西槻下”。八年(680年)十一月,“遣使多祢岛”。十年(682年)八月,“遣多祢岛使人等贡多祢国图。其国去京五千余里,居筑紫(九州)南海中……”。又,十一年(683年)七月,“多祢人、掖玖人、阿麻弥人赐禄各有差”。

文武天皇二年(698年),“遣文博士等八人于南岛,使寻国”。又,三年(699年)“秋七月……多、夜久、奄美、度感等人,从朝宰(官名)而来,贡方物,授位赐物各有差。其度感岛通中国于是始矣”。

---

① 有关《隋书·琉求传》的争议,见拙著《琉球历史研究》,天津人民出版社1998年,第14—15页。

② 以下种种记载,见《新订增补国史大系》第一卷下,以及《比嘉春潮全集》第一卷,第490页。

和铜七年(714年)十二月,太朝臣建治等,率南岛奄美、信觉及球美岛五十二人归朝。

灵龟元年(715年)正月,南岛奄美、夜久、度感、信觉、球美人等,来朝贡方物。

养老四年(720年)十一月,向南岛人二百三十二人叙位。

天平胜宝三年(751年),南岛奄美、夜久、度感、球美人等,来朝贡方物,并为南岛七十七人叙位。

上述种种,表明七八世纪的日本,与"南岛"确有往来。按照比嘉春潮氏的说法是:"七世纪初,由于推古天皇之下的圣德太子,制定了十七条宪法,继而在645年实施大化改新,又在八世纪形成了《大宝律令》和《养老律令》,并为此而在西海道的九国三岛〔惯记二岛——本文注〕设置了大宰府,所以日本大和朝廷的统治权,也触及了所谓的南岛。"①这种说法,似为牵强。因为无论是有人前来"归化",抑或是有人"来朝贡方物",乃至度感岛始通"中国"等等,并不等于大和朝廷的统治权。至于所谓上述古典记载的"掖玖(夜久、夜句)"和"多祢"是"南岛"的总称,也包括现今的冲绳本岛,②以及所谓"琉球国,自上古以来称作冲绳,在南海十二岛之内,为皇国属岛之事,古史亦有记载"云云,③则更属无据。

其一,据日本学者东恩纳宽淳氏考察,"冲绳"二字,始见于新井白石(1657—1725)所著的《南岛志》中,时为1719年。而《南岛志》中的冲绳二字,则是根据长门本《平家物语》中的岛名:"オキナワ"。长门本《平家物语》中写道:"鬼界有十二岛,外五岛从属于日本,内七岛不从我朝,名曰白石、アコシキ、クロ岛、硫黄岛、阿世纳(别本记为阿世波)、ヤクノ岛、トホエラブ、オキナワ、鬼界岛。"④

---

① 见《比嘉春潮全集》第一卷,第491页。

② 见比嘉春潮:《新稿·冲绳の历史》,第42页。

③ 日本明治四年(1871年)七月十二日,鹿儿岛藩(旧萨摩藩)向新政权提交的调查报告,见大山梓:《日本外交史研究》,良书普及会1980年版,第108页。

④ 见《东恩纳宽淳全集》第七卷,第一书房1980年版,第46页。

从上述记载来看，所谓“鬼界有十二岛”的岛名不全、内外位置不清，仅将其中的“オキナワ”换成“冲绳”二字，也不能作出《平家物语》成书的镰仓时代（1183—1333 年）琉球属于日本的结论。

其二，从上述本书尽力摘录的典籍中，人们也可以意识到，七八世纪的日本，与“南岛”的关系，只是有所往来。恰如文武天皇二年（698 年）条所记载的，派出文博士等人前往“南岛”的目的，正是为了寻求有无国家的存在。进而，七八世纪日本文武天皇在位（697—707）前后，多次向“南岛”派遣人员，也是出使，而不是前往执行统治。至于给“南岛”人叙位，乃是为了使住在南九州的“隼人”（少数族），服属于本州的国家统治。按照日本学者宫城荣昌氏的说法是：这表明当时“以大宰府为中心的统治隼人的影响，业已及于多祢（今种子岛）以南的西南诸岛”。① 但是，比嘉春潮氏又认为，当时“大和的统治是否业已积极渗透到当时的冲绳各岛，则属疑问”。②

其三，前述日本和铜七年（714 年）与翌年（715 年、灵龟元年）的记事中，谈到“信觉”和“球美”两个岛屿。对此，日本学界有人认为：“信觉”是现今的石垣岛，“球美”是现今的久米岛（也即后世多有记载的姑米山）。但是，这种说法并不准确。恰如宫城氏所说的：“除了字音类似而外，并无实证这种说法的史料”。“球美、信觉两岛，可能是接近被视为德之岛的度感的岛屿”。③

其四，日本上述古典记载的“南岛”，是为九州南部岛屿的方位概念，犹如南方、北方，并不是领土概念。进而，从上述日本古典的记载中也可以看出，“南岛”二字的出现，往往冠在具体岛名之前。这更说明“南岛”只是方位概念。再就大宰府的设置而言，当初便是为了管辖九州的“九国二岛”。及至日本推古天皇在位（592—628）时，始见大宰府之名（亦记作太宰府）。公元 663 年以后，府治设在现今九州福冈市东南的 13 公里

---

① 宫城荣昌：《琉球の历史》，第 20 页。

②《比嘉春潮全集》第一卷，第 491 页。

③ 宫城荣昌：《琉球の历史》，第 21 页。

处，其管内的“九国二岛”，是指九州境内的筑前、筑后、丰前、丰后、肥前、肥后、日向、大隅、萨摩等九“国”，和对马、壹岐两岛，后来才加上多祢岛。日本天长二年（825 年），其官符称作“总管九国二岛之所”。[①] 因此，将“南岛”视为琉球，并无根据。

此外，据《唐大和上东征传》记载，日本天平胜宝五年（753 年），鉴真和尚第六次东渡日本途中，曾漂至“阿儿奈波”岛。该岛位于“多祢岛西南”。[②] 对此，日本学界有谓“阿儿奈波”，即是现今的冲绳本岛者。但是，东恩纳氏认为，将“阿儿奈波”的发音，变成“オキナワ”（即冲绳的日语发音）的理由，是“不明不白的”，也是“难以苟同”的。[③]

再者，所谓古代琉球在“南海十二岛之内”的说法，也是不准确的。因为从现今保存的萨摩岛津家的文书来看，出现岛津氏兼任“十二岛地头职”的记载，是为日本嘉禄三年（1227 年）。[④] 但当年镰仓幕府将军下达的文书中，并没有写出十二岛的名称。征诸前述大体同期成书的《平家物语》中出现的“鬼界十二岛”，或许两者是为同一概念。但有如前述，岛名数量不足，内外位置不清。此外，吉田东伍博士（1864—1918）早年经考察，也认为其中所列举的八个岛屿，最值得怀疑的是混入了屋久（ヤクノ岛）和オキナワ，因而明确表示：“其列举者，颇有不明之憾。”[⑤]

以上种种，说明七八世纪的日本，与“南岛”的各种关系中，并不包括古代琉球本岛。尽管日本天平七年（735 年），大宰府曾对“南岛”的某些岛名、停泊地点、饮水所在和往来行程等作过标柱，“以识归路”，但宽平六年（894 年），日本废止“遣唐使”后，随着唐、渤海国与新罗的灭亡，日本与这些国家的交通断绝了，所谓“南岛与本土的官方交涉也告结束了”。[⑥] 由此可见，所谓琉球“自古为皇国属岛”之说，并无史实根据。

---

① 据田村圆澄：《考古大宰府》，吉川弘文馆 1987 年版，第 8、66 页。

② 见真人元开：《唐大和上东征传》，中华书局 1979 年版，第 91 页。

③《东恩纳宽淳全集》第七卷，第 45 页。

④ 据《大日本古文书・家别第十六・岛津家文书一》，东京大学出版会 1982 年版，第 18—19 页。

⑤ 见《东恩纳宽淳全集》第七卷，第 47 页。

⑥ 见宫城荣昌：《琉球の历史》，第 22 页。

这里，应该就便谈到的是，日本明治三十九年（1906年）初版、昭和二年（1927年）再版的《岩仓公实记》中记称："后鸟羽天皇建久四年（1193年），征夷大将军源赖朝以岛津忠久为萨摩、大隅、日向三国守护，兼为南海十二岛之地头。十二岛者，多褹（今之种子岛）、掖久（今之屋久岛）、莽美（今之大岛）、度感（今之德岛、一云宝岛）、信觉（今之石垣岛）、球美（今之姑米岛）、永良部、贵海（今之喜介岛）及白石、阿甑、黑岛、硫磺岛是也。时之总称为鬼界岛"。[①] 然而，萨摩岛津氏兼任十二岛地头职，是为1227年。再者，上述所列十二岛，恰恰没有琉球或冲绳本岛。而且，所及地域狭长，若将其中的"信觉"视为"今之石垣岛"，则更无所谓"十二岛"之理。

2 关于源为朝渡琉的传说

前述《中山世鉴》记称："大日本人王五十六代，清和天皇之孙、六孙王八世孙为朝公，为镇西将军之日，挂千钧强弩于扶桑……后逢保元之乱，而客于豆州有年。当斯时，舟随潮流，始至此，因以更流虬曰流求也。国人从之，如草加风。于兹，为朝公通一女，生一男子，名尊敦。……其为人也，才德豪杰……是以国人尊之浦添安司也。此时，天孙氏世衰政废，为逆臣所弑矣。尊敦起义兵讨逆臣，代之为中山王……。是为崇元庙主舜天王"，南宋淳熙十四年（1187年）即位。[②] 这种记载对后世影响很大，《中山世谱》从之，清代徐葆光和周煌在有关琉球的使录中，也皆予以转录。于是，有所谓琉球国主乃日本人皇后裔之说。

对此，日本"冲绳学"的开拓者伊波普猷氏在早年的研究中认为，"即令这只是传说，不能成为历史家的材料，但对于民间传说的研究者来说，

---

① 《岩仓公实记》，下卷，第566页。

② 见伊波普猷等编：《琉球史料丛书》第五，第8页、第16页。

则不失为好资料”。[①] 当然，就研究传说来讲，不妨选取各种素材。但是作为历史，源为朝渡琉的传说，却无史实根据。

其一，据日本学界考察，《中山世鉴》的上述记载，源于日本的《保元物语》及往昔的传说。[②] 但是，将舜天说成源为朝之子，则几乎是没有根据的。[③] 再者，据《保元物语》(作者不明，推定 1219—1221 年成书)记载，源为朝确有其人，是为一员猛将，后来参与“保元之乱”(1156 年)，也即日本京都发生的皇室及摄政间的内部争斗。兵败后，被逐放到伊豆大岛(也即所说的豆州)，一度曾经脱离大岛，前往鬼界岛(亦称喜界)。日本嘉应二年(1170 年)被追剿时，自杀身亡。[④] 也就是说，当年的源为朝是否到过琉球本岛，实属疑问。所谓源为朝漂至琉球本岛运天港，后又从牧港返回故乡之说，乃是“后人附会，不足为信”。[⑤]

其二，所谓源为朝之子“尊敦”，在琉球古代祭祀歌谣(おもろ)中，除了与地名“真庭”相对应外，并没有作为人物而出现。相反地，在上述古代歌谣中，作为“圣主”而出现的，则是英祖、察度、尚泰久、尚圆、尚真、尚清等人。从上述歌谣至少是从十二世纪开始形成而言，若是“尊敦”于中国宋代淳熙十四年(1187 年)即大位，嘉熙元年(1237 年)去世，理当成为祭祀歌谣所歌颂的对象，没有理由不出现在祭祀歌谣中。因此，当代学者宫城氏断言：琉球王统之始祖，“不是舜天，而是英祖”。[⑥] 至于舜天王之子，《中山世鉴》谓为舜马顺熙。但其事迹不见经传。而其第三代义本

---

① 伊波普猷：《琉球古今谈》，刀江书院 1925 年版，第 281 页。

② 如日本庆长十年(1605 年)，怀有来华之念的僧人袋中，乘船抵达琉球，滞在三年。其间所著的《琉球神道记》中，也有所谓“镇西八郎为伴来到此国，威慑逆贼……”，以及“为友治理此国之时，为降服鬼神之神”的说法，唯是将为朝记作为友、为伴。这说明源为朝渡琉的传说，早在《中山世鉴》的编者出生之前便已存在。见《东恩纳宽淳全集》第一卷，第 308—309 页。

③ 比嘉春潮：《新稿・冲绳の历史》，第 60 页。

④ 见宫城荣昌：《琉球の历史》，第 30 页。

⑤《东恩纳宽淳全集》第一卷，第一书房 1978 年版，第 281 页。

⑥ 见宫城荣昌：《琉球の历史》，第 33—35 页。

王，又自称“不德”，让位给英祖，其“隐处今无可考，故寿薨不传”。① 由此可见，舜天王统是否存在，也属疑问。

关于源为朝渡琉之事，比嘉春潮氏也认为，这“不过是根据薄弱的传说”。但又认为舜天是琉球历史上突破传说之雾，最早出现的现实人物。其最初只是按司，后来也不过是统治以浦添（后来的首里）为中心的现今中头岛尻的一部分。②

此外，从中国古典记载来看，《宋史》外国传（日本传、流求传）和《元史》日本传、流求传中，都没有舜天、舜马顺熙和义本王的记载。

基于以上种种考察，宫城氏认为，《中山世鉴》的编者向象贤，之所以将琉球最初的王统（除了传说中的天孙氏之外）求之于舜天王，并将之作为日本清和天皇的后裔，乃是出于对自身王统的夸耀，尽管所谓的舜天王统与英祖、察度及第一、第二尚氏，并无血缘关系，但在向象贤的意识中，全体琉球人都是同一血统的民族。与此同时，向象贤在编著《中山世鉴》时，所列出的《琉球国中山王舜天以来世缵图》，也是为了“对付源氏子孙岛津氏的强制要求而人为的”。③ 应该说，这种分析是有道理的。因为后来成书的第三部琉球国史《球阳》（1745 年）中，便明确地记载：尚贞王三十年也即 1669 年，“萨州太守公〔即萨摩岛津氏——本文注〕，要看琉球、世鉴，令儒臣誊写其世鉴，寄以呈览”。④ 至于岛津氏何以索览琉球世鉴，内中另有情由，有关问题当另行论述。

三　明代中琉间的册封关系

1　明太祖诏谕琉球王

在中国历史上，明代王朝是所谓“汉、唐、宋、明，齐称并列”的封建王

---

① 《中山世谱》卷三，见《琉球史料丛书》第四，第 33 页。

② 见《新稿・冲绳の历史》，第 62 页。

③ 宫城荣昌：《琉球の历史》，第 35 页。

④ 球阳研究会编：《冲绳文化史料集成 5 球阳原文编》附卷二，角川书店 1974 年版，第 599 页。

朝。明太祖朱元璋称帝以后，为了稳定国内统治，先后实施了一系列的政策措施，而对外则是采取和平相处、友好往来的方针。如《皇明祖训》中明确记称："吾恐后世子孙倚中国富强，贪一时战功，无故兴兵，致伤人命，切记不可"云云。①

在这种对外方针之下，洪武五年(1372 年)，明太祖朱元璋派遣行人杨载，携带诏书出使琉球。是为明代第一次遣琉使节。从此拉开了历时明清二代、长达五百余年的中琉友好往来的历史。据中国史书记载，当年杨载出使携带的诏书内容是：

"昔帝王之治天下，凡日月所临，无有远迩，一视同仁。故中国奠安，四夷得所，非有意于臣服之也。自元政不纲，天下争兵者十有七年。朕起布衣，开基江左，将兵四征不庭，西平汉主陈友谅，东缚吴王张士诚，南平闽越，勘定巴蜀，北清幽燕，奠安华夷，复我中国之旧疆。朕为臣民推载，即位皇帝定有天下之号曰大明，建元洪武，是用遣使外夷，播告朕意，使者所至，蛮夷酋长，称臣入贡。惟尔琉球在中国东南，远据海外，未及报知，兹特遣使，往谕尔其知之"云云。②

从这份诏书的内容来看，是为当时中国皇帝对外通聘的文告。它陈述了"朕起布衣"至"复我中国之旧疆"的过程，同时也宣布了所谓"中国奠安，四夷得所"的对外原则，并称"使者所至，蛮夷酋长，称臣入贡"。从这个意义上讲，它又带有大国的封建皇帝以我为中心而君临四方的意识。然而，并无恐吓、膺惩的动机。这说明当时的中国皇帝对外推行的，是一种含有华夷有别的和平外交。三十年后，三宝太监郑和七次下"西洋"，可谓也是这种"中国奠安、四夷得所"外交原则的延续。明代的这种外交原则，从根本上说，是当时中国社会经济的发展水平所决定的，它构成了尔后维系数百年的中琉关系，乃至东亚以中国为核心的国际秩序的

① 《皇明祖训》训诫篇。

② 据明代严从简辑：《殊域周咨录》卷四，故宫博物院图书馆 1930 年印行，第 1 页。琉球国史《中山世鉴》卷二中，也有记载(见伊波普猷等编：《琉球史料丛书》第五，第 34 页)。

基础。唯有从这里考察，才能历史地唯物地理解前近代的中国同周边国家的关系。

据琉球国史记载，杨载传谕太祖旨意后，中山王察度首先领“受其诏”，并立即派遣王弟泰期，于同年随同杨载前来中国“奉表称臣”。“由是，琉球始通中国，以开人文维新之基。”①继而，中山王察度又连续向中国派遣使节，“奉表贡方物”。明太祖除了回赐《大统历》及金织文绮、沙罗、币帛而外，对使节、通事及其随行人员也“皆有赏物”。洪武八年(1375 年)，明太祖“令附祭琉球山川于福建”，洪武十六年(1383 年)，“赐中山王察度镀金银印”。② 如此种种记载虽说简单，但却表明当时的琉球已经是中国的附属之国。③

琉球中山王察度向中国皇帝奉表称臣后，山南王承察度和山北王怕尼芝，也相继于洪武十六年(1383 年)向中国皇帝称臣入贡。④ 是时，如前所述，正值琉球“三山分立”，相互征战之时。于是，明太祖在向察度颁赐镀金银印的同时，⑤于同年派遣内使监梁民和尚佩监路谦，携带诏书前往琉球，诏谕琉球三王“息兵养民，以绵国祚”。明太祖在诏书中言称：

> “(前略)近使者归言，琉球三王互争，废农伤民，朕甚悯焉。诗曰：畏天之威，于时保之。王能罢战息民，务修尔德，则国用永安矣。”“又诏山南、山北二王曰：上帝好生，寰宇之内，生民众矣，又恐生民互相残害，特生聪明者主之。迩者，琉球国王察度，坚事大之诚，遣使来报，而山南王承察度，亦遣人随使者入觐。鉴其至诚，深可嘉尚。近使者自海中归言，琉球三王互争，废弃农业，伤残人命。朕闻之不甚悯怜。今遣使谕二王知之，二王能体朕意，息兵养民，以

---

①《中山世谱》卷三，见《琉球史料丛书》第四，第 41 页。

② 同上。

③ 据《中山世谱》记载，洪武二十一年(1388 年)，明太祖还曾“以所获元主次子地休奴，发流于我国”(见《琉球史料丛书》第四，第 43 页)。

④ 见伊波普猷等编：《琉球史料丛书》第四，第 41—42 页。

⑤ 同上，第 41 页。

绵国祚，则天必佑之。不然，悔无及矣。”①

对此，“中山王察度、山南王承察度、山北王怕尼芝，各受其诏，罢战息兵”，也即接受中国皇帝的政治意图，并“皆遣使谢恩”。② 这说明中琉通交以来，中国皇帝的政治权威业已介入琉球。由此可见，梁民和路谦的出使，实际是中国皇帝以“中国奠安，四夷得所”为原则，通过和平外交来调解琉球三王相互争斗的具体事例。这可谓中琉册封关系形成的政治基础，也是洪武十八年(1385 年)“补给山南、山北二王驼纽镀金银印”的前提。③

这里应该就便谈到的是，现今，有的日本学者认为：明太祖的诏书并没有阻止琉球三王的争斗，因为琉球三山的统一，是由左敷按司尚巴志完成的。这种说法，实际上是将三王的“罢战息兵”与最终的统一战争混为一谈。而且与前述《中山世谱》记载的“各受其诏，罢战息兵”不符。

及至洪武二十五年(1392 年)，明太祖“更赐闽人三十六姓”。《中山世鉴》记称“为纲纪之役”，④而《中山世谱》则称，从此琉球“始节音乐、制礼法，改变番俗，而致文教同风之盛”。⑤ 现今，虽然无法确认这“三十六姓”的全部姓氏和人数，但这对业已开始的中琉关系，可谓又注入了血缘关系。据明代茅瑞徵在《皇明象胥录》中记载：“洪、永所赐三十六姓，多闽之河口人，子孙秀者，读书南雍，归即为通事，累升长吏、大夫。”⑥日本学者大城立裕氏也称：“闽人三十六姓”究竟是三十六人，还是三十六户，虽然并不清楚，但因是中国皇帝特意遣送的，并以那霸的久米村作为居住地点，其使命最初是向琉球人传授造船、航海技术，而后则必然地承担了琉球对外文书工作，那霸作为中国文化的窗口，不久便占据了独自的地位。⑦ 可见，闽人三十六姓不仅加速了琉球的社会发展，密切了中琉两

① 见伊波普猷等编：《琉球史料丛书》第四，第 42 页。
② 同上。
③ 同上，第 42—43 页。
④ 见《琉球史料丛书》第五，第 35 页。
⑤ 同上，第 44 页。
⑥ 见《台湾文献丛刊》第 237 种，第 115 页。
⑦ 参阅大城立裕：《冲绳历史散步》，第 22 页。

国的友好往来，而且对中琉历史上形成的册封关系，赋予了强韧的纽带，产生了积极的影响。①

此外，据《中山世谱》记载，洪武二十五年（1392 年），中山王及世子遣使进贡，“并遣从子日孜每、阔八马、寨官子仁悦慈三人，入监读书（国人入监，自兹而始）”，②以接受中国的先进文化。同时具疏言称：“通事程复、叶希尹二人，以寨官兼通事，往来进贡，服劳居多，乞赐职、加冠带。使本国臣民，有所仰止，以变番俗。”③进而，洪武二十七年（1394 年），中山王察度又派遣亚兰匏等人前来中国，“奉乞王位冠带，并贡方物”。④ 与此同时，具疏言称：“亚兰匏掌国重事，乞陛授品秩，给赐冠带。又乞以通事叶希尹等二人充千户。”“太祖皆从其请，并命礼部图冠带之制示之 。俾亚兰匏称王相，而秩同中国王府长史（本国专掌国政者称王相自兹而始）。”⑤上述种种，说明中琉通交以来，琉球三王不仅奉表称臣，而且开始仿效中国的政治制度。进而，洪武二十九年（1396 年）“中山遣使入贡（时未以察度讣告），山北王珉薨，其子攀安知立，受封于朝”。此时，明太祖还另行降旨，对即将归国的中山官派留学生三五郎亹等，赐以白金、彩缎和银两，对是年入学的官派留学生，也“仍赐如例”。⑥

明永乐元年（1403 年），山北王“乞赐冠带衣服，以变国俗，成祖许之”。⑦ 永乐二年（1404 年），成祖派遣行人时中，往封察度世子武宁为中山王。其诏书曰：“圣王之治，协和万邦。继承之道，率由常典。故琉球国中山王察度，受命皇考太祖高皇帝，作屏东藩，克修臣节。暨朕即位，率先归诚。今既殁，尔武宁乃其世子，特封尔为琉球国中山王，以承厥

---

① 如《中山世谱》记载，永乐九年（1411 年）琉球王尚思绍遣使奉表疏言：“长史程复，饶州人，辅臣祖察度四十余年，勤诚不懈……”云云（见《琉球史料丛书》第四，第 50 页）。

②《中山世谱》卷三，见同上书第四，第 43 页。

③《中山世谱》卷三，见伊波普猷等编：《琉球史料丛书》第四，第 43 页。

④ 见同上书第四，第 44 页。

⑤ 同上。据记载，中山王请赐冠带，明太祖“命礼部绘图，令自制。其王固以请，乃赐之，并赐其臣下冠服”，见《明史》卷三百二十二，第 8362 页。

⑥《中山世谱》卷三，见伊波普猷等编：《琉球史料丛书》第四，第 45 页。

⑦ 同上，第 46 页。

世”云云。继而，则晓谕武宁：“惟俭以修身，敬以养德，忠以事上，仁以抚下，克循兹道，作镇海邦，永延世祚”等等。① 既是王位册封，又是治世规范的传导。如此种种，说明洪武五年开始的中琉关系，自始便是内含多种实际内容。

2 中琉册封关系的形成

有如前述，洪武二十七年(1394 年)，中山王察度“奉乞王位冠带”，二十九年(1396 年)，山北王珉逝世，“其子攀安知立，受封于朝”。继而，明成祖继位，改元永乐，复有中山王世子武宁遣使讣告察度逝世，“并乞冠带衣服”。永乐二年，“成祖遣行人时中，赍诏至国，祭赙以布帛，并封武宁为中山王”。② 因而《中山世谱》记称：“察度王始通中朝……天使数次来临，至于武宁始授册封之大典，著为例。”③据此，日本学界有人认为：明代永乐年间中国皇帝始封琉球王。然而，征诸前述记载，中国皇帝始封琉球王的时间，当是洪武年间。从此，中琉之间正式步入册封与请求册封的君臣上下关系，也即现今学界所说的册封体制。而《中山世谱》的上述记载，是指始有册封时的仪式大典。④

中琉之间的册封关系，是前近代以中国为核心的东亚国际秩序的表现。它首先反映了两国的政治关系。其具体情况如下：

其一，请求与接受中国皇帝的册封，是琉球国主对外称王的依据和先决条件。也就是说，琉球王更替之时，必定请封，以期求得中国皇帝的任命。如永乐元年(1403 年)山南王承察度去世，因无世子，故而“遗命从弟汪应祖摄国事”，后经册封(永乐二年)，始称山南王。⑤ 同样，永乐四年(1406 年)中山为佐敷按司巴志所灭。同年，“诸按司奉巴志之父思绍为

---

①《中山世谱》卷三，见伊波普猷等编：《琉球史料丛书》第四，第 46 页。
② 同上。
③ 同上。
④ 也即武宁受封之时，始建天使馆，以行仪式。见同上书，第 46 页。
⑤ 同上，第 47 页。

君”。而翌年思绍则“自称世子”，向中国皇帝进贡，并讣告武宁。① 中国《明史》记称，“中山王世子思绍遣使告父丧”。② 其实，思绍与武宁并非父子关系。思绍之所以自称世子，实际是为了获得中国皇帝的册封与认可，并对中国皇帝保持臣从关系。

又如，明正统五年(1440 年)，巴志次子尚忠接替国主之位，但在受封之前，《中山世谱》始终将之记称“世子”。如正统七年“世子尚忠，遣长使梁求保等，奉表入贡，并以巴志王讣闻于朝，兼请袭封……”，“八年癸亥世子尚忠，再遣使贡马，并表贺元旦……”等等。及至正统八年(1443 年)，“英宗遣正使余忭、副使刘逊，赍敕至国，谕祭故王巴志，封尚忠为中山王”之后，《中山世谱》于正统九年条中，始有“王遣使谢恩”的记载。③《中山世谱》的这种记述，并非史家个人的意图，而是遵奉琉球国王之命，并经“呈览”而作为国史的。从这个意义上讲，琉球王受封之前称作“世子”，乃是琉球王对中国皇帝臣从的另一种表示。所谓“琉球国，凡王嗣位，先请朝命，钦命正副使奉敕往封，赐以驼纽镀金银印，乃称王。未封以前称世子，权国事”，④讲的正是这一事实。而中国皇帝对琉球王所颁赐的镀金银印，则是琉球国主对外称王的凭证。《中山世鉴》明确记载：“镀金银印者，尔来历代国王之宝物，对大明、日本等往来表文所押之金印是也。”⑤

历史记载表明，洪武年间以后，历代琉球王位继承，均有明确的请封记载。诸如：

尚思达于正统十年(1445 年)接替王位，十二年“遣长史梁球，奉表入贡，并以父王尚忠讣告，兼请袭爵”；⑥

---

① 见《琉球史料丛书》第四，第 49—50 页。
② 《明史》卷三百二十三，第 8363 页。
③ 见《琉球史料丛书》第四，第 64 页。
④ 《清史稿》卷五百二十六，第 14620 页。
⑤ 见《琉球史料丛书》第五，第 35 页。
⑥ 见《琉球史料丛书》第四，第 65 页。

王叔尚金福于景泰元年(1450 年)“受遗命嗣大位”,翌年“遣使请封”;①

景泰四年(1453 年),尚金福之弟尚泰久被国人“议推”就任大位,景泰五年旋即遣使急奏,言称“长兄金福殂,次兄布里与兄子志鲁争立,两败俱殒,所赐印亦毁坏。国中臣民推臣权摄国事,乞再赐印镇抚远藩”云云。②

又如“第二尚氏”王统的奠基人尚圆,成化六年(1470 年)“即大位”,翌年则遣长史蔡憬等人,“奉表贡方物,并以尚德王讣告于朝,兼请袭爵”。③ 同样,尚圆之子尚真于成化十三年(1477 年)即位,同年秋便派遣长史梁应、使者吴是佳等,“以尚圆王讣告,并请袭封”;④尚真之子尚清于嘉靖六年(1527 年)接替王位,也是当年便遣使“奉表进贡,并请袭封”。⑤

如此种种,说明历代琉王更替,皆是请求中国皇帝册封,即便是日本庆长十四年(1609 年)发生日本萨摩藩入侵琉球,琉球王国受到萨摩制约的情况下,也始终未变。如天启元年(1621 年)尚丰接替尚宁王即位,第二年则遣使“奉表贡马及方物,并以尚宁王讣告,兼请袭封。又具奏乞二年一贡,以效忠顺”。⑥ 同样,时至清代康熙五十五年(1716 年)十月十一日,琉球王尚贞(1669—1709 年在位)世曾孙尚敬,照旧“循例请袭”王位,其在请封奏折中言称:“臣尚敬谨奏,为请封袭爵,以效愚忠,以昭盛典事……念臣小子曾孙承祧,然侯服有度,不敢僭称,王业永存,循例请袭……伏望圣恩体循臣曾祖事例,乞差天使,封袭王爵,上光宠渥之盛典,下效恭顺之微忱,庶藩业得以代代相传,顶祝皇恩世世不朽矣。伏祈睿鉴,敕部施行,臣敬不胜惶悚,待命之至,谨具奏以闻”云云。⑦

---

① 见《琉球史料丛书》第四,第 67 页。
② 《明史》卷三百二十三,第 8365 页。
③ 见《琉球史料丛书》第四,第 79—80 页。
④ 同上,第 85 页。
⑤ 同上,第 94 页。
⑥ 同上,第 113 页。
⑦ 见台湾历史语言研究所编:《明清史料》庚编第四本,第 308 页。

据琉球国史记载，从洪武五年(1372年)察度受诏奉表称臣算起，至崇祯六年(1633年)怀宗派遣户科左给事中杜三策、行人司行人杨抡往封尚丰王，明代中国皇帝总计册封琉球王应为21人(见表)。在此期间，《中山世谱》记载的王者为25人，也即只有在位不足三年的山北王怕尼芝之子珉(1393—1395年)，未尝即位而追尊为王的尚稷，和在位六个月的尚宣威(1477年)及明清交替之际的尚贤王，未及受封。①

历代琉球王受封一览表

历代皇帝	年号	西历	受封者	册封正使	册封副使
太祖	洪武十六年	1383年	中山王察度		
太祖	洪武十八年	1385年	山南王承察度、山北王怕尼芝		(赐镀金银印) (赐镀金银印)
太祖	洪武二十九年	1396年	山北王攀知安	受封于朝	
成祖	永乐二年	1404年	中山王武宁	行人时中	
成祖	永乐二年	1404年	山南王汪应祖	不明	
成祖	永乐五年	1407年	中山王尚思绍	未遣使	
成祖	永乐十三年	1415年	山南王他鲁每	行人陈季芳	
仁宗	洪熙元年	1425年	尚巴志	内官柴山	
英宗	正统七年	1442年	尚忠	给事中余忭	行人刘逊
英宗	正统十二年	1447年	尚思达	给事中陈傅	行人万祥
景帝代宗	景泰三年	1452年	尚金福	给事中陈谟	行人董守宏
代宗	景泰六年	1455年	尚泰久	给事中李秉彝	行人刘俭

① 据《琉球史料丛书》第四，第41、42—43、45、46、50、51、56、64、65、68、69、73、76、80、83、85、95、101、104、109、115、117页。其中，景泰三年往封正使，也有记作乔毅者，《中山世谱》记称“未知孰是”。

续表

历代皇帝	年号	西历	受封者	册封正使	册封副使
英宗	天顺六年	1462 年	尚德	给事中潘荣	行人蔡哲
宪宗	成化八年	1472 年	尚圆	给事中官荣	行人韩文
宪宗	成化十五年	1479 年	尚真	给事中董旻	行人司副张祥
世宗	嘉靖十三年	1534 年	尚清	给事中陈侃	行人高澄
世宗	嘉靖四十一年	1562 年	尚元	给事中郭汝霖	行人李际春
神宗	万历七年	1579 年	尚永	给事中萧崇业	行人谢杰
神宗	万历三十四年	1606 年	尚宁	给事中夏子阳	行人王士祯
怀宗	崇祯六年	1633 年	尚丰	给事中杜三策	行人杨抡

诚然，自洪武年间开始，中国皇帝在长达五百余年的册封中，由于种种原因（诸如倭寇的干扰、请封的迟缓、往封的准备等等），并非全是及时的，有的甚至隔上数年或十余年。但是，这种时间上的差距，并没有改变中琉册封关系的实质，也即君臣上下的主从关系。

对此，日本学界有谓中国皇帝对琉球的册封，“全然是没有任何实质的形式”。① 这种说法，实际是一种偏见。一者有如前述，中琉间的册封关系，自始便有政治上的含义。这在予以册封的一方如此，在请求和接受册封的一方也是如此。如成化十五年（1479 年），宪宗皇帝派遣正使董旻、副使张祥，往封尚真为中山王，尚真王于同年遣使谢恩的奏折中便称：“臣祖宗所以殷勤效贡者，实欲依中华眷顾之恩，杜他国窥伺之患。乞如旧制，令臣一年一贡，以保海邦。”②这种明确表示“实欲依中华眷顾”，以“杜他国窥伺之患”的记载，可谓从琉球王国方面又对中琉关系作

① 见下村富士男编：《明治文化资料丛书》第四卷外交编，开明堂 1962 年印刷版，解说词第4 页。
②《中山世谱》卷六，见《琉球史料丛书》第四，第 85 页。

了深刻的陈述。

再者，就中国皇帝册封琉球而言，也绝非所谓形式。如嘉靖三十九年(1560年)，琉球贡使至福建，“称受世子命，以海中风涛叵测，倭寇又出没无时，恐天使有他虑，请如正德中封占城故事，遣人代进表文、方物，而身偕本国长史赍回封册，不烦天使远临”。对此，礼部奏称：“遣使册封，祖制也。今使者欲遥受册命，是委君贶于草莽，不可一〔也〕”；“使者本奉表朝贡，乃求遣官代进，是弃世子专遣之命，不可二〔也〕”；“昔正德中，占城王为安南所侵，窜居他处，故使者赍回敕命，出〔于〕一时权宜。今援失国之事，以拟其君，不可三〔也〕”；“梯航通道，柔服之常。彼所藉口者，倭寇之警，风涛之险尔，不知琛賨之输纳，使臣之往来，果何由而得无患乎？不可四〔也〕”；“曩占城虽领封，其王犹恳请遣使，今〔琉球〕使者非世子面命，又无印信文移。若轻信其言，倘世子以遣使为至荣，遥拜为非礼，不肯受封，复又上书请使，将谁执其咎？不可五〔也〕”。故而，“乞命福建守臣仍以前诏从事。至未受封而先谢恩，亦非故事。宜止听其入贡，其谢恩表文，候世子受封后遣使上进，庶中国之大体以全”，“帝如其言”。①

由此可见，不论是册封还是受封者，均把中琉间的册封关系作为头等大事，非同儿戏，更非形式。

其二，琉球王国使用中国年号，奉行中国正朔。所谓的年号，也即纪年的名称。年号的使用，在中国始于汉武帝。是为中国封建皇帝治世的标志。尔后历代传承，乃至影响于日本。如日本庆应四年(1868年)九月八日宣布改元明治，天皇在诏书中则称：“体太乙而登位，膺景命以改元，洵圣代之典型，而为万世之标准。朕虽否德，幸赖祖宗之灵，祗承鸿绪，躬亲万机，乃改元，欲与海内亿兆更始一新，改庆应四年为明治元年。自今以后，革易旧制，一世一元，以为永世，主者施行。”②也就是说，每当改

① 《明史》卷三二三，列传外国四，中华书局刊本，第8367—8368页。

② 见指原安三编：《明治政史》1，庆应书房1943年版，第109—110页。

朝换代，新任皇帝都要实施“改元”，其意义在于宣布新王朝的确立。同姓皇帝承嗣即位之时，也要“改元”，颁布新年号，意在表明新任皇帝的统治。因此，凡是新王朝或新任皇帝政治权力所及的地方，都必然使用新年号，这本身便是一种法令。

明代洪武五年以后，琉球王国一直使用中国年号，直至1879年近代日本政府将其“废琉置县”，前后延用了五百年。这从现今保存的《辞令书》中，也即琉球王对下属官员、神女的任命书中，也完全可以看到：无论是其中最为古老的（1523年），还是最近的（1874年），任命书中所使用的年号，皆为中国历代皇帝的年号；而具体日期，则与中国历法相同，也即奉行中国正朔。① 关于琉球王国奉行中国正朔的时间，当是自洪武六年始。据《中山世谱》记载，洪武五年（1372年），察度王受诏，“即遣弟泰期，奉表称臣、贡方物。太祖赐王大统历及金织文绮纱罗各五匹”。七年，又“赐王历及币帛”。②

奉行正朔，实际也是一种法令。如日本明治五年（1872年）十一月九日宣布改用太阳历，将明治五年十二月三日，改为明治六年一月一日。当时明治天皇政权不仅举行改历仪式，告诸太神宫及历代皇灵，而且发布诏书曰：“朕惟我邦通行之历，以太阴之朔望为月，与太阳之躔度不合，故而二三年间必须人置闰月。置闰前后，季节时有早晚，至生推步之差，尤其中下段所揭，悉属荒诞无稽，妨碍人智开发者不少。盖太阳历依从太阳之躔度而立月，虽日期多少有异，但无季节早晚之变化，每四岁置一闰日，七千年后不过仅生一日之差，与太阴历相比，最为精密，其便与不便，无需待论。故而自今废除旧历，改用太阳历，使天下永世

---

① 参阅高良仓吉：《琉球王国》，岩波书店1993年版，第四章。其中谈道：1976年所确认的三份《辞令书》，一是明万历三十二年（1604年）任命边名地（位于琉球本岛北部）目差（地方官员）；二是万历三十五年（1607年）任命具志川神女；三是万历四十年（1612年）任命谢花掟职（地方官），三者皆有“首里之印”。高良氏认为，这三份《辞令书》表明：“即使在动荡的时局下，作成辞令书以任用人员的业务仍在继续，同时表明领取辞令书而就任地方官和神女的传统依然健在”（见同上书，第119页）。

② 见《琉球史料丛书》第四，第41页。

遵行，百官有司宜体认斯旨”云云。① 由此可见，确定正朔，在日本也是一种法令。

琉球王国使用中国年号，奉行中国正朔，意味着服从中国皇帝的政治统治，也意味着服从中国皇帝政权的法令。关于这一点，清代册封使周煌在其进呈的《琉球国志略》中，为后人记载了一个十分具体的事例。内称琉球国“历世凛奉正朔，贡使至京，必候赐时宪书赍回，而国中特设通事官，豫依万年书推算应用”。其书面上云：“琉球国司宪书官，谨奉敕令，印造选日通书，权行国中，以俟天朝颁赐宪书。颁到日，通国皆用宪书，共得凛遵一王之正朔，是千亿年尊王向〈归〉化之义也。”②

又据《明史》记载，正统元年（1436 年），琉球王尚巴志遣使请赐“本国陪臣冠服”之时，便称“小邦遵奉正朔，海道险远，受历之使，或半岁一岁始返，常惧后时”。③ 这说明请求中国颁布历法，也是当年琉球请封中的一项大事。它意味着琉球王与中国皇帝间的君臣上下关系，与客观的时间同在。

其三，向中国皇帝奉表入贡，以示臣从。琉球王接受中国皇帝册封后，为了表示“谢恩”，从洪武年间开始，便连续向中国皇帝“奉表，贡方物”。在明清二代五百余年间，琉球王对中国皇帝的朝贡，基本上是二年一贡。据琉球王府记载，当年琉球使者向中国皇帝进贡的路线是：从福州“至浦城县水路，从浦城县至浙江江山县清湖为陆路，自清湖至钱塘江水路，上岸后由杭州府经运河至张家湾水路”，然后进北京。全部行程 4912 里，大约需要 72 天的时间。④ 琉球使节向中国皇帝进贡，并非率全

---

① 见指原安三编：《明治政史》1，庆应书房 1943 年版，第 369—370 页。其中所说的“中下段”，是一种记时的方法。如中段内写入建、除、满、平、定、执、破、危、成、纳、开、闭等，以定吉凶（见新村出编：《广辞苑》，岩波书店 1993 年版，第 1668 页）。

②《琉球国志略》，见《台湾文献丛刊》第 293 种，第 120 页。徐葆光《中山传信录》中也有同样记载，但如引文括号内所加，将“向”字记作“归”字。见《和刻本汉籍随笔集》第十五集，汲古书院 1977 年版，第 138 页。

③《明史》卷三二三，列传外国四，中华书局刊本，第 8364—8365 页。

④ 见宫城荣昌等编：《冲绳历史地图》，柏书房 1983 年版，第 122 页。

员进京，只是由正副使节及其从者、通事 20 人左右进京，其余人员则滞在福州，允行就地贸易。

现今，日本学界研究中琉册封关系时，多是将琉球王向中国皇帝进贡，与其余人员滞在福州进行贸易混为一谈，甚至将琉球王对中国皇帝的进贡，淹没在福州的贸易活动中，笼统地称为"朝贡贸易"。其实，这是对中琉历史关系的误解。琉球王遣使向中国皇帝奉表贡方物，乃是臣从服属的实际表现。而且，中国皇帝回赐的物品，在实际价值上往往大于或多于进贡的物品，这更说明两者不是贸易交换。琉球使节历经水路艰辛，从福州北上的目的，也不是为了前往北京贸易，而是"代君行事"，有如前述，是向中国皇帝"以效忠顺"。① 当然，因为中琉之间存在着册封关系，势必也促进了两者的贸易。但是，进贡与贸易，不能混为一谈。

此外，在中琉册封关系中，还有一种内蓄政治含义的表现，那就是中国皇帝向琉球王赐姓。据《中山世谱》记载，明永乐二十年(1422 年)巴志即位后，于明宣德五年(1430 年)遣使贡马及方物，并具奏言："我琉球国，分为三者，百有余年，战无止时，臣民涂炭。臣巴志不堪悲叹。为此，发兵北诛攀安知，南讨他鲁每，今归太平，万民安生，伏愿陛下圣鉴。"②对此，明宣宗赐诏，特嘉其功。诏曰："尔琉球国，分为鼎足，人民涂炭，百有余年。复致太平，是朕素意。自今以后，慎终如始，永绥海邦，子孙保之，钦哉，故谕"。同年，宣宗遣内官柴山为正使，阮鼎为副使，赍诏至琉球，"赐王尚姓"。③ 这也是所谓琉球"第一尚氏"王统的由来。

及至成化五年(1469 年)，"第一尚氏"王统的第七代尚德逝世。本名金丸的御锁侧官(主管财物)，被群臣推举为君，并于成化七年以世子"尚

---

① 天启二年(1622 年)琉球王尚丰向中国皇帝的奏折(见《琉球史料丛书》第四，第 113 页)。同样，琉球世子尚敬在清康熙五十五年(1716 年)请封的奏折中也称："伏望圣恩体循臣曾祖事例，乞差天使，册袭王爵，上光宠渥之盛典，下效恭顺之微忱……"云云(见台湾历史语言研究所编：《明清史料》庚编第四本，第 308 页)。

② 见《琉球史料丛书》第四，第 58 页。

③ 同上，第 58—59 页。

圆”之名“来告父丧”,“兼请袭封”。① 成化八年(1472 年),明宪宗正使官荣,副使韩文前往琉球,谕祭尚德,封尚圆为琉球王。是为后世所称的琉球“第二尚氏”王统的开始。

中国皇帝对琉球王赐姓,可谓中琉册封关系的又一侧面。“尚”字,在中国古代用语中,具有管理帝王事物的含义。如“尚食”“尚衣”“尚书”,“尚”即执掌之意。“尚书”之官名,始设于战国时期,或称“掌书”。东汉时,“尚书”正式成为协助皇帝处理政事的官员。到了隋唐时期,中央枢要机关分为三省,“尚书省”是为其中之一,而且职权益加持重。明代以六部尚书分掌政务,六部尚书遂相当于国务大臣。中国民间姓氏,至少多达数百余家。明代皇帝专门谕赐巴志“尚”姓,而不赐其他姓氏,显然内含深蓄。从这个意义上讲,巴志接受“尚”姓,并请求“袭封”,则意味着琉球王接受了中国皇帝命其管理国政的委任。而本为“第一尚氏”臣下的金丸,自称“尚”姓世子,则意味着尚氏王统的延续,也是对中国皇帝臣属关系的延续。

以上种种,说明洪武年间开始的中琉关系,自始便是政治上的君臣上下的国家关系。但是,中国皇帝政府并不干涉琉球内政,而是“许其自治”。这可谓也是前近代的中国与周边国家关系的基本特征。中琉之间的这种关系,不同于近代资本主义国家与殖民地或半殖民地的关系,但也绝非日本近代政权要人所称的“徒有虚名”。

总之,明代以来的中琉关系,是以当时中国的政治、经济和文化为基础,以琉球请求、接受中国皇帝册封,遵从中国法令,使用中国年号、正朔,向中国皇帝称臣、纳贡等等为其实际内容的。这也就构成了中国皇帝政权把琉球视为“属国”的根本原因。而琉球王国之所以认同并追求这种关系的存在和延续,从根本上说,也是基于当时自身社会发展的需要。诸如在“入贡”的同时,可以与中国进行有利于本国经济的贸易,中

① 《琉球史料丛书》第四,第 80 页;《明史》卷三百二十三,第 8365 页。

国皇帝除了回赠珍贵物品之外，还赐予钱币、船舶等等。[①] 从而，又构成了中琉两国间的经济关系。此外，对中国先进文化的吸收，历代“寨官”“陪臣”子弟前来入学，也是构成明代中琉两国关系的内涵。诚然，时至近代，继续维系这种关系，已经落后于时代，但 1872 年以后，日本天皇制政权强行“处分”琉球，则反映了近代资本主义弱肉强食的法则。而中国皇帝政府和琉球王国之所以要求维持两者的关系，除了保持琉球社稷之外，在某种意义上，也是对抗资本主义入侵的一种手段。

四　近世的日琉关系

1　日本庆长年间之前的对琉关系

有如前述，十五世纪初期，琉球曾向日本派遣官船从事贸易，后因“应仁·文明之乱”，日本对琉贸易的控制权逐渐落到了萨摩岛津氏的手里。但是，西海豪族大内义兴、筑前太守藏亲家、九州探题（地方官称）涩谷义俊等，也向琉球派遣船只。琉球从日本输出刀、扇、屏风、漆、砂金和铜等，并将之向中国和南方各国输送。据称，当时的琉球曾在那霸亲见世地方建有掌管贸易的机构，并设有保管贸易品的仓库（称作“御物城”），由“御锁侧官”的下属负责具体事务。[②]

据《中山世谱》附卷记载，琉球与萨摩岛津氏的官方往来，是在尚真王之子尚清在位期间。内称：“嘉靖年间（1522—1566），为纹船使事，遣天界寺月泉长老、世名城主良仲，到萨州”。但具体年月不传。[③] 其中所谓的“纹船”，实际是船头绘有青雀黄龙的官方贸易船。日本学者将之称为“是对岛津氏的正式的官贡船”，不知依据何在。又据《岛津国史》卷十

① 如《中山世谱》记载，洪武五年“赐泰期衣币”，七年“赐王历及币帛”，永乐三年成祖“赐衣币”等。

② 参阅宫城荣昌：《琉球の历史》，第 70、74 页。

③ 见《琉球史料丛书》第五，附卷部分，第 4 页。

二记载，琉球最初向萨摩派遣“纹船”，是为日本文明十三年(1481 年)。[①] 两者有几十年的差距。但当时萨摩岛津氏对琉球的关系，基本上是对等的。

如日本永正五年(1508 年)三月十二日，岛津忠治在写给琉球王的信中便有“抑我国以贵国为善邻焉，实〔非〕他国之可比量者”。[②] 日本天文三年(1534 年)的书信中，又谓“本藩以与贵国同盟之故”。[③] 及至永禄十一年(1568 年)，琉球宫古岛的运租船漂至萨摩领内，后被岛津忠良送还。翌年，琉球王尚元遣使谢忱之际，三司官致鹿儿岛奉行所的书信中，也称两国“往古之坚盟，有连续者也”。[④] 永禄十三年(1570 年)三月二日，萨摩藩主岛津贵久致聘琉球王尚元，告诸将萨摩、大隅、日向三州的守护职让给义久的信中，也称萨摩、琉球的关系，乃是“自他和好，共全唇齿之邦者也”。[⑤] 至于岛津义久在给尚元的信中，用语更为谦和，内称“贵国与陋邦，虽隔鲸海千里，〔但〕从往昔〔便〕有昆弟之约”，并表示欲“修邻好之交义”云云。[⑥]

此外，岛津氏对琉球王的称谓，则是多用“殿下”，少用“中山王阁下”。但永禄十三年(1570 年)三月一日，日本越前守村田经定致琉球王的信中，则称“陛下”，而天正十三年(1585 年)，岛津义久在致琉球王的信中，也有“抑加敕谕”字样。[⑦] 对此，日本学者东恩纳宽淳氏指出：总之，时至〔日本〕庆长之前，萨摩对琉球“使用善邻、同盟、昆弟之对等文字”，“岛津氏对琉球的地位，并不甚高，莫如说是对等的国际关系。因此，在相互往来的文书中，常用对等之礼，毫无命令或下达的意味”。[⑧]

---

① 见宫城荣昌:《琉球の历史》，第 95 页。

② 见《东恩纳宽淳全集》第 2 卷，第一书房发行，1978 年版，第 17 页。

③ 同上。

④《琉球萨摩往复文书案》，《岛津国史》卷一八。见宫城荣昌:《琉球の历史》，第 96 页。

⑤ 见宫城荣昌，同上书，第 96 页。

⑥ 同上，第 96 页及《东恩纳宽淳全集》第 2 卷，第 17 页。

⑦ 见《东恩纳宽淳全集》第 2 卷，第 17 页。

⑧ 同上。

那么，琉球对岛津氏的地位又当如何呢？据东恩纳氏研究，日本大永六年（1526年）尚真王在给岛津氏的回信中，则称“琉球世主返报岛津相模守殿”。同样也是对等通交，而且是基于岛津氏的要求，仅表同意修交而已。[①] 又如，日本元龟元年（1570年），琉球王尚元在给岛津氏的回信中，自称“中山王进献岛津修理大夫殿围章”。而内中则称：“殊修邻好之交仪，倍联绵事，此方以为可同意也。”[②]再如，日本天正十二年（1584年），琉球三司官致鹿儿岛奉行的书简中，又有“尚〔倘〕自今以后，不违旧规，可修邻好，事所庶冀”字样。[③] 这进一步表明了琉球对萨摩的地位。同样，当时琉球对其他日本大名，也是对等关系。如大永元年（1521年），琉球王尚真在通知武藏守种子岛时尧，准其船舶来航的书翰中，则有“贵国船舶贩运之事，妙满寺业已通知我方，那霸奉行据以呈报三司官。种子岛以往对琉球有忠节之义，自今年起，可准许贵国一艘船舶贩运之事，特此谕知”。这一信件说明，当时的“琉球完全是以本国的权能来准许交通贸易的，从琉球来看，岛津氏也不外是一贸易国而已”。[④]

此外，日本天文三年（1534年），日本地方豪族和泉守三宅国秀，试图出兵征讨琉球。岛津氏在将此事报知琉球的书简中言称：“此辈〔虽〕借得命于幕府，不得假道于敝邑，其无如贵国何。”[⑤]用现代的话说，即三宅国秀虽假命于幕府，但其不能通过我之领地，又能对贵国如何呢？对此，日本学界有人认为，这是岛津氏对琉球“卖恩”。但东恩纳氏认为，从上述行文可知，“既使是岛津氏本身，也不认为琉球全然在自家领内”。[⑥]

日本明治初期完成的《南聘纪考》（编者伊地知季安父子），在嘉吉元

---

① 见《东恩纳宽淳全集》第2卷，第17页。

② 同上。

③ 同上，第18页。个别文字、断句，稍有改动。

④ 同上，第18页。

⑤ 同上。

⑥ 同上。与此同时，东恩纳氏还谈道：日本永正十三年（1516年），备中莲岛的三宅国秀欲征琉球，并在萨州的坊津整备舟师，萨摩岛津忠隆向幕府请命讨之。“如果当时一般承认琉球纯然是岛津氏的附庸国，那么〔三宅国秀〕有胆量在岛津领内整备军旅吗？”见同上书，第16页。

年(1441 年)条内记称:“琉球国,原冲绳岛。自往古列(入)十二岛,附庸于萨摩方者久矣。事见长州藏本《平家物语》。自得佛公(久经)补之地头,大抵二百五十余年。其间,渐为战国、南北分朝,我藩亦剧扰,未暇以怀远邦。由是,琉球遂臣外国”云云。① 用当代学者的话说,这种说法,乃是为了“使后世的事实正当化”。② 进而,从东恩纳氏的上述研究来看,显然也是违背历史事实的。

东恩纳氏认为:“总之,室町氏初叶以来〔指十四世纪中期足利氏建室町幕府以后——本书注〕,盛行奖励外国贸易,诸国诸岛商船往来之时,琉球商船也来兵库或萨州之坊津从事交易。细川、今川、山名、大内等西国大名,据以博得巨富,自不待论。因此,是等诸大名觊觎室町氏之利,也是事实……。于是,幕府实施有利监视,以保护其利润。然而,明德二年(1391 年),山名伏诛,应永七年(1400 年),今川、大内相次灭亡,幕府论功,将琉球给予岛津氏,以委任其监视贸易。嘉吉元年(1441 年),幕府将琉球让与岛津氏,实际也依然不是将全部所有权转移,不是将琉球置于岛津氏的政令之下。就幕府本身而言,其历来承认琉球独立,对之绝没有纯然的所有权。室町氏历来的主义,与其说重视其土地,莫如说重视贸易之利。因此,即使说将琉球给予岛津氏,其实也只是针对琉球贸易,付以特别权利而已……。《通航一览》的作者论定:‘彼国〔琉球〕,在萨摩方面徒谓附属,但无现今君臣附属之姿’,可谓揭穿真相之言。”③

再者,日本天正十年(1582 年),武藏守龟井兹矩向丰臣秀吉请赐琉球时,丰臣秀吉为了获得地方大名的支持,曾经取下腰扇,为其写上“龟井琉球守”字样。其意思是,征服后予之。姑且不论这是当时的“风习”,

---

① 见宫城荣昌:《琉球の历史》,第 94—95 页。

② 同上,第 95 页。

③ 见《东恩纳宽淳全集》,第 2 卷,第 18—19 页。内中所谈到的《通航一览》是 1853 年由德川幕府大学头林炜主持编纂的。

仅就此事而言，也可说明当时的琉球，并非萨摩附庸。① 因此，东恩纳氏明确地认为："（日本）庆长以前的萨琉关系，有如学者历来所说的，并没有政治性的意义，莫如说是经济性的"。而所谓"彼琉球国，附庸于我藩久矣"等等，"显然是庆长以后，岛津家的政治学者人为的豪言壮语"。②

2 1609年萨摩藩出兵琉球

日本庆长十四年（1609年、万历三十七年），萨摩岛津氏在业经幕府许可的情况下，出兵入侵琉球。对此，日本学界有人将之称为"岛津氏入琉球"。显然，这是含糊不清的。

关于这次入侵事件，专门研究萨摩岛津氏的三木靖氏，在著书中作了如下记载："庆长十四年三月四日，大将桦山久高、副将平田增宗和士兵三千人，搭乘兵船一百余只，自九州山川港出发，平定大岛、德之岛、永良部岛，二十五日从古宇利岛登陆，四月五日占领首里城，最终平定琉球。五月十七日〔萨军〕带着尚宁王、具志头王子朝盛以下一百余人质，从今归仁出航，二十四日返回山川。六月二十三日尚宁进入鹿儿岛，会见岛津氏。因平定琉球的消息，七月五日将军秀忠下书岛津氏，七日家康下达了书简和领有统治琉球的黑印状。岛津家久和尚宁一道，于庆长十五年（1610年）五月从鹿儿岛出发，在骏府见家康，在江户见秀忠。十二月返回鹿儿岛。翌年九月，尚宁归还琉球"。进而，三木氏又称："这次平定琉球之策，系因尚氏对岛津氏负债不还，对幕府诸藩对〔琉球〕漂流民之好意有欠礼节，但目标是以琉球为中介而开始日明贸易。至此，业已支配了二国一郡的岛津氏，又增加了一国的统治，扩大了领国范围"。③

三木氏的上述记载，应该说是比较具体的。但是，其中也留下了重大疑问。其一，何谓"平定琉球"？令人不解。因为萨摩入侵琉球之前，

---

① 参阅《东恩纳宽淳全集》，第2卷，第18页。

② 见同上书，第19页。

③ 见三木靖：《战国史丛书10·萨摩岛津氏》，新人物往来社1972年版，第267—268页。

琉球王国对日本既没有骚扰，也谈不到什么反叛之罪。“平定琉球”的说法，虽是源于当年萨摩向幕府的呈报，但不符合日琉之间的实际关系。其二，文中所谓“〔庆长十四年〕七月五日将军秀忠下书岛津氏，七日家康下达了书简和领有统治琉球的黑印状”，用语亦属含糊不清。因为秀忠下书系给何人、所谈何事不明。又谓家康下达领有统治琉球的黑印状，在日期上虽属明确，但谓何人领有？且无所据资料来源。因而，有关事件仍需考证。

总之，1609年萨摩入侵琉球，在近世日琉关系史上是件大事，也是现今学界研究琉球历史的焦点问题。诸如萨摩何以入侵琉球、目的何在？萨摩入侵后的日琉关系如何？以及萨摩所谓“领有”琉球的依据何在等等。为此，本书试从现今日本学界的研究谈起，以期寻求上述问题的历史真相。

首先，关于萨摩何以入侵琉球、目的何在问题。就笔者所接触到的著书而言，日本学界可谓因人而异。如大城立裕氏在著书中认为，萨摩入侵琉球的真正原因，一是基于确保并发展日本对明贸易的意志和欲望；二是借助日本战国之“余势”，与丰臣秀吉入侵朝鲜具有共同的性质。① 但宫城荣昌氏认为，“萨摩侵略琉球的真正目的，在于以支配异国的事实，向诸国大名夸耀萨摩的权威，并垄断对明贸易利益”。② 而比嘉春潮氏则强调，因为萨摩“入琉球的主要目标，在于夺取中国贸易的利权，所以岛津氏首先要把琉球置于自己的统制之下”。③

此外，前述三木氏又称：出兵琉球的计划与实施，是由岛津氏进行的。“就此而言，所谓平定琉球攻击尚氏，与为了平定大隅而攻击蒲生氏，或为了平定北萨摩而攻击入来院氏相类似”。“但是，没有统一政权的稳定，没有统一政权的支援，则不能平定琉球”。当时的岛津氏完全被组织在统一政权之下，没有出兵和开战的权能，岛津氏作为战国大名的

---

① 见大城立裕：《冲绳历史散步》，第62—63页。

② 见宫城荣昌：《琉球の历史》，第106—107页。

③ 见《比嘉春潮全集》第1卷，第554页。

性格几乎消失了，但在这次平定中所发挥的，则是其保存的某些性格，“从这个意义上讲，平定琉球是战国大名岛津氏所进行的〔诸侯〕会战的终结”。①

与三木氏上述观点相近的，是被誉为具有敏锐洞察力的仲原善忠氏。仲原氏认为，萨摩出兵琉球的动机，“全然是日本全土的统一运动，贸易问题不过是附带性的”。至于“直接动机”，仲原氏则列举了以下具体事例。诸如：琉球没有负担所谓“朝鲜之役”（指 1592 年丰臣秀吉出兵入侵朝鲜战争）的义务，岛津氏为之垫付，但琉球不予偿还，成为悬案；日本庆长七年（1602 年）冬，琉球船漂至奥州，幕府将之送往萨摩，萨摩遣舟送还，要求琉球对幕府还礼，但琉球没有实施；庆长八年，琉球报恩寺的忍文长老，到萨摩祝贺岛津家久就任藩主，是时，萨摩也曾要求琉球向德川家康致礼，翌年二月，岛津义久致书尚宁王催促此事。但琉球依然未予回应；庆长十年（1605 年）七月，琉球船从福州返航途中，漂至日本平户，平户方面将此事报告骏府及江户，幕吏指令予以就济、送还，并要求琉球对以往送还漂流船之事“谢恩”等等。根据以上事例，仲原氏认为：“〔琉球〕伤害了幕府和萨摩的威信，是极为非礼的。因而，也就有了讨伐琉球的充分理由。”②

如果将上述各家见解稍加归纳一下，可谓有两点比较接近的地方：一是认为萨摩入侵琉球，目的在于保持对明贸易；二是认为萨摩入侵琉球，乃是日本国内的统一战争。显然，这是两种不易协调的见解，又都有另行分析的必要。

首先，就萨摩入侵琉球是所谓“统一运动”而言，有如前述，十六世纪中后期的琉球，与日本萨摩藩的关系，基本上是对等的。琉球王国拥有自身的统治体制，对内对外实施本国的“权能”。如东恩纳氏所说的，“就幕府自身而言，也是历来承认琉球的独立，对其绝没有纯然的所有权”。③

---

① 见三木靖：《萨摩岛津氏》，新人物往来社 1972 年版，第 268 页。

② 见《仲原善忠选集》上卷，冲绳タイムス社 1969 年版，第 255—256 页。

③ 见《东恩纳宽淳全集》第 2 卷，第 19 页。

而且，当时的琉球早已同中国形成了君臣关系，接受中国册封，奉行中国正朔等等。琉球既不是日本的"战国大名"，也不是日本的一部分，从何谈起"统一运动"？又如前述日本天正十年(1582年)，龟井兹矩向丰臣秀吉请赐琉球时，便曾明确言称："公若能诛杀〔明智〕光秀，则日本六十余州将归于掌中。我在国内无所希求。请赐给琉球"。[①] 显然，这是把琉球作为日本国外的又一证据。同样，前述日本永禄十三年(1570年)三月初二，萨摩藩主岛津义久在致琉球王的信中也称："贵国与陋邦……从往昔〔便〕有昆弟之约"，也是把琉球作为与日本不同的国家。

上述事实，证明琉球"自为一国"。至于龟井、三宅等战国大名均有出兵琉球的欲望，以及所谓岛津氏自认为与琉球拥有"特殊关系"等等，则只能说明日本的武家势力企图染指琉球，并不能说明琉球是日本的一部分。若谓日本全土的"统一战争"，不论是"余势"还是"大势"，皆应在日本领土范围内进行。因此，所谓"全然是日本全土的统一运动(或统一战争)"，毫无根据。而谓其"与丰臣秀吉的征韩之役具有相同的性质"，[②] 则恰是切中要害。但人所共知，丰臣秀吉所发动的两次"征韩之役"，绝不是日本国内的统一战争，而是对外发动的侵略战争。

其二，关于萨摩入侵琉球是为了保持对明贸易的见解，也当另有说明的必要。对此，仲原氏在有关研究中指出："不能否定岛津氏希望贸易利益"，但"当时还没有锁国的想法，德川家康和岛津氏都在致力于海外贸易，而且是正在实行的时代"。[③] 日本历史表明，德川幕府发布"锁国令"，起于1624年禁止西班牙人来日本通商；继而1633年，禁止持有"奉书"以外的船舶出海；及至1635年(宽永十二年)，全面禁止日本人出海，也不准在外居住的日本人归国，从而构成了全面的锁国政策。[④] 从这个意义上讲，仲原氏所说的"贸易问题不过是附带性的"，有一定的理由。

---

① 见比嘉春潮：《新稿・冲绳の历史》，三一书房1970年版，第159页。

② 见大城立裕：《琉球の历史》，第63页。

③ 见《仲原善忠选集》上卷，第259页。

④ 参阅田名网宏：《新日本史研究》，旺文社发行1964年再版，第215—216页。

但所谓萨摩"出兵琉球的动机，全然是日本全土的统一运动"，则有如前述，与事实不符。

那么，萨摩入侵琉球的原因何在，其根本的目的是什么呢？对此，大城立裕氏在其著书中，列举了 90 件有关日琉关系的大事。现以之为主要线索，将其中临近萨摩出兵的大事，依次说明如下：

1572 年（日本元龟三年），萨摩藩致书琉球三司官，内称"由于三州〔萨摩〕兵火不断，近年前往琉球的海船规制不足。今后无有萨摩正印之渡琉船只，可没收财物，充作贵国公用。有关规制渡琉船只，请充分注意管理为要"。① 对此，大城氏认为，此时的萨摩岛津氏有北进"制霸"九州之势，并有"支配渡琉船只的动向"。② 继而，1574 年（日本天正二年）岛津家老致书琉球，认为琉球接待萨摩使者有违旧历，促其反省。翌年，琉球王尚永遣使至萨摩，经解释情由，缓和了双方的矛盾。

1579 年（日本天正七年），萨摩派遣使者山下筑后向琉球王国报聘平定九州，以修旧谊。并称"九州大半，已被置于岛津伞下。以往贵国误以为是本国也让商船往来，但经屡次恳切希望，郁愤全消，今遣国吉丸前往，在待遇方面请予关照"云云。但有如同年中国册封使谢杰归国之后所说的，"琉球有日本馆，数百众人等待册封使船。当地成为商卖之市，但出入者携带刀剑，琉人畏之"（《福州府志》）。这说明当时萨摩对琉球的贸易活动，已带有以强凌弱的非和平气氛。③

1587 年（日本天正十五年），丰臣秀吉平定九州，岛津氏也屈从于丰臣秀吉的旗下。翌年八月，岛津义弘进京谒见秀吉之际，秀吉告以欲使琉球"服属"之意，并让岛津义弘遣使，催促琉球前来通聘，献纳对明贸易"勘合符"。同年年末，岛津义弘派遣大慈寺僧龙雪，持书赴琉。其书信中披露了丰臣秀吉企图征伐朝鲜、中国，并称"且屠汝国〔琉球〕，及今之

① 见大城立裕：《冲绳历史散步》，第 72 页。

② 同上。

③ 同上，第 74 页。内中《福州府志》所载，未及查阅原文。

时，宜其遣使谢罪，输贡修职，则国永宁矣”。[1] 天正十七年（1589 年），丰臣秀吉的手下奉行石田三成等，也致书岛津义久，言称琉球若是依然迟误，则可用兵。[2]

1591 年（日本天正十九年），丰臣秀吉决心入侵朝鲜，并以岛津氏为中介，要求琉球出兵。同年九月（也有记作十月者），岛津义久致书琉球王尚宁。内称秀吉“命令两国合计出兵一万五千人。此事由萨摩承担，琉球应代之以运送七千人十二个月的军粮，于来年二月之前，送到坊津。过后则要送往高丽、唐土。此外，名护屋正在筑城，琉球当以金银米谷扶持劳务”。[3] 当时，丰臣秀吉也致书琉球王。言称“吾起于卑微，入主日本六十余州。遐迩之地，无有不朝贡者。汝琉球王，据弹丸黑子之地，依仗远海，尚未入贡。吾告诸汝，明年春季，吾将先伐朝鲜，汝当带兵来会。若不奉命，则先灭汝国，玉石俱焚。汝当好自为之”。[4] 据称，琉球三司官见信后大为惊愕，并通过明代商船，将此事告诸中国。[5]

又，《琉球萨摩往复文书案》记载，亀井兹矩在同年（1591 年）曾向丰臣秀吉要求准其征伐琉球。据说，由于岛津义久和岛津义弘通过幕府奉行石田三成等，陈述萨摩历来与琉球拥有“特殊关系”，才得以中止。[6] 而大体在此期间（年号不明），岛津义久在给琉球王的信中也说：“亀井武藏守，望为琉王，其意已决，欲赴渡楫。予闻之依讼，属化遁其难。琉国之安全，岂非吾计乎？”[7]这可能是岛津氏自以为对琉球拥有“特殊关系”的原因。然而，据比嘉春潮氏研究，当时的丰臣秀吉，并没有把琉球作为萨摩岛津氏的领国，而是命令岛津氏代为“协力处置”，并企图根据情况，“改易”琉球王。丰臣秀吉的这种态度，使萨摩岛津氏感到不安。其意图

① 见宫城荣昌：《琉球の历史》，第 98 页。
② 同上。
③ 同上，第 99 页。
④ 见《仲原善忠选集》上卷，第 250—251 页。
⑤ 见宫城荣昌：《琉球の历史》，第 99 页。
⑥ 同上。
⑦ 同上，第 100 页。

虽然没有实现，但结果却强化了日本统治者对琉球国的政治性支配的欲望。①

1593年(日本文禄二年)，琉球王尚宁在岛津氏遣使督促之下，派遣天王寺菊隐、摩文仁亲方安恒，向萨摩运送军粮，但只有预定数额的一半，而其余的则成了琉球对萨摩的“负债”，同年，由于日明议和，丰臣秀吉撤兵。但九州诸侯(包括萨摩)的入侵部队，依然留在朝鲜。因而，是年十二月，岛津义久督促尚宁运送军粮。翌年(1594年)六月，尚宁王遣使赍书，内称“国穷岛疲，民无计偿出”，“只愿悯察，以加恩优，邻好益修，永奉聘贡”。② 这是根据《南聘纪考》一书的记述。但日本学界认为其可信程度不高。③ 据琉球王侍从《喜安日记》的记载是，尽管萨摩岛津氏加以催促，但琉球王依然不应，以致萨摩岛津氏迫使琉球，在“执行徭役，还是割让大岛”上作出选择。对此，当时身为琉球三司官的谢名亲方，加以断然拒绝。④ 因此，比嘉春潮氏认为，无论是“负债”，还是拒绝萨摩的要求，都加深了琉球与萨摩的疏远，并造成了萨摩“入琉球的口实”。⑤

1597年(日本庆长二年)，丰臣秀吉第二次遣兵入侵朝鲜(日本史称“庆长之役”)。但在中朝联军的抗击之下，侵朝日军未能达到目的。翌年，丰臣秀吉死去，日军退回国内。此后，日本国内又出现内战。而此时中国的明王朝，因丰臣秀吉两次入侵朝鲜，故而愈发严厉禁止对日贸易。比嘉春潮氏认为，这对于先前因中国船只往来通商，而领有繁荣港口的

---

① 见比嘉春潮:《新稿・冲绳の历史》，第163—164页。比嘉春潮氏的这一见解，似根据小叶田淳氏的著书《中世南岛通交贸易史の研究》而立论的。见大城立裕氏前揭书，第78—79页引文。

② 据《南聘纪考》，见宫城荣昌:《琉球の历史》，第100页。

③ 见大城立裕:《冲绳历史散步》，第65页。

④ 见宫城荣昌，前揭书，第101页。对此，仲原氏在前揭书中谈道:《喜安日记》把谢名一人作为萨摩入侵琉球的责任者，加以非难。但其任职三司官的时间为1606年(庆长十一年)。然而，《中山世谱》附卷尚宁王条内，也称“原是本国与萨州为邻交，纹船往来者，至今百有余年，奈信权臣邪名之言，遂失聘问之礼。由是，桦山……等奉命来伐”(见《琉球史料丛书》第五，附卷部分，第5页)。

⑤ 见比嘉春潮:《新稿・冲绳の历史》，第164页。

岛津氏来讲，如何获得琉球在对明贸易上的地位，则成了财政上的“切实要求”，以及“愈发决定处置琉球国的机缘”。①

1603年（日本庆长八年），德川家康经过“关原之战”（1600年）后，正式建立幕府政权。是时，幕府向萨摩岛津忠恒（义弘之子，后改名家久）颁发“朱印状”，使萨摩得以派船前往现今的泰国、柬埔寨、越南和“西洋”等地。

1606年（日本庆长十一年、明万历三十四年），德川幕府命令岛津忠恒，凡是到达萨摩领内的外国船只，皆要遵照长崎奉行的指挥处置。同年四月，萨摩岛津义久、岛津义弘与岛津忠恒等，共同商议入侵琉球北部的大岛。据称，这是为了“解救慢性的财政穷困”。② 其计划的内容是“占领大岛”。③ 同年六月，岛津忠恒改名家久，并通过幕吏山口直友，而获得幕府的许可。但因准备尚未就绪，故而未能立即实施。同年九月，岛津义久根据幕府的意见，致书琉球王尚宁，内称“我将军忧虑〔指明代禁止日本商船往来——本书注〕之余，欲使家久与贵国协商，让大明商船年年到琉球，且与日本商贾互通财货之有无”。继而又称，此种贸易不仅富裕日本，且使“贵国之人共富润室，而民亦歌于市、忭于野，岂非太平之象哉”。④ 与此同时，岛津家久也致书中国册封使夏子阳，要求派船前来萨摩。但夏子阳禁止册封船的随行人员与日本人通商，并对日本人在琉球携持刀剑进行贸易表示反感。⑤ 据称，当时的琉球也没有“关心”岛津义久促使向幕府致聘的要求。至此，比嘉春潮氏认为，此时的“幕府似乎对琉球在理应致聘上的缺欠表示意外，并为了使琉球成为对明贸易的媒介者，遂对岛津氏征讨琉球作了秘密许诺”。⑥ 据称，此时幕府预定次年在

① 见比嘉春潮：《新稿・冲绳の历史》，第164页。
② 见大城立裕：《冲绳历史散步》，第80页。
③ 见《仲原善忠选集》上卷，第256页。
④ 见宫城荣昌：《琉球の历史》，第102页。
⑤ 见大城立裕，前揭书，第80—81页。
⑥ 见比嘉春潮：《新稿・冲绳の历史》，第164—165页。

骏府筑城，为了使萨摩专心征讨琉球，还免去了萨摩的筑城负担。[①]

1608年（日本庆长十三年），岛津氏根据幕府的命令，派遣大慈寺僧龙云前往琉球，再次督促来聘。而幕吏山口直友则在同年八月十九日和九月五日，致书岛津家久，要其在完成出兵准备之后，应对琉球进行交涉。[②] 这说明幕府对如何实施的问题也有考虑。

1609年（日本庆长十四年、明万历三十七年）二月，岛津义久致书琉球王尚宁，大意是："业已再三通信。龟井武藏守想作琉球王，是我因旧情向太阁〔丰臣秀吉——本书注〕请求而中止的，但却忘记恩情。又，追惩朝鲜之时，殿下也有违尊命。前年琉船漂流之际，将军将之送还本国，但有欠回报之礼。加之将军欲使贵国为媒介，使大明国与日本通商之事，虽经遣使相告，但也疏略，实属非理。故而，现已获得诛惩琉球国之朱印，正在急速准备兵船渡海。贵国自灭，怨恨于谁？不过，倘若努力通融日明，本人将尽心谋求琉球国之安泰。因难舍往古之好，故而投书"云云。[③] 至是，未及琉球作出反应，萨摩便已兵船过海入侵大岛了。

综上所述，可以看出：1609年萨摩入侵琉球，实际是早有蓄谋。其直接原因，似因琉球自为一国，没有完全依照日本幕府和萨摩的意志行事，诸如拒绝如数提供侵朝军需，并将情报通知中国，从而"得罪"了日本。而中琉之间的相互贸易，更使幕府和萨摩的统治者垂涎欲得。前者可谓"欲加之罪，何患无辞"；而后者则是追求实际物质利益之所在。宫城荣昌氏指出："特别是由于萨摩岛津氏参加文禄、庆长之役和关原之战，支付了大量的军费，苦于填补。为了解决这一危机，除了将琉球置于领国之下，使之作为对明贸易的中介而自由颐使之外，别无他策。"[④]这恐怕正是萨摩入侵琉球的基本原因之一。由此可见，所谓"垄断对明贸易"，当是夺取琉球对中国贸易的实际利益，以弥补自身的财政困境。这一点也

---

① 见《仲原善忠选集》上卷，第256—257页。

② 同上，第257页。

③ 见大城立裕，前揭书，第82—83页。

④ 宫城荣昌，前揭书，第102页。

就决定了萨摩入侵后，对琉球所采取的掠夺方式。而所谓日本全土"统一运动"的说法，恕我直言，不过是为近代日本政府强行占有琉球，寻求历史"根据"而已。

3　萨摩入侵后的日琉关系

关于萨摩入侵后的日琉关系，有如前述，由于日本学界在何以入侵琉球问题上的多种见解，因而也是众说纷纭，记述不一。如仲原氏的结论是：萨摩入侵琉球之后，"出现了残存所谓王国外表的岛津支藩化的新琉球"。但也承认"对于这个问题的评价，是相当困难的"。① 为了便于陈述，本书拟就琉球国史《中山世谱》等原始记载，结合日本学界的研究成果，分次说明如下：

其一，萨摩入侵琉球，首先是给琉球王国带来了一场前所未有的浩劫。据佚名作者《琉球渡海日记》记载，当年四月一日，萨军三千余人在大湾（渡久地）登陆后，便是一边到处放火，一边向首里城逼近，以致沿途百姓弃家逃奔。四月五日，萨军进入首里后，说是接管首里城，而实际是进行洗劫。据载，当时萨军以桦山久高为首的主要将领分为四组，分别带领入侵士兵，将首里城中的金银、丝绸和珍贵物品，凡是"在日本没有见过、没有听说过的"，概行登记造册，攫为萨摩所有。仅此一事，便花费了七、八天的时间。然后，则是将之分批运往那霸，再从那霸运往鹿儿岛的山川港。② 也就是说，琉球国中的金银财宝，凡是有价值的物品，尽被萨军掠劫而去。前已提及的《喜安日记》中也称："有如家家日记、代代文书、七〔奇〕珍万宝，尽失无遗。"③致使后世琉球连编修国史，也极为困难。

关于萨摩对琉球的洗劫，琉球国史未敢明确记载。因为有如前述，

---

①《仲原善忠选集》上卷，第 271 页。

②《琉球渡海日记》，见同上书，第 265 页；宫城荣昌：《琉球的历史》，第 108 页。

③ 见宫城荣昌，前揭书，第 107 页。

萨摩入侵后，琉球国史所载，需呈送萨摩藩主审视。但《中山世鉴》还是隐含地记载了这一事实，内称："琉球往古满是金银，或制簪，或作祭器，又与大明、暹罗、日本等等往来商贾……数百年后传至尚宁，失于已酉之乱"。[①] 这"已酉之乱"实际便是日本庆长十四年萨摩入侵琉球。后来，乾隆十年(1745 年)成书的《球阳》中，在尚宁王卷内，也记述了那霸金库被毁的事情，内称："万历年间，亲见世地内，有一公藏，名之曰金库，有大屋子笔者，属于锻冶奉行，办理此事。但至于近世，毁其公库"。[②] 亲见世公库乃是琉球储藏财物和贸易物资之地，所谓"近世"被毁，实际也是萨摩的浩劫，唯是依然没有公开指明而已。

现今，日本学界注意到了十六世纪中后期，葡萄牙商人东进，以及中、日两国对外贸易等等，对琉球从事中介贸易所造成的影响，但却没有意识到 1609 年萨摩对琉球金银财宝的掠夺，对其国势衰落所造成的影响，这显然是一大缺憾。

其二，扣压人质、迫使琉球王尚宁屈从。有如前述，萨军入侵琉球后，将尚宁王等一百余人俘至鹿儿岛。在此期间，除了将尚宁等人带往骏府、江户，谒见幕府将军而外，实际是将之扣压在萨州，使之不得生还。据载，及至日本庆长十六年(1611 年)九月十九日，尚宁王等在被迫出具"誓文"的情况下，才得以生还，前后被拘留长达二年五个月之久。

日方记载，当年琉球王尚宁在写给岛津家久的"誓文"中言称："琉球自古为萨州岛津氏之附庸，故而太守让位之时，舣船奉祝，或时以使者、使僧，献纳隔邦之方物，其礼仪终无怠矣。尤在太阁秀吉之时，被定置附于萨州，有相勤诸役之旨，虽无其疑，但远国之故，不能相达右之法度，多罪多罪。因兹琉球国被破，且复寄身于贵国，永止归乡之思，宛如鸟在笼中。然有家久公之哀怜，匪啻遂归乡之志，且割诸岛以赐我。如此之厚恩，当何以奉谢之哉。世世代代对萨州之君，不可有丝毫疏远之意。子

① 见《琉球史料丛书》第五，第 35 页。

② 见球阳研究会编：《冲绳文化史料集成 5 球阳》卷四，角川书店 1974 年版，第 211 页。

孙传让，不可忘却此一灵社誓文，厚恩之旨，可令相传。以往所定之法度，不可违乱……”云云。[①] 这是《仲原善忠选集》中的记述，而比嘉春潮氏在《新稿・冲绳の历史》一书中，又记作九月六日。[②] 两者有十三日之差。这或许是印刷上的失误。但是，如此重大的、可谓关系琉球国家命运的事情，何以都没有史料的原始出处？而在琉球三部国史中又何以都没有记载？[③] 是萨摩岛津氏不准琉球国史记载，对幕府及中国隐瞒实情，抑或内中另有蹊跷？显然仍是有待考察的疑惑。[④]

据《中山世谱》记载，尚宁王被放回之后，依然不得不向萨州派遣“国质”。如万历三十九年（1611 年），“为国质事，遣金氏摩文亲方安恒，六月到萨州。翌年，安恒沾病回国。嫡子松金安基，代父留萨州。癸丑（1613 年）十二月回国”；[⑤]“四十年壬子，为国质事，遣向氏伊江按司朝仲、向氏羽地按司朝安到萨州。至甲寅年（1614 年）回国”等等。[⑥] 这实际是对琉球王国的挟持。而尚宁王去世后，则被改为每年向萨州派遣“年头使”，以行聘问之礼。

此外，则是要求琉球遣使谒见幕府将军。此事被称为“上江户”。据宫城氏的研究统计，除了 1610 年萨摩藩主岛津家久将作为俘虏的尚宁

---

① 见《仲原善忠选集》上卷，第 240 页。

② 见比嘉春潮：《新稿・冲绳の历史》，第 169 页。

③ 如《中山世鉴》记称：“家久公垂仁厚礼，解吴囚尔来，琉国入贡于萨州，每年也”（见《琉球史料丛书》第五，第 12 页）；而《中山世谱》只是记称：“王留萨州二年，王言吾事中朝，义当有终，卒被放回。然后国复宴然”（见《琉球史料丛书》第四，第 110 页）。《球阳》卷四中称：“王留萨州已经二年，王言吾事中朝义当有终，太守公深嘉其忠义，卒被放回，然后国复宴然”（见 208 页）。

④ 这里，应该就便谈到的是，据《琉球属和录》（收入《通航一览》三）记载，“〔德川〕秀忠公〔对尚宁〕大为怜悯，虽说是萨摩侯的附庸之国，但与诸大名并列，位于老中之次，被定为十万石以上之格”（见宫城荣昌：《琉球的历史》，第 105 页）。按照这种记载，当是德川秀忠“怜悯”尚宁王，并非岛津家久。再者，《中山世鉴》（编者向象贤）最先将传说中的源为朝渡琉说当作历史记载，称琉球王为日本人皇后裔，主张“日琉同祖”论。这究竟是为什么？日本学界有人认为向是“亲日派”。但是，如果从相反的角度来考察，“日琉同祖”论岂不是对所谓琉球“自古为萨摩附庸”的否定？

⑤ 见《琉球史料丛书》第五，附卷部分，第 5 页。

⑥ 见同上书第五，附卷部分，第 5 页。

王等，带至江户、进见幕府将军，以及1872年日本新政府传令琉球派遣庆贺使之外，从1634年至1850年的二百余年，琉球先后以所谓“谢恩使”和“庆贺使”的名义，派遣“上江户”的使节，前后合计18次。①

从《中山世谱》附卷的记载来看，其中所谓的“庆贺使”，是指历代幕府将军更替或有其他事宜时，琉球派往江户予以祝贺的使节；所谓的“谢恩使”，是指琉球王即位或接受中国皇帝的册封后，派人前往江户报告的使者。如尚丰王崇祯七年(1634年)条记载，“为谢礼待敕使者，原出太守公〔即岛津氏——本书注〕之恩事，遣尚文公佐敷王子朝益，春到萨州。此时太守公扈从将军在二条城，即赴京都，见朝将军家康公，并中纳言家久公。礼式全竣，其冬回国”。② 这也是宫城氏上述统计中的第一次。进而，在尚贤王崇祯十六年(1643年)条内记称：“为贺家纲公(将军长子)诞生事，遣尚氏金武王子朝贞，五月到萨州，随太守公翌年夏到江府，其冬回国。”③是为宫城氏统计的第二次。又如尚质王顺治六年(1649年)条记载：“为谢尚质王即位于太树公并太守公事，遣尚氏具志川王子朝盈五月到萨州，随太守公七月赴江府，十一月回到萨州，翌年四月回国。”④是为宫城氏统计的第三次。如此等等。

根据上述情况，宫城氏认为，琉球使节“上江户”，是萨摩入侵后强制要求的，其中含有萨摩岛津氏借以炫耀自身“特殊奉公”的意图。⑤ 而东恩纳氏认为，“历代萨摩藩主都希望晋升为与家久一样的官位，因而讲究种种苦肉之策。最为巧妙运用的，是〔岛津〕吉贵。而故技重施的，则是〔岛津〕齐兴”。⑥ 也就是说，萨摩强制琉球使节“上江户”，带有自身炫耀和企图晋升之意。但下村富士男氏在编纂史料丛书的解题中言称：“萨摩藩主受幕府之命，在新国王承嗣之时，给予承认(给予任命国王的命

① 见宫城荣昌:《琉球使者の江户上り》，第一书房1982年版，第11—12页。
② 见《琉球史料丛书》第五，附卷部分，第9页。
③ 见同上书第五，附卷部分，第14页。
④ 见同上书第五，附卷部分，第16页。
⑤ 见宫城荣昌:《琉球使节の江户上り》，第1页、第21页。
⑥ 东恩纳宽淳:“关于琉球物之杂本”(收入《南岛论考》)，见宫城荣昌同上书，第102页。

令)，国王向藩主派出谢恩使，宣誓忠诚，向幕府也派遣谢恩使，另外将军袭职或藩主有喜庆之事，则派遣庆贺使”。进而又称：“作为反映这种关系的，则是庆安三年(1650年)完成的琉球第一部正史《中山世鉴》中，将源为朝渡琉、娶大里按司之女，其子称舜天王继承王位，子孙相继的传承，作为事实来记载。”①这种说法，可谓牵强附会。因为把传说当事实来记载，与琉球使节“上江户”，是风马牛不相及的两件事。而所谓萨摩藩主受幕府之命，“给予任命国王的命令”，则更是值得另行研究的。如《中山世谱》附卷一，只是记称：泰昌元年(1620年)“为禀报尚宁王薨，尚丰王即位事，遣法司毛氏读谷山亲方盛韶到萨州，翌年回国”；“天启元年辛酉，为谢尚丰王即位事，遣尚氏久米中城王子朝贞七月到萨州，翌年四月回国”。内中并无岛津氏任命琉球王的记载。②

其三，强占琉球北方五岛，迫使琉球对萨摩纳贡。《中山世谱》附卷中记载，明万历三十八年(1610年)，“萨州太守遣本田伊贺守等，都鄙有章、上下有分。又遣阿多氏等，均井地，正经界，而始为赋税。从此每年纳贡于萨州，永著为例”。继而又称：“三十九年辛亥〔1611年〕，家久公出赐琉球一纸目录。此时，鬼界、大岛、德岛、永良部、与论，始属萨州”。但在这一记载之后，又谓“然彼五岛，原系吾国管辖之地。故容貌衣服，迄今留(存)，与吾国无以相异”。③ 随后，在尚丰王附卷内，又称“崇祯元年戊辰〔1628年〕，为再乞琉球一纸目录事，遣波上山赖翁法印，年头使向氏玉城亲方朝智，二月到萨州，十月十八日回国(一纸目录，原在本国，偶为逆徒被盗。故遣使以请)”云云。④

从上述记载来看，1609年萨摩借入侵琉球之机，强占琉球北部五岛，是属事实。而且，与萨摩岛津氏入侵琉球之前，意欲占有琉球北方“大岛”的计划相符。但何以有关一纸目录又被失盗，可谓迄今又留下了一

① 见下村富士男编：《明治文化资料丛书》第四卷外交编，开明堂1962年版，解题第5页。

② 见《琉球史料丛书》第五，第7页。

③ 见《琉球史料丛书》第五，附卷部分，第5页。

④ 同上，第8页。

个历史之谜。

据日本学者研究，在琉球王尚宁归国之前，岛津家久便已指令割让奄美大岛等五岛，且在同年八月“检地”完了的基础上，将琉球年产量定为八万九千余石。其中，五万石作为王室收入。其余作为三司官以下诸士的“知行地”(俸禄)。与此同时，责令琉球每年向萨摩缴纳约六千石的“贡米”。此外，还要缴纳芭蕉布三千段(每段约一个成人用的布料长度)、琉球上等布六千段、下等布一万段、唐芋一千三百斤、绵子三贯(每贯十石)、棕榈绳一百捆、黑网一百条、牛皮二百张、席三千八百张。① 后来，琉球土地年产量的评定有所更动，其负担也有变化。如前述的实物贡品，由于筹措困难，日本庆长十八年(1613 年)六月，又被全部改为银两。但芭蕉布和其他指定的萨藩用品，又必须缴纳实物。② 显然，这是强行勒索。因为即便是所谓岛津家的“支藩”，恐怕也未必要向本家缴纳如此沉重的负担。

日本文学士菊池谦二郎氏早在 1896 年撰文，认为“断定国土所属如何”有三个重要条件，一是“琉球对本邦或中国是否纳税”，二是“琉球是否奉行本邦或中国之法令”，三是“琉球之主要统治者是否由本邦或中国任命”。③ 这种说法，从理论上讲是可行的，但是征诸萨摩入侵琉球后的史实，则是行不通的。因为萨摩对琉球索取的是贡物，而不是按照日本国内或萨摩境内的地租制缴纳租税。日本近代政权要人大久保利通，1874 年来华交涉日军侵台事件时，曾针对台湾番地“力能输饷者，岁纳社饷”之事，言称“夫国之征税，起于君民相约者也。所称社饷者，税之类欤，抑馈献之类欤？如弱者而馈献于强者，不得称为税也。其或不出于民，独出于酋首，或有往来两国贸易，私垄断者献其所获，籍名社饷，以图

① 这是根据日本《萨藩旧记杂录》后编卷六十六、《南聘纪考》卷下、《西藩田租考》卷下、《琉球杂记》的记述。见宫城荣昌:《琉球的历史》，第 105 页。

② 见宫城荣昌，同上书，第 113 页。

③ 见《史学杂志》第七编第九、第十号所刊论文:“论琉球对本邦及中国之关系”。

混冒……"云云。[①] 这对于理解和说明萨摩强制索取琉球贡赋，倒是最为恰当。至于萨摩入侵琉球之后，是否奉行日本法令、主要统治者是否由日本任命的问题，也是应该另行别论的（见下文）。

其四，萨摩入侵琉球后，岛津氏变成了介在中琉贸易之间的盘剥者。据《中山世谱》附卷记载，"万历己酉（1609年），安赖扈从尚宁王在萨州，家久公遣伊势兵部少辅镰田左京亮曰：中国若闻中山为我附庸，嗣后不可以为进贡，当早遣安赖以为纳款云"。[②] 这一记载，表明了两种含义：一是岛津氏确想介入中琉贸易；二是表明萨摩认从琉球对中国皇帝朝贡，保持臣从关系。在这个前提下，安赖于第二年正月"奉命为王舅，同长史金应魁……等，坐驾楷船，入闽赴京"。[③] 但当时明代神宗皇帝，鉴于"琉球新经残破，财匮人乏"，谓之"俟十年之后，物力稍完，然后复修贡职，未为晚也"。[④] 这意味着当时的中国皇帝业已知晓琉球遭到萨摩的劫掠，并出于体恤藩属之意，而滞缓了琉球的入贡时间。及至崇祯六年（1633年），尚丰受封为王，再次遣使"谢袭封恩"，并"附具奏，乞贡朝如旧制"之时，"怀宗才允其请"。[⑤] 此后，琉球又恢复了对中国的二年一贡，而萨摩也成为介在其间的盘剥者。

据日本学者研究，当年萨摩岛津氏通过琉球对中国的贸易，可以从中获得"唐十倍"的利润。因而，岛津氏千方百计地控制琉球对中国的贸易。如1683年（日本天和三年），琉球购买了中国册封船所携带的货物，未经萨摩而直接转销京都、大阪、长崎之后，萨摩岛津氏则发出"禁令"，要求琉球只能在鹿儿岛出售。至于琉球特产的出口，岛津氏也要求限定在萨摩藩交易。[⑥] 再者，萨摩入侵后，更是利用琉球遭到劫掠的财经困难，由萨摩藩筹款或由萨摩商人出资，使琉球从事"傀儡贸易"，以致形成

---

① 金井之恭：《使清办理始末》，见《明治文化全集》第11卷外交篇，第96页。
② 《中山世谱》附卷，见《琉球史料丛书》第五，第5页。
③ 同上。
④ 见《琉球史料丛书》第四，第110页。
⑤ 同上，第115页。
⑥ 见宫城荣昌：《琉球の历史》，第121页。

琉球依靠萨摩的银两才能来中国进行贸易的局面。①

此外,萨摩岛津氏为了长期介在中琉之间,获得实际利益,从 1632 年(日本宽永九年)开始,还在琉球那霸设置了任期三年(也有任期二年的说法)轮换的"在番奉行",其馆舍称作"假屋"。对此,日本学界的看法比较一致。如宫城荣昌氏认为,"在番奉行的职务中,以监视〔琉球〕内政和督励进贡贸易最为重要"。② 后来,宫城氏在其编著的《冲绳历史地图》中,又称"在番奉行的工作,主要是监视王府的政治、外交,并向萨摩藩呈报异国船只来航始末等"。③ 比嘉春潮氏也认为,岛津氏"为了监视和督励〔琉球〕进贡贸易",因而在 1631 年以后,向那霸派驻了在番奉行。④ 同样,东恩纳氏更为明确地认为,"在番奉行统监政治的主要目的,在于萨摩垄断锁国下的海外贸易"。⑤ 征诸 1631 年以后日本幕府所推行的锁国政策,着眼于萨摩从中占有贸易利益,是有道理的。但是,将萨摩"在藩奉行"的作用,称之为"统监政治",似乎有所过分。一者,日本的"奉行"之职,乃是从事具体事务者,不具备"统监"的身份、地位;二者,"监视"与"统监政治"的含义有别,不能通用。再者,就琉球国史所记载的具体情况而言(见下文),萨摩"在藩奉行"的实际作用,也与近代日本兼并朝鲜之前的"统监政治"不同。

这里,应该就便谈到的是:据称,日本庆长十六年(1611 年)九月十九日,萨摩确定放还尚宁王时,又以桦山久高等人的名义,⑥向尚宁出示了如下十五条规定。按照后来日本对清政府交涉时(1879 年)的说法是:(一)非萨摩之命,禁止购买他国货物;(二)不堪使用者,虽旧勋也不可予禄;(三)婢妾不可予禄;(四)不可私约主从;(五)不可多设寺院;(六)商人不带萨摩印契,不许市易;(七)不可略买琉球人送至内地;

---

① 参阅宫城荣昌等编:《冲绳历史地图》,柏书房 1983 年版,第 125 页。

② 见宫城荣昌:《琉球の历史》,第 108 页。

③ 见宫城荣昌等编:《冲绳历史地图》,第 22 页。

④ 见比嘉春潮:《新稿・冲绳の历史》,第 174 页。

⑤ 见《东恩纳宽淳全集》第 5 卷,第一书房 1978 年版,第 326 页。

⑥ 见同上书,第 105 页。

（八）岁税及其他公物，必遵我官吏所定，据法收纳；（九）禁止不经由三司官而任用他人；（十）禁止强行买卖；（十一）禁止斗争；（十二）农商定税之外，有非理征收者，可告发于鹿儿府；（十三）不可自琉球向他国发〔遣〕商船；（十四）斗升用京量，不可用他量；（十五）禁博奕非僻之事。[①]诚如是，则可谓萨摩入侵琉球之后，对琉球王国的内政干涉。

对此，有如前述，菊池氏认为是"奉行"日本法令，并将之作为琉球是日本所属"国土"的三项条件之一。然而，就当时的日本法令而言，应是出自德川幕府，桦山久高不过是入侵琉球军的大将而已，就是萨摩藩主岛津家久，似也无权制定日本法令。再者，就上述十五条而言，显然是诸种杂项事务的罗列，并未涉及琉球的归属问题。用仲原善忠氏的说法是："岛津氏的对琉政策，有如十五条规定那样，是明确的。"但是，随后又称："其中，空文化者不少，也有未必成为后世规范者。"[②]也就是说，把上述十五条作为萨摩入侵后的"对琉政策"，向琉球王国提出种种要求是可以的。但若将之作为奉行日本法令，乃至将之作为琉球属于日本国土的重要条件，则属言过其实，在日本学界也是难以首肯的。

此外，萨摩入侵后，为什么以桦山久高等人的名义，出示上述十五条"规定"？现今日本学界似乎没有触及这个问题。而琉球国史《中山世鉴》和《中山世谱》，又都没有记载此事。这意味着什么呢？进而，有如前述，萨摩入侵琉球，是基于所谓琉球没有如数负担指定的"义务"，以及对幕府有欠礼仪等等，而当初所议定的计划，是要"占领大岛"。对此，幕府也曾命其先行交涉。就此而言，幕府似没有给予萨摩更多的权限。

日本庆长十五年（1610 年）十二月，也即萨摩入侵琉球之后，德川幕府老中本多正纯，曾"奉旨呈书"明代福建总督，希望对明贸易。该书信

---

① 见岩仓公实迹保存会：《岩仓公实记》下卷，第 569—570 页。大城立裕氏在《冲绳历史散步》一书的 93 页，载有该十五条原文。其中，第一条应该是"没有萨摩的通知，禁止向中国购买货物"之意；第七条原文："琉球人买取日本に渡る敷く事"，大城氏译为："琉球人不可到日本去做买卖"（见第 92 页）。此外，还将第四条原文译作："私に人を奴仆にしてはいけない"者（见《比嘉春潮全集》第 1 卷，第 553 页）。

② 见《仲原善忠选集》上卷，第 241 页。

的原稿内言称:“日本国主源家康一统阖国,抚育诸岛……其化之所及,朝鲜入贡,琉球称臣,安南、交趾、占城、暹罗、吕宋、西洋、柬埔寨等蛮夷之君长酋帅,无不上书输宾。由是,益慕中华,而求和平之意,无忘于怀。今兹应天府周性如者,适来于五岛,乃诣上国,困及此事,不亦乐乎?明岁福建商船来我邦,期以长崎港为凑泊之地,随彼商主之意,交易有无,开大哄市,岂非二国之利乎?所期在是耳……”[①]但在正式向中国方面递交的书面中,又将“朝鲜入贡,琉球称臣”的内容删掉,改为“其德化所及,朝鲜、安南、交趾……等蛮夷之君长酋帅,各无不上书输宾”。[②] 姑且不论这封书信是否转到了中国皇帝的手中,仅就幕府本身删掉上述内容而言,则可说明连德川家康也未敢骤然言称琉球为臣。进而,其试想恢复对中国的贸易,与萨摩上述十五条要求中的第一条,也即没有萨摩的指令,琉球不得向中国订购货物,也是有区别的。由此可见,桦山久高等人提出的上述十五条的实际价值,是值得怀疑的。

总之,萨摩入侵琉球之后,改变了以往日琉间的对等关系。多年从事史料编纂、现在东京大学任职的鹤田启氏认为,“1609 年(庆长十四年)征服、侵略琉球的萨摩藩,当初的方针是在政治体制和风俗两个方面,谋求将琉球同化,并在征服之后,便迅速进行琉球各岛的土地测量,计算产量数额。然而,在秉承幕府的意旨,于 1611 年至 1614 年让琉球进行的对明交涉(实现勘合贸易或在琉球进行碰头贸易)完全失败后,为了利用琉球的朝贡关系保持对明渠道,又撤回了同化政策。琉球检测土地的结果,反映在 1635 年(宽永十二年)发给岛津氏的领知判物中。此后,包括奄美五岛的琉球,则被记作萨摩藩的领地。然而,另一方面,琉球本身拥有独自的体制和文化,并继续着与中国(先明后清)的册封、进贡贸易关系,幕府和萨摩藩都认识到,琉球是不能与其他地区同样被控制的存在。整个近世,琉球之所以被称为‘幕藩体制国家中的异国’,就是因为琉球

---

① 见荒野泰典:《近世日本与东アジア》,东京大学出版会 1990 年版,第 179 页。

② 见朝尾直弘等编:《岩波讲座日本通史》第 12 卷,岩波书店 1994 年版,第 39 页。

这种固有的条件。再者,关于琉球与中国的册封关系,虽有认为不过是形式的、礼仪性的见解,但册封与进贡贸易有不可分的关系,并构成了岛津氏支配下的琉球具有一定主体性和自主性的根据。因而,应该视为具有现实的政治与经济的意义”。①

进而,按照东恩纳氏的说法是,“因为在藩奉行统监政治的主要目的,在于萨摩垄断锁国下的海外贸易,所以万事都是沿着这个路线运营的。不用说身为政治中枢的摄政三司官,及其以下十五人的职务,就是王位也要获得萨摩的承认,但其用心是为了顺利运行萨摩的贸易政策,只要此事顺利进行,并不干涉〔琉球〕内治。为此,其政治虽说勉强,但仍独自筹措,并整顿了独自的态势”。②

上述两者,可谓对萨摩入侵后的日琉关系,作了具体陈述。但其中谓之幕府和萨摩藩都认为琉球“是不能与其他地区同样被控制的存在”,与所谓“构成了岛津氏支配下的琉球……”是有矛盾的,所谓“统监政治”的说法,有如前述,并非事实。所谓“就是王位也要获得萨摩的承认”,以及宽永十二年幕府发给岛津氏“领知判物”之事,也当另行考察。

4　萨摩“统治”琉球说质疑

现今,有的日本学者认为:“由于岛津氏侵略琉球,‘琉球王国’的性质,与以往根本不同了。首先,岛津氏于 1611 年(庆长十六年)发布《十五条规定》,掌握了首里王府的贸易权。此外,以‘国王’为首的摄政三司官就任时,要提出申请并使之宣誓忠诚,且每年附有缴纳名为仕上世的义务。而且派遣在藩奉行以下的官员,使之指挥、监督首里王府的政治。也就是说,1609 年(庆长十四年)以来,‘琉球王国’已服从岛津氏的实质

---

① 见荒野泰典等编:《アジアのなかの日本史 2 外交与战争》,东京大学出版会 1993 年版,第 303—304 页。对此,鹤田氏在文末的附注中,特意写明参阅纸屋敦之:“萨摩の琉球侵入”(收入《新琉球史·近世编上》)、上原兼善:“琉球の支配”(收入《讲座日本近世史 2 锁国》)、丰见山和行:“近世琉球の外交と社会”(收入《历史学研究·1988 年度大会报告特集号》)等。

② 见《东恩纳宽淳全集》第 5 卷,第 326 页。

性的统治”。①

此外，佐藤三郎氏在《近代日中交涉史研究》一书中言称：“庆长十四年的征服之后，幕府将〔琉球〕全岛123000石给予岛津氏，岛津氏将与论岛以北计35000石收为直辖地，将以南的88000石，以每年缴纳8000石地租为条件，承认琉球王统治，代之以经常发布法令干涉琉球内政，并在岛内的主要之地，经常派驻藩吏，指导监督其内政。其结果是强化了日本对琉球的权威，新国王继位之际，岛津氏接受幕府命令给予册封，琉球王必须向岛津氏派遣谢恩使表示忠诚之外，还向幕府派遣谢恩使……”等等。②

这里，本书试想就此提出两点疑问。其一，关于琉球国王就任时，要向萨摩“提出申请”的说法，似乎与琉球国史的记载有所不同。据《中山世谱》专门记述日琉关系的附卷（尚宁王条内）记载，泰昌元年（1620年）“为禀报尚宁王薨、尚丰王即位事，遣法司毛氏读谷山亲方盛韶到萨州。翌年回国”。③ 对此，第三部琉球国史《球阳》，在尚丰王条内又作了更为详细的附记，内称：“先王尚宁无有生男育女，王之亲族、法司、群臣相议，擢尚恭公浦添王子以为世子。已以其事奏闻萨州太守家久公，已登世子位。泰昌元年，尚宁王薨，世子尚恭公九岁，不能治国教民。由是，法司官毛凤朝读谷山亲方盛韶，与同僚相议曰：世子尚恭公幼稚，不能任国政、举贤退不肖。先以其父尚丰公中城王子朝富举登宝位何如？同僚尽心极思曰：公之所言诚是也。然而事已奏于萨州，如何可易？毛凤朝曰：今奉尚丰王即位而后，予赴萨州启奉此事。若事有不成而责咎之罪，则不管〔关〕同僚，予身甘受而已。三法司相议，招集群臣，嘱以丰王登极缘由。群臣佥以心服，即请尚丰王登极位……。于是乎，盛韶赴萨州，启奏太守家久公。泰昌二年，太守公遣川崎骏河殿，与凤朝同来球阳，进香于

① 仲地哲夫氏解说，见宫城荣昌等编：《冲绳历史地图》，第125页。

② 见《近代日中交涉史研究》，吉川弘文馆1984年版，第99—100页。

③ 见《琉球史料丛书》第五，《中山世谱》附卷一，第7页。

尚宁王，亦庆贺〔尚丰〕王即位”。①

同样，崇祯十三年（1640 年）尚丰王逝世、尚贤即位，《中山世谱》附卷也只是记称：“本年，为讣闻尚丰王薨事，先遣潘氏……五月到萨州，本年回国。”“本年，为禀明尚贤王即位事，遣尚氏具志川王子朝盈……七月到萨州。翌年十一月回国。”②此外，别无其他记载。由此可见，琉球王的承嗣，当是向萨摩“禀报”“启奏”或“禀明”，也即报知萨摩岛津氏而已。

其二，所谓琉球新国王继位之际，“岛津氏接受幕府命令给予册封”的说法，也当另行明辨。日本德川幕府末期成书的《通航一览》卷七“琉球国部”记载：“宽文九己酉年（1669 年）七月十一日，松平岛津光久请示中山王袭封，旨命任从旧例”。随后，又以小字体补充记载：“前王尚质去年卒，世中（子）尚贞今年袭封。然如前册所载，中山王卒，岛津氏先命袭封，而后进呈此意，是为旧例。此次请示袭封，不知何故。前后无复此事。”③

上述记载，或许正是所谓岛津氏接受幕府的命令，“册封”琉球王的依据。然而，有如前述，专门记载日琉关系的《中山世谱》附卷中，并无琉球世子通过岛津氏向幕府请求册封的记载。《通航一览》所谓“岛津氏先命袭封……是为旧例”，当是先命琉球世子沿袭旧例、继续向中国皇帝纳贡称臣之意。如《中山世谱》附卷一记载：“万历己酉（1609 年），安赖扈从尚宁王在萨州，（岛津）家久公遣伊势兵部少辅镰田左京亮曰：中国若闻中山为我附庸，嗣后不可以为贡，当早遣安赖以为纳款云。由是……翌年正月二十日，安赖为体恤遭难，兼续修贡职事，奉命为王舅……坐驾楷船，入闽进京。辛亥夏，事竣回国，即赴萨州复命。又赴骏府，以闻将军家康公而回国”。④ 也就是说，萨摩岛津氏入侵琉球后，依然认从琉球对

---

① 球阳研究会编：《冲绳文化史料集成 5 · 球阳 · 原文编》，角川书店发行 1974 年版，第 587—588 页。

② 见《琉球史料丛书》第五，《中山世谱》附卷一，第 12 页。

③ 见《通航一览》卷七，国书刊行会 1912 年版，第 59 页。

④ 见《琉球史料丛书》第五，《中山世谱》附卷一，第 5 页。

中国的臣属关系，认从琉球国王对中国皇帝纳贡称臣的旧例，唯是基于自身的利益和入侵的背景，而附加了认从和责令的成分。如《中山世谱》记载，尚宁王逝世后，天启元年(1621 年)琉球“为谢尚封王即位事，遣尚氏久米中城王子朝贡七月到萨州”，[①]而翌年则向中国“遣王舅毛凤仪……等，奉表贡马及方物，并以尚宁王讣告，兼请袭封”。[②] 由此可见，岛津氏受命“册封”琉球王的说法，并不准确。此外，《通航一览》“琉球国部”卷七所收录的、中山王尚贞于日本宽文十年(1670 年)致幕府大老酒井的书简中所谈到的：“抑去岁吾萨州之太守光久，奉台命而令予嗣琉球国王之爵位……”云云，[③]也不等于“册封”。而且，这封书简的落款是“中山王尚贞”，其可信程度也是值得怀疑的。因为据琉球国史《球阳》记载，尚贞王在位期间正是“萨州以国王改称国司”之时。[④]

其三，关于岛津氏派遣在番奉行“指挥”首里王府政治，或所谓对琉球进行“实质性统治”问题，这涉及萨摩藩是否拥有统治琉球的权限和事实依据。对此，人们从《明治文化资料丛书》第四卷外交编的解题中可以看出，作为编者的下村富士男氏，似在力图论证萨摩领有琉球的依据。其中写道：“刚进入十五世纪，室町幕府的足利义教将军，便将琉球加封给萨摩的岛津忠国，琉球国王对幕府三年一贡，对岛津氏也缴纳贡物”。阿弥陀佛，幸而下村氏没有走得更远，随后又加上了“然而，这种关系不是持续性的，至室町末期中断”。[⑤] 从历史年表上看，足利义教成为幕府将军应是 1429—1441 年，而不是“刚进入十五世纪”。至于岛津忠国被补任为日向、大隅、萨摩三国守护之职，有如前述，是为日本应永三十二年(1425 年)，但没有将琉球一并加封给岛津氏的记载。[⑥]

---

① 见《琉球史料丛书》第五，《中山世谱》附卷一，第 7 页。

② 见《琉球史料丛书》第四，《中山世谱》卷八，第 113 页。

③ 见《通航一览》第七，第 63 页。

④ 据《球阳》附卷，第 590 页及 601 页。

⑤ 见下村富士男编：《明治文化资料丛书》第四卷外交编，风间书房 1962 年版，解题部分，第 4 页。

⑥ 据《大日本古文书・岛津家文书之一》，第 45 页。

进而，下村氏又称："以后，就幕府对萨摩藩主岛津氏的领知判物而言，则是'配给'琉球国。例如宽文四年(1664 年)，四代将军家纲致(萨摩)藩主的领知判物中记载，萨摩、大隅两国并日向诸县郡之内，合计六十万五千余石。此外，琉球国十二万三千七百石(另有目录)，依先前宽永十一年(1634 年)八月四日判物之旨，业已配给，可如件全然领有统治之。其目录载有琉球国诸岛十五岛，石额十二万三千七百石。琉球国和萨摩、大隅、日向诸国，同时被记作领地"云云。① 这可以说是一段相当明白的解释。但是，在现今出版的《大日本古文书·岛津家文书》中，却没有下村氏所说的那种"领知判物"。而下村氏在论证这一重大问题时，也没有注明所据资料出处。历史研究者有一种"打破砂锅纹〔问〕到底"的职业追求，论证这么重要的历史问题，不能明确标出所据原始资料出处(其他事项有所标注)，显然是不够严谨的。

此外，仲原氏在论证这一问题时也说："平定琉球的消息，被传到骏府和江户。〔同年〕七月七日，德川家康便迅速表示出将琉球给予家久之意"。然后，则称"以下文书可以为证"。其内容是："报告琉球迅速平定，系尔之功。因尔进呈彼国，命尔益加处置。"②这是仲原氏用来作证的文书。但不知是仲原氏的记述有误，还是排版印刷有误，上述用来作证的文书日期却是"庆长十四年七月五日"，与仲原氏的记述相差两日。而且，上述《岛津家文书》中，依然没有这样的文书。对此，笔者感到疑惑不解，何以如此重要的历史文献，竟然找不到出处？退而言之，即或有过这一文书，似也不能说明琉球变成了萨摩的领地，因为只是让其"益加处置"而已，并非"封土"。再者，前述三木氏在《萨摩岛津氏》一书的年表中也称：1609 年 7 月 7 日"家康奖赏家久平定琉球之功，授予琉球。秀忠也

① 见下村富士男编：《明治文化资料丛书》第四卷外交编，解题部分，第 5 页。

② 见《仲原善忠选集》上卷，第 267 页。其引用的内容原文是："琉球之义、早速属平均之由、注进候、手柄之段、被感思食候、即彼国进候条、弥仕置可被申付候也庆长十四年七月五日家康印"。据 1994 年版的《岩波讲座日本通史》第 12 卷第 42 页可知，仲原氏的上述引文来自《后编萨摩旧记杂录》。其成书当在《萨摩旧记杂录》之后，也属中日关于琉球归属交涉之后所编。

赐书嘉奖"云云。[①] 从其主要依据来看,是为《萨摩旧记杂录》。但这部《杂录》是从日本文化年间(1804—1817)由萨摩藩士伊地知季安开始编集,时至1897年由季安之子季通完成的。[②] 而这个过程,恰是经历了中日关于琉球归属问题的交涉,很难认为是价值很高的史料,而且《岛津家文书》中,也没有明确此种内容的文书。

现今出版的《大日本古文书·岛津家文书》中,收录了有关萨摩入侵琉球的文书。如庆长十四年七月五日,德川秀忠致书岛津义久,内称"派遣兵船至琉球,征讨捕获彼党多人,乃至彼国王降服、三司官以下近日到岸,实为稀有之事,详情告诸本多佐渡守〔正信〕"。[③] 同日,德川秀忠又致书岛津义弘,所谈内容基本相同。[④] 这说明岛津家久入侵琉球,确实得到德川秀忠的嘉奖。但是,在此前后,没有"大御所"(德川家康)把琉球给予岛津氏的信件或文书。同年七月十三日,家康近臣本多正纯〔正信之子〕致书岛津家久,内称已将所报用兵琉球之事,"一一恳达上闻,大御所感到欣慰,心情甚好……谓为远渡异国,无与伦比,功劳非浅,料君理当满足。琉球之事,有给予之意,将遣内书,君之声誉实在莫过于此。进一步呈报彼地情况,是为肝要"云云。[⑤] 这是现今可以查到的有关文书。据此,所谓七月七日德川家康把琉球给予岛津家久,岂不是与这一原始文书的日期相矛盾么?

再者,同年十二月二十六日,德川家康在给岛津家久加盖"黑印"的书简中谈道:"告诸琉球可被领有统治之意,理当祝贺,送来佛桑花、茉莉花及硫黄千斤、唐屏风、绸缎五匹,欣慰也。"[⑥]这是否就是日本学界所说

---

① 见三木靖:《萨摩岛津氏》,第316页。

② 据《日本史辞典》,角川书店1983年版,"萨摩旧记杂录"条。

③ 见《大日本古文书·岛津家文书之一》,第74页,第124号文书。

④ 见同上书,第75页,第125号文书。

⑤ 见《大日本古文书·岛津家文书之二》,第335—336页,第1043号文书。同日,本多正纯在给岛津义久的信中,虽然又重复此事,但在岛津家的文书中依然没有其所谓的这一"内书"。

⑥ 其原文是:"琉球国可被领知之旨、申遣候处、祝着之段尤候、仍为音信、佛桑花、茉莉花并硫磺千斤、唐屏风、织锦五卷到来、悦思食候也"。见《大日本古文书·岛津家文书之一》,第76页,第128号文书。

的“领知判物”，也即让岛津氏可以领有琉球的文书呢？笔者不敢妄加结论。唯是以为：关于萨摩领有琉球（除了割占五岛之外）的说法，实在纷纭。有谓庆长十四年（1609 年）七月德川家康给予岛津氏的；有谓同年五月下旬，“岛津义弘向本多正纯报告平定琉球，从家康那里得到作为自领的非正式的许可”的；①有谓宽永十一年（1634 年）八月“配给”的；有谓宽永十二年（1635 年）幕府发给“领知”的；有谓宽文四年（1664 年）“配给”的；还有所谓庆长十四年七月，“征夷大将军德川秀忠赐教书于〔岛津〕家久，褒奖其功，以琉球为岛津氏之附庸”的。② 总之，五花八门，似乎没有明确的、可为学界共认的原始文书为证。

对于上述情况，本书认为不能不考虑当时的历史背景：其一，明代的中国，在东亚是一先进的封建大国，萨摩入侵琉球前后，国力尚未衰竭。而当时的日本幕府也确有利用琉球恢复对中国贸易的意图，前述幕府致福建巡抚转呈中国皇帝的书信可以为证。但在正式递交的书信中，又删去了“琉球称臣”的内容。这说明幕府在处置琉球问题上有所顾虑，更不要说宣布萨摩统治琉球了；其二，当时的中国政府，对于萨摩入侵琉球并非不闻不问。据《中山世谱》记载，万历三十七年（1609 年）冬，“王遣王舅毛凤仪、长使金应魁等驰报兵警，致缓贡期。福建巡抚陈子贞以闻”。③《明史》记载：万历“四十年，日本果以劲兵三千入其国，掳其王，迁其宗器，大掠而去。浙江总兵官杨宗叶以闻，乞严饬海上兵备，从之”。④ 这说明在萨摩入侵琉球之后，当时的中国政府对于日本已有戒备。万历四十四年（1616 年），尚宁王遣使，告诸日本有取鸡笼山（台湾）之谋，明神宗又“诏海上警备”。⑤ 天启二年（1622 年），琉球世子尚丰遣使“以尚宁王讣告，兼请袭封”，四年（1624 年）福建布政使则奉旨，“仍遣卫指挥萧崇基赍

① 见山冈庄八：《德川家康》(21)，讲谈社 1964 年版，第 227 页。
② 见岩仓公实迹保存会：《岩仓公实记》下卷，第 569 页。
③《中山世谱》卷七，见《琉球史料丛书》第四，第 110 页。
④ 见《明史》卷三二三，列传二二一，外国四，中华书局刊本，第 8369 页。
⑤ 同上。

登极及大婚之诏”前往琉球。① 稍后，天启五年(1625年)尚丰遣使乞封。崇祯元年(1628年)，又是派遣卫指挥闽邦基，赍诏至琉球国。② 这连续进行的海上警备以及派遣武官出使琉球，对于日本幕府和萨摩不能说没有影响。这恐怕也是前述萨摩入侵琉球后，幕吏本多正纯告诸岛津家久，德川家康“将遣内书”，但又没有明确将琉球给予萨摩的根本原因。

再者，萨摩入侵琉球时的日本，适值德川幕府创建不久，德川幕府对于萨摩藩也有戒备。这是因为1600年在美浓(今岐阜县)关原，德川家康率“东军”七万，与石田三成等诸侯大名的“西军”对阵之际，岛津义弘站在石田一边，是为“西军”成员。后来“西军”崩溃，岛津义弘(家久之父)被迫隐退，将家嗣让给三男家久(时称忠恒)。③ 这说明岛津家与德川家康曾有前嫌。时至日本庆长十九年(1614年)、元和元年(1615年)，德川家康的势力最终制服反对派后，国内的政治形势得以稳定下来。但在各地诸侯领地的配置上，也极尽苦心，务求“亲藩”(本家)、“谱代”(家康的嫡系部下)的领地，与“外样大名”的领地相互交错，以利于钳制。而所谓的“外样大名”，则是“关原之战”后臣服于德川家的诸侯大名。内中的岛津氏(萨摩藩)，更可谓是德川幕府防范的重点。元和元年(1615年)，德川家康还专门在伏见城召见各地诸侯大名，向他们宣布了不得私自联姻、不得构筑新城、没有幕府命令不得向藩外出兵等十三条法规。④ 可见，这也是德川幕府极力避免“外样大名”势力膨胀的手段。从现今保存的岛津家的古文书来看，当年萨摩入侵琉球后，似也没有向幕府如实呈报其掠夺的金、银、珍宝，而只是呈报了入侵的简单过程。⑤ 这可谓也是两者相互“谨慎”的表现。因而，所谓萨摩领有琉球的说法或依据，依然是个有待考察的课题。

---

①《中山世谱》卷八，见《琉球史料丛书》第四，第114页。

② 同上。

③ 见《仲原善忠选集》，第244页。

④ 参阅田名网宏：《新日本史研究》，第208—209页。

⑤ 据《大日本古文书·岛津家文书之二》，第335—336页，第1043号文书。

总之,1609年萨摩入侵琉球后,改变了以往的日琉关系,使之从对等关系变成了以强凌弱的关系,并使琉球王国受到了萨摩藩的制约。但并没有从根本上改变琉球王国的独自体制。时至日本明治维新政权建立后,日本外务省官员森山茂在1874年3月向外务卿提交的《琉球藩改革之议》中,依然提出必须改变琉球"父皇母清""一国奉二帝"的状况,以及废除摄政三司官等称呼,将琉球进一步归内务省管辖等意见。[①] 这虽说是后话,但这正好"反证了当时琉球并未实际归属于日本,因此森山茂才建议必须造成琉球归属于日本的诸种形式"。[②]

五　中琉关系的延续与发展

1　中琉册封关系的延续

如上所述,萨摩入侵琉球后,对其进行洗劫,强行割占琉球、奄美等五岛,强制琉球入贡,监视并成为介在中琉贸易之间的盘剥者。然而,这些对中琉之间的关系并没有发生根本性的影响。

据中琉双方记载,萨摩入侵琉球后,琉球照样对中国"遣使修贡",只是因为"其国残破已甚……乃定十年一贡"。[③] 天启二年(1622年)春,"世子"尚丰派遣王舅毛凤仪、正议大夫蔡坚等人奉表贡方物,"并以尚宁王讣告,兼请袭封",同时,"奏乞二年一贡,以效忠顺"。[④] 为此,熹宗皇帝"乃定五年一贡"。崇祯三年(1630年),尚丰又遣正议大夫蔡廛等人"奏请袭封"。崇祯六年(1633年),毅〔怀〕宗皇帝乃派户科给事中杜三策、行人杨抡为正副使,"赍诏至国,谕祭故王尚宁,封世子尚丰为中山王",复

① 据色川大吉、我部政男监修:《明治建白书集成》第3卷,247—248页。见吴密察:"《建白书》所见的征台之役(1784年)",台北中琉文化经济协会编:《第二届中琉历史关系国际学术会议论文集》1990年版,第262—263页。

② 吴密察同上论文,见台北中琉文化经济协会编:同上书,第263页。

③ 见《明史》第二十八册,卷三二三,第8369页。

④ 见《琉球史料丛书》第四,第113页。

准琉球二年一贡。[①] 及至崇祯十三年(1640 年),尚丰王逝世,世子尚贤依然遵从旧例,于崇祯十七年遣使“奉表贡方物,并以尚丰王讣告,兼请袭封”。[②]

如此种种,说明中琉之间的册封关系并没有改变,中国皇帝的册封仍是琉球世子即位成正统的权威性的依据(请参阅清代册封琉球年表)。中国史书记载,时至明代“两京继没,唐王立于福建,〔琉球〕犹遣使奉贡”。[③] 可见,琉球对中国关系之深。因而史书记称“其虔事天朝,为外藩之最”。[④]

在此期间,尤当记述的,是前述万历四十四年(1616 年),日本“有取鸡笼山(台湾)之谋”。当时,忍辱负重的尚宁王,在国家残破的情况下,依然不忘“遣使以闻”,[⑤]告诸中国防范日本侵略。这进一步说明了尚宁王始终没有改变对中国的态度,同时也是对萨摩入侵琉球的抗争。

大清入关之后,琉球与中国的关系,随着时势的变迁而发展。据载,清顺治三年(1646 年),琉球使臣王舅毛泰久、长史金思义及前使金应元等,便“随大将军贝勒〔当时率清兵入福建灭南明隆武政权者——本书注〕入京投诚”。后因礼官奏称:“琉球国世子尚贤,前已遣使请封,而今前朝敕印未缴,乞遣通事谢必振,奉旨往谕”,故而未便受封。于是,世祖派遣通事谢必振,与琉球使臣一并归国。[⑥] 第二年,尚贤王逝世,其弟尚质则“自称世子,遣使奉表归诚”。[⑦] 顺治十年(1653 年),尚质派遣王舅马宗毅、正议大夫蔡祚隆等,“赴京贡方物,表贺世祖登极,并缴还明朝敕印,兼请袭封”。[⑧] 于是,顺治皇帝特遣兵科副理事张学礼为正使、行人司

---

① 见《琉球史料丛书》第四,第 113 页。

② 见同上书,第四,第 116—117 页。

③ 见《明史》第二十八册,卷三二三,第 8369—8370 页。

④ 同上书,第 8370 页。

⑤ 见同上书,第 8369 页。

⑥《中山世谱》卷八,见《琉球史料丛书》第四,第 117 页。

⑦ 见《清史稿》第四十八册,中华书局版,第 14616 页。

⑧《中山世谱》卷八,见《琉球史料丛书》第四,第 119 页。

行人王垓为副使，赍捧诏印，往封尚质为琉球王。但因“海氛未靖”，张学礼等人未能成行。以致正副二使连同地方督抚，一并受到惩处。及至康熙元年（1662年），清圣祖“再降敕谕”。内称：

> “琉球国世子尚质慕恩向化，遣使入贡，世祖章皇帝嘉乃抒诚，特颁恩赍，命使……赍捧敕印，封尔为琉球国王。乃海道未通，滞闽多年，致尔使人率多物故。朕念尔国倾心修贡，宜加优恤，乃使臣及地方官逗留迟误，未将前情奏明，殊失朕怀远之意。今已将正副使、督抚等官分别处治，特颁恩赍，仍遣正使张学礼、副使王垓，令其自赎前非……。一应敕封事宜，仍照世祖章皇帝前旨奉行。朕恐尔国未悉朕意，故再降敕谕，俾尔闻知”云云。①

张学礼等人于翌年七月至琉球国，“成礼而还”。但因册封迟误而“处治”册封使节及地方官员，这在中琉关系史上并不多见。它意味着大清皇帝更加重视对琉关系。同样，琉球王国也一如既往，把接受中国皇帝的册封，作为一大盛典。据张学礼在《使琉球记》中记载，琉球国对清代册封使的来临，较之前代更为隆重：册封使船（也称“冠船”）到岸，“鼓乐导引，倾国聚观”，其人数“不啻数万，欢声若雷”。是时，“王出城三里，至守礼坊下，具朝服行九叩礼”。然后，陪同使节一行，“乘轿进城，至中山殿前，将敕印供奉”，又行九叩大礼。时由副官某登左台，宣读皇帝诏书，“王〔在台下〕跪听”。诏书宣读之后，使节“将敕印并恩赐蟒袍、装花绫绸四十八匹付王收受”，王再行九叩之礼。事毕，再由另一副官登右台，宣读写给王妃的敕谕，王妃同样“〔在台下〕跪听”。然后，“将蟒缎、装花绫绸四十八匹，付王转付王妃收受，又行九叩礼……”，②其场面极为肃穆。而所说的“九叩之礼”，乃是当时中国封建社会臣下对君主的法制。琉球王接受中国皇帝册封之时，行三拜九叩之礼，可谓也是遵从中国封建礼法的一种体现。

---

① 见《清史稿》第四十八册，第14617页。

② 见《台湾文献丛刊》第292种《清代琉球记录集辑·续辑》，集辑部分，第7页。

清代册封琉球王年表

册封时间(公元)	受封琉球王(即位年)	册封使
康熙二年(1663 年)	尚质(1648 年)	张学礼、王垓
康熙二十二年(1683 年)	尚贞(1669 年)	旺楫、林麟昌
康熙五十八年(1719 年)	尚敬(1713 年)	海宝、徐葆光
乾隆二十一年(1756 年)	尚穆(1752 年)	全魁、周煌
嘉庆五年(1800 年)	尚温(1795 年)	赵文楷、李鼎元
嘉庆十三年(1808 年追封)	尚成(1803 年)	齐鲲、费锡章
嘉庆十三年(1808 年)	尚灏(1804 年)	同上
道光十八年(1838 年)	尚育(1835 年)	林鸿年、高人鉴
同治五年(1866 年)	尚泰(1848 年)	赵新、于光甲

2 中琉间的免税贸易

有清一代的中琉关系,可谓更加密切。据琉球国史记载,尚质王之子尚贞于康熙八年(1669 年)即位,十九年(1680 年)遣使奉表请封。此前,康熙十七年(1678 年),“遣耳目官陆承恩、正议大夫王明佐等,入京奉表、贡方物,并奏乞增船一只,迎接敕书及贡使,以便往来”。对此,“圣祖从之”。[①] 此后,琉球前来中国的船只,始有“进贡船”与“接贡船”之分。

据日本学者记述,琉球的进贡船为二只,头号船乘员一百二十人,二号船乘员七十人。进贡船出航的第二年,派出进贡船,乘员为一百人。琉球船到达福州后,有中国官员出迎,护送至琉球馆。全部乘员的滞在费用,皆由中国负担,且被作为“国宾”对待。前往北京的正副使节及随员(二十人),沿途也有中国官员护送,鼓乐导行。贡使一行大小官员乘轿,从者乘马或乘车,往来费用也皆由中国地方官府支付。一路之上,投宿公馆,受到异常款待。到达北京之后,则由礼部派人办理诸事。其住宿之地,另由二十人左右的士兵昼夜守护。及至使节拜见皇帝后,除在

① 见《琉球史料丛书》第四,第 124 页。

京受到款宴和赏赐外，使节一行返回福建之际，依然由经过各省地方官员迎送至福州，然后等待本国接贡船一并归国。①

进而，《中山世谱》记载，康熙二十七年（1688 年），尚贞王派遣耳目官毛起龙、正议大夫蔡铎等，“奉表入京，贡方物”，并具疏言称：“接贡船于关上纳税，费用甚多，且明朝以来，所遣贡船二只，以百五十人为定，而海阔人少，往来不便……乞免其税，并加增人数。”“礼部议奏：琉球纳税，照荷兰国例，该应蠲免，止贡船人数，应遵会典，何必更增。圣祖曰：琉球来享最久，且吴三桂、耿精忠谋叛之时，安南归吴三桂，琉球则耿王遣使招之，终不肯服。克笃克诚，恪恭藩职。其恭顺之诚，深可嘉尚。再命礼部下议，贡船以二百人为定，并接贡船被免纳税。”②此后，琉球“贡船以二百人为定，接贡船一并被免纳税”，③进一步受到当时中国对外贸易的优惠。

从现今出版的《清代中琉关系档案选编》中可以得悉：有关免除琉球关税的数额相当可观。如乾隆二十四年（1759 年），暂署福州将军兼管闽海关事副都统明福奏报：“本年七月二十八日，据委管南台税务都司顾廷机禀报，琉球国接贡摘回使者船只，拟即开驾回国。据该国通事蔡熙，将该国王发来银两及梢伴人等兑回布帛、药材等物，造具清册，缴报到关，所有头号船货，核税银二百二十两，二号船货，核税银二百零九两……。臣查琉球贡船带回货物历届俱免征输，兹摘回使者船只，事同一例，应仰体皇上柔怀远人之德意，并免征收。批行遵照去后，复据该委员顾廷机禀报，使者向永誉等，感戴皇仁，欢欣忭跃，赴关叩谢”云云。④ 根据当年萨摩藩向幕府报告的情况来看，萨摩藩为了从琉球对中国的贸易中获得巨利，从日本天和二年（1682 年）至贞享元年（1684 年），向琉球进贡船筹借的银两为八百七十两，翌年向琉球接贡船筹借的银两为四百二十两，

① 见比嘉春潮：《新稿・冲绳的历史》，第 212—213 页。

② 见《琉球史料丛书》第四，第 125—126 页。

③《清史稿》卷五二六，第 14619 页。

④ 见中国第一历史档案馆编：《清代中琉关系档案选编》，中华书局 1993 年版，第 68—69 页。

而日本正德年间(1711—1716年),合计也不过九百两。① 这中间或许有所隐瞒,但由此也可知晓,中国对琉球免税的数额,与萨摩筹措借给琉球的银两相比,所占比例不小。

3 清代中琉关系的发展

清代一统中国后,随着国内政治的稳定,中琉关系得到了进一步发展。如前述康熙二年(1663年),敕使张学礼等往封尚质为王之后,尚质除了遣使谢恩、贡方物之外,并上书言称:“臣捧读敕谕,恭知圣旨。因臣使物故甚多,滞闽日久,将正副使并督抚诸臣处治。臣恐惧无地。中外均属臣子,臣躬承天庥,不能少为诸臣之报,反而重为诸臣之累。臣何人斯,岂能宴然。伏乞上命,还学礼等原职”云云。② 这种情况说明,有清以来,琉球对中国的臣属意识有增无减。为此,“圣祖嘉王恭顺,特赐王缎币二十匹”。③

又如《中山世谱》记载,康熙十三年(1674年),“靖南王耿精忠,谋叛动兵”,十五年“遣游击陈应昌,至国招之”。但“王不肯从”。而十六年(1677年)却派遣正议大夫蔡国器等,“探问清朝安否”。因此,“圣祖大悦,深嘉琉球忠顺之诚”。④ 康熙十九年(1680年),琉球王尚贞遣使请封之际,圣祖皇帝则鉴于“琉球恪守藩职……恭顺可嘉”,除了“赐敕褒谕”之外,复又“加赐锦币二十匹”。康熙二十年,尚贞王派遣王舅毛国珍、紫巾大夫王明佐等,“入京奉表献方物,谢袭封恩”。圣祖皇帝按照谢恩先例,“给缎二十匹”,又格外“恩加十匹,共赐缎币三十匹,著为例”。二十三年(1684年),尚贞王派遣耳目官向世俊、正议大夫郑永安,奉表入京“贡方物”,圣祖皇帝又按进贡先例,“给赏缎四十匹”,更“以琉球忠顺,恩

---

① 据宫城荣昌等编:《冲绳历史地图》,第25页。
② 《中山世谱》卷八,见《琉球史料丛书》第四,第121页。
③ 同上。
④ 同上,第123页。

加十匹，共赐缎币五十匹，著为例”。[①]

上述记载说明，琉球并没有因为明清交替和国内多事，而改变对中国的臣属关系；而清代的中国皇帝，对于琉球也可谓格外优抚。因此，康熙二十一年(1682年)，圣祖皇帝派遣翰林院检讨汪楫、内阁中书舍人林麟焻，往封尚贞为王，且御书“中山世土”四字匾额，尚贞在《谢恩疏》中言称：“臣贞弹丸小国，僻处海隅，感沐皇仁，已经再世，蒙天恩特遣正使翰林院检讨汪楫……赍捧诏敕、币帛，封臣为琉球国中山王。臣与通国臣民，恭设香案，叩头跪听……。又蒙皇上特恩赐臣御笔，煌煌天翰，遥领小邦，荣光烛天，不特臣守藩之为荣，即奕世之为光矣……。皇上所颁诏敕，臣恳请留为传国之宝……。皇上所颁御笔，臣举国瞻仰，唯有舞蹈欢悦，不能仰酬万一”云云。[②] 清代的中琉关系，正是在这种相互亲近的基础上得到加强的。

继而，康熙二十五年(1686年)，琉球王尚贞派遣官生梁成楫、蔡文溥、阮维新、郑秉钧等，来中国入学读书。康熙二十七年(1688年)抵达北京，圣祖皇帝更是传令准照“都通事例，日廪甚优”。不仅衣帽、被褥咸备，而且随从人员也皆有赏赐，并“月给纸笔银一两五钱，特设教习一人，令博士一员督课”。[③] 对此，琉球国史也称，由于梁成楫等人入学，圣祖皇帝还曾专命工部，“建房于监侧，令成楫等居。又三季给衣服及铺盖、口粮、日用等项，并从人各赐冬夏衣。优待甚厚”。[④]

及至康熙六十一年(1722年)，琉球王尚敬(1713—1751年在位)派遣耳目官毛弘健、正议大夫陈其湘等人，奉表入贡，并派遣官生蔡用佐、蔡元龙、郑师崇三人，入监读书。但在洋中冲礁覆溺，唯有二号贡船抵达福州。对此，刚刚登极不久的世宗雍正皇帝，更是“特命福建守臣，谕祭贡使毛弘健并官生蔡用佐等人”，“又命将二号船内所存方物，交付发还，

① 《中山世谱》卷八，见《琉球史料丛书》第四，第124—125页。
② 见周煌：《琉球国志略》，《台湾文献丛刊》第293种，第249页。
③ 《清史稿》第四十八册，第14619页。
④ 《中山世谱》卷八，见《琉球史料丛书》第四，第125页。

准作正贡到京。仍赐王罗缎、绸锦如例"。①

翌年(雍正元年、1723年),尚敬王复遣王舅翁国柱等,入京献方物,奉表祝贺世宗登极,并进香圣祖。同时又派官生郑秉哲、郑谦、蔡宏训等,入监读书。对此,礼部奏允,并一如既往,发给口粮、衣物、纸笔、银两。后不久,蔡宏训因病而亡。当时的世宗皇帝深以为痛,乃"命礼部特给蔡宏训三百两,内留一百两,修理坟墓。其余二百两,付翁国柱带还,交给蔡宏训之母,以资养赡"。进而,由于翁国柱身为王舅,世宗皇帝还特意在乾清宫予以召见,参拜之后,"赐座并茶",除例赏绸缎八十匹外,还加赐御书匾额"辑瑞球阳"四个大字,并珐琅炉瓶盒一份、白玉盒一对、汉玉块一件、白玉镇纸二件、三喜玉杯一件、青玉炉一件、白玉提梁罐一件、汉玉螭虎笔洗一件、青玉三喜花插一件、白玻璃大碗四个、白玻璃盖碗六个、磁胎烧金珐琅有盖把碗六个、青花白地龙凤盖碗十二个、青花白地龙凤盖锺十个……五彩宫碗十四个、绿地紫云茶碗十个、紫檀木盒绿端砚一方、棕根盒绿端砚一方、〔皇〕上用缎二十匹。此外,对王舅翁国柱,也另行加赏白银一百两、上用绸缎八匹。② 如此种种,实如琉球国史所载:"诚是千载之奇遇也"。③ 这些事例说明:就是以当年的眼光来看,清代皇帝赐给琉球王的种种物品,也皆属瑰宝、价值不菲。由此可见,当年清代皇帝对待琉球王,可谓如同贵戚内臣,乃至超过内臣。

关于这一点,从琉球国史的下述记载中,还可以得到证实。雍正三年(1725年),琉球王尚敬"为叩谢格外恩赏事,遣紫巾官向得功、正议大夫郑士绚等人,入京谢恩,献方物"。是时,宫廷奉旨在太和殿旁"赐宴",而陪宴者则是"内阁大学士马齐、吏部尚书查鼎纳、礼部尚书赖都,俱满洲人"。④ 显然,这是一种特殊待遇。进而,"赐宴"过后,向得功"又蒙召见于乾清宫"。当时双方的对话,则是上问"国王好么,地方太平么,百姓

① 《中山世谱》卷九,见《琉球史料丛书》第四,第134页。

② 同上,第135—136页。

③ 《中山世谱》卷九,见《琉球史料丛书》第四,第136页。

④ 同上。

安乐么?”又问“一路地方官待他(指向得功)好么”?[1] 如此等等,全然是主上对下属的关切之词。据载,当时世宗皇帝不仅“正赐例赏”蟒缎、青兰彩缎、蓝素缎、闪缎等等,而且“特赐加赏”内造缎二十匹、玉方鼎一件、玉荷叶盘一件、汉玉方壶一件、(中略)青龙红水七寸盘十二件、霁红白鱼七寸盘二十件……。[2] 较之雍正元年的赏赐犹多。清代世宗皇帝如此,及至乾隆年间的高宗皇帝也是如此。如《中山世谱》卷十记载:乾隆四十五年(1780 年),琉球王尚穆遣使奉表贡方物,“叨蒙皇上隆恩,除正赏外,特赐内库缎二十匹、砚二方、玉器五件、玻璃器十件、磁器一百件,并正副使(赐)缎各四匹、银各五十两”。[3]

又如乾隆二年(1737 年),琉球国运载粟米、棉花之船,遭风飘至浙江象山。浙闽总督嵇曾筠资给衣粮遣还。事后,乾隆皇帝诏谕:“嗣后被风漂泊之船,令督抚等加意抚恤。动用存公银两,资给衣粮,修理舟楫,查还货物,遣归本国。著为令。”[4]同样,仁宗皇帝在位的嘉庆十二年(1807 年),“琉球接贡船复遭风沉没,帝命给银千两作佣船资用,另给银五百两恤淹毙六十三人家属。〔宣宗〕道光二年(1822 年),琉球贡船至闽头外洋遭风击碎,溺死贡使十名,帝令给银千两,佣商船回国,免另备贡物”。[5] 如此种种,说明清代皇帝不仅对琉球官府从优,对其民船也格外优抚。故而,史载:乾隆以后迄于光绪朝,“凡琉球遭风难民,皆抚恤如例”。[6] 如果把这种历史记载,与前述琉球免税贸易之事联系起来,则不难得出结论,清代的中琉关系实际比前明一代更为亲近、更为密切。

此外,随着中琉政治、经济关系而形成的文化交流,至有清一代则可

---

① 《中山世谱》卷九,见《琉球史料丛书》第四,第 136 页。

② 同上,第 137 页。

③ 同上,第 155 页。

④ 《清史稿》第四十八册,第 14619 页。

⑤ 同上书,第 14622 页。

⑥ 同上。

谓更属不胜枚举。[①] 其中，如徐葆光在使琉期间，与琉球官员、学者的交流，便是一例。徐葆光在《中山传信录》的序言中写道："今臣奉命为检讨、臣海宝副以往，自己亥〔1719年〕六月朔至〔琉球〕国，候讯逾年，至庚子〔1720年〕二月十六日始行，计在中山凡八阅月，封宴之暇，先致语国王，求示中山世鉴及山川图籍，又时与其大夫之通文字译词者，遍游山海间，远近形势，皆在目中。考其制度礼仪，观风问俗，下至一物异状，必询名以得其实，见闻互证，与之往复，去疑存信。因并海行针路、封宴诸仪图状并列，编为六卷"云云。[②]这虽说是《中山传信录》的编撰过程，但也是中琉文化交流的过程。

又如琉球官员、学者程顺则(1663—1735)，其祖上程复在察度为中山王时，便在琉球王府任职，往来于中琉之间。其父程泰祚被过继王室，曾任职"进贡都通事"等，康熙十一年(1672年)，受命在那霸久米村监督兴建孔庙，以传播中国文化，后客死苏州。程顺则年长，前后历任通事、都通事、正议大夫、王府侍讲、紫巾大夫、三司官座敷等职。其一生两次来中国留学，三次作为使节入京，对促进中琉文化交流的贡献很大。其中，影响最为深远的，则是将明代成书的《六谕衍义》引入琉球。《六谕衍义》一书的"六谕"，出自明太祖洪武三十年(1397年)颁布的四十一条教民圣谕的前六条，内含"孝顺父母""尊敬长上""和睦乡里""教训子孙""各安生理""毋作非为"等。明末浙江会稽儒生范宏(字声皇)，将之依序附例阐释，以使穷乡僻壤、长幼男妇皆知有此等纲纪法度。康熙二十二年(1683年)，程顺则来中国留学时，便"以为是书词简义深，言近指远，不独可以挽颓风而归淳厚，抑可以教子弟而通正音"，[③]故而请其业师竺天

---

① 如台北中琉文化经济协会在1990年举办第二届中琉历史关系国际学术会议期间，与会者提交的论文中，便有《明清时代琉人姓名所受华人姓名的影响》《从寺庙看中华文化在琉球》《从石垣岛华侨社会看中琉文化交流》等多篇论文。

② 徐葆光:《中山传信录》序，见《和刻本汉籍随笔集》第十五集，汲古书院1977年版，第29页。

③《重刻六谕衍义》序文，见张希哲论文:《程顺则对于中琉文化交流的贡献》，收入中琉文化经济协会编:《第二届中琉历史关系国际学术会议论文集》，1990年版，第1—12页。本书行文也有参照。

植"授而藏焉"。及至康熙四十五年(1706年)第二次奉命入京之时，则于归国之前自行出资，在福州刻印了一百本《六谕衍义》(时为康熙四十七年)。归国后，程顺则将之进呈尚贞王，并建议作为国民修身和学习官话(即中国语)的课本。尚贞王采纳其建议，于是"孝顺父母"等六谕，成为琉球国民家喻户晓的规范。后来，程顺则出使日本，又将之献给萨摩藩，而萨摩藩又将之进呈幕府，以致《六谕衍义》在日本明治维新前，也成了日本国民的修身课本。

上述种种，说明有清一代的中琉关系，出现了全方位的发展。然而，时至十九世纪中期，由于西方资本主义的入侵和日本对亚洲近邻推行的侵略政策，中琉关系又出现了危机。

六　近代日本的占有琉球准备

1　鹿儿岛的"调查报告"

从现有的资料上看，日本新政权试图占有琉球的行动，是从指令鹿儿岛县(原萨摩藩)报告以往日琉关系开始的。明治四年(1871年)七月十二日，萨摩藩(后称鹿儿岛县)根据新政权的指令，向政府递交了所谓日琉关系的《调查报告》。内称：

> 该国自上古以来，称作冲绳岛，在南海十二岛之内。为皇国属岛之事，古史亦有载之。文治二年〔1186年〕，岛津家祖丰后守忠久，受封萨摩、大隅、日向之际，补任南海十二岛之地头以来，世袭旧封，置为附庸。但因兵乱，治理难及海外之地。明洪武五年、我应安五年〔1372年〕，该国服从于彼，接受王号，衣冠等等变为明制，且改国号为琉球，但亦并未与我中断。应永年间〔1394—1428年〕，足利将军时代，有遣送使节、书翰往复等事。嘉吉元年〔1441年〕，九代陆奥守忠国，领受将军恩赏，再加封琉球国。其后，该国遣送使节贡船，至永正、天正年间〔1504—1521年、1573—1592年〕，无复中断来聘。

> 但因征伐朝鲜之役，虽就贡纳缓急之事，通聘相劝，但该国不从。庆长十四年〔1609 年〕，十八代中纳言家久，遣兵征讨，遂谢罪降服。继之，国内诸岛悉行检地，计入藩内领有数额，相传领有。至嘉永年间(1848—1853 年)，无复中绝。该国对旧幕入贡，虽是成规，但因其为贫弱小国，既使名义不当，若不谓皇国、中国为父母之国，成为两属，则难以存立。因其不得已之国情，故而依照旧例处置。然而，正保年间〔1644—1648 年〕，清国革命之际，或将传令剃发、更换衣冠，届时如何处理，是亦难测。明历元年〔1655 年〕，十九代大隅守光久，就此向幕府咨询，老中传令曰：若遣送使节，应彼之意，虽非难事，但内国事务，大隅守可据谋处置。庆长降服以来，以至于今，鹿儿岛公开派遣士官从事政务，琉球也在鹿儿岛建有馆舍，派遣官员，交替滞留，且每年送纳租税，对中国则是隔年派遣贡船。特此呈报。①

鹿儿岛的上述《调查报告》，似为日本新政权建立后，首次对日琉关系的陈述。然而，其中却有许多疑点。诸如所谓琉球为“皇国属岛”，“古史亦有载之”，有如前述，是属牵强附会。因为即使按照《日本书纪》和《续日本纪》中的记载，充其量也只能是当时的日本，与后来成为琉球领土的某些岛屿有所往来而已。

进而，所谓日本文治二年(1186 年)，岛津忠久受封萨摩、大隅、日向云云，更属无据。因为从现今业已公开出版的岛津家的文书来看，日本文治二年的岛津忠久，只是被当时尚未建立镰仓幕府的豪族源赖朝，任命为“从行庄务”、成为信浓国(今长野县)盐田庄的小头目，并无其他任命。② 而岛津家被任命为越前国(今福井县东部)守护、岛津庄内萨摩方地头守护兼十二岛地头职，乃是日本镰仓幕府第四代将军在任期间，时为嘉禄三年(1227 年)，受命者也不是所谓“岛津家祖”忠久，而是第二代

① 见下村富士男编：《明治文化资料丛书》第四卷外交编，风间书房 1962 年版，第 7 页。

② 据《大日本古文书 · 家别第十六 · 岛津家文书之一》，东京大学出版会 1982 年复刻版，第 3 页。

岛津忠时(忠义)。[①] 此外,从任命书的内容上看,内中所谓十二岛,并无具体名称,难以说明琉球也在其中。故而,琉球自古便被日本“置为附庸”一说也无从谈起。

此外,所谓“嘉吉元年(1441 年),九代陆奥守忠国……再加封琉球国”之事,经查阅现今出版的岛津家的古文书,无从寻求依据。因而,日本学者大城立裕氏也表示怀疑。而对此“不能否定”的小叶田淳氏,也只是说“具体地讲,是把〔对琉〕通交通商的垄断权给予萨摩”。[②] 显然,这与所谓的“再加封”,并不是同一概念。至于岛津家领有萨摩、大隅、日向,成为所述三国的守护之职,则已是日本应永三十二年(1425 年)的事情。[③] 这与所谓文治二年(1186 年)岛津家祖“受封萨摩、大隅、日向”,又至少相差了二百三十余年。

由此可见,上述鹿儿岛县有关日琉关系的《调查报告》,内含种种不实之辞,经不起历史的验证。但是,这份所谓《调查报告》,却成了尔后日本政府强行占有琉球的依据。

翌年(1872 年)正月,鹿儿岛县派出县吏奈良原幸五郎和伊地知贞馨前往琉球,“示谕本朝〔日本〕沿革及宇内形势”,并要求琉球王国“施以适应因革厘正时世之政”。但是,历经三月有余,尽管“且威且谕”,依然不得要领。用伊地知的话说,是所谓琉球上下“僻陋顽固之风,凝结于人人心肝,一时难以使之释然”。[④] 于是同年七月,鹿儿岛县又派遣县吏,携带县参事(当时主管县政)大山纲良的信件,前往琉球。大山在其信中言称:

“〔前略〕琉球自先王以来,世代服属于我。曩者,德川氏主宰天下,先王每遣王子,从藩候入江户,朝见于幕府,略如藩臣之礼。前年,德川

① 据《大日本古文书·家别第十六·岛津家文书之一》,东京大学出版会 1982 年复刻版,第 18—19 页。

② 参阅大城立裕:《冲绳历史散步》,第 65—66 页。

③ 据《大日本古文书·家别第十六·岛津家文书之一》,第 45 页。

④ 见下村富士男编:《明治文化资料丛书》第四卷外交编,第 6 页。

氏图谋不轨,自取祸败。于是,王室始而中兴。天子躬身,总揽乾纲,振举百度,欲与宇内强国对立,乃更察时变,惩治积弊,遂废藩置县,四海同轨,政令画一,国势锓锓,日进文明之域,海内翕然,靡不向化矣。幕府僭越之时,琉球犹行朝见,何况王室中兴之时,阙然不修朝贺之礼,甚非所宜,我亦无辞于朝廷。琉球素贵礼教,自先王事我,具尽恭顺,我之待于琉球,亦不为不厚,当此国势一变之时,欲使王更缵前绪,以不失我保境安民之欢心,传福祚于无穷。此事,莫过于急速入朝者矣。故而,今特命权典事右松永、权大属今藤宏为使,赍书以往,布以腹心。是乃并非专出纲良私意,实有所受朝廷意旨。义不容缓,王亦焉能宴然而安乎……愿王体察纲良之诚,从速派遣王子,切勿迟疑而自贻悔焉。"①显然,这是名为促使琉球王国遣使朝贺,而实际内含他意的书信。

同年七月,琉球王尚泰派遣伊江王子尚健、宜野湾亲方向有恒,随同右松永等乘船抵达鹿儿岛,且致书大山纲良。内称:

> "琉球国中山王尚泰,为咨谢事,窃照本年七月十二日,正使右松权典事……来到敝国,本爵恭接贵县大参事咨文,捧读之下,不堪欢欣之至,伏念王室中兴,总揽乾纲,振举百度,四海同轨,政令画一,即应趋赴凤阙,肃修朝贺,以伸向化之忱。无奈职守藩封,地逾渤解,未由凫趋,遂缺燕贺之礼。今贵参事特遣正副两员,赍捧简书,惠示遣使朝觐之意,此恩此德曷胜愧感,特遣伊江王子……虔捧国翰,备菲物进呈黻座,恭行庆贺之礼。"②

也就是说,当时的琉球并没有把日本新政权的成立,以及"废藩置县"等等,作为与本国命运相关的大事,也无意改变以往的日琉关系,充其量仍是一如既往,表示"向化之忱","恭行庆贺"而已。

这里应该就便谈到的是,从伊地知贞馨记述的《琉球处分起源》中可以得知,当年鹿儿岛县派人要求琉球改制时,还曾派遣县厅书记官伊地

---

① 见喜舍场朝贤:《琉球见闻录》,三秀舍1914年版,第2页。
② 见同上书,第3页。

知小十郎前往琉球调查八重山岛的煤炭问题。此事的下文如何，未见资料记载。但可说明当年日本新政权之所以强行占有琉球，除了前述对外方针政策之外，还有企图实施经济掠夺的成分。这种情况在日本明治初年的“征韩论”中，也有反映。如佐田白茅在第三次有关征韩的意见中则称：“朝鲜，金穴也，米谷也颇多”，“故而，征伐朝鲜乃富国强兵之策”。①

2　井上馨占有琉球的动议

明治五年（1872年）五月三十日，也即日本新政权通过鹿儿岛县，向琉球王国施加压力，迫其实行所谓“施以适应因革厘正之政”期间，时任大藏大辅的井上馨（1835—1915），便向政府提出了采取措施，变琉球王国为日本所属的建议。内称：

> 庆长年间，岛津义久〔应是家久〕征讨琉球，擒获中山王尚宁，使之服从皇国以来，该国被视为萨摩附庸，诸事委诸萨摩，延至今日。考察其版图离合之概略，姑且不论其中兴始祖舜天，乃源为朝后裔之说。就其服从以来，参见修礼，献纳币帛，恭顺表诚而言，不唯历代不懈，且语言、风俗、官制、地名之相类，概为披中我光，不泄一证。察其形势，与我萨摩之南岬，相距仅数十里，与小而无人之伊豆八丈岛、北海之萨哈连相比，乃是接近内地之大庭径也。故而，彼国为我国山之余脉，起伏于南海之中，乃一方要冲，皇国之翰屏，犹如手足之于头目，尽运作之职，可供捍护之用，此事无需喋喋赘论。然彼从前奉中国正朔，接受册封，我未匡正其携贰之罪，上下暧昧相蒙，以致数百年，甚为不妥。就君臣大体而言，我虽涵容，但彼则应恪守人臣之节，不能稍有悖戾之行。况且，现今百度维新，终究不可置之不理，宜肃清从前暧昧之陋辙，采取措施，扩张皇国规模。但不可挟持威力，行侵夺之举，当接近彼之酋长，招至阙下，谴责其不臣之罪，且

① 见《日本外交文书》第3卷，第140页。

列举前述庆长大捷后之情况，详述顺逆之大义，土地之形势，以及其他传记、典章、待遇、交涉上之证据，使彼悔过谢罪，知晓茅土不可私有，然后速收其版籍，明确归我所辖，扶正制度，使之国郡制置、租税调贡等，悉如内地一轨，一视同仁，以洽浃皇化，是之所望，尚乞庙议，特此具陈。①

井上馨的上述动议，实际是无视当时的中琉关系，不顾琉球王国的意愿，企图单方面采取措施，变琉球为己有。日本庆长十四年以后，萨摩藩对琉球王国确实有所制约，乃至将之作为贸易中介等，但当时的琉球王国依然拥有独自的政治体制，依然保持对中国的臣属关系，无所谓"携贰之罪"。至于所谓使其"知晓茅土不可私有"云云，实与所谓琉球"自古为皇国属岛"之说，别无二致。

3 日本左院的审理意见

同年六月二日，日本政府（时称正院）向左院下达旨意，内称："琉球历来附属萨摩，修觐礼、献币帛。然而，彼又奉中国正朔，接受册封，我亦未问其携贰之罪，因循数百年之久。今者，适值正名义、张纲纪之时，须纠正如斯暧昧之事，如何处理为宜，当在审议后上陈。"②于是，左院就井上馨的前述建议，以及来自日本外务省的意见，进行了全面审议，并作出如下答复。③ 内称：

（一）琉球国两属于我国与中国，乃是从前其国形势所致，无需再论。

（二）琉球国自明代开始，以至清代，受其册封，奉其正朔。但名为受其册封、奉其正朔，而实为岛津氏累世支配，不仅派遣士官镇抚

---

①《琉球处分》，见下村富士男编：《明治文化资料丛书》第四卷外交编，第 8 页。内中所谓"与……北海之萨哈连相比"一句，系据《岩仓公实记》下卷，第 571 页补明。

② 见下村富士男编，前揭书第四卷外交编，第 8 页。

③ 全文见同上书，第四卷外交编，第 8—9 页。

其国，而且使之率使臣来朝，是为幕府以来之制。由是观之，琉球依赖于我，远胜于清。清以名义使之服从，而我以实务使之服从。

（三）琉球国之两属，名义不正。今若纠正，使之属我一方，则将与清国开启争端。纵令不致如此，也手续纷纭，归诸无益。因名义乃是虚文，而实为要务，接受清之册封、奉中国正朔，乃虚文之名义，而岛津氏派遣士官，镇抚其国，乃要务之实 。我得其要务之实，而予清以虚文名义，故而可以不必纠正之。

（四）有如大藏省另纸所述，接待琉球使者，不可视如接待西洋各国使节，这无需再论，但也不可与国内地方官之朝集同日而语。维新之后，现今使者方来朝见，其事件不比地方官更为重大。故而，可权且由熟悉各国接应，且官员齐备之外务省掌管此事，较大藏省为便。

（五）外务省接待琉球使者，应尽量以国内事务规则待之，与接待欧美各国太平特派使节加以区别，不用对等国之礼，当按属国为之。

（六）外务省所呈报之三条处理琉球的意见中，有关停止琉球与外国之私交，可昭然实施。至于宣布琉球为藩王及叙列华族，则不可无有异议。现揭载如左：

不可宣布叙列华族，系因国内形势沿革以来，人有族类之别，确定皇族、华族与士族之称，乃是基于国内之人类，不得不自然设立如斯名目之形势。而今，不可宣布琉球国主为华族之称谓。琉球国主乃琉球之人类，不可与国内之人类混同，可封为琉球王或中山王。琉球藩王之藩号不妥，内地既已颁布废藩置县，再授予琉球藩号，就名义而言，也与前令不符。且琉球兵力单薄，不堪为皇国之藩屏，世所知之。以实际而论，也无授予藩号之理。故而，可删去藩号，宣布为琉球王。

（七）皇国乃东洋、西洋皆知之帝国，其下有王国、侯国，乃当然之事。封琉球为王国、为侯国，尽在我之所欲，删去藩号，宣布其为琉球王，也无碍我帝国之所属。

（八）如上所述，我封之为琉球王，也可准其更从中国受封王号，可分明看作两属。

（九）琉球历来由岛津氏派遣士官镇抚，可循其例，由九州镇台派出哨兵。我对东洋、西洋同盟各国，以信义公然交际，彼等也无毁信义、犯我所属土地之道。故而，前述哨兵不在防备外寇，而在镇抚琉球国内，人数无需众多。

上述日本左院的审理意见，是为面面俱到。其中，承认并主张保持琉球的"两属"地位，可谓含有正视历史的成分。从手段上说，或与井上馨直接占有琉球的建议有所不同，但在本质上，仍是要把琉球变为日本所有。而日本政府也正是在这个意义上，经过权衡之后而采取措施的。

4　明治天皇始封琉球王

明治五年(1872 年)九月十四日，日本政府借琉球正使伊江王子尚健、副使宜野湾亲方向有恒等人抵达东京拜见天皇之际，突然宣布改变以往的日琉关系，册封琉球国王为藩王，并列入华族。日本天皇在诏书中曰："朕膺上天景命，绍万世一系之帝祚，奄有四海，君临八荒。今琉球近在南服，气类相同，文言无殊，世代为萨摩附属，尔尚泰能致勤诚，宜予显爵，升为琉球藩王，叙列华族。咨尔尚泰，当重藩屏之任，立有众庶之上，体切朕意，永辅皇室。钦此。"①

这是日本天皇册封琉球之始，也是日本新政权强行改变日琉关系的第一步。与此同时，日本政府还着意向琉球发放了可供流通的货币三万日元，并拨出东京府下饭田町一套宅邸，供琉球王尚泰使用，以强化琉球为日本所属的印象。这同 1875 年日本政府法律顾问保索纳德向大久保利通提出要在日本地图中绘有琉球，以示琉球为日本所属，可谓出于同

① 见指原安三编:《明治政史》，第 367 页。

样的用心。此外,当时的日本外务卿副岛种臣,还企图保持琉球的外交权,提出了所谓"该藩历来与清国有关系,现今福州府仍有商民往来,其他以往应接外国人之航渡也依如旧辙,边陲要地,本省官员应予在勤"的意见。[①] 对此,日本学者也说,这是出于监视和抑制琉球与中国的关系。[②] 然而,无论出于何种动机,日本政府的上述措施都是强制性的,与历史上的日琉关系相对照,也是内含龃龉的。

例如,明治天皇诏书中言称,将琉球王"升为琉球藩王",但历史上的琉球王,并没有接受天皇册封的先例。既使日本庆长十四年,萨摩出兵入侵琉球,强行割地,让琉球王国向其献纳"贡米"以来,也无册封琉球的先例。退而言之,当年七月尚泰遣使朝贺天皇登极的国书中,其落款原是"琉球国王尚泰",[③]是日本外务省官员在编撰《琉球处分》时将之改为"琉球尚泰"的。因此,无论从何种意义上说,明治天皇"升"任尚泰为琉球藩王,皆属"无源之水",没有历史的连续性。

如前所述,有的学者认为,日本庆长十四年(1609 年),萨摩出兵入侵琉球后,琉球新王即位时,萨摩岛津氏则接受幕府之命,给予任命云云。其实,这种说法并无根据。因为任命(册封)乃是皇帝对臣下而言的大事,姑且不论萨摩岛津氏不过是从属于德川幕府的地方藩主,即或是德川幕府的最高首脑,在名义上也是接受天皇委任的大将军。因此,至少在理论上他们没有任命琉球王的资格。更何况,现今无从寻找所谓琉球王接受岛津氏"任命"的任何历史凭证。

此外,明治天皇在诏书中言称:琉球与日本"气类相通,言文无殊",实际也内含矛盾。因为同年日本左院在审议如何处置琉球归属问题时,便明确表示:"不可"宣布琉球王为藩王,也不能将之列入华族。因为"人有族类之别","琉球国主乃琉球之人类,不可与国内之人类相混同"。而且认为,琉球也无称"藩"之理由。显然,这与天皇诏书中所谓的"气类相

---

① 《琉球处分》,见下村富士男编:《明治文化资料丛书》第四卷外交编,第 13 页。

② 见佐藤三郎:《近代日中交涉史研究》,第 104 页。

③ 据喜舍场朝贤:《琉球见闻录》,第 5 页。

通”，是相互抵触的。至于所谓“言文无殊”，则更与事实相悖。因为时至明治四十四年(1911 年)，前往琉球进行实地调查的京都帝国大学副教授河上肇，在题为《新时代来临》的演讲中依然谈道：“冲绳在语言、风俗、习惯、信仰和思想等各个方面，皆与内地的历史不同……”稍后，在文中又称：“琉球的天地”是一“特异现象”，“帝国南端之孤岛，拥有特殊的历史、特殊的地理，历时既久，山水之色，亦颇与内地不同，更何况文物、制度、习惯、思想等，岂有尽与内地相同之理耶？若世上有咒此特异者，吾人现今仍将毫不迟疑地否定之”。① 同样，1878 年 11 月，日本内务权大丞松田道之，在其所起草的处理琉球问题的方案中，也完全承认：“近时，〔琉球〕虽受政府直接管辖，但……土人知有藩王，而不知有天皇陛下”。“至其语言，虽是本邦古语、彼之方言和中国语之混淆，但总而言之，是一种方言，与本邦人毫不相通”。②

由此可见，明治天皇册封琉球王，乃是“醉翁之意不在酒”。因此，同年 10 月伊地知贞馨再次被派往琉球之际，则向琉球王国传达了所谓“以往与各国缔结之条约，以及今后交际事务，概由内务省管辖”的意图，③以期进一步把持琉球王国的对外交际权利，并切断中琉关系。

然而，日本政府占有琉球的企图，从开始便受到了琉球王国的抵制。如明治五年九月二十八日(1872 年 10 月 30 日)，琉球使节在东京会见日本外务卿副岛种臣时称：“琉球被萨人领管，不堪其赋税重敛，国民疲弊。今由天朝直辖，切望下垂特恩，减省贡物。”又称：“大岛、德之岛、喜界岛、与论岛、永良部岛，原为我琉球隶属，昔为萨人于庆长年间押领，此五岛请归还于我。”④也就是说，当时的琉球尽管不得不派使朝贺，乃至听从日本天皇册封，但其依然认为自是一国，并坚持讨还以往被强行占有的北方五岛。

---

① 见高良仓吉：《琉球王国》，岩波书房 1993 年版，第 22、24 页。

② 见芝原拓自等编：《日本近代思想大系 12 对外观》，岩波书房 1988 年版，第 87 页。

③ 见《日本外交文书》第 5 卷，第 182 号文件附件一。

④ 见喜舍场朝贤：《琉球见闻录》，第 11 页。

又如，同年中国船只漂流到八重山时，琉球王国便力主一如既往，由琉球自行处理送还，并与当时日本外务省派遣在琉的官员，发生对立争执。翌年7月，琉球王尚泰专门派遣三司官、浦添亲方等人前往东京，继续向日本外务省要求一如旧章，并在有关要求中再次强调："本藩往古以来，亦从属于中国。往年中国皇帝命令，有中国人漂流之事，应关照送还福州。以往有漂流者，皆由本藩设法关照，因本船破损，难以自行归航者，则以派往镇国的进贡船、接贡船或备用船只，同时送往福州，而琉人漂至中国，也由中国所在官府关照，送至福州琉官之家。相互临近，多有彼此漂流者，每每处理，已成中国与本藩之规范。中国人漂流之事，若由在勤官员处理，则有违成命，本藩无论如何难以从命。脱体海外，不自由之孤土，全赖皇国与中国而行立。故而，自古以来，便称两国为父母之国。……举藩深愿精勤奉公皇国，对中国也不失先规"云云。①

漂流民的相互送还，只是自古以来中琉关系的一项具体事例。琉球王借此重申中琉关系，可谓"小题大做"，也是借以谴责日本政府的强行措施。因此，日本学者也称："尽管政府作了以上的种种努力，但在琉球藩当局的意识中，日清两属的观念并没有任何变化。而且，对政府所施的种种指示，也没有衷心的合作与欢迎。特别是明治六年〔1873年〕3月，政府命令琉球藩交出保管的对外条约文本时，又与伊地知发出了种种纠纷。"②也就是说，尽管日本政府采取措施，准备占有琉球，但在琉球方面，依然没有，也不愿意改变历史上形成的中琉关系。

同年(1873年)5月间，伊地知贞馨在归国述职时，也向代理外务卿报告说，自出使以来，虽然想要达到政府的目的，但琉人"见识狭窄，以一小岛而自足"，"偏固狭小，墨守旧法。故而，一时难以使之释然"，在实现政府预期的"新秩序"上，依然存在许多困难。③ 为此，日本外务

① 据《琉球处分提纲》(《明治文化全集》第22卷，第127页)。见佐藤三郎：《近代日中交涉史研究》，第105—106页。

② 据《日本外交文书》第6卷，第172号文书，见佐藤三郎：《近代日中交涉史研究》，第106页。

③ 据《日本外交文书》第6卷，第177号文件。

省也感到棘手。同年9月，由外务大丞花房义质和伊地知两人，联名致书琉球摄政、三司官，以外务卿副岛种臣“谅解事项”的名义，对琉球王国作出了如下保证，也即所谓让琉球交出与各国缔结条约之原本，绝非想要酿成琉球的日后困难，琉球“若非抗衡朝廷，或因残暴之举而使庶民离散，固然不作废藩处置，国体政体如旧，与中国之通交，亦可一如既往”。①

这里应该就便谈到的是，以往人们在研究琉球被日本政府强行改藩时，似乎不大注意琉球王国的反应。然而，前述尚泰王就中国漂流民之事的议论，以及伊地知的上述报告，可谓恰是从主客两个方面，反映了琉球王国对于日本政府的强行措施，自始便表示了不服与抗争。唯是琉球国小、力单，不得不付诸请愿而已。

及至1874年，日本政府借故入侵台湾，以及在中日有关台事条约中，获取了所谓“保民义举”的名义之后，于琉球对中国的态度，依然“几乎没有任何影响”。② 如同年5月中，也即日本政府出兵台湾、中日开始交涉时，琉球王国照样向中国派出了进贡使节。因此，当年随同日本外务大丞柳原前光前来北京的小牧昌业，在写给外务省的报告中也说：“上述事情载于北京官报，全属实说。姑且不论台湾土番为中国管内管外之事，仅就琉球进贡而言，琉球仍似中国属国”，“此事极为不妥，不堪叹息”。③

进而，1875年1月，清代皇帝穆宗逝世，德宗光绪皇帝即位，琉球按惯例将向中国派出庆贺使。此事被日本政府的实权人物大久保利通闻知后，更欲加速占有琉球。这也是同年3月，大久保利通提出旨在切断中琉关系的建议，并于6月派遣内务大丞松田道之前往琉球，宣布禁止

① 据《琉球处分》上卷，第246页。见佐藤三郎：《近代日中交涉史研究》，第106页。下村富士男编：《明治文化资料丛书》第四卷外交编，第57页中，也收有这一资料。但不知为什么内中没有“国体政体如旧”，以及“与中国之通交也可依如既往”的内容。这里存疑。

② 佐藤三郎：《近代日中交涉史研究》，第108页。

③ 据《日本外交文书》第7卷，第59号文书。见佐藤三郎：《近代日中交涉史研究》，第109页。

琉球对中国朝贡和派遣庆贺使节，以及禁止琉球向中国请封，在琉球首先设置镇台分营的背景。

上述情况说明，尽管日本政府以种种借口试图强行占有琉球，但琉球与中国的关系依然存在，所谓琉球的“两属”问题，依然存在。

七　日本政府强行“废琉置县”

1　切断中琉关系的谋划与实施

1874年日本新政权通过出兵入侵台湾，并在10月31日的台事条约中，攫取了赔偿和所谓“保民义举”的名义后，则试图加速实现所谓“断绝琉球两属之渊源”，以期完全占有琉球。因此，大久保利通归国后不久，便于同年12月15日，向太政大臣三条实美，提出了有关处置琉球的新建议。内称：

> 琉球藩历来为本朝与中国之两属，其人民受本邦保护，其正朔又受之于中国。明治五年〔1872年〕，琉球使臣来朝之际，赐以册封，尚泰列为藩王，但仍未能脱离中国管辖，暧昧模糊，何属不定，甚不体统。但其数百年之惯习，顽固僻陋，墨守旧章……仅以名分条理论之，决难更动，当渐进积成。此次对清交涉之后，征讨番地，使之认作义举，为受害难民支付恤银，虽表几分为我国版图之实迹，但仍难以达到判然定局，也难免各国无有异议。值此万国交际之日，如斯搁置，难料他日不生故障。征番之举，出自保护琉球难民不得已之义务，费金巨万，藩主等人理当深表感激，从速进京谢恩。但因其历来旧习，恐惧中国，思虑他日，处于知而不知状态。曾命藩主进京，但其至今不来朝见，万一托辞左右，不立即进京，则唯有加以谴责。以往用赦，格外处置。此时，宜遣轮船一艘，传唤其通达时世之二三要人，恳切交谈征番始末，使之知晓对清谈判曲折，方今形势，名分条理，归藩之后，激励藩王，进京谢恩。倘若此时唤之琉官进

京,则应谕示:肃清与中国之关系,在那霸港内,设置镇台分营,其余刑法教育等等,顺次改革。至其与美国、法国、荷兰缔结条约之事,难以搁置,政府应从速实施交替手续。①

大久保利通的上述意见,实际是企图通过更为具体的手段措施,切断中琉历史关系,变琉球王国为日本所有。

1875年3月,大久保在上述意见获得政府同意的前提下,传令琉球官员池城亲方、与那原亲方、幸地亲云上等进京,并向他们宣布:"去年我政府所行义举,原本为了琉球人民。维新以来,与外国交涉之事,悉依万国公法,而琉球藩尚为两属形式,今日若不改革,则将受到中国干涉,且有他日滋蔓纠葛之患。我政府有此忧虑,意在那霸设置镇台分营,以保护琉球人民。又因琉球舟楫之利薄弱,特赐给汽船,亦可支给粟米若干,以救恤难民,宜体此意,再谕藩王入朝。"②

大久保利通的上述说教,实可谓"指鹿为马"。因为明明是日本政府借故入侵台湾,旨在造成占有琉球的"依据",反倒声谓"原本为了琉球";明明是中琉两国保持了上下五百余年的主从关系,反倒言称"将受到中国干涉";明明是中国清政府支给琉球难民银两,反倒成了日本政府对琉球的恩惠。但其首先要在那霸"设置镇台分营",以迫使琉球王国就范,却是实情。

据称,大久保利通在如何处置琉球问题上,曾经征询过当时日本政府的法律顾问、法人保索纳德(Boissonade)的意见。大久保利通所提出的问题是:(一)日本在琉球扩张权利是否合法;(二)琉球的现状没有多大变化,日本应如何扩大在琉球的权力;(三)日本应如何处置琉球历来与中国的关系。③ 这些问题本身表明:当时的大久保利通,在处置琉球的

① 全文见《大久保利通文书》第六,第237—239页。
② 见岩仓公实迹保存会编:《岩仓公实记》下卷,第572页。
③ 见佐藤三郎:《近代日中交涉史研究》,第110页。

问题上，也感到气虚理亏，①不得不想方设法寻求“理由”或“依据”。

同年3月17日，保索纳德向大久保利通作了如下答复。关于第一点，保索纳德认为：由于中日台事条约中所说的“日本国属民”，是指琉球人，所以中国应该承认日本对琉球的主权。关于第二点，保索纳德认为：琉球现今业已失去独立存在，应从属于日本。但从历史情况看，不宜急剧施加压力，可在租税、兵事、裁判等方面，依然保留一些独立性，以取得居民的信任为得策。承认现在的藩王任命诸官吏的权力，〔日本〕政府拥有其认证权，宜在〔琉球〕官吏中逐渐加入内地之人。在此之前，可首先派驻理事官，使之监察岛政，创办配备直接有利于岛民生活的灯塔、电讯等事业，若将之作为理事官直接负责的事务，其驻在名义也可合理化。另外，为了增大日本领有〔琉球〕的客观性，要注意在日本的地图中，必须绘有琉球，并要促使藩王进京，使之对政府保护表示谢忱。关于第三点，即如何处置中琉关系问题，保索纳德认为：应该废止琉球对中国献纳贡物，及派遣庆贺使等臣从性的交际活动。但应强制琉球实施，还是应由日中两国政府充分交涉实施，则仍有研究考虑的余地。对此，保索纳德认为，或许后者为宜。②

保索纳德的上述三条意见，可谓向日本政府提出了如何处理琉球问题的具体方案。但同时也从另一侧面，反映了当时日琉关系的实际情况。也即当时的琉球，在租税、兵制、法律裁判，以及任命行政官员等方面，确实拥有自身的独立性，是属“自为一国”。而当时的日琉关系，也绝不是日本政府尔后对华交涉时所说的，业已达到了所谓“派官设治、遣兵戍边”的程度。

---

① 关于这一点，日本白川县住职佐田介石，当年写给左院的意见书中也称：“琉球素奉中国正朔，且久已事奉册封，其为中国之属国，无需再论。据此理而言，杀害琉人之罪，非我国当问之事。”与此同时，佐田还质问政府此前介入琉球之事，认为琉球既然为中国属国，日本何又介入其间，授予琉王藩号，清国若以此理相责，届时日本“不但征台无名，而且有押领中国属地之罪”。据色川大吉等监修：《明治建白书集成》第3卷，第877—878页。见吴密察前揭论文，中琉文化经济协会编：《第二届中琉历史关系国际学术会议论文集》，第262—263页。

② 见佐藤三郎：《近代日中交涉史研究》，吉川弘文馆1984年版，第110页。

同年5月8日，大久保利通向政府报告了会见池城等人的情况，并再次提出了有关处置琉球的意见。其主要内容是："藩王入朝之事，可暂付他日再议，于官员赴任之后，再加说谕。然设立分营之事，乃是现今当务之急，无暇待其遵命。又如禁止其朝贡清国，撤销福州琉球馆之事，关系颇为重大，欲全然尽保护之道，粗订藩治政体，渐次推及。据闻，去岁藩王向清国北京派遣贡使，受到优惠礼遇。今又有清帝即位之报，料其必遣庆贺之使。我朝处分琉球，乃欧美各国所注视者，若默许派遣，则与国权相悖……。关系清国之事，欲最终按照政府之目的，预先确立标准，内定施设顺序"等等。[1] 次日，大久保利通又专门列举了若干具体事项。诸如：禁止琉球隔年向中国遣使朝贡，以及清帝即位派遣庆贺使等；废除福州琉球馆；禁止琉球接受中国册封；派遣官员调查琉球改革事项；今后琉球与中国的关系，概由外务省处理等等。[2] 这些具体事项表明，当年日本政府所谓处分琉球，不仅是否定琉球"自为一国"，而且是针对中琉关系的。

2　派遣官员压迫琉球就范

1875年7月10日，在大久保利通的直接操纵下，内务大丞松田道之、内务六等出仕伊地知贞馨等，与池城亲方等人一道抵达琉球那霸。这是因为同年3至5月间，尽管大久保利通多次对池城亲方等人"谕以庙议所在"，但是池城等人始终坚持不受。用松田道之的话说，"（池城等人）意见固陋，苦情百端，卿〔大久保〕虽费数日，最终仍是声谓不归藩告诸藩王，不能决定答复"。因而，"莫如将官吏派至彼地，直接向藩王传达，且辩论说谕"。[3]

7月14日，松田道之向琉球王代理今归仁王子尚弼、摄政伊江王子

① 见《明治文化资料丛书》第四卷外交编，第84页及《岩仓公实记》下卷，第572—573页。

② 见《明治文化资料丛书》第四卷外交编，第84—85页。

③ 见《明治文化资料丛书》第四卷外交编，第95页。

尚健、三司官浦添亲方、池城亲方、富川亲方等，宣读日本政府五六月间作出的决定，也即：今后禁止隔年向中国朝贡、派遣使节，或清帝即位时派遣庆贺使之例行规定；今后藩王更替时，禁止接受中国册封；琉球应奉行明治年号，年中礼仪概当遵照布告行事；为调查实施刑法定律，当派遣二三名承担者进京；废止福州琉球馆；在琉球设置镇台分营；以及要求琉球王进京谢恩，按照另纸规定，实行藩制改革等。① 但是，琉球方面并未从命，而是“直接表示了不奉命之意”。② 根据松田道之出使琉球的记载，在其抵达那霸以后，琉球摄政、三司官等，确实与其进行过反复交涉，而交涉的重点，又正是不肯断绝与中国的关系。

8月5日，琉球王尚泰特意致书松田道之，内称“关于太政大臣三条公及阁下所谕示的禁止本藩隔年向清国进贡，或清国皇帝即位之时，派遣庆贺使，以及今后不得接受清国册封，藩内奉行明治年号，年中礼仪遵行布告，且改革藩制等等，业已知悉，与诸官评议之后，兹恳请如左：

一、本藩往昔政体礼仪不备，诸多不便，故而从属皇国与中国，承蒙两国指导，渐成政体。藩内所用物件，也从两国筹办。此外，经常蒙受两国仁惠抚恤，皇国与中国之厚恩，罄竹难书，两国实为父母之国，举藩上下，莫不仰奉。深愿万世不替，以励忠诚。今后不得向中国进贡，不得派遣庆贺使节，禁止向中国请求册封，必然弃绝父子之道，忘却中国累世之厚恩，失却信义，实乃心痛。请谅察前情之实，准允向中国进贡、派遣庆贺使节，以及接受中国册封等，一如既往。

又，从属皇国管辖之地鹿儿岛县之事，以往对中国隐匿，恳请对中国说明，采取明确处置，愿对两国奉公，永久勤勉。

二、本藩之事，有如前述，因从属皇国与中国，故而恳请对皇国

① 见《明治文化资料丛书》第四卷外交编，第104—107页。
② 东亚同文会编：《对华回忆录》中译本，第101页。

使用皇历，对中国使用中国历法，年中礼仪按照两国格式。至于祝贺新年、纪元节、天长节等，当按布告实施。其他恳请一如既往。

三、关于职制之事，乃是应乎国情、顺乎民心而定，自古从无变易。现今政府虽直接管辖，但谓国体、政体永久不变，藩内一同闻知，难得之安宁。而谓藩制改革，则小邦人心迷乱，每事不周……。请与内地有别，一如既往。①

同日，琉球摄政伊江王子、三司官浦添亲方、池城亲方和富川亲方等，也联名申诉与中国不可断绝关系，以及无意改革藩政的理由。于是，松田道之则再次召集琉球摄政、三司官等五十余人，"历述世界形势"，并要求他们作向导，直接面见琉球王尚泰，但无一人答应。②

8月8日，松田道之致书琉球王尚泰及摄政、三司官。内称"（前略）从前我政府默许两属之国体，系因时势所致，幸无重大障碍。现今皇政一新，成万机亲裁之世，万国交际益加密切之时，从达到独立国之宗旨而言，准照世界条理、万国公法，其权利不备，则国不为国。尔藩为我国之版图，若臣事他邦，成两属之体，则是国家权利不能确立之最，不从速改之，则无以对答世界舆论，是不独我政府之缺乏典章，且关系尔藩之存亡，岂可不戒？是乃有此番通知下达之一大目的也。今阁下所陈，乃是不问此等条理，唯是因袭旧格，不欲就范新规，终究属于自私之苦情。而且，就琉球地理、人种、风俗、语言，以及受到我政府保护而论，原本也为我国之版图，成所谓地理上之管辖。将之询于世界公论，孰能谓之不属管辖、不在版图之内？

"至于清国，地理、人种、风俗、语言等等，一概与之无缘，唯是中古之际，尔国主自行应乎诏谕，受彼册封，但未曾受彼政府之保护，似是政令管辖，而无其实。将之询于世界公论，谁人谓之版图？必谓其实无管辖之权。故而，清国若谓琉球系自身管辖，只能对尔藩言之，对我政府不能

① 见《明治文化资料丛书》第四卷外交编，第118页。
② 据东亚同文会，前揭书，第102页。

言之，对世界不能言之。因中古明主之诏谕，并未断绝我之管辖，又未得到我之许诺，唯是琉球国主以滥自应谕为幸，与之结成私义。准照世界条理，更无可取之名分。我征伐生番之役，彼视为义举，向我政府支付尔藩遇难遗族金额，若是清国可向世界公开表明琉球为自身管辖，何不自行处置牡丹社，保护尔藩人民？又为何向我政府支付尔藩遇难遗族金额，而不自行向尔藩支付？且又为何将我征伐生番之役视为义举？琉球不受清国管辖之条理，历历在目，我政府于征伐生番之役，与清国谈判之结局，也可明证矣。由是观之，清国于尔藩之情意、名分早已废绝。尔藩言清国之情意，乃一己之私情耳(中略)。

"我政府若是不断绝尔藩臣事清国诸事，则失去所谓地理上之管辖权利，也即损失天皇陛下之权利。其对世界之关系，意义沉重而且广大，与尔藩对清国之情义相较，孰轻孰重？唯是主张自私之苦情，不问此中条理，见识谬矣。尤其是所谓向清国言明尔藩属我政府之事，更为最大之荒谬，对我政府失敬之甚。尔藩为我之版图，万国皆知，最近征伐生番之役，我政府对清国也有明确表示，何需依照阁下之漫言而告诸彼耶？勿复出此不敬之言"。

继而，松田道之又称："尔藩国体、政体永久不变之命令，未曾有之。既或以明治六年外务省官员依照外务卿副岛种臣之命，给尔藩官员信中所揭之事，也与阁下所论宗旨不同。信中之意，乃是藩制不可轻易变更之意。而现今下达之通知，原本也非变革藩制，而是实施属于藩制之职制，有此藩制则不可无有此种职制。国家之政体，原本系于时势沿革，基于国家经营之便，不可不变者，不可永世墨守陈规……。尔藩亦然，故而，唯有从速遵旨奉行"云云。①

松田的上述说教中，所谓"尔藩为我之版图"，琉球王"滥自应谕"，与中国"结成私义"，以及所谓琉球地理、人种、风俗、语言概与中国"无缘"，"清国于尔藩之情意、名分早已废绝"等等，准照琉球社会发展史，实属无

① 见《明治文化资料丛书》第四卷外交编，第121—123页。

稽之谈。但其内中必欲废绝琉球社稷、切断中琉历史关系之心，却亦"历历在目"。

然而，松田道之的威严示谕，并没有改变琉球王国的意愿。8月10日，松田道之在给大久保利通的报告中谈道：琉球对设置镇台分营，派遣人员进京，调查实施日本刑法定律等事，可以遵照奉行，但"有关清国诸事，则不仅不愿从命，而且在其请愿之意中，不合条理者甚多。为此，下官在会晤席间，陈述不能听许之旨，且列举条理、名分反复论辩……。又于8日向藩王、藩吏，递交第28、第29号文书，督责其条理大义，并要求19日午前，作出决定性答复。其能否从命，此后之方向犹难预料，藩情颇为困难"。随后，他还谈道："倘若该藩拥有兵力，人民强悍之时，难保不反我国政府。幸而藩无兵力、人民柔弱纯朴，条理势力无敌于我。故有关清国之事，既或再行数百次恳切议论，也决难心服，唯有依照条理，坚持不动，莫如威严论辩，使之威服……"①由此可见，日本政府占有琉球之念并未放松，而琉球对日本政府的强行意旨，也没有放弃抗争。

8月20日，琉球摄政、三司官等，在要求延期作出答复的情况下，又同松田道之进行了面对面的交涉。其间，除了继续申诉不肯断绝中琉关系的理由之外，还针对松田道之所谓琉球"为皇国之版图"，"成所谓地理上之管辖"的说法，言称"本藩地处皇国与中国中间，地理气脉与两国连续，人种、风俗也与两国相似，语言无有变化，交通频仍，难谓因与皇国相似而归结为一定之何方"。进而又称"本藩自弘化至文久年间〔1844—1863年〕，外国船只频繁渡来，要求和好交易，小邦难于应付。尤其英、法、美国之人，相继逗留，藩中忧虑至极。但经向中国申诉，与渡来长官示意相谈，而归于平安无事，是有确实保护"。再者，"本藩进贡之规则，载于明清会典，各国一同明了知之。前述逗留之英、法、美国人，也依照中国之示谕办理。而且，本藩往昔交通皇国、中国、朝鲜、暹罗、爪哇国之前，何方也不服从。由于中古明主诏谕，开始进贡。是时，中国业已断绝

① 见《明治文化资料丛书》第四卷外交编，第124—125页。

皇国之管辖，无有得到皇国许诺之条理，也无滥自以应谕为幸，结成私义之事，不可视为无有可循之名义”。此外，“征伐台湾，系由皇国处置者，故而抚恤银两也当如是向皇国交接。且生存者也受到中国之格外保护，在送达本藩的咨文中，有向台湾府纠诘、儆惩强暴，以示怀柔之意。又，征伐台湾以后，中国对本藩没有任何指令，贡使进京、受纳文表贡物，对藩王、使者赐物及接待等等，一如先例，亲切相待，且发来皇帝殂落之白诏、新帝即位之红诏，先规无所更替，是以不可谓为清国对本藩之情义名分业已废绝”等等。[①]

上述情况表明，日本政府旨在断绝中琉关系的筹划，并没有得到琉球王国的认同。因此，松田道之在拒绝听取琉方意愿的同时，则开始采取所谓“使之威服”的手段。据《琉球见闻录》记载，其“怒声喝叱，极度苛责，宛如对待三尺儿童。众官吏因被松田斥责，夜不能寝，昼不能息。每日从早到晚进行协议，心急如火，肝胆皆裂，食不能咽”，以致“精神困倦，身体疲惫，如醉如狂，面色铁青，唯有叹息”。[②] 然而，琉球官员并没有因此而放弃保持中琉关系的意愿，并继续要求直接向东京申诉。时至9月中旬，松田道之终于不得不同意琉球派遣三司官池城亲方等人前往东京。

3　琉球王国的不服与论争

1875年11月间，业已抵达东京的池城亲方等人，继续向日本政府递交请愿书，要求保持中琉关系，不变琉球国体、政体。内称“琉球与中国，有五百余年的恩德情义。断绝之，乃是背恩弃义，废绝为人、为国之道。况且，往古之两属，各国知悉明了，并非重新改为臣事他邦。而今亲政，各国交际，专以信义行事，祈望宽洪处置，使彼藩与中国之关系，也不失却信义。天皇陛下大德益彰，对世界舆论也可谓不失条理。遐陬僻居之

① 见《明治文化资料丛书》第四卷外交编，第127—128页。
② 喜舍场朝贤：《琉球见闻录》，第98页。

小邦，依赖两国而立国，无故俄然断绝五百年来之礼节，即便是得以船舶往来，随意需用万般货物，又有何等脸面前往中国焉?”[①]

进而又称:“交通服属中国之事，有如前述，五百年来，受彼册封，向彼朝贡，在彼处设置官邸，以至于今，绵绵不绝。受彼之恩德，蒙彼之爱顾，原本为天朝所洞知、万国所察观者”。本藩“介于皇国与中国两大邦国之间，服事两朝，数百年如一日，更无薄厚。今若服从严命，对中国失去信义，则国情纷纭，上下错愕，不知如何处置。故而，藩王命臣等向阁下哀请，以天朝之威德，解救小藩之艰难危惧……。天朝可否以专使，将此特别意旨示教于清朝，得其承诺之书信，或了解彼之朝旨，告诸敝藩，明确永归天朝专属? 若出此两者，则丝毫不失信义，阖国可得稳定，上下始安苏息之地。若不告诸中国，而唯是天朝之命，则吾负中国，不信不义，届时复有何辞? 此等情势，祈望悯察。其他如职制改革，也难实施”等等。[②]

总之，琉球王国不愿断绝中琉关系，也不愿改变本国的国体和政体。然而，日本政府的主脑人物大久保利通，却认为中国业已承认琉球为日本版图〔实际并非如此——本书注〕，琉球问题纯属内政，日本没有必要求得中国方面的谅解。[③] 因此强硬地拒绝了琉球方面的要求，并于同年10月18日向太政大臣表示:琉球不遵从松田〔道之〕之言，企图直接诉讼，“强行进京的内心，必有依赖之处”，故而对中国当“想方设法”，“祈望在此一方面从速断然指挥”。[④] 为此，1876年5月，日本政府先是命令池城亲方等人归国，进而于同年6月间，派遣内务少丞木梨精一郎，率领警官、巡查若干人前往琉球，以期把持琉球的司法裁判权，并迫使琉球就范。是时，日本政府强行规定:“藩内〔琉球〕人民相互发生刑事案件，当由藩厅审讯，然后请求〔日本〕内务省派出所裁判”;“藩内人民相互发生民事纠纷，及藩内人民与其他府县人民(不论兵员与普通人民)之间的刑

① 《琉球处分》，见《明治文化资料丛书》第四卷外交编，第165页。
② 见同上书，第四卷外交编，第166页。
③ 见佐藤三郎:《近代日中交涉史研究》，第112页。
④ 同上。

事案件和民事纠纷，皆当直接向内务省派出所申诉”。① 及至 1877 年 10 月，日本政府又把琉球的司法权，纳入大阪高等法院的管辖之内。与此同时，则在琉球强制实行“海外旅行券制度”，凡是琉球人前往中国，必须向日本政府请发护照，以加强对中琉往来的控制。

在这种情况之下，琉球预定在 1876 年派往中国的接贡船只受到梗阻。同年，福建布政使在送还琉球漂流民之际，曾询问事情的原由。而琉球要求给予回信答复，也遭到日本政府的禁止。② 为此，琉球王尚泰于 12 月 10 日，派遣姐婿幸地亲方（紫巾官向德宏）等，秘密前往福州。由于风浪险阻，向德宏等于翌年四月抵达福州，面见福建布政使，递交琉王尚泰密咨，“禀请吁恳详咨，给凭赴部沥情”。③

1877 年 6 月 24 日（旧历五月十四日），闽浙总督何璟、福建巡抚丁日昌，将此事上报总署，请求“饬知出使东洋侍讲何如璋等，于前往日本之便，将琉球向隶藩属，该国不应阻贡，与之恺切理论，并邀集泰西驻倭诸使，按照万国公法，与评曲直”。④ 为此，清政府指令何如璋，于到任之后，可采取适当处置。这也是第二年何如璋对日强硬交涉的背景。

在此期间，琉球王国面对日本政府的百般逼迫，在不断请愿的同时，也希望得到国际社会的声援，以保持“自为一国”的状态。据日本《朝野新闻》（1879 年 1 月 10 日）报道，1878 年抵达东京的琉球三司官毛凤来和马兼才，向西方驻日各国公使，递交了如下内容的投诉。其中言称：

> “琉球国法司官毛凤来、马兼才等，为小国危急，切请有约大国俯赐怜鉴。窃琉球小国，自明洪武五年（即 1372 年）入贡中国，永乐二年

① 《琉球处分》，见《明治文化资料丛书》第四卷外交编，第 174 页。

② 见佐藤三郎，前揭书，第 113 页。下村富士男氏编：《明治文化资料丛书》第四卷外交编，第 173—174 页，收有光绪十年（1876 年）十月十五日，尚泰王“特遣”向德宏等“细备情状，投请督抚两院，奏请圣猷”的书信，内中载有“幸经贵司照料周详，行咨探问，遂将行其咨复之处，报知倭国，方得告情之便”云云。两者显有差异，这里存疑。但据当时情况，“方得告情之便”一语，似为不确。

③ 见《清光绪朝中日交涉史料》卷一，第 21 页。

④ 见《清光绪朝中日交涉史料》卷一，第 21 页。

(即 1399 年),我前王武宁,受册封为中山王,相承至今,向列外藩。遵用中国年号、历朔、文字,惟国内政令,许小国自治。大清以来,定例进贡土物,二年一次。逢大清国大皇帝登极,专遣陪臣,行庆贺之礼。敝国国王嗣位,请膺封典,大清国大皇帝遣使,册封嗣王为中山王。又时召陪臣子弟,入北京国子监读书。遇有漂船遭风难民,大清国各省督抚,皆优加抚恤,给粮修船,妥善遣送回国。自列中国外藩以来,至今五百余年不改。此前咸丰九年(即 1859 年、日本安政六年),大荷兰国钦奉全权公使大臣加白良〔capeiien〕,来小国互市,会蒙许立条约七款,条约即用汉文及大清国年号。谅贵公使有案可以查考。大合众国、大法兰西国,亦曾与敝国立约。敝国于日本,则旧与萨摩藩往来。同治十一年(即 1872 年),日本废萨摩藩,逼令敝国改隶东京,册封我国主为藩王,列入华族,事与外务省交涉。同治十二年(即 1873 年、日本明治六年),日本勒令将敝国与大荷兰国、大合众国、大法兰西国所立条约原书,送交外务省。同治十三年(即 1874 年、日本明治七年)九月,又强以琉球事务改附内务省。至光绪元年(即 1875 年),日本太政官告诸琉球国曰:琉球进贡清国及受清国册封,自今即行停止。又曰:藩中宜用明治年号及日本法律,藩中职官宜行改革。敝国屡次上书,遣使泣求日本,无奈国小力弱,日本决不允从。切念敝国虽小,自为一国,遵用大清国年号,大清国天恩高厚,许敝国自治,今日本国乃逼令改革。查敝国与大荷兰国立约,系用大清国年号、文字,今若大清国封贡之事,不能照旧举行,则前约几同废纸,小国无以自存,即恐得罪大国,且无以面对大清国,实深惶恐。小国弹丸之地,当时大荷兰国不行拒弃,待为列国,允与立约,至今感荷厚情。现今事处危急,唯有仰仗大国劝谕日本,使琉球国一切照旧。阖国臣民,戴德无极。除别备文禀,求大清国钦差大臣及大法兰西国全权公使、大合众国全权公使外,相应具禀,求请恩准施行"等等。①

① 见《明治文化资料丛书》第四卷外交编,第 179—180 页。

人们知道，国家有大小，实力有强弱。弱国有权决定本国的事务，强国没有理由按照一己之利，把本国的意志强加给弱国。琉球王国的上述文书，既是请援，也是向西方立约各国，正式宣布琉球"自为一国"，并坚持对华关系"一切照旧"。然而，当年日本《朝野新闻》在报道此事时，却谓之"琉奴蔑视我日本帝国甚哉"。[①] 用当代日本学者的话说，"这从整个明治时代，极其旺盛的国权扩张的气氛来考虑，是很自然的事情"。[②] 然而，这只能说明：日本政府强行实施的"琉球处分"，是近代以来国际关系中的强权与暴力。

4　日本强行"废琉置县"

1878 年琉球王国对荷兰及美、法公使的投诉，引起了某种反响。当时，美国公使表示，要将此事报告本国政府，请求指示。[③] 而中国驻日公使何如璋，也开始对日交涉。这样，琉球问题出现了所谓"国际化"趋势。这使日本政府感到忧虑。于是，新任日本内务卿的伊藤博文，则命令松田道之，迅速研究处理琉球的方法问题。

同年 11 月，松田道之向伊藤博文提交了《琉球藩处分案》。这一方案，实际是日本政府于 1879 年"废琉置县"的蓝本。为具体了解当年日本政府究竟是以何种"理由"，如何强行占有琉球的，现将松田道之拟定的方案要点，收录如下：

首先，松田道之在其方案中，就琉球的历史作了如下概述："该藩自中兴国王舜天开始，至当今藩王尚泰，世数三十八代，历年六百八十六年（据称国祖天孙氏二十五世，纪年凡一万七千余年）。王统连绵不绝，土人长期在其统治之下。昔时在我版图之内，中时受萨摩藩主管辖，近时受政府直辖，但除裁判、兵权、货币、颁布历法之外，一切政务委任藩王。

① 见芝原拓自等编：《日本近代思想大系 12 对外观》，岩波书店 1988 年版，第 425 页。
② 佐藤三郎：《近代日中交涉史研究》，第 127 页。
③ 据喜舍场朝贤：《琉球见闻录》，第 142 页。

是以,土人知有藩王,而不知有天皇陛下,知有藩政府,而不知有本邦政府。其尊信藩王之深厚,实为无量。为了藩王,有弃命舍财也不足惜之情。故而,其藩政虽然极为压制苛酷,但因土人尊信藩王深厚,数百年来习惯既久,并无特别厌苦之情。然而,若仔细分析,尊信藩王者,乃是一般士民……其土民并非没有多少厌苦。

"至其风俗,士族以上者,娴雅清洁,衣食住行,并非鄙野,自有上等人士之风。但土民不学,识字者少,弊衣徒跣,起卧于土间,有野蛮之风。其语言,为本邦古语和彼之方言与中国语言相混淆,但为一种方言,更与本邦之人不通(虽然官吏皆可使用本邦语言)。其人情温顺、俭朴,崇尚礼让信义(虽然藩吏因苦苦仕于本邦与中国之间,颇能狡猾行事,商贾为免于鹿儿岛商贾之笼络,善用黠诈),且坚忍耐久,有劳力营生之质,又有固陋因循、忌讳新规之癖。其民力贫困(虽然处处有豪富者),官吏多富(虽然政府经常穷困)……。其政治以文教人伦为本,政教不分,兵备不用,土人不带寸铁,有敬神信佛之风,但不与土人宗教自由。文学以讲究孔孟之道为主。官府民间帐簿、书札,皆与本邦相同,门阀子弟及久米村人(闽之人种),学清国书法,官吏概用本邦家流及俗文。其土地制度、税法、殖产、贸易法等,因其国势,颇为注意,且有往往使用本邦之制者。其中,税法、祭祀、度量衡等,虽多是依照本邦之制,但百事皆不免压制主义。"

进而,松田道之预计了处分琉球的后果问题。他认为:"根据前述情况,其处分之初,一时将出现非常形势,也即一般士民哀痛,不知所措,弃业忘食……,将以必死之心,抗拒处分。然而,其无兵力,无法行干戈之为(虽然土人相斗,有掷石之癖),但将啸聚强诉,纷扰百事,几呈反状。不过,孤岛人民,终究无有抗拒之力,必将从命。至于处分之后,因其原本畏服,而非心服,所以明暗百般,不再妨害政治,最为困难。而土民识字者少,且语言不通,布令施政,又不得不以士族以上者为媒介。但其士族为不平之徒,难免伪传上意,欺诈下情……。总之,在通畅施行政治期间,始终难免障碍,不能与内地轻易废藩置县相比……。"

最后，松田道之则提出了所谓"可适当处分之方略"。内称："该藩之处分，虽专属内政自主之权，但其条理出自国宪，其事由也可成为世界之议题，既令是微力之孤岛，也不可以非条理加之。然而，原本为非常之变革，又不可以平时而论。倘若仅仅拘泥于条理，而不能活用变通事宜之法，则不仅有误处置，而且有失条理之当。故而，为达到政府适当之目的，即使一时出于严酷处分，也当不背大体之条理，有可断然实行之理。因此，在该藩处分之际，当以如何方法呢？"

"窃以为，该藩往昔之事，不可不暂且搁置，不可不以中时之事，尤其不可不以维新以来之事为基。然而，该藩不是万国公法所论之隶属国，也即不可以半主国而论，若纯然以之为内国藩地，恰如对马一般，则改革该藩现今不适合我国体之体制，有何惮哉？先前，副岛种臣任职外务卿时，对该藩说过：其国体政体永久不变。此言虽说不是永远不变之官令，但此言出于外务卿之职，不可谓为全无效力。故而，该藩将之作为金科玉律，经常作为维持旧制之辞。而且，政府也长期将该藩置于制度之外，使之处于暧昧之间，有欠典章。故而，现今俄然变革，不可无有适当之条理与言辞，而求其条理与言辞，则当以明治八年〔1875年〕对该藩命令，禁止其隔年向清国派遣朝贡使，禁止其在清国皇帝即位时派遣庆贺使节，禁止藩王更替时接受清国册封之事，而该藩只是请愿，至今未呈从命文书。明治九年〔1876年〕在该藩设置裁判官，该藩理当引渡裁判事务，但又是口称请愿，至今不予从命。此两者最为重要，不可荏苒不问。

"此外，派遣幸地亲方，暗中向中国投诉，指使在留府中之藩吏，向驻在中国公使密诉，且出入各国公使馆，要求各国公使斡旋。如此隐匿行为，不胜枚举。当以此等事件，作为施行变革之条理名义，以断然废藩置县，行使藩王住居东京等处分，或先以御用之名义，将藩王召至东京，遂加拘留，废藩之事甚为容易，但其航渡数百里远洋而来，阖藩士民恐惧，藩王必将称病推辞，若强行使之服从，则不可不强迫处置，土人不免动摇……，莫如省去此等手续，直接下达废藩置县、藩王居住东京之命令。然而，废藩置县若止限于藩王住在东京，则得失参半。因只是废藩也可预知土人动摇，加之令藩王脱离其地时，不问有无条理、政治利害，则是逐本求末。藩王若殊死不离其地，则将酿成几重纷扰，终究不可不以强迫处置，遂以兵威一并拘留反人。故而，废藩置县当首先让藩王退离居城，止让其住在别墅，使之无复妨害县治。倘若出现妨害之势，则不问何时，皆当断然采取严酷处置，而使之住在东京之事，也不宜迟。然而，土人气质，坚忍因循，得寸进尺，反复谴责，难见结局。因当初命令藩王住在东京，则有种种请愿，当制订许可藩王暂且滞在其地之顺序（依照岛津氏许其滞在鹿儿岛之先例），可否使之逐渐退离居城，住在别墅。又，以上诸事之处置，抑或将来施行县治，皆当示以威严，不可不准备实力，以预防凶暴，保护安宁，且需要相应之戍兵。”

至此，松田道之又提出了14条具体方法。诸如：“若在发布命令、废藩置县的同时，派遣兵员，将被误认为讨伐，而招致无谓之动摇。故而，当在发布命令之前，向该地分营增派若干兵员，而后任命负责处分之官员与县令，并使之同时进入琉球，处分长官奉命事情完了，当向县令交接。将来之县治，决不可急于施行完美之治，土地制度、风俗、营业，凡是该藩历来士民习惯者，当以尽力不予破坏为主。尤其是家禄处分、寺社处分、山林处分等等，当避免重蹈内地旧藩处分之覆辙……”此外，还有所谓通知琉球“废藩置县，县厅设在首里城”（第二条）；禁止琉球官吏滞在东京，并迅速返回琉球（第六条）；当向琉球王宣布：自今而后住在东京，公开交出首里城，前往东京之前，可住在别墅，“将原本属于琉球藩的房屋、仓库、地产、金银、谷物、船舶等，与原本属于藩王尚氏者，分开呈报”；“有关租税、秩禄等其他需要将来处分者，处分长官当进行调查，并与县令协商后，上报主管省”；“处分之际，土人必然狼狈骚扰，应尽力说谕，若有视为凶暴谋反时，可与分营协商，以兵威镇抚”；“藩王若不离开居城，不遵行传达条件，且有背反行为时，也可与分营协商，以兵威处分”；“藩王若不进行诸种交接，县令当向人民传达命令，警察之事，最为不可怠慢”（第八条）；“当在长崎至琉球间，铺设海底电线”（第十二条）；“当在琉球县设置裁判所”（第十三条）等等。①

① 全文见《明治文化资料丛书》第四卷外交编，第201—213页。本书分段，稍有删节。

上述种种，则是松田道之《琉球处分案》的基本内容。其中，所谓琉球"昔时为我国版图"的说法，有如前述，毫无根据。而日本天皇始封琉球王，随后强行控制琉球司法权，强制琉球使用日本年号、历法，并向琉球派遣警官、巡查等情况，则是 1872 年以后实施的。除此之外，似乎难以找出日本政府强行处分琉球的理由。而且，松田道之也承认，在其此前出使琉球之际，之所以反复论辩日本维新以来，对琉球所采取的强行措施，正是因为"根据〔琉球〕摄政、三司官的……书面意见，我国政府管辖琉球，远在清国管辖之后……，岂敢喋喋不休徒论往昔耶"，"是为余所深深注意者也"。①由此可见，日本政府所谓处分琉球的理由，自始便是牵强的。

1879 年 1 月，松田道之奉命第二次出使琉球。25 日，松田道之及其随行人员抵达那霸，其受命的任务是："督责"琉球断绝与中国的关系，且向日本交接裁判事宜。② 为此，1 月 26 日，松田道之向今归仁王子，递交了写给琉球王尚泰的书面材料，内称："去年敝人出差尔藩，与阁下数次应答，但不从命，迁延几至六旬有余，故而敝人中止应答。决然离去之际，因藩吏衷情恳请，遂允阁下致书太政大臣，令藩吏径直进京请愿，并约定倘若仍不听许，则可命进京藩吏直接从命。敝人与藩吏同时归京，政府果然不听请愿。然而，后来依然言称请愿，不予从命。延缓至今，实在使政府感叹，也可谓对敝人之食言……。又据敝人所闻，幸地亲方暗中前往中国，向彼政府投诉，又指使在京亲方，依赖某些驻在外国公使，有种种隐匿行为。若果真如此，则实乃对政府之最大不敬，而且严重违反国宪。现今政府严加督责，乃是阁下咎由自取，祈望自省"。进而则称："关于另纸下达之条件，当从速进呈从命文书，庙议决定，若是仍不从命，则将严加处分……。对另纸通知书之答复，当限定为下月三日，过期仍不回答，则视为不予从命，敝人将立即归京复命。"③

然而，时至 2 月 3 日，琉球王国依然拒不从命。同日，琉球王尚泰通过

① 见《明治文化资料丛书》第四卷外交编，第 123 页。

② 据日本太政大臣 1879 年 1 月 8 日签署的文件，见同上书，第四卷外交编，第 189 页。

③ 见《明治文化资料丛书》第四卷外交编，第 189 页。

代理人具志头按司，向日本太政大臣三条实美递交了如下文书，内称："关于敝藩与清国之事，以及裁判事务等，有如近顷百般申请，于情义上有难以实施之由。因清国驻东京公使向敝藩使者查问实情，故而明确告之。既然已照会外务省，若在尚未达成协议期间从命，则不仅不能向清国交代，而且将受到彼之谴责，敝藩必定进退两难，不堪愁叹，实在不能从命……"①

对此，松田道之在同日致书尚泰，言称"今日对下达条件之答复，可视为拒不从命之意。尤其是言称清国驻日公使对我外务省，发出照会云云。我国政府与清国政府间的事情，与阁下对我政府奉命答复之事，并无关系。然却专门以之为口实，拒不从命，甚不条理，我政府终究不能容许。阁下之代理人及三司官等，请求敝人宜加考虑，但对敝人前日参城时的诚恳说谕，以及敝人所呈文书之宗旨，俱不贯彻。事已至今，敝人已无斟酌余地，当迅速归京复命，阁下可待后命耳。"②与此同时，则是迫令琉球施行前述的护照制度，言称："自今而后，大小藩吏，不问公私，凡是进京或旅行外地，皆得向内务省提出申请，未经许可，不得外出。其申请书，当经由当地之内务省派出所提出"，并指责琉球，至今依然使用光绪年号，是为"反政府行为"。③

2 月 4 日，松田道之愤然离开那霸。13 日到达东京，次日向日本政府进呈《复命书》，内称："希望迅速决定庙议，实施伊藤内务卿之处分建议，实为今日之急务"。④

同年 2 月 18 日，日本政府决定"处分"琉球，命令内务省调查实施手续。松田道之再次受命起草"处分方法"，并具体负责"处分"事宜。3 月 8 日，日本政府命松田道之第三次出使琉球。11 日，由太政大臣向其指令"处分"事项。除与前述内容相同者外，尚有"让旧藩王履行向县令交接土地、人民及官方帐簿等手续"；"在处分问题上，可对旧藩王行使指挥权"；"旧藩王或旧藩吏若抗拒此一处分，拒不退离居城，拒不交接土地、人民及官方帐

① 见《明治文化资料丛书》第四卷外交编，第 191 页。
② 同上。
③ 同上。
④ 见同上书，第 193 页。

簿等,本人可交付警察部拘留,若有谋反凶暴行为,则当与分营商议,使用武力处分";"土人狼狈骚扰时,当尽力诚恳说谕,采取适当方法加以镇抚,若有谋反凶暴行为,则由警部加以逮捕,或与分营商议使用武力,可依据情况采取相应处分";"旧藩王及王子等,即使就居住东京之事请愿推辞,也决不可容许,若有伪诈逃避规定行为,在不得已时,可拘留送往东京。但若因病实在难于启程时,当呈报政府接受指令"。① 如此种种,进一步说明了日本政府所谓的"处分琉球",全然是一种暴力的强制。

3 月 12 日,松田道之等率领 160 余名警视、警部和巡查,从横浜出发,前往琉球。随后,又有分遣部队向琉球进发。20 日,松田道之向随行人员讲述"处分梗概",并为了预防泄漏消息,禁止随行人员与家中通信。25 日,松田等人抵达那霸。27 日,在首里城向琉球王代理今归仁王子宣布"废藩"决定,命令交出有关土地、人民等一切文书,并当即责令藩吏作向导,由随行人员加封、监管,且指令琉球王尚泰移居东京,此前应先行退出首里,可暂时住在嫡子中城王子尚典的住宅内。为了防止琉球方面的对抗,松田道之还特意责令封锁首里城门,没有证件者不得通行,以行镇压和防止琉民向中国逃散。②

面对这种形势,琉球摄政伊江王子、琉王代理今归仁王子和三司官等,以及各地 50 余名士族代表,依然坚持抗争,反复陈述请愿,但最终无济于事。卧病中的尚泰王,被迫于 3 月 29 日夜间 10 点退出居城,"士族官吏数百人围着驾舆,妇女和众人哀号者不知几许,实在目不忍睹"。③ 据载,这种强行的暴力曾在琉球产生了无形的抗拒。为此,松田道之还专门以所谓县令代理木梨精一郎的名义,向首里、那霸、久米和泊村等地的村镇官员,发出当依照往常工作的任命书,并将随从的内务省官员三人一组,配备翻译,派往国头、中头和岛尻等地的"间切",向地方官员颁发任命书,以使之向琉球民众传达"废藩"之事。

---

① 见《明治文化资料丛书》第四卷外交编,第 217 页。

② 参阅《明治文化资料丛书》第四卷外交编,第 219、222 页。

③ 横濑夜雨:《明治初年の世相》,第 233 页。见佐藤三郎:《近代日中关系史研究》,第 116 页。

然而，各地的琉球官员，依然继续要求保留琉球王位，对日本采取"废藩"之举，不予合作。诸如，有的不听告谕、拒绝接受任命（如岛尻的半见城）；有的拒绝移交各种公文（如中头的胜连和国头各郡）；有的在日方宣读告谕时，傲然居座，乃至煽动下属，实行总体退席，公然表示反抗（如中头的西原、国头的羽地、久志、金武和岛尻的知念）。更有的士族相互发誓：不作日本人的走狗，在被要求向日本政府纳税时，则表示"既使如何威胁，也要予以拒绝"，倘若以武力相威胁，则以"是乃岛中存亡之际，当不惜身家性命"，"不作任何与大和人内通之事"，倘若违背，则"本人性命听其自然，父母妻子受到流刑"，也在所不辞。① 总之，日本强行"废琉置县"，是在琉球政府的抗争和农民阶层也有动摇，"全岛陷入异常紧张和不安的状态"中进行的。②

1879 年 4 月 4 日，日本政府在全国范围内，宣布将琉球改为冲绳县，并公布锅岛直彬为第一任县令。为了迫使尚泰进京，日本政府随后又派出敕使富小路敬直，前往琉球。但尚泰王依然以疾病为由，拒绝前往东京。4 月 16 日，伊江王子、今归仁王子等 38 人，以及那霸、久米的士族代表 105 人，继续联名请愿，并提出了让中城王子尚典进京请愿的要求。是时，松田道之为了镇压琉球士族的反抗，认为让王子尚典进京也是使琉球士族失去拥立有力人物的"一举两得"之策。③ 于是，在政府的同意下，由富小路敬直与王子尚典一同进京。5 月 2 日，尚典到达东京，日本政府不仅没有准许延缓琉球王进京的要求，反而就此把尚典留在东京，并指令松田道之按既定方针施行。以致 5 月 27 日，尚泰王也被迫前往东京。

据琉球耳目官毛精良、通事蔡大鼎等三人于同年九月间（旧历）向中国总署告急的情况来看，日本政府在"处分"琉球的过程中，可谓无所不用其极。毛精良等人言称："本国官员……来闽传报，敝国惨遭日本侵

① 据横濑夜雨，前揭书，第 234 页；币原坦：《南岛沿革史论》，第 209 页等，见佐藤三郎前揭书，第 116—117 页。

② 见佐藤三郎，前揭书，第 117 页。

③ 同佐藤三郎：《近代日中关系史研究》，第 118 页。

灭,已将国主世子执赴该国,屡次哀请回国,不肯允准,乃谓现与中国相互葛藤,应候大局已结,饬行复国。本年五月王弟尚弼等,业经特饬向廷槐等,抵闽请教,举国昕夕,实深盼望。讵意日人于六月十四日,率领巡查兵役,突入世子官,先将各门紧守,迫索历朝颁赐诏敕。此乃小邦镇国之宝,虔诚供奉,岂敢轻示于人。当即再三恳请,日人不听,各官与之据理论争。日人大怒,立召巡查数十名,毒打各官,直行胁去,至天朝钦赐御书、匾额、宝印,亦恐被其夺掠……。又近日上自法司等官,下至绅耆士庶……多被日人劫至各处衙署,严行拷审,或有固执忠义,自刎而死者。又将诸署所有簿册暨仓库所藏钱粮,一概胁取,且驰赴诸郡,迫以投纳赋税,即行严责,复将所积米谷,擅行劫去……。既吞国执主,复囚官害民,苛责掠夺,无所不至。"①

由此可见,当年日本政府的废琉之举,不仅是恣意强行,而且收掠中琉往来的历史见证,以及琉球"自是一国"的钱粮、帐簿、文书,以期消凭匿证。如是手段,实可谓首开近代以来日本对外兼并、占有的恶例。

八 中日有关琉球归属问题交涉

散在大洋之上的琉球(现为日本的冲绳县),自明代洪武年间接受中国册封,时至清代光绪年间,上下五百余年奉行中国年号、正朔,对中国皇帝称臣纳贡,王位更替必定请封,是为中国的从属国。1868 年日本开始"明治维新",并把邻近国家作为觊觎对象。1874 年日本借口琉球漂民被害事件,出兵入侵台湾,②1875 年阻止琉球对中国朝贡,以期切断中琉关系、强行占有琉球。由是,产生了晚清中日之间的"琉球问题"。

---

① 见王芸生:《六十年来中国与日本》第 1 卷,第 131—132 页。

② 参阅拙文:《琉球漂民事件与日军人侵台湾》,《历史研究》1999 年第 1 期。

1 中国驻日公使的争议

1877年12月18日，中国首任驻日公使何如璋、副使张斯桂、参赞黄遵宪等经神户到达东京。此前，滞在东京的琉球官员前往神户，会晤何如璋陈述琉球国情，何如璋等到达东京后，琉球官员毛凤来又“迭次求见”。

1878年5月8日（光绪四年四月七日），何如璋经过具体考察后致书北洋大臣、直隶总督李鸿章，言称“阻贡一案”非同小可，实乃“另有别情”。“因琉球臣事我朝，（日本）必逼其贰我，而后可以逞其志，此阻贡之举所由来也。琉球寡弱不敌，势如累卵，不能不托庇宇下，以救危亡。故屡次遣员哀吁者以此。然惟称日本阻贡，于废藩改年号诸事皆隐忍不敢陈，是琉球之愚也”。何如璋进一步谈道：“琉球初附东京，其王曾声请率由旧章，中东两属。彼时，副岛种臣为外务卿，经许其请。后乃竟阻贡使，遣官驻琉，欲锁其港。琉人危拒，几至骚乱以劫日人。观日官批其所禀，绝无情意，不过一再曰：所请各事难以听从而已。是日人未尝不知理屈。四年以来，未骤灭其国、绝其祀者，则以我牵制之之故，欲候我不与争，而后下手耳”。若迟迟不语，“日人或揣我为弃琉球，疑我为怯懦”，及至“日本行废藩而郡县之，以后更难议论”。主张“准理度情，此时不得不言者也”。

进而，何如璋认为：日本“阻贡不已，必灭琉球，琉球既灭，行及朝鲜。否则以我所难行，日事要求，听之何以为国”？况且，“琉球近台湾，我苟弃之，日人改为郡县……他时日本一强，资以船炮，扰我边陲台澎之间，将求一日之安而不可得”。“今日争之，患犹纾，今日弃之，患更深也”。最后，何如璋认为：“虽谓因此生衅，尚不得不争”，既便“口舌相从”，“终无了期”，“而日人有所顾忌，球人藉以苟延，所获亦多”。①

上述说明：何如璋虽是文弱官员，但对日本的用心却能切中要害。

① 全文见《李文忠公全书》译署函稿，卷八，第2—4页。

因此，在其同时写给总署的信中提出了三种办法。据《荥阳三家文钞》所载，何如璋所提出的三种办法是："为今之计，一面辩论一面遣兵船责问琉球，征其贡使，阴示日本以必争，则东人气慑，其事易成，此上策也。据理与争，止之不听，约琉人以必救，使抗东人，日若攻琉球，我出偏师应之，内外夹攻，破日必矣，东人受创，和议自成，此中策也。言之不听时，复言之，或援公法邀各使评之，日人自知理屈，球人供俸图存，此下策也。坐视不救，听日灭之，弃好崇仇，开门揖盗，是为无策。"①

然而，李鸿章于同年 6 月 9 日（光绪四年五月初九）却致函总署，言称"遣兵船责问，及约琉人以必救，似皆小题大作，转涉张皇"，莫如"言之不听时复言之，日人自知理绌，或不敢遽废藩制改郡县，俾琉人得保其土，亦不藉寇以兵"。② 总署恭亲王等也认为："日本自台湾事结后，尚无别项衅端，似不宜骤思用武。再四思维，自以据理诘问为正办理"，"拟由出使大臣，经据琉球陪臣面述情事，先为发端，使日本不敢迁怒寻仇，别生枝节"。③

也即，李鸿章和恭亲王等人，并无积极奋起抗争之意，反有畏首畏尾之心。但日本政府在琉球问题上却是得寸进尺，变本加厉。1874 年，日本政府要员大久保利通归国后，立即提出了处置琉球的新建议，内称："此次……征讨番地，使之认作义举，为受害难民支付恤银。[琉球]虽表几分为我国版图之实迹，但仍难以判然定局"。值此之际，"宜遣轮船一艘，传唤其通达时世之二三要人，恳切交谈征番始末，使之知晓对清谈判曲折……肃清与中国之关系"，在那霸港内设置镇台分营，从速接管琉球对外条约等等。④ 1876 年，日本驻华公使森有礼也向外务卿寺岛宗则提出：在琉球实施"海外通航证书"，以便"不显琉球之名……使中国所谓属

① 见《何少詹文钞》卷二，第 3—4 页。
②《李文忠公全书》译署函稿，卷八，第 1—2 页。
③《清光绪朝中日交涉史料》卷一，第 24 页。
④ 全文见《大久保利通文书》第六，第 237—239 页。

国琉球，归于无形空物”。[1] 如此种种，说明日本政府强行占有琉球之欲，远在恭亲王等人的预料之上。这也就决定了尔后中日交涉的艰难。

1878年9月3日，何如璋前往日本外务省会见寺岛宗则，当面提出“近闻贵国使琉球内附，禁止对我清国朝贡”，“其情甚乖，请率由归章”。但寺岛却称：“以往我国虽然默视琉球之外交，但现今无独立之权者，有被他国吞并之忧，故而禁其私交”，并称琉球乃是日本属地。[2] 9月27日，双方再次会晤，依然不得要领。10月7日（光绪四年九月十二日）何如璋向寺岛递交了如下照会：

> （前略）查琉球为中国洋面一小岛，地势狭小，物产浇薄，贪之无可贪，并之无可并，孤悬海中，从古至今，自为一国。自明朝洪武五年，臣服中国，封王进贡，列为藩属。惟国中政令，许其自治，至今不改。我大清怜其弱小，优待有加。琉球事我，尤为恭顺。定例二年一贡，从无间断。所有一切典礼，载在大清会典礼部则礼，及历朝册封琉球使所著《中山传信录》等书，即球人所著中山史略《球阳志》，并贵国人近刻《琉球志》，皆明载之。又，琉球国于我咸丰年间，曾与合众国、法兰西国、荷兰国立约，约中皆用我年号、历朔、文字。是琉球为服属我朝之国，欧美各国无不知之。今忽闻贵国禁止琉球进贡我国，我政府闻之，以为日本堂堂大国，谅不肯背邻交欺弱国，为此不信不义、无情无理之事。本大臣驻此数月，查问情事，切念我两国自立修好条规以来，倍敦和谊，条规中第一条即言，两国所属邦土，亦各以礼相待，不可互有侵越。两国自应遵守不渝。此贵国之所知也。今若欺凌琉球，擅改旧章，将何以对我国，且何以对与琉球有约之国？琉球虽小，其服事我朝之心，上下如一，亦断难以屈从。方今宇内交通，礼为先务。无端而废弃条约，压制小邦，则揆之情事，稽之公法，恐万国闻之，亦不愿贵国有此举动。本大臣奉使贵邦，意在

---

[1]《日本外交文书》第9卷，第157号文书。鹿岛守之助：《日本外交史》第3卷，第303页。

[2] 参阅多田好问编：《岩仓公实记》下卷，岩仓公实迹保存会刊行，第578页。

修好。前两次晤谈此事，谆谆相告，深虑言语不通，未达鄙怀，故特据实照会。务望贵国待琉球以礼，俾使琉球国体政体一切率循旧章，并不准阻我贡事，庶足以全友谊固邻交，不致贻笑于万国。贵大臣办理外务，才识周通，必能详察曲直利害之端，一以情理信义为准……①

何如璋的照会并未逸出“据理诘问”。其中“我政府闻之，以为日本堂堂大国，谅不肯背邻交欺弱国，为此不信不义、无情无理之事”，或许措辞严厉，但是若从日本政府“擅改旧章”，企图强行占有琉球而言，似也并不过分。当年日本《近时评论》(1876 年 6 月 10 日)在谈到琉球问题时也称：国家间的交际，应是“不失信义，不枉条理，堂堂正正”，“自身不欲遭受轻蔑侮辱，则不能轻蔑侮辱他人”。“倘不如斯，乃至欺小凌弱，强制之，凌砾之，其结果我亦将受他人之欺辱，遇到他人之侵暴，乃至罹受吞噬，也无之奈何”。② 由此可见，何如璋不过是以其“直”言，诘问日本之“曲”也。然而，寺岛在 11 月 21 日却作了如下答复：

(前略)前接贵历光绪四年九月十二日来函，所述琉球岛之事，皆已知悉。查该岛之事，有如本大臣前与贵大臣两次会晤谆谆相告，固系数百年来为我国所属邦土，现为我内务省管辖。不料，今忽接贵简，其文中有一节云，方今我国禁止琉球进贡贵国，贵国政府闻之，以为日本堂堂大国，谅不肯背邻交欺弱国，为此不信不义、无情无理之事，或云欺凌琉球，擅改旧章，又言废弃条约，压制小邦等语……贵国政府尚未悉我政府有何理由发此禁令，而徒向我政府致有声称此等假想之暴言，是岂重邻交修友谊之道乎？若果由贵国政府饬令阁下，发出此等言语，则知贵国政府似有以后不欲保存两国和好之意也……③

---

① 见《日本外交文书》第 11 卷，第 25 号文书。《岩仓公实记》下卷，第 578—579 页。

② 见佐藤三郎：《近代日中交涉史》，第 129 页。

③ 见《岩仓公实记》下卷，第 579—580 页。

这一答复，实际是妄言琉球与日本的关系（见下文），指责何如璋的照会。后来，美国卸任总统格兰特从中调停时，也以此事累及清政府，史家也有谓何“以日本通自居”，“结果成为僵局”的说法。但就事实而论，造成此种“僵局”的根源，当是日本政府自食外务卿之言，直接损害了中琉的传统关系。

何如璋接到上述复照后，于 11 月 9 日要求作出答复，但寺岛又以“前日业已照复，无复可言”为辞，拒绝了何如璋的要求。①

1879 年 3 月 3 日，何如璋再次与寺岛交涉。据日方记载，寺岛言称：“我政府处分琉球是有理由的，贵国不知其详，而发出有如往日排列非礼之言的文书，是乃贵国极不友好之意”。何如璋对称：“岂能谓我不怀好意？两国交谊原非他国可比，鄙衷所蕴不敢包藏。阁下若以鄙言不怀好意，我也可谓贵国之处分不怀好意也。”②寺岛称：“此言若出于贵大臣的个人意见，则当提交谢罪文书”。而何如璋则称：“现今即使改窜文字，也非为妥结。总之，若能明确琉球为贵国所属之证据，则可归于商议。”③但寺岛却说：“出示证据不难，若不撤销前言，我不欲商议”。④

3 月 11 日，何如璋再次会晤寺岛，要求日本撤退派往琉球的军队，而寺岛依然抓住所谓何如璋的“前言之失”，断然表示“难以撤退派往琉球之士兵”。⑤ 当何如璋再次谈到琉球对中国进贡之事时，寺岛更是强调：“进贡之事，无须论及。即使接受王号，也不能谓为属邦。罗马法皇将帝号授给法兰西皇帝一世，亦可谓为属国乎？”⑥至此，何如璋要求归还前日照会，并表明可以另行照会。但是，寺岛却称：“业已呈送我国政府，不能归还”，并再次要求何如璋提交“谢罪书”，⑦依然不肯另行开议。

---

① 见《岩仓公实记》下卷，第 580 页。
② 同上，第 580—581 页。
③ 同上，第 581 页。
④ 同上，第 581 页。
⑤ 同上，第 581 页。
⑥ 同上，第 581 页。
⑦ 同上，第 581 页。

2　中日政府间的照会往来

1879 年 3 月 27 日，日本外务大丞松田道之，在首里城宣布“废琉置县”，并强制琉球王国交出一切文书、账簿。是时，日本新任驻华公使宍户玑抵达北京。清政府得悉日本废琉消息后，于 5 月 10 日向宍户玑递交了如下照会：

> （前略）琉球一国，世受中国册封，奉中国正朔，入贡中国，于今已数百年。天下之国，所共知之。中国除受其职贡外，其国之政教禁令，悉听自为。中国盖认其自为一国也。即与中国并贵国换约之国，亦有与琉球换约者，各国亦认其自为一国也。琉球既服中国，而又服于贵国，中国知之，而未尝罪之。此即中国认其自为一国之明证也。琉球既为中国并各国认其自为一国，其入贡中国一层，于中国无足为轻重也。今琉球有何得罪于贵国，而一旦废为郡县，固与修好条规第一款所云：两国所属邦土，以礼相待等语不符。且琉球既为中国并各国认其自为一国，乃贵国无端灭人之国，绝人之祀，是贵国蔑视中国并各国也。琉球以弱小一邦，服于两国，其国与贵国尤为密迩，宜如何保护之。乃无故灭绝之，于贵国声名无益，于各国公论亦未合。今贵大臣既奉贵国之命，前来修好，废球为县一事，实为两国和好一大关系之事。本王大臣以上所言，即为两国永远顾全和好大局之言，贵大臣宜即知照贵国，将废球为县一事速行停止，则两国和好之谊由此益敦，而贵大臣前来和好之谊，亦由此益显矣。敢布区区，惟贵大臣熟思而审处之，为此照会。①

同年 5 月 20 日，何如璋也向寺岛表示：“适值琉球案件交涉之中，难以承认日本政府废藩置县。”②然而，寺岛在得悉清政府的上述照会后，于 5 月 27 日依然言称日本处理琉球，“乃是基于我国内政”，并对何如璋表

① 见《岩仓公实记》下卷，第 582—583 页。《日本外交文书》第 12 卷，第 96 号文书附件一。

② 见鹿岛守之助：《日本外交史》第 3 卷，第 310 页。

示:光绪四年九月十二日书简中的不当言词,还没有得到满意的答复。①

6月10日,何如璋致书寺岛,再次要求日本停止"废球为县",并就前述照会中的言辞作了解释。但是,寺岛依然不予认可,并(日期不明)作出答复:

> 贵历光绪五年四月二十一日(6月10日)书简业已收到。其中所述,对光绪四年九月十二日贵简中的言辞不当作了申诉,因而查照前文,一则曰谅不可为,二则曰今若,三则曰无端,此皆是谓日本大约要作此等之事。我政府现今处置琉岛之始末,早在明治十一年(1878年)九月三日及二十日阁下来省,谈判琉球事件时,敝人便已言明。琉球初通中国,系因萨摩守准其岛人自由前往中国贸易而已。今者,日清两国既以[已]订立条约相互往来,改变此等暧昧之迹,是为紧要,此事乃必当行者。阁下既以[已]知之,不当而后托于假。如斯文例,在贵国人中相互行用,或无不可,但于万国之际,则殊欠礼节,非至断绝和好之日,决不可言也。因而,对此不得不作相当之说明,是乃敝人之职掌也。②

事已至此,理当有个转机了。但是寺岛于7月16日又向驻华公使宍户玑发出了"不撤回照会中的文辞,便不交涉琉球事件"的指令。③ 同时言称:"关于冲绳县事件,应表明没有指令则无权谈判之旨。彼方尽管有何等交谈,也当只听其言。回答之际,只言自身不任其责,一切当待本国政府命令。今便差《说略》,驻本邦何钦差虽已阅过,但本邦没有进行何种谈判"云云。④

1879年8月2日(光绪五年六月十五日),宍户玑将寺岛7月16日发出的《说略》递交清政府,以作为对总署前述照会的答复。内称:

---

①《日本外交文书》第12卷,第100号文书。

②《日本外交文书》第12卷,第100号文书。

③ 见鹿岛守之助:《日本外交史》第3卷,第311页。

④《日本外交文书》第12卷,第101号文书。

盖琉球为我南岛久矣。其土则弹丸黑子，足当萨摩州一郡邑也。地脉绵亘，在我股掌之间（周煌《琉球志略》所谓东与日本萨摩州邻，一苇可航，而去闽万里，中道无止宿之地者，正符其证也）。其文字（字母用我四十八字，即源为朝所授也。文书杂用汉字假字，皆与我同体）、言语（言语亦与我同种，自称其国为冲绳，冲绳土音屋其惹，始祖为天孙氏，天孙土音阿摩美久，即其证也）、神教（岛祠祀我伊势大神、八幡、天满、熊野神等）、风俗（燕飨用我小笠原流体，其他中国使臣所记席地而坐，设具另食等，并与我同俗），[无]一莫非我国之物也。国史记南岛朝贡事，实在中国隋唐之际，天平七年（唐开元二十三年），太宰府遣使于南岛，每岛树牌，志所在地名、里数、泊船取水处。当时太宰府管南岛，方物贡赤木，盖既在我政教之下矣。保元中（当宋绍兴时），源为朝居伊豆大岛，浮海略诸岛，至琉球，娶岛酋大里按司女弟，生男尊敦。为朝还大岛，尊敦立为琉球王，是为舜天王（徐葆光《中山传信录》所谓舜天日本人皇后裔，大里按司朝公男是也。舜天之后，三世丧国。后二百余年尚园复位，尚园即舜天之后也云）。其后二百余年，将军足利义教，赏萨摩守岛津忠国功，赐以琉球（嘉吉元年、明正统六年）尔来，隶属岛津氏，为其附庸，而贡聘不以时修。丰臣氏伐朝鲜之役，命征兵粮琉球，尚宁王仅输其半。德川氏继丰臣氏，命岛津家久发兵讨之。尚宁出降，家久引谒江户（庆长十四年、明万历三十七年）。家久得德川氏命，世管琉球地，遣吏人，理岛政，正经界，禁其民挟铳器。检岁谷得十二万三千石，旋割其八万八千石予于尚宁，而定其岁租，纳八千担于萨摩。岛津氏提封七十二万石，琉球全岛实在其中，尚宁留鹿儿岛三年放还，授尚宁及三司官以法章十五条，尚宁、三司官各献誓书。自此其后，世服萨摩吏治，于今经三百年矣。

最后，该《说略》言称：

今也，我政府一变旧制，尽废建邦，易以郡县。即若萨摩州，系琉球本属之邦，亦既易为鹿儿岛县矣。而琉球附庸，不得独免于一统之治，固其所也……中国王大臣谓：认琉球自为一国，中国除受其职贡外，政教禁令，听其自为。明政教禁令，得自主自为者，可以自为一国；政教禁令不得自主自为者，不可以自为一国也。我国于琉球，庆长征服之后，并之萨摩封土，统其内政，兵戎其土，吏理其民，经其田收其税，布禁行令，不一而足。内属附庸，誓文在案。犹得谓其自为一国耶？乃谓琉球服属两国，天下岂有两属臣民乎？其两属云者，则阴阳两间也耳。且我国保庇岛民，无所不至，有饥发帑赈之，有仇兴兵报之，乃若往年台湾生藩劫杀琉球难民，我便派兵查办，亦中国之所认为义举也。夫琉球既非自为一国，则废藩为县者，专由我政制之变革，而非灭人之国、绝人之祀者也。是系我国之内政，宜得自主而不容他邦之干涉也……抑自为一国，则非所属邦土，既为所属封土，则非自为一国者。二者不相两立，必居一于是矣。要之，我于琉球，尝征服之，治教之，与中国王大臣所谓受其职贡，听其自为者不同。则废藩一事，绝不与修好条规相涉也。我政府固重邻好，同文之邦，势同辅车，匪寇婚媾，开诚由衷，不欲违言相当，徒为葛藤。但至将废藩一事停止，断不能俯就。中国王大臣远观深察，必有所从容裁择矣。①

以上《说略》，是日方有关琉球交涉最为冗长的一次照会，也是日方公开陈述日琉关系最为完整的一次。其自翊“据实分疏”，“以求其直”。然而，准照史实却是漏洞百出。因此，清政府随后递交照会，当时前来中国求救的琉球向德宏也作了针锋相对的反驳。

3 中琉双方对寺岛《说略》的反驳

1879 年 8 月 22 日，清政府总署向日本公使宍户玑递交了如下照会：

① 全文见《岩仓公实记》下卷，第 583—588 页。括号内容系原文所有。

(前略)本王大臣接阅来文所叙琉球各节,在贵国以琉球为贵国所属,固自谓信而有征矣。本王大臣查琉球自其国王舜天至尚泰,凡三十八代,中易五六姓。即谓舜天系贵国人源为朝所出,而舜天之统,三代已绝。尚泰之祖尚园,仍是天孙氏之裔。迨尚宁羁留贵国,已在前明万历年间,至是始立誓文,入聘贵国,却非隋唐之时即有贡献。而中国则自前明洪武之初,遣行人赍诏往谕,而方物至。是琉球之入贡两国,孰先孰后,不辨自明。即就其地势、文字、神教、风俗而论,虽有近于贵国,亦何尝不近于中国。至其言语,间有与贵国通商贸易者,能通贵国语言,余则仍操土音,是谓之两属之国则可,不得谓之贵国专属也。我朝自顺治年间,琉球入贡请封,并缴前明敕印,赐以诏书、镀金银印,封为中山王,令其二年一贡。自是世受册封,贡有常期,奉中国之正朔。其子弟入中国国子监,读书肄业。其国中那霸、姑米岛等处,均建有中国天使馆。且琉球遭风船只,事所恒有,中国抚恤属邦,著有成例。此非琉球属中国之明证乎?中国册封琉球为中山王,中国盖认琉球自为一国也,即与贵国立约之各国,亦有与琉球立约者,且各国与琉球立约之时,贵国各邦尚未易为郡县,何未闻各国与贵国各邦之约,而独与琉球立约?此非琉球自为一国之明证乎?若谓既为属邦,则非一国,既为一国,则非属邦,夫颁册封、受职贡者,属邦之实也。政教禁令不为遥制者,自为一国之实也。二者并行不悖。中国待琉球如是,即待凡属国皆如是。是琉球为中国属邦,固天下所共知。若谓天下并无两属臣民,何以前数年贵国人所著之冲绳志,其自序及其卷中贡献志小序,亦有琉球为两属之国,颇备自主之国体,例外国待之,和汉同揆之语乎?

照会又称:

今贵国于中国所属及各国均认为一国之国,竟律以贵国各邦,易为郡县,灭之绝之……反谓不与修[好条]规相涉,是贵国蔑视中国,并蔑视各国,为已甚矣。中国欲全和好大局,乃贵国灭人国绝人祀，而外务大臣回函，犹称我政府固重邻谊，不欲违言，徒为葛藤等语。是行有损和好之事，而仍为无伤和好之言。本大臣实有所不解。夫往者不可追，来者犹可谏。中国甚惜琉球之自为一国，贵国从而灭绝之，原不为阻贡中国起见，若贵国复加察度，善为转圜，固中国所深愿。若仍坚持成见，则彼此徒事辩论，亦复何益。方今四海一家，公法具在。必有明白事理之人，出而主持公道。惟以邻谊而论，中国与贵国实有唇齿相依之势。区区琉球，何关轻重，必至因此而失邦交，亦殊非计……①

清政府的上述照会，客观地阐述了中日琉球三者的相互关系。琉球"世受册封"，奉行中国年号、正朔，以及"贡有常期"等等，乃是中琉两国的历史形成的。琉球国王"入贡请封"是政治上的从属关系，奉行中国年号、正朔，是为服从中国法令，而中国对琉球的"政教禁令不为遥制"，以及欧美国家与琉球立约等等，又确实表明琉球"自为一国"。寺岛所谓"琉球为我南岛久矣"，否认琉球与中国的关系，乃是不顾史实的强词夺理；所谓"庆长征服之后，并之萨摩封土，统其内政，兵戎其土，吏理其民，经其田收其税，布禁行令"等等，则属无稽之谈。因此，琉球官员向德宏得悉寺岛《说略》后，也奋笔疾书予以反驳。

据载，1877 年 4 月，琉球王尚泰在日本政府步步紧逼的形势下，派遣妹婿向德宏等人秘密到达福州，陈述琉球国情，后经闽浙总督何璟等人上奏，但是并未离去。时至 1879 年 7 月 2 日（光绪五年五月十四日），"剃发改装"到达天津，向李鸿章继续呼救。其呈送的文本中，先是言称：现有漂流民来报，敝国已被日本灭亡，继而则称："主忧臣辱，主辱臣死。宏等有何面目复立天地之间？生不愿为日国属人，死不愿为日国属鬼。虽糜身碎骨亦所不辞！在闽日久，千思万想，与其旷日持久，坐待灭亡，莫如剃发改装，早日北上，与其含垢忍辱，在琉偷生，不如呼天上京，善道守死。合国臣民及商人乡农，雪片信至，催宏上道，效楚国申包胥之痛哭，

① 全文见《岩仓公实记》下卷，第 589—591 页。

为安南裴伯耆之号求”,“伏维中堂威惠于天下”,“速赐拯援之策,立兴问罪之师”,以“救敝国倾覆之危”。其情悲切,“泪随笔下”。①

7月23日(旧历六月初五),向德宏再次谒见李鸿章,言称“近承美领事交阅西报,中有敝国国主被日迫赴日本,革去王号,给予华族从三品职,著令归国,敝世子留质日京等语。伏思敝国国主忍辱至此,无非以敝国素无武备,难以抗拒,故暂屈辱其身,上以延续敝国一线之命脉,下以保全敝国百姓之生灵,断非甘心容忍,屈从倭令。其所以殷殷属望于宏者,冀能吁请天朝拯救……”“如得兴师问罪,即以敝国为向导,宏愿充作先锋,使日本不敢逞其凶顽”,“或颁兵敝国,堵御日本,如前明洪武七年间,命臣吴帧率沿海之兵,至琉球防守故事,使日本不敢萌其窥伺。敝国官民仰仗天朝兵威,必能齐心协力,尽逐日兵出境……”②及至8月8日(旧历六月二十一日),向德宏得悉日方《说略》后,更是义愤填膺、加以驳斥。其主要内容如下:③

——日本谓敝国属伊南岛,久在政教之下。引伊国史,谓朝贡日本,事实在中国隋唐之际。此谎言也。考敝国在隋唐时,渐通中国,尝与日本、朝鲜、暹罗、爪畦、缅甸通商往来。至明万历间,有日本人孙七郎者,屡来敝国互市,颇识地理。因日本将军秀吉著有威名,孙乃缘秀吉近臣说秀吉曰:倘赴琉球,告以有事于大明,彼必来聘,秀吉听之,致书琉球。略曰:我邦百有余年,群国争雄,予也诞降,以有可治天下之奇瑞,远邦异域,款塞来享。今欲征大明国,盖非吾之所为,天所援也。尔琉球降候出师,期明春谒肥前辕前,若懈衍期,必遣水军,悉鏖岛民。敝国惧其威,因修聘焉。若据日使所言,则敝国隋唐时已属日本,何以至大明万历年间尚未入聘?其言之不实,不辨自明……

① 见王芸生:《六十年来中国与日本》第1卷,大公报社1932年版,第127—129页。

② 同上书,第130—131页。

③ 同上书,第154—158页。

——敝国距闽四千里,中有岛屿绵亘,八重山属岛近台湾处,相距仅四百里,志略所谓去闽万里,中道无止宿之地者,误也。距萨摩三千里,中有岛屿绵亘,敝国所辖三十六岛之内,七八岛在其中,万历三十七年(1609年),被日本占去五岛,亦在其中。志略所谓与日本萨摩相邻,一苇可航者,误也。今日本以敝国当萨摩一郡邑,谓久属伊南岛,实属混引无稽之词……(中略)

——尚宁王被擒,事固有之。盖因丰臣氏伐朝鲜之后,将构兵于大明,以敝国系日本邻邦,日本前来借兵借粮,敝国不允所请,日本强逼甚严,尚宁更不承服。嗣后[岛津]义久召在萨摩之球僧,亲谕日本形势,还告尚宁王,速朝德川。尚宁王不从,遂被兵。尚宁王为其所擒,此逼立誓文之所由来也。厥后,岁输八千石粮于萨摩,以当纳款,此盖尚宁王君臣被困三年不得已屈听之苦情也……然而事在明万历三十七年,是时敝国久已入贡中朝。即以所逼誓文法章而言,亦无不准立国、阻贡天朝之事。且天朝定鼎之初,敝国投诚效顺,迄今又二百余年。格遵会典,间岁一贡。嗣王继立,累请册封。日本向来亦称琉球国中山王甚为恭顺,皆无异说。乃自同治十年(1877年)以来,谬改球国曰球藩,改国王曰藩王,派官派兵前来,此乃起衅天朝之所由来也。

——……自君君祝祝为掌管祭祀之官时,则敝国已有神教。据云岛祀伊势大神,出自日本,不知敝国亦祀关圣、观音、土地诸神,何尝出自日本也?……敝国冠婚丧祭,均遵天朝典礼。至席地而坐,设具别食,相沿已久,亦天朝之古制经典详载也,焉知非日本之用我球制乎?……敝国亦多用汉文,并非专用四十八字母也。如以参用四十八字母为据,则日本一向用天朝汉文,不止四十八字母者,日本亦可为天朝之物矣。有此牵强之理乎?

——敝国自操土音,间有与日本相通者,系因两国贸易往来,故彼此哥熟能道。若未经与日本通商,则日本不能通敝国人之言语,敝国亦不能通日本人之言语。日本以敝国称国作屋其惹为冲绳,形似浮绳，故曰冲绳始祖天孙氏。天孙氏乃天帝子所生，非日本人也。此语言与日本何涉，不待论辩而见误矣。如按此论，则日本能操敝国言语，敝国亦可云日本为敝国之物也。

——日本谓敝国有饥，则发帑赈之，有仇则兴兵报之，以为保庇其岛民。此语强孰甚焉。敝国荒年，虽尝贷米贷粟于日本，而一值丰年，便送还清楚，无有短欠。在日本祗为恤邻之道，在敝国抵循乞籴之文。如即以此视为其岛民，则泰西各国近年效赈天朝山西地方，以及天朝商人之施政奥国，则天朝可为泰西之地耶？奥国可为天朝之地耶？至台湾之役，彼实自图其私，且将生端于琉球。故先以斯役为之兆，何尝为敝国计哉？敝国又何乐日本代为启衅哉？

——日本谓敝国国体、国政，皆伊所立，敝国无自主之权。夫国体、国政之大者，莫如封爵、赐国号、受姓、奉朔、律令、礼制诸巨典。敝国自洪武五年入贡，册封中山王，改流求国号曰琉球。永乐年间赐国主尚姓，历奉中朝正朔，遵中朝礼典，用中朝律例，至今无异。至于国中官守之职名，人员之进退，号令之出入，服制之法度，无非敝国主及大臣主之，从无日本干预其间者。且前经与法、美、荷三国互立约言，敝国书中皆用天朝年月，并写敝国官员名。事属自主，各国所深知。敝国非日本附属，岂待辩论而明哉？

向得宏的上述条陈，可谓有理有据，不加掩饰，不作渲染，并对日方所谓琉球"世服萨摩吏治"之辞予以驳斥。可见，日本恣意处置琉球，确属有背邻交、有失公道。

4 日本外务卿井上馨的论辩

清政府发出前述照会后，日本公使将之转呈外务省。同年 9 月寺岛宗则转任文部卿，政府参议井上馨接任外务卿。10 月 8 日，井上馨致书

宍户，26 日由宍户译成中文复照，其全文如下：①

接中国总理衙门明治十二年八月二十二日（中国光绪五年七月初五日）照会，内叙琉球为中国所属等因，备经照阅。查琉球属于我国，不啻信而有征，前次回函，既致详悉。今惟有以一理直截了结此案。盖我国于琉球，征而服之，抚而理之，以其事实而不以其虚文。庆长以前姑[且]置之，庆长之役，举其全岛，献誓效顺，而邻近诸国环拱而视，不敢拦阻我掌管之权，于是既专矣。尔后，派员遣戎，一同内地。而尚宁之后，袭任者必立誓文，以昭信守。其任三司官者，必宣忠国之盟，世世无怠（誓文别具副单），经三百年犹一日。今者，废藩置县，仍庆长之遗举，统治之实，终始如一，彻头彻尾，断而行之，不容他人干涉。我处办琉球，如斯而已矣。

总理衙门来文，所举为属国之证者，谓册封、朝贡、正朔。然册封、朝贡、正朔，则中外羁縻之文具，而非政教之实也。从大清会典所载，则西洋诸国亦与琉球、安南等同，居四夷朝贡之一（据魏源圣武记、会典所载西洋，谓意太里亚、英吉利等）。此仍举宇内交通之国，被以所属之名，而不可通于事实矣。中国王大臣谓职责一层，不足为重轻也。盖所属之实，在于政教征调何如，而不在于名物仪文之末也。王大臣固知之矣。至谓子弟入国子监肄业及抚恤遭风船只，是凡通于邻好之常事，而何足为所属之证也。夫断案者，据其实而不以其名，是则琉球一事，确为我之内政，而果与王大臣所引修好条规不相涉也。若以琉球有与各国换约，作自为一国之证，夫特立之国可以与外国换约，而与外国换约，未必足以得特立之权。当时我国封建末势，外交之事未有统纪，岛人逾分犯义，自冒小国之列，而各国亦未及审其实，是皆由偶然，不足为一国特立之证据也。所立约款，专图海次安便，与我国现行条约不擀格，可得依以履行，而不与中国相涉也。

① 《岩仓公实记》下卷，第 591—593 页。为便于阅读，个别文字稍有调整。

其他如尚园为舜天王之后，有球人蔡铎中山世谱序可据，而大清文献通考，亦两说并举。南岛入贡及足利氏以琉球加封岛津忠国，并在朱明之前。所引冲绳志序及小叙，系一家私言，非典例所存。今不逐节置辩，以省烦言耳。

要之，废藩一事，我国经审议而断行之，今不能转寰以协中国之意，亦不得已也。至谓有明白事理之人主持公道，本大臣亦未得其要领。夫立国者，自择进止，即公法所存也。两国同文友睦之谊，期之永远，区区琉球，中国王大臣固谓其不关轻重，而何至遽引他人以图办理乎？末芥微事屡屡问难，竟非邻交之美，中国王大臣谊高全宇，幸有所顾全矣。

从上述复照的内容来看，日方引以为据者，主要是所谓庆长之役(1609年)“征而服之，抚而理之”。这也是井上言称“以一理直截了结此案”的根本所在。然而，就历史事实而言，日本庆长十四年萨摩出兵琉球，乃是一种入侵行径。琉球王尚宁被俘，确属事实。但其所作誓文实属无奈，以致死前依然遗恨，不肯葬入祖坟墓地。[①] 至于此后日本对琉球派员遣戍，“一同内地”，则属不实之辞。因为时至日本明治四年(1871年)七月十二日，鹿儿岛(萨摩)藩向政府报告的文书中，也只是谈道：“庆长降服以来，以至今日，鹿儿岛议政厅派遣土官，行使政务，琉球也在鹿儿岛设馆，官员交替驻在，每年差送租税”，并承认琉球“隔年对中国派出贡船”，以及琉球“称皇国和中国为父母之国”，处于“两属”地位。[②] 其中所谓“行使政务”，乃是“监视”琉球，垄断中琉贸易利益，而不是代行琉球政治。

据琉球国史《球阳》记载：1609年日军入侵琉球后，“萨州太守遣高崎氏、尾张氏等，均田地正经界，始定赋税，纳贡于萨州”。是时，琉球“始授

① 见大城立裕：《冲绳历史散步》，创元社1991年版，第91页。

② 见下村富士男编：《明治文化资料丛书》第四卷外交编，风间书房1962年版，第7页。

仕上世座奉行职，而专理纳贡于萨州并镇守官饭米等事”。[1] 尚宁王之后，尚丰王十一年(1632年)，琉球“创建旅馆于那霸(俗叫假屋)。萨州川上氏率横目一员、附众二员、与力、笔者各一员，奉使抵国，以为监守(俗称在番众，又称镇守官)。此时始设旅馆数座，安插其使者也哉”。[2]

从上述记载来看，当时萨摩藩向琉球派遣官员驻在“假屋”者，不过是为“监守”。而这种“监守”人，则是“始为大和横目”，其主要是“观察球人及镇守官员行事善恶”。后来，“日本人居住中山者，多授此职”。[3] 及至尚贞王在位二十五年(1693年)，琉球“创定姑米、马齿两岛遣大和横目职两员，看守贡船往来”。[4] “至于近世，本国之人奉萨州之命而任此职也。”[5]换言之，如果庆长十四年之后，日本便将琉球“并之萨摩封土，统其内政，兵戍其土，吏理其民，经其田收其税，布禁行令”的话，那么近代日本又何必“处分”琉球？又何必另行派遣兵员？又何必强行收缴琉球的文书、账薄？由此可见，所谓“抚而理之”乃至“派员遣戍，一同内地”的说法，实属欺人之谈。不过，所谓废琉置县“仍庆长之遗举”，“不容他人干涉”，倒是恰好证明了近代日本继承了二百年前萨摩对琉球王国的强制。

5 美国前任总统格兰特的调停

有如前述，中日交涉业已旷日持久。是时，美国前任总统格兰特(U·S·Grant)周游各地，1879年6月抵达北京、天津。于是，恭亲王和李鸿章等则先后向其陈述琉球问题，以期“有明白事理者，出而主持公道”。

1879年6月12日(光绪五年四月二十三)，格兰特及其随员扬格(J·R·Young)和美国驻华副领事毕德格(W·N·Pethick)在天津会

---

[1]《冲绳文化史料集成5球阳》原文编附卷一，角川书店1974年版，第584页。
[2] 同上书，第588—589页。
[3] 同上书，第590页。
[4] 同上书附卷2，第598页。
[5] 同上书附卷1，第590页。

晤李鸿章，双方就琉球问题作了如下问答：①

格云：琉球从何时起与中国相通？答云：自前明洪武年间臣服中国，至今已五百余年。格云：现在废琉球之事从何时起？答云：日本于前数年派员至琉球那霸港驻扎，侦探球事，阻其入贡中国。迨后琉王派官赴日本外务省求仍进贡中国，日本未允。琉官复至日本诉其事于法、美等公使。美公使平安（Bingham）答以此事须知照本国国会议夺。平安旋即回美。日本主怒琉官多事，今春旋派兵四百名入中山，掳其世子大臣至东京。琉王乞假八十日养疾未行，日本遂改琉国为冲绳县，设立县官，改琉王宫为县署。

格云：琉球未贡中国计有几年？答以五年。

格云：中国是否意在年贡？答以贡之有无，无足计较。惟琉王向来受封中国，今日无故废灭之，违背公法，实为各国所无之事。总署大臣向宍户辩论，宍户云我系修好而来，不能预闻此事。中国何公使向日本外务省办理，外务省云此系内务，外务省不问。

格云：琉球用中国文字否？答以能用中国字读中国书，明初曾以闽人三十六姓赐之。

格云：琉王是三十六姓中人否？答以琉王尚姓，不在三十六姓之中。因又告以……琉球向来臣事中国，又与美国立有通商章程，今日本如此办法，固于中国万下不去，即美国亦不好看。譬如欧洲比利时、丹马等小国，与各国立有约章，无论何国断不能举而废之……美国与中国通商，必须由太平洋过横滨至上海。今日本如此强横无理，难保不到失和地步。一经失和开兵，则横滨等口，美商船只断难顺行。是日本灭琉球不但与中国启衅，直将扰乱华美通商大局……贵前总统声名洋溢……若能从旁妥协调处，免致开衅，不但中国感佩，天下万国闻之，必皆称道高义，否则或疑贵前总统意存观望，未免声名稍灭。

① 见《李文忠公全书》译署函稿，卷八，第41—43页。

格云：所言均是正理。我最怕各国失和动兵，如善言调停息事，大家皆有益处……我甚愿秉公持议。如日本国主为萨人所制，我可为伊涨胆子。

又告以顷接中国驻日何公使函云：美国平安大臣已回日本，据美国国会谓，若中国邀请，美国理应帮助。此次贵前总统至日本，所以我切托相助，我一面即函致何公使，嘱其候贵前总统到时谒商。

格云：此事我总须到日本询明平安，详查案卷，再行置论。答云：平安公使倘谓日已灭琉，言之无益，贵前总统即置之不论乎？

格云：平安未必出此，且平安系我为总统时选其出使，实一公正极有名之大臣，现为驻日美使，琉事分所当问。设竟不然，我必自向日本美加多及大臣询商。

当又告以中美条约第一款：若他国有何不公轻藐之事，一经知照，必须相助，从中善为调处等因。今疏球之事，日本实系轻藐不公否？格将洋文详读一遍，扬副将从旁提解。

格云：实系轻藐不公。美国调处亦与约意相合。

又指示中国日本修好条规第一款：两国所属邦土，各以理相待，不可稍有侵越，俾获安全等因。格又将洋文细读。

毕[德格]领事云：可惜立约时未将朝鲜琉球等属国提明。当告以邦者属国也，土者内地也，即是此意。毕复译洋文以告。

格云：琉球自为一国，日本乃欲吞灭以自广。中国所争者土地，不专为朝贡，此甚有理。将来能另立专条才好。答云：贵总统所见极大，拜托拜托。

（以下谈华工事，从略）

从上述李鸿章与格兰特交谈的记录来看，李鸿章大体说明了中日交涉的矛盾所在和事态的进展。或许是美国的对华贸易和前总统的声誉，触动了格兰特的心思，因而他声谓李之“所言均是正理”。

同年 7 月 4 日，格兰特到达东京，受到日本政府的盛大欢迎，下旬在日光与内务卿伊藤博文、陆军卿西乡从道等会谈，听取日方的主张。时至8月10日，再次会见日本天皇时，格兰特谈到："吾滞留中国期间，李鸿章及恭亲王向我详细谈过琉球事件，请我向日本政府庙堂之人述说此事，以求公平妥当处理。我虽不肯代彼办理此事，但约定尽力周旋"。但是，随后又说："我在中国听到的与在日本听到的，大相径庭。因而，难以判断谁是谁非，不敢轻率吐露鄙见。我能理解现今日本也有难退之势，难言之情"。"但中国对此事之意也不可不察"。

进而，格兰特具体谈道："中国认为，日本的所作所为，非友好国家之道，乃是轻蔑彼之国权，不顾琉球自古便与中国有多少关系之处置。特别是往年在台湾事件中受到屈辱，胸中不忘，使彼犹为不平，疑虑日本企图连同台湾也要占领，并切断中国在太平洋的通道。所以中国的大臣们，对日本有愤恨之心。在我看来，此事与相互论判无涉，日本的要求也并非没有权力，只是应量察中国的心情，莫如以宽大公义之心，让彼一步。如切实认为两国保持友好乃是今日紧要之事，双方则不可无有相让之处。我虽尚且难以确言，但据我所闻，若是在该岛屿之间划分疆界，提出将太平洋的通道让给中国的话，中国是可以承诺的。此事确实与否，虽然尚不可知，但可知中国大臣们尽管心怀愤怒，也会有意答应熟议的。"①

格兰特的上述说法，表明其态度业已改观。8月23日(七月初六)，格兰特致函李鸿章(9月7日收到)，内称："我到日本以后，屡次会晤内阁大臣，将恭亲王与李中堂所托琉球之事妥商，设法使中日两国不致失和。看日人议论琉球事，与在北京、天津所闻情节微有不符。虽然不甚符合，日本确无要与中国失和之意。日人自谓球事系其应办，并非无理。但若中国肯宽让日人，日本亦愿退让中国，足见其本心不愿与中国失和。从前，两国商办此事，有一件文书措辞太重，使其不能转弯。日人心颇不平。如此文不肯撤销，以后恐难商议。如肯先行撤回，则日人悦服，情愿

① 见《日本外交文书》第12卷，第78号文书。鹿岛守之助：《日本外交史》第3卷，第318页。

特派大员与中国特派大员妥商办法……日后若闻中日两国因为琉球之事,业经说合,并有永远和好之意,我更十分欢悦"云云。[①]

此时,格兰特实际是在偏袒日本。据8月12日伊藤博文写给宍户的信件可知,格兰特到达日本之后,不仅"充分承认我国(日本)政府有理,而且对我明确表示:琉球是日本领地,其人民是日本人"。[②] 可见,格兰特并没有"主持公道",反而成了分解琉球方案的始作俑者。

6 日方提出分岛及改约方案

1879年10月,中日双方相互照会,拟议另派大员会商。12月24日,总署恭亲王等致井上馨,表示"琉球一案……既经美国前统领从中劝解。本王大臣因将从前辩论各节,暂置弗提,愿照美国前统领信内所称情事,次第办理。贵外务省如亦愿照办,希即见复,以便彼此照信商办可也"。[③]

1880年1月15日,井上馨收到上述照会,3月9日复照表示认同。4月17日,日方决定了谈判的训令及条约方案,并遣内阁大书记官井上毅前往北京转告宍户玑。其训令的内容是:[④]

> 琉球一案,本是依我政府自主公权而处分者,不容他邦干涉,但清政府对之异议。当初,清国公使与我外务省论辩之后,终至我政府与总理衙门直接照会,往复不迭。顷日,接得总理衙门照会,开陈从前往复议论,置之不提,以美国前统领从中劝解之宗旨为本,妥为涉议云。我政府自始以保全两国和好为主义,清国既从前统领之劝解,以无事结局,则我所满足者。今照复总理衙门,述我政府同意之旨,然照办方法如何,清政府尚未明言,我亦甚难。抑据两国现存条

① 见《李文忠公全书》译署函稿,卷八,第39—41页。

② 见平冢笃编:《续伊藤博文秘录》,春秋社1930年版,第24页。

③ 见《岩仓公实记》下卷,第595页。

④ 同上书,第600—602页。

约，内有准许其他各国人民反而不准许两国者，甚失其平。夫清国与我国同文同种，复有旧来交谊，为唇齿之势。故而当时两国缔结之条约，乃以真诚和好为本。然比较西人与我国人民在清国所得便否，却大相径庭。西人被准许内地通商，且有特惠明文，而独限我国人民，故而西人常占垄断，我邦货物有被驱逐市场之势。此乃有背和好善邻之谊，以致我人民对此往往不快。其失之两国修好本意也甚矣。故而我政府举清国准许西人者，请求对我人民也予均准。清国若应我之请求，我政府为敦厚将来亲睦，可以琉球接近清国地方之宫古岛、八重山岛二岛属于清国，以划定两国之异域，永远杜绝疆场纷坛。

该训令又称：

抑琉球废藩之举，大号已发，中外人皆知，今举几占全部琉球一半之两岛属于清国，于我国乃是至难之事，而清国将数年来许可他国者及于我国人民，对其国而言，本非轻重也。我勉为其难，以表好意，而切望清国准许其无足轻重者，自信绝非不当。若果如斯，则我人民得免为西人垄断之忧，清国亦永远杜绝疆场之纷坛，彼此不快之念，猜忌之心将共消灭，两国和好之实，于斯可举，且清国政府一旦准许而又对各国重新改订时，我政府固无异议，就此预约亦可。又，我政府准许其他各国之权利、特典，今后对清国人民亦可许之，我对其他各国施行改订者，清国亦可附就之，是时，彼此之间将均衡相接，无所遗憾。阁下宜向总理衙门各大臣说明我之宗旨，务以保全和好了局。至两意浃洽之时，可准照另纸条约方案制订约书，双方署印，再乞批准。

从上述训令来看，日方所以同意准照格兰特的劝解，与清政府重新开议琉球问题，实际意在换取与列强等同的在华权益。因而，1880 年中日重新开议的范围，已经超出了琉球问题。为此，日本政府在此之前便开始通过别种渠道进行活动。

1879 年冬，有名竹添进一郎者，受日本外务省授意，自称“日本闲人”，假运米助赈之机，抵天津会晤李鸿章。竹添曾在 1875 年随同特命全权公使森有礼来华，与李鸿章相识。1877 年归国后在大藏省任职，1880 年 5 月任驻津领事，1882 年任驻朝鲜公使等。其人汉学淹雅，与李鸿章有文字之交。此次来津之后，便递书论及琉球之事，言称“天下无两婚之妇”。这实际是以“闲人”之名，替代日本政府说话。进而，同年 12 月 7 日（旧历十月二十四日）又会晤李鸿章，且请屏退左右，相互笔谈。其间，竹添言称：琉球本属日本，复谓德国近时垂涎琉球与台湾，中日倘若失和，其祸难测。对此，李鸿章言称：“琉球属中国，自昔已然，天下皆知，非一时一人之私言”，“今忽谓琉球专属日本不属中国，强词夺理，深堪诧异。今若不必争辩琉球系属之谁邦，但讲两国宜倍效和好，日本之意欲欺辱中国，吾虽欲和好，其可得耶？”至此，竹添自请回国疏通内阁。①

1880 年 3 月 26 日（旧历二月十六日），竹添返回天津再次会晤李鸿章。自称奉内阁大臣之意，谓日本政府为讲两国和好之道，愿将琉球南部邻近台湾之宫古、八重山二岛分与中国，以划定两国疆界，但须修改中日通商条约，各自获得举与西人条款，两国税务自立。“这就是所谓‘分岛改约论’，即以二岛分与中国作代价，促其承认内地通商及最惠国待遇条款。”②与此同时，则进呈《说帖》，其内容与日本政府前述对宍户的训令基本相同。对此，李鸿章在写给总署的信中言称：“鄙见琉球南岛割归中国，似不便收管，抵可还之球人，固不能无后患。然事已至此，在日本已算退让，恐别无结局之法。至彼欲同西洋各商人内地卖洋货、运土货，原系中外通商公例……该国近与英美会商，减出口税、加进口税及各国人犯案由本国官照本国律例处断等事，皆隐括在内，各节如有成议，利害参半，而立言颇近公平，不敢谓该国将来必办不到。但未便因球事而牵连及此。”③这说明当年作为负责对日交涉的李鸿章，在琉球问题上还是缺乏必争、必救的信念。

---

① 见《李文忠公全书》译署函稿，卷十，第 13—15 页。
② 东亚同文会编：《对华回忆录》中译本，第 116 页。
③《李文忠公全书》译署函稿，卷十，第 26—27 页。

同年4月4日,李鸿章再次会见竹添进一郎,并出示了琉球三分方案,也即包括琉球本岛在内的中部各岛归还琉球,恢复琉球王国,将宫古及八重山以南各岛划归中国,将包括奄美大岛在内的五岛划归日本。① 据李鸿章讲,这是何如璋访问美国驻日公使平安时,由平安秘密出示的,是平安与格兰特协商决定的。② 7月30日(旧历六月二十四日),恭亲王等在奏折中也谈道:“臣等接何如璋报晤美国驻日使臣平安称:格兰特拟一办法,球地本分三岛,议将北岛归日本,中岛还琉球,南岛归中国,似此事了,亦两国有光。又称格兰特将大局说定,然后回国”云云。③

上述情况表明,李鸿章提出三分案,乃是事出有因。其所以径直提出三分方案,似可认为是想在百害之中而取其轻者,以求保存琉球社稷,维系传统的中琉关系。但是,日本政府专门寻问美国公使的结果是,平安表示否定,业已归国的格兰特也加以否定,言称“琉球三分案似为驻日公使何如璋在情报上的失败,而不是李鸿章自身的捏造”。④ 也就是说,何如璋传递过来的三分方案,“或(因)日本不愿遵照”,已经不再是格兰特的方案了。因此,同年11月李鸿章与竹添再次会晤时,谴责格兰特“反复无常,小人无恒态”。⑤

7　琉球分岛及中日改约拟稿

1880年6月29日,宍户玑被任命为全权办理公使。8月18日总署大臣沈桂芬、景廉、王文韶等赴日本公使馆,就琉球问题再次正式交涉。其间,宍户言称:“琉球岛之议,连年未结,今欲商求善后办法”,并表示“该岛乃旧为我国征服之地,处办该岛在我国份内,非他国所干涉者,故而我国无可奉告,当先听贵国意见而后议之”。对此,沈桂芬言称“我国

① 见大山梓:《日本外交史研究》,良书普及会1980年版,第143页。
② 见大山梓:《日本外交史研究》,良书普及会1980年版,第143页。
③ 见《清光绪朝中日交涉史料》卷二,第1页。
④ 见大山梓:《日本外交史研究》,第147页注51。
⑤ 见大山梓:《日本外交史研究》,第147页注51。

办法在于保存琉球，别无其他意见”。宍户又称：“倘如阁下所云，贵国认为可以，而我国则不得体面，安能谓之办法”。王文韶称：“彼此固非利用琉球，唯愿不亏各自体面。该岛在贵国掌中，办法也当由贵国提出为其所也”。[①] 但此次会晤，双方都没有明确具体办法。

时隔数日，宍户于8月24日前往总署衙门，会晤沈桂芬、王文韶、崇礼等，言称：“贵大臣等强我提出办法，今试陈之。此办法在于酌两国之情，以商议之，非欲无复更动”。随后出示《节略》。[②] 内中以“惟两国之交应益加亲厚，而两国与各国立约条款，应益求改良”为前导，陈述了日方的要求，也即“敝历明治四年贵历同治十年两国所立之约，允至经十年始行重修，今候届期，犹间一年，而敝国与各国之约，皆以均沾为例……所以我外务大臣委本大臣要与贵王大臣会商，酌加条约也。贵国允各国商民以内地通商之利，而敝国商民独不得被其惠，最非善邻之交所宜有……今两国互派使臣，驻扎国京，交谊已非前日比，而仍存嫌疑之迹，遗疏外之形，此岂永远和好之本意乎哉。且若贵历光绪三年，贵国新开宜昌、芜湖、温州、北道四处口岸，随时照会前来，使敝国得于通商章程指定口岸之外，均沾其利。此以见贵国亲厚之意，不有一毫偏挤之处。本大臣深盼贵国大臣推广此意，酌加条约，泯偏薄之迹，总归于彼此均沾。则敝国亦可以琉球南宫古、八重山两岛，定为贵国所属，以划两国疆域。两岛与台湾相接近，实为东洋之门户，海道之形胜。以此相让，即所以表明敝国之好意无他也。”

进而《节略》又称：“琉球置县以来，经理休养，渐就成绪。今遽割其一部，于敝国之情，在所甚难，第贵国王大臣公平秉心，以便于民人，则敝国勉行此难事，以明亲好，亦所不辞也。盖琉球案依两国条约始得收局，而两国之交得球案收局，可以加厚于永远。转圜善后，惟有此一法而已……惟贵王大臣识高虑远，顾全大局，必有所从容妥协矣。”

---

① 《岩仓公实记》下卷，第602—603页。

② 同上书，第603—605页。

这一《节略》表明了日本政府重新开议的目的和要求，也即通过中日修改旧约，使日本获得“均沾”各国在华权益。至其“以琉球南宫古、八重山两岛，定为贵国所属，以划两国疆域”，则不过是肢解琉球王国，以换取欲得之利。尔后，双方反复八次交涉。10 月 21 日，按照日方方案议定了如下约稿：①

《琉球条约拟稿》

大清国大日本国以专重和好，故将琉球一案所有从前议论，置而不提。

大清国大日本国共同商议，除冲绳岛以北属大日本国管理之外，其宫古、八重山二岛属大清国管辖，以清两国疆界，各听其治，彼此永远不相干预。

大清国大日本国现议酌加两国条约，以表真诚和好之意。兹大清国钦命总理各国事务王大臣、大日本国钦差全权大臣（勋二等宍户玑）各凭所奉上谕，便宜办理，定立专条，画押钤印为据。现今条约应由两国御笔批准，于三个月限内，在大清国都中互换（光绪七年五月、明治十四年二月），交割两岛之次月，开办加约事宜。

《加约拟稿》

大清国大日本国辛未年（1871 年）所订条约，允宜永远信守。惟以其内条款有须一二变通，是以大清国钦命总理各国事务王大臣、大日本国钦差全权大臣勋二等宍户，各遵所奉谕旨，公同商议，酌加条款。所有议定各条，开列于左：

第一款　两国所有与各通商国已定条约内载予通商人民便益各事，两国人民亦莫不同获其美。嗣后两国与各国加有别项利益之处，两国人民亦均沾其惠，不得较各国有彼厚此薄之偏。但此国与他国立有如何施立专章，彼国若欲援他国之益，使其人民同沾，亦应于所议专章一体遵守，其系另有相酌条款才予特优者，两国如欲均

① 以下各条约约稿，见《日本外交文书》第 13 卷，第 129 号文书。

沾，当遵守其相酌条款。

第二款　辛未年两国所定修好条规及通商章程各条款，与此次增加条款有碍者，当照此次增加条项施行。现今所立加约，应由两国御笔批准，于三个月限内，在大清国都中互换。

《凭单拟稿》

两国通商事宜有与他通商各国随时变通之处，彼此预为言明。嗣后，此国有将与他各国现行条约内管理商民、查办犯案各款及海关税则更行酌改，候与他各国订定后，再行彼此酌议。因此预立凭单，画押为据。

《附单稿》

大清国应派员以（光绪七年正月、明治十四年二月）到八重山岛地方，与大日本国所派官弁，各呈示凭据，将宫古、八重山群岛土地人民，一并交受。

宫古、八重山群岛民人，在交付之际，大日本国官弁应先期加意戒饬晓谕，使其安分，以免纷扰。既交付之后，两界民人各遵其国法例，不互相干犯。

10 月 28 日（九月二十五日），恭亲王等上奏，对约稿作了如下说明。①

臣等查日本废球一事，臣衙门与出使大臣何如璋等先后照会，其使臣并外务卿反复争论，迄无端绪。本年六月，始据其外务照复臣衙门，将商办事宜任之宍户玑等语。今宍户玑请以二岛属中国。南洋大臣刘坤一谓：以南二岛重立琉球，俾延一线之祀，庶不负存亡继绝初心，且可留为后图。北洋大臣李鸿章谓：南部两岛交还，已割琉球之半，此事中国原非因以为利，应还球王驻守，就此定论或不至于俄人外，再树一敌，若球王不复，南岛枯瘠，不足自存，中国设官置防，徒增后累等语。持论各有所见，而皆以存球祀为重，与臣衙门争论此事本意相同。虽两

① 《清光绪朝中日交涉史料》卷二，第 8—9 页。

> 岛地方荒瘠，要可借为存球根本。况揆诸现在时势，中国若拒日本太甚，日本必结俄益深。此举既以存球，并以防俄，未始非计……

继而又称：

> 至宍户玑请加一体均沾之条，臣等查阅各国约内，俱有此项明文。当时李鸿章与日本订立修好条规，力持此条未允，办理颇费苦心。其后，日本使臣屡以为言，臣衙门均经照约驳复。转瞬修约届期，必来哓渎。今因琉球一案，遂举其蓄意多年者，请为加约……臣等揣其情形，若仍照前坚执不允，球案必无从办结。惟日本条规，逐条皆从两面立论，今虽稍予通融，仍应预防流弊，且既一体沾受其益，必须一体遵守其章，将来办理庶归一律。至此条特为了结球案，允准应候二岛定期交割以后开办。以上各节，皆为最要关键。臣等与宍户玑往返辩论，始定为加约第一第二两款。宍户玑初议以该国现与西洋各国商议增加关税、管辖商民两事，美国已经应允，请一并加入条约……日本既与各国商议，中国岂能独不与闻。因与宍户玑议明另立凭单，声明候日本与各国订立后，再行彼此酌议，无庸并入加约。以上均系有关商务之事，臣等分别缓急，如一体均沾一条，其势不能不允者则允之。如加关税、管辖商民两事，其势尚可从缓者则缓之。凡此皆为顾全大局，联络日本起见。

恭亲王等人的奏折，讲述了中日议定前述约稿的背景，也即意在“可借为存球根本”，并担心日本“结俄益深”。至于同意日本加条改约，也系出于“了结球案”。但日讲起居注官、右春坊右庶子陈宝琛认为：“倭案不宜遽结，倭约不宜轻许，勿坠狡谋而开流弊”。因为“中国受其实害，而琉球并不能有其虚名”，“案一结则琉球宗社斩矣，约一改则中国之堤防溃矣。俄以一伊犁饵吾改约，日本又以一荒岛饵吾改约，是我结倭欢以防俄而重受其绐，倭乘俄衅，挟我以坐享其利也”。[①] 左春坊左庶子张之洞

①《清光绪朝中日交涉史料》卷二，第11—12页。

也称："臣愚以为，此时宜酌允商务，以饵贪求，姑悬球案，以观事变，并与立不得助俄之约。俄事既定，然后与之理论，感之以推广商务之仁，折之以兴灭继绝之义……严修海防，静以待之……庶免仓卒定约，日后追悔。"①

上述情况说明：清政府内部对议立约稿之事尚有异议。为此，军机处命令李鸿章："将此事应否照总理各国事务衙门原奏办理，并此外有无善全之策，切实指陈，迅速具奏。"② 11 月 11 日（光绪六年十月初九日），李鸿章回奏：

> 闻日本公使宍户现屡在总理衙门催结琉球案，明知中俄之约未定，意在乘此机会图占便宜。愚臣以为琉球初废之时，中国以体统攸关，不能不亟与理论。今则俄事方殷，中国之力暂难兼顾。且日人多所要求，允之则大受其损，拒之则多树一敌，惟有用延宕之一法，最为相宜……臣接奉寄谕，始知已成之局，未便更动。而陈宝琛、张之洞等又各有陈奏，正筹思善全之策，适接出使大臣何如璋来书，并抄所寄总理衙门两函，力陈利益均沾及内地通商之弊，语多切实，复称询访球王，谓如宫古、八重山小岛，另立王子，不止吾家不愿，阖国臣民亦断断不服。南岛地瘠产微，向隶中山，政令由其土人自主，今欲举以畀球，而球人反不敢受，我之办法亦穷等语。臣思中国以存琉球宗社为重，本非利其土地，今得南岛以封球，而球人不愿，势不能不派员管理，既蹈义始利终之嫌，不免为日人分谤。且以有用之兵饷，守此瓯脱不毛之土，劳费正是无穷，而道里辽远，音问隔绝，实觉孤危可虑。若惮其劳费而弃之不守，适坠日人狡谋，且恐西人踞之，经营垦辟，扼我太平洋咽喉，亦非中国之利。是即使不议改约，而仅分我以南岛，犹恐进退两难，致贻后悔。今彼乃议改前约，倘能竟释球王，畀以中南两岛，复为一国，其利害尚足相抵，或可

①《清季外交史料》第 24 卷，第 1—2 页。

②《清光绪朝中日交涉史料》卷二，第 14 页。

> 勉强允许。如其不然，则彼享其利，而我受其害，且并失我内地之利，臣窃有所不取也。

随后，李鸿章针对总署“原虑日本与俄要结，不得不揆时度势”，以及“虑及日本于内地运货，蓄意已久，转瞬修约届期，彼必力请均沾之益，或祗修约不提球案，恐并此南岛而失之”，进一步谈道：

> 盖日本近日之势，仅能以长崎借俄屯驻兵船，购给煤、米。彼盖贪俄之利、畏俄之强，似非中国力所能禁也。岂惟日本一国，即英、德诸邦及日斯巴尼亚[西班牙]、葡萄牙各国，皆将伺俄人有事，调派兵船，名为保护商人，实未尝不思藉机渔利。是俄事能了与否，实关全局。俄事了，则日本与各国皆戢其戒心，俄事未了，则日本与各国将萌其诡计。与其多让于倭而倭不能助我以拒俄，则我既失之于倭，而又将失之于俄。何如稍让于俄，而我因得借俄以慑倭……中国自强之图，无论俄事能否速了，均不容一日稍懈……数年之后，船械齐集，声威既壮，纵不必跨海远征，而未始无其具，日本嚣张之气当为稍平。即各国轻侮之端，或亦可渐弭……臣愚以为，南岛得失无关利害，两国修约须彼此互商，断无一国能独行其志者。日本必欲得均沾之益，倘被亦有大益于中国者以相抵，未尝不可允行。若有施无极，壹意贪求，此又当内外合力坚持勿允者也。臣再三筹度，除管理商民，更改税则两条，尚未订定，应俟后日酌议外，其球案条约及加约，曾声明由御笔批准，于三个月限内互换。窃谓限满之时，准不准之权，仍在朝廷。此时似宜用支展之法，专听俄事消息，以分缓急。俟三月限满，倘俄议未成，而和局可以预定，彼来催问换约，或与商展限，或再交廷议。若俄事于三个月内，即已议结，拟请旨明指其不能批准之由，宣示该使，即如微臣之执奏，言路之谏诤，与彼之不能释放球王，有乖中国本意，皆可正言告之者。臣料倭人未必遽敢决裂，即欲决裂亦尚无大患……臣不敢因朝廷议准在先，曲为回护，亦不敢务为过高之论，致碍施行。若照以上办法，总理衙门似尚无甚难之处。

基于以上情况，清政府对前述约稿没有急速议定。后来，李鸿章对竹添进一郎说："约定是我之所破。"①此话或许过分，但 1880 年 7 月之后，清政府派遣曾纪泽出使俄国，中俄关系有所缓和之后，鉴于李鸿章等人的意见，对议定约稿采取了谨慎态度则属事实。1880 年 11 月 17 日，总署派遣叶毓桐向宍户玑递交照会，内称："（前略）前据总理各国事务衙门奏琉球一案各折片，著交南北洋大臣等妥议具奏，候复奏到日，再降谕旨……相应恭录照会贵大臣可也。"20 日，宍户赴总署责问沈桂芬，并于 23 日备文照会，内称"讵图卒然中沮，本大臣不堪惋异"。② 12 月 27 日宍户再次照会总署，言称"自贵王大臣前约画押订约，业经二月有余矣，理不容再稽，本大臣须期十日有所咨回"。③

1881 年 1 月 3 日，总署复文，内称根据上谕征求南北洋大臣意见是为慎重，"并非强行拖延"。但是，宍户认为"需要南北洋大臣之妥议，即为使事不成之征。诚然，外国也采议院之议，或有延期批准之事。但两国秉权大臣既已协议，以其大臣全权画押为据，自然无需他人参与。如南北大臣妥议，则可谓秉权大臣关权，是等同以无权欺有权之另一方使臣，卑职难以甘受其愚弄"。④ 1 月 17 日宍户又向总署发出照会："贵国果自弃前议，而非本大臣绝于贵国也。"⑤随后于 20 日离开北京归国。至此，中日有关琉球问题的交涉尽管前有格兰特调停，后有拟订约稿，但最终未能了结。清政府认为："日本使臣宍户玑觉所欲难遂，即谓由我自弃前议，悻悻而归，词意决绝。"⑥而按照日本东亚同文会的说法，则是"不久，朝鲜事件继起，中日之间关于朝鲜问题交涉频繁，琉球事件有被置之度外之势，终至明治二十七、二十八年（1894、1895 年）发生中日战争，一

① 参阅鹿岛守之助：《日本外交史》第 3 卷，第 334 页。

②《日本外交文书》第 19 卷，第 59 号文书。

③ 同上书，第 13 卷，第 134 号文书。

④ 同上书，第 14 卷，第 119 号文书。

⑤ 同上书，第 14 卷，第 121 号文书。

⑥ 见《清季外交史料》第 25 卷，第 6 页。

切都按现实解决了”。①

8　中日“琉球问题”交涉的反思

那么，应该如何评价这段历史呢？日本广岛大学大山梓教授著书言称：“对于日本处分琉球，不仅是与琉球缔结条约的美国、法国、荷兰，就是无条约的欧美诸国，也没有何等异议。只有清国提出抗议，但是对于清国来讲，也不能否认庆长以来的萨摩统治，和明治政府任命藩王等多年的统治实迹，主张并非专属。清国不干预[琉球]内治外交，是基于对琉球国王的册封礼仪、惯行朝贡名义的交易，以及[琉球]遵奉正朔之旧习，而主张明朝以来是为中国属国的。但是日本否认了这种虚文的空名”。

进而又称：“事实上，庆长十四年（明万历三十七年）岛津家久远征琉球之际，明国没有出兵，也未曾抗议。继明国之后的清国，对于萨摩藩统治琉球，也没有提出异议，放任了二百数十年。再者，根据日本方面的见解，明治五年九月日本政府任命藩王，则意味着将庆长以来的日本属邦琉球国，作为琉球藩而编入内藩加以合并。对此，清国也没有抗议。台湾事变本身，是因为台湾南部的生番杀害了琉球人而发生的，但清国不仅没有充分议论琉球的地位，而且在因解决台湾事变而缔结日清条约之际，在条约的前文中明确承认琉球人为日本属民，并因第二款而向被害的难民（琉球人）支付偿金”。“日本方面按照格兰特将军的调停，虽然提出了二岛分界案，但这不是认同清国皇帝中外一统、四海一家、各国人民皆为朕之赤子的中华思想。而是为了日清友好，服从劝告，为了谋求台湾的安全，开辟太平洋的通路而作成割让宫古八重山方案的，并在日清修好条规中加上了最惠国条款。两国全权同意条约草案后，清国不仅没有在条约上签字，而且使谈判决裂了。”②

---

① 东亚同文会编：《对华回忆录》中译本，第120页。
② 大山梓：《日本外交史研究》，良书普及会1980年版，第149—151页。

大山氏的上述观点，重复了当年日本政府的逻辑，但又较之具有现代意识。不过，准照历史事实并非如此。如1872年10月，美国公使向日本外务卿副岛种臣递交照会，内称“最近日本政府促使琉球王辞爵让地，宣布将该人列为与日本帝国中之旧大名同格、叙列华族……由此琉球将被合并为日本帝国的一部分。就此，为请阁下注意1854年7月11日美利坚合众国与琉球国所缔结之规约，现有刊行的条约书四分以供阅览，请贵国政府维持琉球国境内上述条约所规定之诸项条款”，[①]这是大山氏也谈到的。显而易见，这是要求日本政府不能改变美国与琉球国缔结的条约内容，而不是对日本合并琉球“没有何等异议”。1873年8月，意大利驻日代理公使也向副岛种臣递交照会，要求与他国一样在琉球享有利权，[②]也不是所谓同意或承认日本合并琉球。

又如，所谓中国与琉球的历史关系只是“虚文的空名”。这种见解实际是对中琉历史关系的曲解。有如前述，明代以来的中琉关系，是以中国皇帝册封琉球王，琉球奉行中国年号、正朔等为其主要标志的政治关系，而且是双方认可的国家关系。清代康熙五十五年(1716年)十月十一日，琉球王世子尚敬，在请封奏本中依然言称：“琉球国中山王世曾孙臣尚敬谨奏，为请封袭爵，以效愚忠，以昭盛典事……念臣小子曾孙承祧，然侯服有度，不敢潜称，王业永存，循例请袭……伏望圣恩体循曾祖事例，乞差天使封袭王爵，上光宠渥之盛典，下效恭顺之微忱，庶藩业得以代代相传，顶祝皇恩世世不朽……臣敬不胜惶惊，待命之至，谨具奏以闻。”[③]此外，中琉之间的册封关系，早于萨摩入侵琉球，即或是当年日本政府派遣赴琉的松田道之，也深知此事。作为历史研究者的大山氏，竟然视而不见，这显然是偏见所致。

再者，所谓中国明代对萨摩入侵琉球，以及清代对萨摩统治琉球“也没有提出异议”之说，则是强词夺理。因为萨摩入侵琉球之后，琉球王在

①《日本外交文书》第5卷，第179号文书(英文)，大山梓：《日本外交史研究》，第109页。

② 日本外务省编：《旧条约汇编》第3卷，第664页；大山梓：《日本外交史研究》，第111页。

③ 台湾历史语言研究所编：《明清史料》庚编第4本，1960年版，第308页。

当年冬季只是向中国“驰报兵警，致缓贡期”，并无其他要求。而且，现今没有可作公认的萨摩“统治琉球”的原始证据。因此，所谓中国“未曾抗议”之说，虽然是大山氏的现代意识，但也只能是多余的。

至于所谓日本1872年把琉球“编入内藩，加以合并”，清政府“也没有抗议”云云，则是曲扭历史。因为1872年天皇首次册封琉球王，与所谓“加以合并”不是一个概念，而日本政府宣布“废琉置县”，是为1879年，两者有七年的时间差。但是，在此之前，何如璋便已经提出争议。历史本身是客观存在的。从日本政府自行“处分”琉球王国，中经出兵入侵台湾、签订台事条约，到中日关于琉球归属问题的交涉，实际正是中国皇帝政府提出异议的过程。

从近代中日交涉史的角度来看，“琉球问题”没有完结。但是围绕“琉球问题”的中日交涉，却留下了值得深思的内容：

其一，明代以来，琉球与中国形成册封关系，中国政府将琉球视为“属国”。1609年以后，琉球又受到日本萨摩藩的制约。从这个意义上讲，近代日本单方面决定琉球的所属问题，是属无视中琉两国的历史关系，违背琉球王国及其臣民的意愿。清政府根据1871年签订的《中日修好条规》，以“两国所属邦土，亦各以礼相待，不可稍有侵越”的规定，同日本政府进行反复交涉，是为尊重事实，也是根据两国的关系法办事。日本政府言称“处分”琉球是为“内政”，不仅出兵台湾压迫中国，而且强制琉球废其社稷，这不完全是否定“中华思想”，而是仿效西方资本主义，蓄意推行强权政治，对外实施领土扩张。

其二，1872年琉球漂民在台湾被害事件，原属中琉两国间的刑事案件，与日本国无关。但当年日本政府却借以滋事，以求达到占有琉球，乃至染指台湾，迫使朝鲜对日开放的目的。1874年，日本政府派遣来华的使节，不容清政府理论琉球的“归属”问题。进而又借助英国公使威妥玛的压力，在议定的台事条款中，加入了所谓日本出兵台湾是为“保民义举”的内容。从外交上说，这或许是日本的“成功”。但是，历史地评价，当年的日本政府所推行的，却是欺凌邻国的外交政策。

其三，在有关琉球问题的交涉中，日本政府企图利用沙皇俄国，以达到讹诈取利的目的。1880 年 8 月 31 日，井上外务卿在给竹添进一郎的训令中指示："现今是为俄清纠葛之机，应毫不犹豫地向总理衙门提出强硬议论，以期收局。清政府因与俄之结局情况，也必然在与我谈判事件中有缓急之略。故而，应注意不误时机地进行交涉。"①此外，井上馨在给宍户的训令中，也是要其"乘目前彼之弱点，毫不犹豫"。② 进而则是专门训令驻上海的品川总领事："应注意宽厚对待俄国人"，"暗中使清政府怀有他日若有缓急之事时，日俄将要合纵之嫌疑，诱导在伊犁问题了结之前，迅速使之答应我国的要求"。③ 10 月 12 日，井上馨再次指令宍户："琉球谈判决非可以迟缓，空度数旬，清俄纠葛俄然冰解……则好不容易之方略，也恐一朝化为水泡，实可谓一刻千金"，要求宍户早日了结琉球谈判。④ 这说明当年日本政府确有趁火打劫、投井下石的意图。

上述种种，表明近代日本在与邻近国家的关系上，已经走上了弱肉强食、侵略扩张的道路。因此，宍户归国后，日本政府便认为琉球问题已经完结，无须再行交涉，1881 年 12 月 14 日，日本驻天津领事竹添进一郎与李鸿章笔谈时表示："现今琉球复旧之事，在政体上是决不可能的。此外，我国政府由于中国违约，已确信琉球之事任从我国处置，我国将不再就此事进行商议。"⑤

1886 年 6 月，井上外务卿又对驻华公使盐田三郎发出训令。内称："当提出重新修定日清条约时，彼方或许要以琉案末结，邻交情谊有欠完整之憾，暗中拒绝重修谈判，彼方若果出此论，贵官应谓没有收到我政府有关琉案的何等训令，且应陈述我政府认为该案已经完结，以避免开议

① 日本外务省编：《琉球所属问题》第二（早稻田大学社会科学研究所藏），见我部正男：《条约改正与冲绳问题》，《史潮》107 号，第 39 页。

② 见我部正男：《条约改正与冲绳问题》，《史潮》107 号，第 39 页。

③ 同上。

④ 同上。

⑤ 见《日本外交文书》第 19 卷，第 59 号文书附记 16。

此事”云云。[①]

这样一来，琉球问题未能重新开议。然而，中国始终认为此事未了。1881年12月14日，前述竹添与李鸿章笔谈时，李便明确表示：绝非中国任从日本处置，是贵国招回公使的。我并非要求复封琉球如初，贵国业已着手琉球土地，此等概无关系，唯是虽小也当设置琉球国王。因此，撤销以往总理衙门谈判，宍户公使再来，当另有办法。[②] 1882年2月17日，竹添受命与李鸿章再次笔谈时，李鸿章依然坚持“南二岛，物产太稀，人民太少，断不足以立国。若将中岛仍分给尚姓，长为中国属邦，庶可经久”。[③] 同年3月30日，两者继续会谈，李再次表明：“二岛狭小，不足自立，琉王固然不肯接受。如果那样，中国只取复封之虚名，有欠体面，而贵国却是独得均沾之实利”，[④]依然主张恢复琉球王国。

1883年5月22日，竹添以私人信件的形式，向井上外务卿提出：“莫如将尚泰复封为我之藩王，内政任其自主，外交奉我之命，永为我之藩属，内以施恩于尚氏，外以释怨于邻国。”[⑤]这或许是基于和李鸿章的会谈而提出的，但却反映了琉案尚未了结的事实。

1886年9月5日，日本《朝野新闻》的专题社论报道：“最近，二三家新闻刊载琉球有某种事变之说。据我社在本月2日所载冲绳县上月24日发出的通讯，去年以来，该县有称黑党或中国党者，向我政府申述管辖更替之事，其残党不久前乘三艘黑船，有十八名重要人物从当地出航，暗中前往中国，反复请求属于中国……”[⑥]这种活动虽然遭到日本政府的弹压，但也表明琉球王国没有甘受日本政府的强行处置。因此，《朝野新闻》不免忧虑地写道：“值此南洋风波将要平定之际，琉球群岛中出现不

① 见《日本外交文书》第19卷，第37号文书。

② 同上书，第59号文书附记16。

③ 见鹿岛守之助：《日本外交史》第3卷，第339页。

④ 见鹿岛守之助：《日本外交史》第3卷，第339页。

⑤ 见《日本外交文书》第19卷，第59号文书附记二。

⑥ 见芝原拓自编：《日本近代思想大系12对外观》，第445—446页。

平之象，如若刺激中国政府的政治家，又将为之而多少影响其他交涉事件……"①

总之，"琉球问题"并未了结。时至1894年日本发动"甲午战争"，翌年签订《马关条约》，日本从中国割占台湾、澎湖列岛，并实现了多年均沾列强在华权益的宿愿，"琉球问题"也不再是中日交涉的课题了。

① 见芝原拓自编：《日本近代思想大系12对外观》，第445—446页。

第二编 日本的“大陆政策”与“甲午战争”

一 日本明治初年的对外方针

1867年11月9日（日本庆应三年十月十四日），江户幕府（也称德川幕府）将军德川庆喜（1837—1913），在内忧外患的形势下，向京都的天皇朝廷呈请“奉还大政”。其奏文言称：

“臣庆喜慎重考虑皇国时运之沿革，昔者王纲解纽，相家执权，保平之乱，政权移于武门，以至祖宗，更蒙宠眷。二百余年，子孙相承。臣虽奉其职，但政刑失当者不少，以至今日之形势，毕竟薄德所致，不堪愧惧。况且，当今外国交际日繁，朝权不出一途，则纲纪难立。改历来之旧习，政权奉还朝廷，广尽天下之公议，仰承圣断，同心协力，共保皇国，必可与海外万国并立，臣庆喜尽力于国家者，唯此而已……”①

1868年1月2日（旧历十二月八日），朝廷举行“小御所会议”，倒幕派公卿和下级武士主张幕府将军“辞官纳地”，交出400万石的领地，并

① 日本外务省编：《日本外交文书》，第1卷第1册，第2页。

于次日凌晨宣布《王政复古大号令》，内称：

“德川内府奉还从前委任之大政，并辞退将军之职，今断然准允。自癸丑以来，未曾有之国难，先帝频年烦恼，宸襟之情，群庶所知。故而，睿虑决定王政复古，以挽回国威之基。自今而后，废绝摄政、幕府等等，暂先设置总裁、议定、参与三职，以行万机。诸事源于神武创业之始，无晋绅、武辨、堂上、地下之别，以竭至当之公议，与天下共休戚。各当勤勉，一洗旧有骄惰之污习，以尽忠报国之诚奉公。”①

至此，日本近代天皇制政权宣告成立。同年，日本改元明治，江户改名东京。新政权的初期形态是以围绕天皇的皇族、公卿和倒幕派武士为主体的联合政权。也有人说是“官僚和军人政权”。

1月10日（旧历十二月十六日），幕府将军在大阪会见英、法、美、意大利和普鲁士、荷兰公使，言称：

“我祖宗东照公〔德川家康〕确立日本国之政体，纲举目张，二百余年，上自天子下至庶民，莫不尊崇其德而浴其泽……。岂料，数名诸侯一朝带兵，突入禁门，放逐以先帝顾命摄政为首之宫中堂上，代而引入先朝谴责之公卿人等，改变先前敕命之宗旨，不待公议，以至废除将军之职，余属下之谱代诸藩，大为激愤，日夜迫余，言称唯有举兵以责破坏日本大法、违背余国民心暴戾之罪……”②

此后，开始了京都附近的“鸟羽、伏见之战”。

2月8日（旧历庆应四年一月十五日），新政权发布《外交布告》。内称：

“外国之事，先帝多年宸忧。但因幕府以往之失措，以至因循至今。然而，世态大变，诚不得已。此次朝议之上，断然同意缔结和亲

① 《对皇族公卿之谕告》，见日本外务省编：《日本外交文书》，第1卷第1册，第145—146页。
② 日本外务省编：《日本外交文书》，第1卷第1册，第170—172页。

条约。对此，当上下一致，不生疑惑，大力充实兵备，使国威光耀海外万国，以对答祖宗先帝之神灵。天下列藩以至士民，皆当奉戴斯旨，竭尽心力而勤勉之。”

进而又称：“以往幕府缔结之条约中，弊害有之，当在公议种种利害之上加以改革。但外国交际之事，当以宇内公法待之，此应须知”。①

这是近代日本天皇制政权的第一个外交文书。同日，新政权派遣主管外交事务的东久世通禧（1833—1912），在兵库会见英、法、荷兰、意大利、美国和普鲁士等国家的公使时，所递交的国书内容是：

“日本国天皇告诸各国帝王及其臣民：前者，将军德川庆喜请归政权，制允之，内外政事亲裁之。乃曰：从前条约，虽用大君名称，自今而后，当换以天皇称。各国交际之职，专命有司，各国公使，谅知斯旨”。②

3月10日（旧历二月十七日），新政府又发布《对外和亲谕告》：

“……值此王政一新，万机仰出朝廷，各国交际直接由朝廷处理……。普天之下，率土之滨，当齐心协力，共勤王事，自万国交际以至万机，不论继往开来，皆可无所畏惧，详加论谏。唯今日之急务，在于应乎时势，开启锐眼，脱从前之弊习，使圣德光耀万国，置天下于富岳之安，奉慰列圣在天之神灵。举国上下，当承奉斯旨。”③

也就是说，日本近代天皇制政权建立后，其一是承认德川幕府与欧美国家缔结的不平等条约，但要加以修改。这是尔后日本连续多年对外改约的第一声；其二是要实现所谓“大力充实兵备，使国威光耀海外万国”的政策目标。按照“明治维新”的先驱者吉田松阴（1830—1859）的说法是：“今也，德川氏已同两虏〔俄美〕和亲，不能由我绝之，我若绝之，乃

① 日本外务省编：《日本外交文书》，第1卷第1册，第227—228页。
② 日本外务省编：《日本外交文书》，第1卷第1册，第236页。
③ 日本外务省编：《日本外交文书》，第1卷第1册，第391—393页。

是自失信义。为今日计，莫如慎守疆域，严行条约，以羁縻两虏，乘间开垦虾夷，收琉球，取朝鲜，拉满洲，压支那，君临印度，以张进取之势，以固退守之基，使神功未遂者得遂，丰国未果者得果。”①这也就是他所说的“在交易上失之于俄美，在土地上取偿于满、鲜”的“善保国之策”。②

2 月 25 日（旧历二月三日）新政府改变职制，设立总裁局、神祇、内国、外国、军防、会计、刑法、制度等七局。是时，幕府将军从大阪返回江户（东京），新旧矛盾发展为“戊辰战争”。

3 月 21 日（旧历二月二十八日），新政府对在京都的诸侯（藩主）下达敕谕：

“朕虽不肖，然欲继述列圣之余业、先帝之遗意，内以安抚列藩万姓，外使国威光耀海外。然德川庆喜图谋不轨，天下解体，遂及骚乱，使万民陷入涂炭之苦。故而，朕不得已而断然决定亲征，且已布告。万国交际之处置，于将来尤为重大。为天下万姓，朕欲凌驾万里波涛，身当苦难，誓振国威于海外，以对祖宗先帝之神灵。汝等列藩，当佐朕之不逮，同心协力，各尽其分，奋为国家”。③

4 月 6 日（旧历三月十四日），新政府又发布了《安抚亿兆・宣布国威宸翰》，再次宣称：

“朕以幼弱，猝继大统尔来，朝夕不堪恐惧，何以对立万国，事奉列祖焉。……中叶朝政衰微，武家专权，表面推尊朝廷，实为敬而远之，使身为亿兆之父母，全然不知赤子之情，以致亿兆之君，唯有其名，是以今对朝廷之尊重，有倍于古，然朝威倍加衰微，上下相离，有如天壤之形势，何以君临天下焉。

值此朝政一新之时，天下亿兆，一人不得其所，皆为朕之过也。

① 见渡边几治郎：《日本战时外交史话》，千仓书房 1937 年版，第 8 页。其中所谓“神功未遂者”是指古代神功天皇“征讨三韩”；“丰国未果者”是指丰臣秀吉两次入侵朝鲜（1592、1597 年）。

② 见菊田贞雄：《征韩论的真相及其影响》，东京日日新闻社 1941 年版，第 17 页。

③ 见日本外务省编：《日本外交文书》，第 1 卷第 1 册，第 465 页。

现今，朕将自身劳于筋骨，苦于心志，立于艰难之先，踏袭列祖之足迹，勤于政绩，方能奉天职，而无背于亿兆之君……。故而，朕与百官诸侯相誓，意欲继承列祖伟业，不问一身艰难，亲营四方，安抚汝等亿兆，开拓万里波涛，宣布国威于四方，置天下于富岳之安。……汝等亿兆，当体认朕志，相率除去私见，采纳公义，助朕之业，保全神州，以慰列圣之神灵，则生前幸甚。”①

上述文告、敕谕和宸翰，突出了近代日本的皇权主义，体现了近代日本国家的特殊性，同时也表明了势将凌驾于周边国家之上的战略意图。

“历史不外是各个世代的依次交替”。战前日本右翼团体黑龙会承认：

“历史给予的感化是伟大的。后人从前人的足迹中得到种种启示。……日本人对外发展的风气，早在远古时代就已经有了。神代之际，素盏鸣尊和其御子共赴新罗，事见《神代记》。《出云风土记》记载，大国主命因出云国土狭窄而牵引韩国，以补杵筑之埼。又，神武天皇之皇兄稻饭命，殖民新罗，为其国主，事载于《神武记》。……其后，又有神功皇后征伐三韩，丰臣秀吉征伐朝鲜，有乘坐一叶扁舟凌驾万里波涛，从支那海活跃于南洋的和寇，历史上留下了许多有关我岛屿帝国之勇武国民航渡大海、进出大陆的雄图。”②

其中所云并非全是虚构。但日本国家觊觎朝鲜半岛，并出兵入侵等等，却不是普通日本人的“雄图”，而是日本统治阶级对外扩张、掠夺和奴役他国人民的欲望。

近代日本天皇制政权“大力充实兵备，布国威于海外”的战略方针，实际是日本的神国观念及对外扩张思想的延续。此后，对邻近国家实施侵略的“大陆政策”，逐步变成了近代日本对外关系的一条主线。

---

① 日本外务省编：《日本外交文书》，第1卷第1册，第555—558页。

② 见黑龙会编：《东亚先觉志士记传》上，原书房1966年版，第7页。

二　日本对华首次立约与出兵台湾

自古以来，中国以发达的农业经济、完备的封建体制和先进的文化影响着周边国家，从而在东亚地区形成以中国为主体的“华夷秩序”。而处于这一秩序边缘的日本，欲实现其“光耀国威于海外”的战略目标，则必然要面临着如何处理对华关系问题。

1870 年 5 月（旧历四月），日本外务省在《对朝政策三条》的呈文中，列举了三种对朝方案：一是断绝与朝鲜的一切往来，“国力充实之后，再行处置”；二是遣使率兵赴朝，兴师问罪，并就势迫定条约，不然则动用干戈；三是先向中国遣使，缔结条约，取得与中国“比肩同等之格”，然后迫使朝鲜就范。

其中第三条称：“朝鲜服从支那，唯受其正朔节度。因而先对支那派遣皇使，达成通信条约等程序，其归途至朝鲜王京，在皇国与支那确定比肩同等之格后，朝鲜必然位低一等而用礼典……。万一犹有不服，则再行论及和战，远同清国达成通信，则不易发生壬辰之役〔也即 1592 年丰臣秀吉出兵朝鲜〕明军援助朝鲜之事，可谓远交近攻之理也。与朝鲜交际相比，与支那达成通信虽非急务，但从怀抚朝鲜而论，乃是最急之程序。”①

同年 6 月 24 日（旧历五月二十四日），日本外务省在答复太政官咨询的呈文中，再次言称：“朝鲜乃列圣垂念之地。其后，历经多少星霜，旧幕以来，为互通聘问之国。四五年前，与法国美国也曾开启隙端。如若外国首着先鞭，则唇亡齿寒之不少，无论如何都要从此处着手。”

进而，该项呈文就“支那问题”写道：“近倾宇内形势一变，今非昔比，隔海咫尺之地，无诏使往来，也非经略之远图。……若将印度和中国比作昔时汉土六国之势，则可谓处于楚魏之郊，西有都儿格〔土耳其〕，东即

① 见芝原拓自等编：《近代日本思想大系 12 对外观》，岩波书店 1988 年版，第 14 页。

皇国，处于三川两周之地位，势成宇内必争之地。无论从国内政务抑或外交之道而言，也应予以特别注意。富强之基础，自不待言，更不能无有宇内经略之远图”。①

也就是说，为了染指朝鲜，日本政府需要取得与清政府的对等地位；而同中国打交道，又是为了实现其将来“宇内经略之远图”。

1870 年 7 月，日本政府决定派遣使节来华议立条约。同年 9 月，日本使节柳原前光一行抵达天津，向直隶总督李鸿章递交公函。内称：

> “方今文明之化大开，交际之道日盛……况邻近如贵国，宜最先通情好，结和亲。而唯有商舶往来，未偿修交际之礼，不亦一大阙典也乎。……兹经奏准，特遣从四位外务权大丞柳原前光……，预先商议通信事宜，以为他日我公使与贵国订立和亲条约之地”。②

对此，清政府担心日本在条约中援引欧美各国对华立约条款，曾以“大信不约”为由加以拒绝。但柳原前光声称：“英法美诸国，强逼我国通商，我心不甘，而力难独抗……惟念我国与中国最为邻近，宜先通好，以冀同心协力……”。③ 同时又会见前任直隶总督（时任两江总督）曾国藩，言称“当今欧洲诸国势力，方以压力加诸中日两国之际，两国迫于形势，实有迅速同心协力之必要”等等，④隐瞒了来华立约的真实目的。

清政府在柳原前光的游说之下，终于在同年 10 月同意与日本政府议立条约。

1871 年 6 月，日本政府派大藏卿伊达宗城为全权特使、柳原前光为副使来华，进行立约谈判。李鸿章认为，日方条约方案抄袭“普鲁士和美国的立约方案，事事援照西例”，⑤企图均沾西方列强在华利益。因此，不

① 见日本外务省编：《日本外交文书》第 3 卷，第 190—192 页。
② 《同治朝筹办夷务始末》第 77 卷，第 36—37 页。
③ 《李文忠公全书》，第 17 卷，第 54 页。
④ 东亚同文会编：《对华回忆录》中译本，第 29 页。
⑤ 《同治朝筹办夷务始末》卷 82，第 1—3 页、第 6 页。

同意按照日方要求立约。后经反复交涉，同年 9 月 13 日，双方签订了《大清国大日本修好条规》及三十三条《通商章程》。

《大清国大日本修好条规》共计十八条，其中规定：

> “此后大清国、大日本国弥敦和谊，应与天壤共无穷。又，两国所属邦土，亦各以礼相待，不可稍有侵越，俾获永久安全”(第一条)。
>
> “两国既已通好，自必互相关切。若有他国不公及轻藐之事，一经知照，应彼此相助，或从中善为调处，以敦友谊”(第二条)。
>
> “两国政事、禁令各有异同。其政事应听己国自主，彼此均不得代谋干预，不得请行禁止之事，至其禁令，相互援助，各谕商民，不得诱惑当地之人稍有侵犯”(第三条)。
>
> “两国开港场所，彼此各设理事官，管理本国商民。凡涉及家财产业公事诉讼事件，概由理事官裁判，各按本国律例查办。两国商民相互诉讼……应与地方官交涉，双方出庭，公平判断……。”①

中日首次签订的修好条规和通商章程，基本上是对等的。也即没有按照“西人成例，一体定约”，没有写入最惠国条款。但是含有双边享有领事裁判权、互相承认协定关税等。

然而，这一条约未能达到日本政府的最初目的。特别是有关两国商民在开港场所，不得携带刀剑，违者惩办没收，以及西方国家的驻日公使认为第二条显系中日结盟等等，因此 1872 年 3 月，柳原前光第三次来华，要求修改条约。对此，清政府态度坚决，日本政府未能实现改订的目的。

这里，需要说明的是，西方国家认为第二条显系中日结盟，乃是虚构。而日本政府要求准许日本国“商民”在开港场所携带刀剑，则是有意维系特权。因为明治维新前的日本，武士阶层拥有携带刀剑，乃至对农民百姓“格杀勿论”的特权。

---

① 见日本外务省编:《日本外交年表并主要文书》上，第 45—46 页。

1873年4月，日本外务卿副岛种臣来华交换条约批准书，30日与李鸿章交换完毕。

是时，日本政府正准备占有琉球、征讨朝鲜。因而，副岛种臣完成换约使命之后，专门指派柳原前光拜访清政府总理各国事务衙门，以探听虚实。他在致太政大臣三条实美的信中写道：

> “关于台湾‘生蕃’处理事件，本月二十日遣柳原大丞至总理各国事务衙门谈判。清朝大臣答称：‘吐蕃之地，为政教禁令所不及，为化外之民’。彼此再无异词，顺利结束。又问清政府，政权是否及于朝鲜。确答：‘只要循守册封贡献例行礼节，此外，更于国政无关’。因上述奉命任务业已完成，将于来月四、五日从当地启程〔归朝〕”①

事实证明，这是别有用心的外交手段。日本学者也称：“1871年，副岛种臣就任外务卿后，日本的对韩外交变得更为积极……。副岛企图将台湾纳入日本的势力范围，进而将朝鲜也置于日本的势力之下，以半月形封锁清国，并防范俄国入侵亚洲。副岛自身作为全权大使前往清国(1873年)，在批准日清条约的同时，目的还要解决台湾、琉球和朝鲜问题。”②

副岛种臣在信中所说的“台湾‘生蕃’处理事件”，是指如何处理台湾土著杀害琉球漂流民问题。

1871年12月19日(旧历十一月八日)，琉球国漂流船民在台湾土著地区被杀害。1872年4月2日(旧历二月二十五日)，福州地方官将此事报告北京，4月见诸京城报端。当时，为了要求改约而第三次来华的柳原前光，立即将此事报给日本外务省。稍后，出使琉球的鹿儿岛县吏也将此事报告给县厅。同年8月31日(旧历七月二十八日)，鹿儿岛县参事大山纲良率先上书，请求“出师问罪”。当时的日本政府认为：“确定生蕃

---

① 东亚同文会编：《对华回忆录》中译本，第36页。

② 池井优：《三订日本外交史概说》，第54页。

是否属于清国版图，实为先决问题”。[①] 于是，副岛种臣来华换约之际，日本天皇特别授意：“朕闻台湾岛生番数次屠杀我国人民，若弃之不问，后患何极。今委尔种臣全权……前往伸理，以副朕之保民之意。”

进而，又下达敕语：

> “清国政府若以政权之不及，不以其为所属之地，不接受这一谈判时，则当任从朕作处置。清国政府若以台湾全岛为其属地，左右推托其事，不接受有关谈判时，应辩明清国政府失政情况，且论责生番无道暴逆之罪，如其不服，此后处置则当依任朕意”。[②]

此种敕语，已经有违日清修好条规的精神。特别是所谓“如其不服，此后处置则当依任朕意”，更是无视中国主权。

1873 年 6 月 21 日，副岛自行确认了所谓台湾土著乃是“化外之地”。于是，启程归国。此后，副岛种臣虽因日本政府的内部之争，未能参与入侵台湾，但其参与策划的“征台事宜”，却和“征韩论”一样，通过所谓的“内治派”实施了。

1874 年 1 月，日本政府主要成员三条实美(太政大臣)、岩仓具视(右大臣)，鉴于国内形势和要“在海外发扬国威的意义”，一致认为“对(台湾)生藩兴问罪之师，实为必要”。[③] 于是，责成政府参议、内务卿大久保利通和大藏卿大限重信负责此事的调查研究。同年 2 月 6 日，大久保利通等人提出了完整的《台湾番地处理要略》：

> 第一条，台湾土番部落，乃清国政府政权不逮之地，其证据昭然于以往清国所刊行的书籍之中。特别是去年前参议副岛种臣使清之际，彼朝官吏之作答，也为判然。故将之视为无主之地，道理具备。因此，报复我藩属琉球人民被杀，乃日本帝国政府之义务，而征番之公理，亦于兹获得主要依据。但在处分之际，应以切实完成讨

① 东亚同文会编：《对华回忆录》中译本，第 38 页。
② 见下村富士男编：《明治文化资料丛书》第四卷外交篇，开明堂 1962 年版，第 24—25 页。
③ 东亚同文会编：《对华回忆录》中译本，第 38 页。

番抚民之役为主，以来自清国之一二议论为客。

第二条，当向北京派遣公使，设置公使馆承办交际。清人若问及琉球之所属与否，当准照去年出使之辞，言明琉球自古为我帝国所属，且现今累沐皇恩之实。

第三条，清国官吏若以琉球向本国遣使纳贡为由，主张两属之说，当不予理睬，以不应其议论为佳。无论如何，由我帝国完全控制琉球之实权，且使之中止遣使纳贡之非礼，乃是台湾处分后之目的，不可与清国政府空为辩论。

第四条，清国政府若论及台湾处分，当确守去年之议，收集其政权判然不逮番地之证据，不为所动。若以土地连境而生议论，则当和好办理之。倘事件至难，则应请示本邦政府。唯推托迁延时日，便是成事而不失和之机智谋略交际之术。

第五条，土番之地，虽可视为无主之域，但与清国版图犬牙接壤，若发生邻境关系纠葛，当在属于福建省之台湾港，设置一员领事，兼理淡水事务。征番之时，办理船舰往来诸事。除上述职责而外，可使之就台湾处分之事，接应清国地方官员，以小心保护和好为长策。可任命视察清国之福岛九成为领事。

第六条，领事与征抚番地无关，而任征抚者，与应接之事无关。盖其界限分明，以维持和好。若事涉重大，可将之传至驻北京公使。

第七条，福州虽为福建一大港口，但台湾处分之近路，当以台湾及淡水为要地，福州设有琉球馆，当暂且置之度外，以避嫌忌为佳。

第八条，当派遣福岛九成、成富清风、吉田清贯……六人先赴台湾，入熟番之地，探察土地形势，且怀柔绥抚土人，以便于他日处分生番诸事。

第九条，侦察须知，应就准备从熟番之地琅峤社寮港口登陆，预先注意当地地势及停泊登陆便利之事。①

① 日本外务省编：《日本外交年表并主要文书》上，第54—55页。

上述九条实际是口称“和好”而蓄意入侵台湾。就其战略目的而言，该要略明确表示：“由我帝国完全控制琉球之实权，且使之中止遣使纳贡之非礼，乃是台湾处分后之目的”；就具体的策略手段而言，则是如果清政府提出琉球的两属问题，“当不予理睬……不可与清国政府空为辩论”；至于外交与出兵的关系，则是所谓“领事与番地征抚无关，而任征抚者，与应接之事无关”等等，这是日本所谓“双重外交”的原意，也是尔后日本侵华过程中屡试不鲜的“上策”。

1874 年 4 月 4 日，日本政府组织“台湾生番探险队”，并任命陆军中将西乡从道为“台湾番地事务总督”。4 月 5 日，太政大臣三条实美秉承天皇旨意，对西乡从道颁发委任状，并下达《诏谕》：

“今实行膺惩，意在化彼野蛮，安我良民……如抗拒不服，可加以兵威。……若是清国政府提出异议，不必理会。”此外，则是“凡与清国犬牙错杂之处，应明定境界。”①

不难看出，此时的日本政府实际已有吞并台湾之念。因此，同年 4 月 17 日《日本每日先驱报》也称：“日本的目的，欲在台湾东部开辟居留地，永久占领。”②

5 月初，日军对台湾土著居民进行围剿和杀戮。这一事实说明，1871 年中日首次立约，并没有成为中日关系的准绳。

5 月 11 日和 7 月 1 日，清政府分别照会西乡从道和驻华公使柳原前光，要求日本政府停止出兵，并对侵台日军予以查办。但日本政府按照上述《要略》，拒不撤兵，而是派员与清政府进行谈判。

7 月 24 日，柳原前光与李鸿章开始谈判。此前，日本政府派员向柳原传达《谈判须知》，其内容是：

第一，与清国委员谈判番地处分，概当准照别纸要领，不得丝毫屈挠，且应致力议决，无故不得拖延立约盖章。

---

① 日本外务省编：《日本外交文书》第七卷，第 19—20 页。

② 见东亚同文会编：《对华回忆录》中译本，第 46 页。

第二，谈判之要领，在于获得偿金及让与攻取之地，但不可始有欲求偿金之色，是欲无取议论把柄于我。

第三，谈判逐渐涉及偿金数额时，虽在要求所费之外，但不能由我提出，宜将彼之所云报告政府，以伺机决定若干。

第四，谈判若达到要领之所欲，当从速立约……。

第五，前文条约成立，当公然通知政府，政府乃命都督撤退台地之兵……但不可预定兵员退了期限，以伺政府旨意。（中略）

第十，当以此次机会，断绝琉球两属之渊源，开启朝鲜自新之门户。此乃朝廷之微衷，当职者之密计也。

第十一，据命达意，虽因谈判而失两国和好，除尽力注意外，责任不归公使，政府自当其责，可相机处理，无需顾虑。①

上述的《谈判须知》表明，日本入侵台湾实可谓“一箭三雕”，既要达到“断绝琉球两属之渊源”，又要达到所谓“开启朝鲜自新之门户”，同时还要从中国“获得偿金及让与攻取之地”，较之此前英法对华军事侵略更加凶险。

经过反复论争，中日双方最终于1874年10月31日（同治十三年九月二十二日）签署了《北京会议专条》和《会议凭证》。

《北京会议专条》的内容是：

（一）日本国此次所办，原为保民义举起见，中国不指以为不是。

（二）前次所有遇害难民之家，中国定给抚恤银两，日本所有在该处修道建房等件，中国愿留自用，先行议定筹补银两，别有议办之据。

（三）所有此事两国一切往来公文，彼此撤回注销，永为罢论。至于该处生番，中国自宜设法妥为约束，以便永保航客不能再受凶害。

① 多田好问编：《岩仓公实记》下，第179—180页。

《会议凭证》的内容是：

“台番一事，现在业经英国威大臣同两国议明，并本日互立办法文据。日本国从前被害难民之家，中国先准给抚恤银十万两。又日本退兵，在台湾所有修道建房等件，中国愿留自用，准给费银四十万两，亦经议定。准于日本国明治七年十二月二十日，中国同治十三年十一月十二日，日本国全行退兵；中国全数付给，均不得衍期。日本国兵未经全数退尽之时，中国银两亦不全数付给。立此为据，彼此各执一纸存照”。①

据此，日本政府基本上实现了出兵台湾的战略意图。但是，此时的琉球王国还不是日本的冲绳县。近代的中日关系就是在这种情况下开始的。然而，这对于近代日本“光耀国威于海外”的总体目标而言，又仅仅是个开始。

中日《会议凭证》中所谈到的“英国威大臣”是指当时的英国驻华公使威妥玛。其人在中日交涉中袒护日本，所谓“保民义举”之词，也是大久保利通求助于威妥玛所致。这说明近代日本政府自推进其东亚战略之日起，便具有攀附强援的特征。

三　日本“大陆政策”的形成

1878 年 12 月，日本进行“划时代意义”的军事改革，废除陆军省参谋局，设立参谋本部。本部长由“敕任”将官担任。参谋本部统辖各地的参谋将校和监军，策划军政机要，主管边防、征讨之策。在军令方面，参谋本部不受陆军卿和太政大臣的管辖，直接隶属于天皇。

1879 年 10 月，日本政府公布《陆军组织条例》，进一步明确：“凡是有关军令之事项，由参谋本部长负责上奏和策划，经天皇亲自裁决后，由陆

① 见日本外务省编：《日本外交年表并主要文书》上，第 55—56 页。

军卿执行之。”①

也就是说，除了日本天皇之外，任何机构都无权对参谋本部下达命令。反之，天皇则可依靠参谋本部长的辅佐，下达各种军事命令。日本参谋本部的设立，意味着日本形成了以武力推行对外政策的权力机构。

参谋本部下设管东局和管西局，管东局除了详细调查、编制日本国内东部地区的地理、地势之外，则是兼及库页岛、中国东北和西伯利亚等地。管西局的任务是调查、编制从朝鲜至中国沿海的地理地势，以备“有事之日”。② 不言而喻，日本参谋本部的设立，意味着日本已经开始把战略目标转向中国大陆。

随后，1879 年 10 月，日本政府修改《征兵令》。根据新订条例，日本陆军编为四种兵役：一是常备军，由二十岁的壮丁抽签编成，服役三年；二是预备军，即常备军服役三年后，继续编为服役三年的预备军，但日常可在原籍从事生业；三是后备军，即预备役结束后再保留四年的服役期；四是国民军，由全国十七岁至四十岁的男子充之。③

这种征兵令的实施，等于把日本全国青壮年完全编入了军事体制之中。近代日本在对外侵略扩张的同时，在国内实施了典型的军国主义政策。

1879 年和 1880 年，日本参谋本部派遣的军官和“中国语研究生”，通过在中国各地的调查了解，汇总为六册的《邻邦兵备略》和《支那地志》。在此期间，管西局长桂太郎中佐和该局主要成员小川又次少佐(后接任管西局长)，也在中国内地进行侦察活动。桂太郎归国后，立即向首任本部长山县有朋，提交了题为《对清作战策》的调查报告。其内容是主张派遣三个师团占领大连湾并袭击福州，然后“一举攻克北京，迫订城下之盟。”④

---

① 松下芳男：《明治军制史论》下卷，有斐阁 1956 年版，第 81 页。
②《陆军沿革史》，见大山梓编：《山县有朋意见书》附录，第 151 页。
③《陆军沿革史》，见大山梓编：《山县有朋意见书》附录，第 151 页。
④ 见信夫清三郎编：《日本外交史》上册中译本，商务印书馆 1980 年版，第 169 页。

1880年11月30日,参谋本部长山县有朋在上述调查的基础上,向天皇上奏《进呈邻邦兵备略表》,其中言称:

“方今万国对峙,各划疆域而自守,非强兵则不能独立……。〔欧洲〕各国兵制,皆应其人口,常备之多者七十分之一,少者也不下百分之一。又,战时兵员,多者十五分之一,少者也二十分之一,岂有计较内外国债,顾及岁入岁出不能相抵之暇焉”?

随后,他又言称,中国的兵制改革,

“与咸丰、同治之清国不可同日而语。清国百万之兵,与其人口四亿两千五百万人口相比较,只相当于四百二十分之一。若是仿效欧洲之征兵法,平时招募百分之一,则可得四百二十五万人,战时抽取百分之二,则可得八百五十万人。清国若确实如同近日之状况,骎骎改革兵制的话,终将横行万国,岂止称雄东洋焉?”

基于上述判断,山县认为:“邻国兵备之强,一则可喜,一则可惧。若以之作为亚细亚东方之强援,固然可喜;若与之开启衅隙,也不可不惧。若使邻邦疲惫衰微,成为欧洲各国之诱饵,唇齿之势,我亦受其压迫,莫如相互东方对峙,永保和好之美。”然而,山县随后又称:“邻邦之兵备愈坚,本邦之兵备亦不可疏忽。……西邻若得其强,则将介于我与朝鲜之间,犹如春秋郑卫之晋楚。列国权谋相倾之时,难保无有假路于虞而伐虢之变。”①

山县有朋的上述奏折,固然有日清两国“莫如相互东方对峙,永保和好之美”的说法,但其内心则是针对当时中国清政府的兵制改革,而要求强化军备。其奏折中特别谈道:

“以陛下之圣武,克拔数百年来之盘根,惩治顽民,纵有国内小

① 见大山梓编:《山县有朋意见书》,第91—98页。

丑之蜂起，也立地剿灭，稍就小康。然而，此皆国内小事，非与他国抗衡之大事。在此期间，有台湾朝鲜等事件，若是破裂，其祸难测，幸而归于和好。惟彼一时也，此一时也，不可以彼之一时而类此之一时，安能以目前之小康而不察今后之大事焉？”①

其所谓“彼一时也，此一时也”，以及“难保无有假道于虞而伐虢之变”，实际是借古喻今，意在针对中国。

及至 1882 年 8 月，也即因朝鲜的“壬午兵变”，日清两国军队在朝鲜出现对峙的时候，转任日本参事院议长的山县，更是要求针对“直接附近的外患”，扩大日本的陆海军。他在有关意见中明确谈道：

“现今欧洲各国，与我相互隔离，痛痒之感并不急迫……。然而，察我邻邦近来之势，骎骎勃兴，有决不可轻视疏忽者，岂能不可不思焉？故而，……某曾进呈邻邦兵备略，傍及此事，以陈区区微衷。近来，担任此事者日夜勤勉，边备就绪。抑，我之欲以其力相较者，不在与我痛痒之感并不急迫之国，而在于直接附近之处。况且目前处于燃眉之急焉！”

“现今，我邦若是不恢复尚武之遗风，不扩张陆海军，以我帝国为一大铁舰而力展四方，以刚毅勇敢之精神而运转的话，那么，我曾藐视的直接附近之外患，必将乘我之弊。坐而至极，我帝国复与谁共同维持独立，又与谁共同谈论富强？”②

显而易见，在山县有朋的心目中，已经在准备对中国一战。而且，以他特殊的身份和地位，在引导日本国家走向扩军备战。

在此期间，日本有影响的思想家福泽谕吉，也极力鼓动“等待时机不如创造时机，……若日本不着手朝鲜，只有倾刻落入他人之手”的战争观，并主张尽快进行资本输出和实业扩张，甚至提出应由他国借入资本

① 见大山梓编：《山县有朋意见书》，第 94 页。
② 同上书，第 119 页。

转手使用等等。①

同年12月，日本天皇召集地方官吏，下达扩充陆海军以及为此而增加税收的敕令。当时，日本政府参照英国式的海军，制定了加紧建造拥有五艘大舰、八艘中型舰、七艘小型舰和十二艘水雷炮舰的八年扩张计划。据统计，1881年至1887年间，日本国家岁出总额所增无几，但军费开支却成倍增长。1881年军事开支1185万日元，而1887年则达到2223万日元。② 同期内海军经费则急剧增加了200%。③ 右大臣岩仓具视认为，动用非常收税法，将“导致人民怨恨”，但是“不足深虑”。④ 也就是说，日本政府在推行军国主义政策上，并不考虑本国人民的贫困与怨恨。

在此期间，日本政府还特意从德国聘请了梅克尔(Meckel)少校，将军事编制改为德国式，并设置了预定作战作为军团长的“监军”。此外，为了使旅团能在战时作为基本作战单位，还制订整顿了旅团条例，除了由战列队和补充队组成的常备军外，设有与战列队同样数量的后备军。可动员的陆军兵力猛然增加为原来的二倍半。日本海军也以击沉中国北洋舰队主力舰为目标，决定建造所谓松岛级的“三景舰”，并发行海军公债，租借朝鲜绝影岛，设置煤炭储存所等等。为了适应在中国南海和黄海作战，则在吴和佐世保两地(分别在广岛和长崎县境内，现今仍为重要军港)设置了镇守府。

此时，日本社会一度风靡的自由民权论，为极端的国家主义或日本主义所代替。如1884年8月29—30日，清法战争之际，东京横浜《每日新闻》则连续发表题为“支那之败北乃是日本之幸”的文章。其中纵有担心日本走向军国主义的成分，但文章的主旨，却是“为了日本的利益，不可不期待清国早日败北，以结束战局。”⑤

同样，日本民权运动的指导者杉田定一(1851—1929)，在同年年底

① 参阅永井秀夫:《自由民权和天皇制》，见《日本历史讲座》第5卷，河出书房1954年版，第151页。

② 见杉田一次:《近代日本的政战略》，原书房1978年版，第118页。

③ 见大隈重信:《开国五十年》中文版，第210页、第218页。

④ 见藤村道生:《日清战争》，岩波书店1974年第二版，第8页。

⑤ 见芝原拓自等编:《近代日本思想大系12 对外观》，岩波书店1988年版，第294页。

所写的《游清余感》中也称：

> “西人来兹〔东亚〕，试欲争利称霸，吾辈同胞，在此必争之地，是坐而为其肉乎，还是进而共为膳上之客？”他明确表示：“或有论者曰，支那为辅车之国，宜亲之，不可敌视。是乃知其一而不知其二也……若不乘此时机，中原之鹿，一旦落入白人掌中……，旧日之支那，则将变成新成之欧州。时至此时，尽管垂涎百尺，也固不可及……准照开化理论，鉴于优胜劣败之实际，也不可不着手于支那也。不知其然，徒说自由、徒谈权利，也只能是说自由、谈权利之口，反而不自由、无权利也。”①

此后，日本国内基本上停止了争取自由民权的斗争，舆论转向拥护政府的立场。同年 12 月，日本政府为了实现其侵略政策，又趁中法战争之机，在朝鲜策划了上述旨在控制朝鲜的“甲申政变”。是时，代表地主资产阶级利益的自由党虽然已宣布解散，但其机关报《自由新闻》却依然发表社论，公然主张“苟是日本男儿，就要磨汝刀剑，充汝粮囊，随时准备将我之赫赫武力显示于宇内。”②

稍后，1885 年 3 月，对日本社会具有影响的福泽谕吉则发表《脱亚论》，更是认为：“不出数年〔支那与朝鲜〕即将亡国，其国土将为世界文明各国所分割”。我国“莫如脱其伍，与西洋文明国家共进退……唯有按照西洋人对待之法处置之。”③

当时，日本的改进党也不甘落后，其代表人物尾崎行雄、犬养毅等人，也提出了“干涉朝鲜内政，务必加以并略”的意见，并且公然声称，若是因此而同中国发生战争，正是“吾等为了国家所最希望者。”④跃跃欲试，溢于言表。

---

① 见芝原拓自等编：《近代日本思想大系 12 对外观》，第 316—317 页。

② 见芝原拓自等编：《近代日本思想大系 12 对外观》，第 388 页。

③ 见芝原拓自等编：《近代日本思想大系 12 对外观》，第 313—314 页。

④ 见藤村道生：《日清战争》，岩波书店 1974 年第二版，第 12 页。

这些极端的国家主义滋生于日本社会，反过来又影响社会，从而与历史的沉积——日本乃是神国、理应统治世界的观念相结合，进一步为“大陆政策”的形成准备了思想条件。

是时，日本参谋本部不仅积极进行兵要地志和战史研究，而且从对外作战的角度，派遣武官对中国大陆、西伯利亚、东南亚等地进行广泛的军事调查。时任管西局长的小川又次，两次秘密在中国大陆进行侦察，并在听取谍报人员的汇报后，于1887年2月完成了《征讨清国策案》。其内容分为“彼我形势”“作战计划”和“善后处置”三篇。

其中“彼我形势”中写道：

“欲维持我帝国之独立，伸张国威，进而巍然立于万国之间，以保持安宁，则不可不攻击支那，不可不将现今之清国，分割为若干小邦。何以知之，彼我之形势是也……试看英国之于印度如何，则可明矣。英国保持富强，要在不可无此印度。也即我当掠取土地于支那，以之为附属防御物，或以之为印度也，更何况彼我之间有终究不能两立之形势。彼清国虽是衰老腐朽，但亦为世界之大国……。近来，陆海两军适值渐次改良之势……苟其实力稍备，对我国之感情又当如何？实为不堪杞忧。若使自尊自大之彼，实力达到于此，则必然于即令与之无关之邦国，亦弄其腕力，更何况曾使其失败受辱，仅为彼之十分之一之我国耶？台湾之举，深深印入清人脑中，又如琉球馆，现今尚在福州，清国依然扶持之。再者，朝鲜事件反招清人蔑视，朝鲜人抱怨。由是观之，清国终究不是保持唇齿之国。是为战略论者不可不深以为意者。最当留意者，适值时运，故而当乘其尚在幼稚，折其四肢，伤其身体，使之不能活动，始可保持我国之安宁，维持亚细亚之大势也。”

“自明治维新以来，〔我国〕常常研讨进取之术略，首先征讨台湾，继而干涉朝鲜，处分琉球等，皆断然以同清国交战之决心而决然行之，实为应继续之国策。”

上述的“彼我形势”，实际是认为日本要和英国一样保持富强，则必须将当时的中国分割为若干个小邦，“折其四肢，掠其土地”，以之为附属物，而且要以“断然”开战的决心而行之。至于所依据的理由，则是中国清代政府的“渐次改良之势”。

随后，该策案在“作战计划”中写道：

> “欲使清国乞降于阵前，最上策之手段，是以我之海军击破彼之海军，攻陷北京，擒获清帝。而易奏其功者，是以攻击北京之时，堵截击破来援京畿之敌，最为紧要。故而，为达到此种目的，派遣远征军之总数，当为八个师团。”

进而“善后处置”部分则称：

> “若达到战争目的，缔结条约，应将自山海关至西长城以南之直隶山西两省、河南黄河北岸、山东全省、江苏省黄河故道宝应湖、镇江府大湖、浙江省杭州府、绍兴府、宁波府东北之地，以及第三项所列地区，划归为本邦版图，将东三省及内兴安岭以东、长城以北之地，分与清朝，使满洲独立，在支那本部迎明代后裔，建立王国，割与扬子江以南之地，以为我之保护国，镇抚民心。更以扬子江以北、黄河以南之地，另立一王国，以为我属。于西藏、青海天山南路，立达赖喇嘛，于内外蒙古、甘肃省准葛尔之地，选其酋长或人杰，使其成为我可监视各部之长……。”

上述所谓“第三项所列地区”，是指“即使在任何情况下，于签订战胜条约时，也必须将下列六个要冲之地划归本邦版图：其一，盛京盖州以南之旅顺半岛；其二，山东登州府管辖之地；其三，浙江舟山群岛；其四，澎湖群岛；其五，台湾全岛；其六，扬子江沿岸左右十里。”①

如此种种，用心险恶。实可谓欲置当时的中国于死地而后快。

① 《征讨清国策案》原件，现今保存在三浦梧楼家藏文书中。本书使用的是日本山本四郎教授的复印件。详细内容见本编附件：1887 年日本参谋本部拟订的《征讨清国策案》。

《征讨清国策案》的出笼，意味着日本最高军事机构业已形成了分割中国的战略方案。这是“甲午战争”之后，日本政府对清政府要求割地、赔款的蓝图，也是尔后日本关东军发动“九一八事变”、制造伪满洲国的蓝图。1894 年开始的“甲午战争”实际上是按照这个战略方案进行的。

在此期间，日本海军也从对清作战的角度，提出和拟定了种种方案。如同年 12 月 30 日，海军少佐樱井规矩之左右在《征清方策》中主张：“我军前沿部队，当击破敌之北洋舰队及旅顺军港，以大连湾以西即金州半岛，作为我军攻击北京之第一根据地”。1888 年 4 月 20 日，海军“浪速”号舰长海军大佐矶边包义，在题为《对策》的意见书中主张：“应陆海军并进，攻陷旅顺口之后，进攻北京……。向旅顺口推进，海陆夹击，占据大连湾，以之作为我陆海军基地，进行攻击北京的准备。”①

这些说明：日本陆海军在对中国发动侵略战争上，已经做了充分的准备。

1888 年 1 月，时任监军的山县有朋进一步向政府当局提出了长篇《军事意见书》。内含“东洋形势”“我国兵备现状”和“外交上兵力之必要”等三个部分。

其“东洋形势”中写道：

> “盖我国之政略，在于使朝鲜完全与支那脱离关系，成为自主独立之邦国，以免欧洲强国借故占有朝鲜之忧。该国之位置，足以控制东洋形势，特别是强国掠而有之，将对我国直接不利。故而，我国先行向京城派遣公使，使欧美各国承认其自主独立，并尽力与之缔结条约……。然而，支那政府对外表示朝鲜自主自治，但暗中却待之如附庸国，特别是干涉其内政。因此，日支两国之政略，动辙难免冲突。”
>
> “明治十八年〔1885 年——当是 1884 年〕有京城事变，依据天津之条约，虽然维持和好，且规定了相互对朝鲜国之关系，但尔后支那

① 见黑野耐：《帝国国防方针研究》，总和社 2000 年版，第 28 页。

政府日益加深干涉朝鲜内政。支那政府若趁势违反天津条约各款，我国不能默然置之。回想起来，京城事变之际，我国政府虽以和平主义了结事局，但当时若非势不得已，岂能没有对支那宣战之庙议焉？再如琉球之处分，我国虽已认为完全了结，但支那政府依然对之保持异议。由是观之，日支两国历来之纷争，尚不可谓之已解。故而，支那若是改革兵制，至其军备整顿之日，难保对我不显示大国之威。”

“现今支那派遣壮年士官留学欧洲，又频频兴办武备学校，购求兵器军舰，一则骎骎改革兵制，一则骎骎扩张军备。如在东洋掀起波澜者，岂止英俄焉？是以，东洋之事日益纷纭错综，有不是常道所能整顿者。我国之军备若不充实，焉能排除万难，安然立于波澜之中？”

山县有朋的最后结论是：

“无论从东洋之形势、我国〔军备〕现状及外交政略之任何一点来观察思考，完成军备都是我国最大急务。如要伸张我国国权，保护我国国利，使我国国威光耀海外，受万邦尊重，除了兵力之外，有何可恃？是乃有朋敢于有此建议之所以也。”①

同年 5 月，日本政府再次进行军制改革，新订了师团、旅团条例，把原有的“镇台制”改为利于对大陆作战的师团制。

1889 年 2 月，日本政府颁布《大日本帝国宪法》，明确规定“天皇统帅陆海军”，把统帅军队的大权从国务中独立出来，以便于军队的调度和指挥。

1889 年 12 月，山县有朋受命组阁，担任政府总理大臣。1890 年 3 月，其在《外交政略论》中，更加清楚地写道：

“窃以为，……国家独立自卫之道有二：一曰守卫主权线，不容

① 见大山梓编：《山县有朋意见书》，第 179—185 页。

他人侵犯;二曰防护利益线,不失自己有利之地位。何谓主权线?疆土是也;何谓利益线?与邻国接触之势,与我主权线之安危密切相关之区域是也。大凡为国,不可没有主权线,也不可没有利益线,而外交及军备之要诀,则专以此二线为基础也。方今立于列国之际,要维持国家之独立,仅仅守卫主权线,业已不足,必须进而防护利益线,不可不经常立于有利之地位。而如何防护利益线焉?也即各国之所为,如有对我不利者,我当有责任排除之,在不得已时,则以强力来达到我国之意志。"

山县进而言称:

"我邦利益线之焦点,实在朝鲜。西伯利亚铁路已进至中央亚细亚,不出数年,及其竣工,发自俄都,十数日则可饮马黑龙江。吾人不可忘记,西伯利亚铁路完成之日,即是朝鲜多事之时,也不可忘记,朝鲜多事之时,即是东亚发生一大变动之机。而维持朝鲜之独立,有何等保障?此事岂非正是对我国利益线有急剧冲击之感者乎?"①

1890年12月6日,山县有朋在国会上发表《施政方针》,内中再次重申:

"大凡为国,不能保护主权线和利益线,则不能为国。方今立于列国之间,维持一国之独立,仅仅守卫主权线已决非充分,必须亦保护利益线。"②

如此种种,不一而足。但是,把拥有独立主权的朝鲜王国,作为需要日本"保护"的利益线,无论在国际法上,还是在邻国关系上,都不是什么"自卫之道",而是侵略之道。

山县有朋的《施政方针》,表明近代日本的"大陆政策"已经成型。它

① 见大山梓编:《山县有朋意见书》,第196—197页。

② 见大山梓编:《山县有朋意见书》,第203页。

意味着日本政府为了夺取朝鲜，针对中国发动侵略战争已经势在必行。

此外，从山县所说的“西伯利亚铁路完成之日，即是朝鲜多事之时”而言，1894年日本政府所发动“甲午战争”，可谓又是一场抢在沙皇俄国之前的侵略战争。

总之，“大陆政策”形成后的日本，对邻近国家的关系，已经进入了夺取朝鲜，并觊觎东亚大陆的历史阶段。其手段则是山县有朋所说的“以强力来达到我国之意志”。

附件：1887年日本参谋本部拟订的《征讨清国策案》

征讨清国策案宗旨书①

抑，战略者，乃与所谓政略并立，两者关系密不可分，几乎间不容发。政略存，则战略成，战略存，则政略全。欲确定战略，则不可不知政略如何。不察政略如何，则不仅相互龃龉，战略难成，反而危及国家，是为重大。故而，本职又次最为注意于兹，为完成份内之职，不可不勤勉于此。也即，言中往往论及内外政略如何。

前述所谓战略宗旨之起因，并非敢于议论我国政略之是非，唯是考量清国之际，述说与战略有必要关系之事，为明确战略之目的耳。为研究考量清国之策案，又次曾两次秘密前往该国，视察其形势要领，并取舍驻在该国将校之意见，以决定计划之策案。就考量清国而言，在于审视彼我之政略与实力，以研究对应之准备。

夫，经常培养忠勇果敢之精神，研究进取之术，决定断然不动之国

① 《征讨清国策案》现存于三浦梧楼家藏文书中，是日本参谋本部第二局长（管西局）小川又次大佐完成的。小川又次（1848—1909）幼名助太郎，福冈小仓出身。1873年晋升大尉，次年参加日军侵台之役，1877年参加国内的“西南战争”，并晋升为少佐。1879年进入日本参谋本部下属的管西局，被派往中国大陆，进行谍报侦察。1881年晋升为中佐，1884年晋升为大佐。1885年5月就任管西局局长（同年7月改称第二局）。1890年晋升为少将，任第四旅团长。1894年参加侵华战争，任第1军参谋长。1897年晋升为中将，任第四师团长。1905年晋升为大将。同年在战争中受伤离职。1907年被授予子爵勋位。

策，实乃维持和平之基础，伸张国威之根源。有人动辄言称：我乃东洋小国，财源不富，今与强邻为敌，行进取之计，是为危险之道，宜敦厚信义、避免干戈，讲求富国之道。此乃又次最为不能理解者。

夫，审视邻邦之形势，做对应之准备，有骎骎进取之计划，始能鼓舞士气，始能伸张国威，始能富国，始能与强邻和睦、维持和平。在现今优胜劣败、弱肉强食之时，万一无进取之计划，让诸一步，军无防御之策案，则将愈发招致外部觊觎，内部士气益加衰弱。此乃关系国家之兴败，岂有较之更为甚者乎？更何况，有如邻邦之清国，忍怨待机，而使欧洲强国之船舰出没于咫尺而逞其欲耶？故而，视察清国之形势，而渐次倍有所感。当自本年开始，以五年为期进行准备，时机到来，则加以攻击。今大体陈述策案，有渎高听，顿首再拜。

明治二十年二月

攻击策案

第一编　彼我形势

第一项欲维持我帝国之独立，伸张国威，进而巍然立于万国之间，以保持安宁，则不可不攻击支那，将现今之清国分割为若干小邦。何以由之，彼我势是也。抑，我国之地势，环境皆海，昔时实为天险。建国以来，击退元兵之后，无复他国侵扰。是虽源于尚武之风，常在邻邦之右，然亦因此种天险援护。而今，形势全然改变，舰船兵械已非昔时之物。当时远洋隔绝之国，皆已近在比邻。清、俄国为环境比邻，英、法、德、美，亦皆为环境比邻之国。敌国欲行侵犯，则无地不可。而我国地形狭长，首尾极难策应。现今欲对众多接壤之国维持国家安宁，当采取何等策案耶？

夫，使一炮台益加增大其威力者，为其附带防御物也。一国亦然。转而观察英国于印度之形势如何，则可了然。英国保持其富强，不可不首先拥有印度。也即，我国不可不掠地于支那，以之为附带防御物，以之为印度也。更何况，彼我之间终究存在不能两立之一大形势。彼之清国虽已衰老腐朽，但亦为世界之大国，以自尊自大为风，自称中国。是以发生一事，则内心实为畏惧，但表面却装作傲慢不挠之状。故而，其惯用之外交政略，常以虚喝之手段。此乃其屡次与外国酿成纠葛，又屡次得以败辱之因也。

夫，清国之人虽然盲目愚昧不断，但受此屡屡败辱之刺激，也感悟不可不养成实力。近来，适值其陆海两军渐次改良之气运。然清国优柔寡断，显然不能一蹴而为强国。但其勤勉不怠，当可达到相应之境界(就目前情况而言，二十年后当可稍至完备)。苟其实力稍备，其对我国之感情果然如何，实为不堪杞忧。自尊自大之彼，若是达此实力，则即使对无关之邦国，亦将弄其相应之腕力，更何况曾使其受到败辱、只有彼十分之一之我国焉？台湾之举，深深映入清人脑中，如琉球馆者，今日尚且存于福州，依然受清人之扶持。又如朝鲜事件，反招清人蔑视、朝鲜之怨声。由是观之，清国终究不是与我保持唇齿之国。理论战略者，不可不深刻注意于兹。又，最当注意者，乃是时运会际。故而，当乘彼尚且幼稚，断其四肢，伤其身体，使其不能活动，方可保持我国之安宁，以维持亚细亚之大势也。

第二项安南战争之后，清国政府之外交政略，方向稍有变化，且显示进取之势，外国政府重视清国。是以略加陈述其在安南战争前后之实力。

夫，清朝勃兴于弹丸之地满洲，遂灭掉明朝，吞并伊犁、新疆，压迫鲁西亚、印度。当时之劲旅称作八旗，勇猛绝伦，鞑靼骑兵之名，声响天下。尔后，惯于承平，浸染华美之风，后在嘉庆年间川楚之役中，①未显一功，徒为绿营兵轻视。绿营兵乃镇压地方、充任警察者，唯以汉人编制。三十万八旗兵之外，有绿营兵六十万及蒙古兵十万，合计百万。但八旗兵

① 乾隆五十九年、我宽政六年，安徽之刘松，因白莲教而被捕谪戍甘肃。其党刘之协柔之，煽动清等流俗、作乱，起于四川、陕西、湖北，扰其邻近七省，历经十一年。至惠庆元年、我文化元年始为平定。——原文注释

属于无用之物，加上绿营兵舞弊之风日甚，以致道光鸦片之役①及咸丰、同治年间长发贼、回匪大乱②之际，除两江（江苏、江西）、安徽之二三镇台之外，全国之绿营兵无一不用，始得镇定大乱。临时募集之壮兵，即一种称作勇之士兵，后来数量增加，每当有事，则必当其冲，几乎以之布于十八省之内。又，近来从绿营兵中选拔精兵，形成勇军编制，名为练军，有事之日，用作攻守。此勇、练两种士兵，于安南战争之前，大约有四十万。此四十万士兵，由各省总督、巡抚分别管辖，不归一人元帅统辖。是以兵制、阵式、枪炮、器械等等，皆有差异。其军制虽不相同，但总督、巡抚用心兵制改革，或开办学校、聘任教师、演习射击等等，每年皆有多少进步，与前述咸丰、同治年间之清兵面目，全然不同。

安南战争以前，清人惩于咸丰一败（咸丰十年、我万延元年，英法联合攻陷北京，世间称作北支那战争），深感清国之兵尚不能与欧洲精兵为敌。故而，尽量避免与外国交涉，经常一让再让而希望和平。是以，更加招致外国轻视侮辱，近来终于发生安南战争。当初，清国暧昧于事，谅山之战一胜，形势大变，缔结意外之约，得以良好结局。而此间清兵之利钝如何，也有所大悟。是以，其后之方向顿然一新，令军舰出没于日本海，示以保护朝鲜之势，且与俄国议论满洲疆界、缔结条约，干涉印度之不丹内政，欲吞并之。

数年之前，稍有难题发生，清国则巧用逃遁之辞，每每声谓朝鲜非我属国，安南、暹罗、缅甸与我无关。清国已非同日而语，有可乘之机，则必乘之，已成谋求伸张国威之势。然而，考察清国之实力，又决不能以为现

① 道光二十年、我天保十三年两广总督林则徐在广州焚毁英国商人鸦片二万两，英廷发兵，攻陷广州、厦门、宁波、上海等地，且压迫南京。翌年，清廷议和，赔偿洋银二千一百万元，并以香港永为英国所辖，开放广州、厦门。——原文注释

② 道光二十七年、我弘化四年，洪秀全作乱，首唱广西，最终蹂躏十六省，占据南京称王，因其党皆蓄长发，故而呼之为长发贼。咸丰之后，至同治二年、我文久三年，始得平定。此乱前后十七年，占据南京十二年。又同治八年、我明治二年，甘肃东干派之回教徒乱起新孤，同时浩罕之将阿久柏，奉载喀什喀尔王之孙，举兵全歼喀什喀尔之汉军，占据其地，遂与东干会合，防范汉军。时钦差大臣左宗棠为陕甘总督，逐渐克复，光绪二年、我明治九年，攻陷喀什喀尔，平定全疆。——原文注释

今清国之实力，与安南战争之前已有重大差异。但本邦动辄将清国视为强国，自行宽仁，不谋进取。倘若出此之计，则只能增长彼之觊觎，益加招致外国蔑视，益加损伤国民士气，以致酿成无复挽回之势。此时，宜讲究进取计划，有可乘之机，则益加伸张国威，确定断然不动之国策，乃是当务之急。

第三项夫，勃兰登堡侯爵起于不过本邦八分之一之小国。七年间，与鲁西亚、法兰西、瑞典、撒克逊交战，与一半之欧洲为敌，并最终破之。其领有不过一千八百万人口之土地，但整顿八个军团，经常采取进取之战术策略，攻奥地利、败法兰西，最终成为欧洲第一强国。

又如英国，其仅为大西洋之孤岛，自独立起，则经常筹划进取，且于英吉利海峡，与西班牙舰队鏖战，终于开拓海上霸王之基础。

再者，本邦后宇多天皇陛下，于弘安四年，与元兵十万鏖战于九州，丰臣秀吉征服海外，大大奋起国内士气，往昔出没支那沿岸之日本人无所不至，遂及于安南、暹罗。清朝隆兴之初，以其破竹之势蚕食四邻之际，不敢对我妄加无礼。回顾当时我尚武之气，实可谓盛矣。

大凡与强邻为敌，欲伸张国威者，决不可以国之贫富为主，应以士气、训练两者为主。而士气高涨、训练精熟，则要审视邻邦之形势，确定一朝有事则当进取之国策。若是鲁西亚顾其贫富，则决不能成为天下之强国，勃兰登堡若是采取退守之政略，其存亡也固不可期。采取先殖产而自屈退守之政略者，未曾有成为强国者，且招致外辱，危及独立。自古以来，事体莫大于此。是以明治维新之初，我则常常研讨进取之战术策略，先讨台湾，干涉朝鲜，进而处分琉球等等，且以断然与清国交战之决心而坚决行之，实乃当继续之国策是也。

第四项然而，安南战争之后，清国显示进取之势时，我邦却以宽仁为主，有尽力希望和平倾向。对我先行试以弹丸之袁世凯，依然驻在朝鲜京城，对我不顾已有之条约，于朝鲜架设电线，而上陆长崎之水兵，则擅自暴行。如此等等，皆是蔑视我国、玷污我之国体。而我对之政略，却与对安南战争前之清国，颇为不同，实乃不可解也。现将安南战争后之清国实力，略述如下：

八旗兵大约三十万人。

绿营兵大约四十七万人。此两者之内，练军约十万人。

蒙古兵大约十万人。

勇兵大约三十万人。

合计大约一百一十七万人。

八旗兵者，月薪三两（四圆二十钱），每三个月领取五石五斗粮米，是为清代携带家眷之兵。绿营兵者，乃是地方镇台之兵，分为马兵、步兵和守卫兵三等。马兵月薪二两（二圆八十钱），步兵月薪一两二钱（一圆六十八钱），守卫兵月薪一两（一圆四十钱），也是携带家眷之兵。此种供给，本来不足糊口。加之长发贼大乱以来，国事多端。以康熙、乾隆时代所定之有限岁入，不能供给无限之岁出。是以，设置厘税收取额外之税，又减少官兵俸禄钱粮，以救一时燃眉之急。近年，其费用益加多端，难复旧额。故而，虽王公大臣，也是无贿赂则无以生活，其兵卒不从事贱业，则不足以糊口。以致形成弊习百端、何事难为之势。是以，各省编制勇军、练军，以供攻防之用。论清国之兵力者，往往以防勇、练军为两种士兵，总计八旗、绿营、蒙古兵，以为十万练军之外，尚有七十七万人，且谓其国库费用巨大，其实乃是有名无实之兵员。

第五项清国岁入总计一亿二千五百万圆有余。二十一港之海关税一千八百九十一万四千九百万余圆也在其内。夫，拥有本邦十倍面积人口之大国，其岁入不足本邦一倍，其财政困难可想而知。据最为确实之报告，其各省每年向北京政府贡纳之银额，总计不过一千四五百万圆。以此银额充作皇室诸费、百官俸给，且养禁旅十余万之八旗，不难察之。

又，各省年年北运之漕粮，合计四百五十余万石，因三年储备之建制，北京通州等京畿之米仓，经常存有一千二三百万石。长发贼大乱以来，地方费用亦随之巨大。是以贡米流用过半。近年，运至北京者，最多之时，总数也不过一百二十万石。一朝有事，南粮北运断绝，可谓不出数月，即有困闭。是为安南战争时，当局者最为顾虑者。

第六项今查清国军备金额,大约七千五百余万圆,与德国陆军定额七千八百七十一万二千八百余圆相比,仅有小差,其费巨大。但用于八旗、绿营者,恰如救助贫民。于军备之上,不见利益,只是养活海陆军之防勇、练军四十万之兵力而已。然此种四十万兵力,并非元帅一人统辖,而由各省总督、巡抚分而辖之。是以,教育之法各不相同。或有刻意改良之人,聘任外国教师,但可惜者,并非举而全然委任于外国教师,而是采用半洋、半清式之战术,不过徒生烦杂之极。其教育既已如此,其军备又何能齐一。故而,一朝有事之际,聚合此等士兵奔赴战场,其不便之处,必然不可名状。加之,更为可怜者,乃是将校为文官,虽有武官,但也一概不知兵学为何物,皆是唯有利己之谋。以如此将校指挥如此之兵,其临阵对敌之技,实可察知。以此四十万之兵员布于我十倍之土地面积,特别是道路粗糙恶劣,交通甚为不便,故而假令一方有急,也难以直接调遣邻省之兵。而且,内地之教匪、苗民(将四川东南不化之民称作苗民)等,常有思乱之徒。平时以防勇、练军为主,以备镇压,也难以举之过半援助邻省。战时无动员编制,增加或补充兵员,不过临时招募无赖游民。是也足以证明其军备薄弱、财政困难。

第七项清国近来虽然虚张声势,频繁谋求扩张军备。但尚未达到杜绝百弊之源、布设铁路、采用义务兵役之日,决不能称作真正之强国。而且,安南战争以后,北京政府命令各省总督、巡抚,减少防勇人数,每年节省二三十万两,以充作训练八旗兵之费用。由是观之,无非是担心防勇、练军日趋进步,八旗兵之衰败益甚,动辄危及清朝而不得已之措施。但恰好如同减少骠悍壮勇之精兵,而训练贫困惰弱之士族。是以,可谓清国之实力又有几分退步。

第八项清国之海军,近时有进步之势。大而别之,有北洋、南洋、福建和广东四个水师,各以十余支军舰编成舰队。近来,时时出没远近,从而唤起世人瞩目。然就其真正实力而论,不能不为世人受其虚势眩惑而遗憾。现试述其大要如下。

抑,广东水师虽有数十只编制,但原本是打击海盗、以备缉拿逃税走私船之舰队，概为木造脆弱之军舰，其速度无有超过六海里者。有事之日，除充当河口防御之外，别无他用。福建水师，概以福州制造之军舰编制而成，被法国海军击破之后，未能整顿。故而，清国可试行与外国海军战斗者，唯有南北两洋之军舰。但适应海战者，在北洋水师中，只有近年在德国制造之定远、镇远和济远三舰，以及在英国制造之超勇、扬威二舰。在南洋水师中，也只是在德国制造之南琛、南瑞二舰及在福州制造之开济、镜清，稍可用于海战。据德国机关人员调查，在英国制造、一度被清国称作坚利舰之镇东、镇西、镇南、镇北（以上在北洋水师）、龙骧、虎威、飞霆、策电（以上在南洋水师）等八舰，只有一门巨炮浮出水面，非风平浪静则不能运转，其巨炮运转机器发生障碍，则容易成为敌人目标，一发炮弹命中，则不堪再用。故而，清国海军数十只军舰中，能够用于海战者，不过只有北洋之五只，南洋之四只。以此九只军舰之威力，与本邦军舰威力相比，虽然北洋之五只军舰与我浪速、高千穗、筑紫、扶桑、金刚五舰；南洋之四只军舰与我比睿、海门、天城、盘城四舰相同，但仍需考察者，还有舰内之人员。

清国之海军，从舰长至士官人员，概为乏于学术。是以，北洋之五只军舰，皆有十二三名外国人帮助。而此辈之志操，即使谓为侠义，但内心也皆以利己为目的，一旦开战，又焉有为清国而敢死尽力者耶？纵有一二好自为之者，也需一体同心。一舰之内使用译语，在弹雨血海之中保障指挥无误，必然徒见周章龃龉。加之，清国水师所辖不同，经常相互不能应援。（法国）炮击福州之际，有其他水师救助者乎？后来再三督责，也仅从南洋出动五只军舰（南琛、南瑞、开济、驭远、澄庆），且在途中空为踌躇，最终招致石浦之耻（驭远、澄庆不堪法舰追击，自行穿洞沉没）。据前述威力和实力之比较，彼反在数等之下明矣。由是观之，更无可怕之处。

第九项视察清国河海防御之力，其炮台数量虽然众多，其配置之炮也为不少，但其位置、构造之法，并不得宜。除一二之外，皆如无有，甚至反而有益于敌者。现略述如下：

旅顺口，乃清国所恃者，北洋之门户，且设有机器局和船坞，以作修理军舰之用。是以，其防御能力不小。但其不顾后方有与大连湾、金州湾互为表里之地块。故而，一旦扼此地峡，则只能不战自降。

辽河口之炮台，以至难航进之河口为目标，而且堡垒并非闭锁构造，若从背后袭之，更是无有抵抗能力。

山海关、北塘、大沽三所炮台，其位置稍好。特别是北塘、大沽炮台，精心筑造，因而比其他炮台具有威力。但没有本邦所计划之观音崎、富津炮台可与陆地联系之附带防御设施。加之构造等级低下，故而若从内地压迫之，则又不能有所作为。

芝罘炮台，位于海湾口三千多米之内地、高一百米之山丘上，其防御目的如何不得而知。

向南至扬子江，有吴淞炮台，其位置虽在申江与扬子江会合处之左岸突出部位，但对扬子江中游之威力甚是薄弱。故而，乘浓雾或黑夜，以吃水浅之小型军舰，沿崇明岛上航、自宝山县方向炮击，则可容易占领。

其他扬子江上游沿岸，还有许多炮台。举其最者，是为江阴、镇江、九江、田家镇、武昌。但各处之炮台，对于敌军只从水路而来可以大奏其功，若有几多士兵登陆，则只能尽行寻求逃路。

福建闽江之炮台，与（法国）炮击福州前之位置、构造相同，只是在鼓山尾与河口有所增设。

又，广东河流虽有虎门炮台、黄埔炮台等，但也不过只是防御水路。与扬子江、闽江一样，其河为自连江湾之广东河，若从新安登陆而袭击之，也是自行崩溃。

也即，清国之河海防御，除北部一二处之外，皆不过是构筑费时、费力、费钱之无用之物。只图退守之策，其结果丝毫不值得惊讶。

第十项国之基本不只兵器精良和国内富饶，最为必要者，在于忠君爱国之热情如何。若是缺乏此种精神，即使携带何等兵器，国有多少之富，也无济于用。

夫，我帝国富于忠君爱国之精神，处事活跃，目的确然不动。而共和政治虽富于爱国之义勇，但无忠君之精神。是以处事迟钝，目的中途多变。今若共和政治，缺乏爱国精神，其国当是如何？

夫，支那自古以来，朝廷屡屡兴亡变迁。其为国君之人，或起于民间，或来自塞外，以一时之威力而统驭人民。故而，人民于奉戴国君上，缺乏忠君之精神，因威力之张弛而乱党起伏。如今日之清朝，也是兴于满洲而最终君临其国。其威力既衰，故人民有厌恶清朝之倾向。长发贼、回匪大乱以来，至今窥伺帝室之贼徒不绝。清朝特意训练八旗武士，实乃虑于此也。是以，清国若为纯然之共和政治，但缺乏忠君精神，即使富于爱国之义勇，在一朝有事之际，人心可以奋然于此，但今日清国之人民，只知有本国而不知有外国，沿袭自尊自大之旧习，且疏于天下之形势，乃无智愚昧之人民。是以不知爱国为几何。呜呼，作为缺乏忠君爱国精神之国，困于财政、弱于军备，其弊可谓已极矣。

第十一项抑，对于如斯形势之国，动辄让诸宽仁，实非国家之良策。而且，今日乃豺狼之世界，终究不能以理论和信义相交际。故而，断然研究进取之术，谋求国运之隆盛，是为肝要。

第二编　作战计划

第一项欲使清国乞降于阵前，以我海军击败彼之海军、攻陷北京、擒拿清帝，是为上上之手段。而易奏其功者，则是在攻击北京之同时，以堵截击败来援京畿之敌兵最为紧要。故而，为达此目的，应派遣之远征军总数，当为八个师团（六个常备师团、二个后备师团），其部署及任务确定如下：

第二项在海军掩护之下，将五个常备师团和一个后备师团，送至直隶湾，在山海关至滦河口之间登陆，攻克昌黎县、滦州、永平府，以永平府为基地，设置兵站、医院等，利用滦河联络海军，且维持与本邦之交通。占据永平府后，一个常备师团则直接进发，经开平占据唐山，利用铁路在此设置坚固据点。然后，则夺取芦台，时时运动，以示突入天津之状，牵制天津清兵北上，兼任保护我军背后安全。

第三项二个常备师团经滦州、开平、丰台、宝坻县、香河县进入通州。此二个师团之左边为天津，要对天津方向加以戒备。另外二个师团，要经永平府、丰润县、三河县进入通州。在此种行进中，要断绝通往热河及北京以北之道路，进行警戒并采取阻止清帝逃逸和来援之兵。此四个师团，事无巨细皆当相互援助，奋力猛进。占据通州后，当以之为据点，尽力收集地方物资，直接围攻北京。

第四项围攻北京之部署是，二个师团在通州地方，另外二个师团占据燕山地方，以东西北三个方面为团，在东西二个方面虚张声势，以东北角为正面攻击之点。

第五项一个后备师团与上述各常备师团同时登陆，夺取山海关，并坚固防守此地，以断绝东三省清兵救援之路，且注意铁门关方向，以使我军无东顾之忧。

第六项一个常备师团和一个后备师团，与海军同时进入扬子江，首先攻克并占据吴淞，切断上海及长江沿岸各地之交通。然后水陆合力，攻陷江阴、镇江、扬州、南京、九江、安庆、武昌、荆州、长沙、宜昌等沿岸要冲之地。在扬州、武昌设置各师团之本营，占领镇江、南京、安庆和荆州，在南京拥立明末后裔，以截断长江，使长江以南之清兵不能北上，且在长江以北之地，进行背后骚扰威胁，使长江以北之清兵不能北上，并收集地方物资，以为持久之计，使攻击北京之兵，尽专力攻陷之任。

第七项前述各处，鉴于种种事由，所计划者不过大体要点，至其细节，当让诸他日。在此，就二三事由及需要预先准备之条件，摘述如下：

第八项远征军之总数，分为八个师团，在北部为六个师团，南部为二个师团。是为比较清国今日之兵力而确定者。以下揭示清国兵力以证明之。

根据上表，清国之兵力合计四十三万余人。但除去携带大刀、长矛和藤牌等无用之兵外，不足四十万人。故而，清兵总称四十万。此种兵力虽然为我远征军（大体决定八万人）之五倍，但根据上述之部署计划，其比例将更为减少，不足为惧。

第九项向长江沿岸输送二个师团，或恐过少。但如下为之，则足以压制长江沿岸。此二个师团，一旦攻陷南京，则实与击败十八省四十万之敌具有相同之功效。夫，南京乃是清国重地，明朝之旧都。故而，人民有南京之存亡即十八省存亡之感。咸丰三年，长发贼得之而强，同治年间失之，则如同瓦解。其因由也是如此。

清国防勇、练军兵力表

扬子江以北 地名	防　勇	练　军	小　计
直隶	25 900	17 000	42 900
山东	7 500	500	8 000
山西	5 700	3 000	8 700
江苏	水陆 35 000	4 300	39 300
安徽	5 500	4 300	9 800
湖北	11 200	3 800	15 000
陕西	13 200		13 200
四川	11 700		11 700
甘肃	13 200		13 200
河南	12 700	5 300	18 000
吉林	8 800	3 200	12 000
盛京	3 200	3 700	6 900
黑龙江		4 000	4 000
新疆	20 500		20 500
以上合计			223 200
扬子江以南 福建	10 600	10 300	20 800
台湾	6 500		6 500
浙江	10 600	22 500	33 100
江西	7 000	3 500	10 500

续表

扬子江以南 福建	防 勇	练 军	小 计
湖南	11 100	2 000	13 100
广东	21 300	13 400	34 700
广西	29 500	3 000	32 500
云南	42 700		42 700
贵州		14 300	14 300
以上合计			208 200
总计			431 400

现今清国内部，对清朝不满之徒结社为党。举其显者，便是北有马贼、白莲教，山东有捻匪之余党，广东有三合会，四川有长发贼之余部，而且自中央以南，还有哥老会、私自贩盐之徒。此等党羽有数万之众，实为清国朝廷所恐惧者。故而，虽是常常压制，但又恰如春草萌芽随刈随生，其势甚盛。现今，有身为官吏而加入此会者，其倡导曰：今日之清廷昏庸，非当居于吾辈之上者，不可不推倒而创立光明正大之朝廷。其不敢举旗行动，乃时机尚未成熟是也。故而，我军一旦攻陷南京，此党显然会闻风而起，于各地反抗清廷。至此，小党相率云起，清廷终将至土崩瓦解之势。诚如是，则即令有百万之兵，又有何余力对抗我军。再者，我军夺得南京，若是立即拥立明末后裔，以此为都，则必然有所来附，益加呈现众多反抗清兵者。至此，能够抵挡我军者，不过为北京附近六七万之清兵。刻日制胜，使之为城下之盟，达到我国目的，决非难事。

第十项在攻陷长江沿岸之目的方面，需要预先准备者，是为小型军舰。因此，从现在开始，要建造三十余只小蒸汽船，形成有事之日可安装大炮、运载兵队之构造，其速度马力要大，外观华美而坚实，假托商业浮于长江，或贷给清国商人，航行于开港场所之外。其乘务人员，皆当取自海军，以探查地形水路。如是，达此目的甚为容易（详情另有意见）。

又，若断然决定进取国策，以清国为当前之敌，则当自今日起，使用最大限度之财力，准备枪炮、军需，至迟以五年为期，进行整顿。

第十一项将本邦岁入视作七千万圆，从中扣出一千五百万圆，五年统计预算为七千五百万圆，则可获得如下军需：

金七千五百万圆

细目

一千八百万圆大型军舰十二艘

每艘一百五十万圆

三千万圆运输船六十艘

每艘五十圆

三百万圆小蒸气船三十艘

每艘十万圆

六百万圆小军舰二十艘

每艘三十万圆

以上合计五千七百万圆

余额一千八百万圆

以此余额充作水雷艇等修理、军舰乘务员之俸给等，其他船只可使之一半自给。

第三编　善后处理

第一项抑，第一编简略陈述了现今之形势，概论了制定进取计划之必要。第二编论述了作战必胜之要领。而此两者之目的，归根结底，在于吞并不可保持媾和之邻邦，以绝欧洲诸国之觊觎，使国威伸张于天下，隆盛东洋之命运。是以，不可不深入探讨将来之利害，预先决定对本邦最为有利之计划，以断然达到目的。

第二项清国虽然困弊衰败，但作为亚细亚之大国，东洋之命运与清国之兴亡依然关系甚多。彼邦若是万一被他国蚕食，则本邦之命运亦不可图，莫如在欧洲诸国未侵入之前，先行确定统辖彼邦之谋略。

此外，若是达到对敌战争之目的而缔结条约，则要将自山海关至西长城以南之直隶、山西两省之地、河南省之黄河北岸、山东全省、江苏省之黄河故道、宝应湖、镇江府、太湖、浙江省之杭州府、绍兴府、宁波府东北之地，以及第三项所列之地区划归为本邦版图，将东三省及内兴安岭山脉以东、长城以北之地分与清朝，令其在满洲独立，在支那本部，则迎明末后裔建立王国，割与扬子江以南之地，使之成为我之保护国，以镇抚民心，在扬子江以北、黄河以南，再行立一王国，使之为我所属，在西天山南路，立达赖喇嘛，在内蒙古、甘肃省之准噶尔，选拔其酋长或人杰，使其为各部之长，且受我监视(可参考附图——原文注)。① 如是分割十八省，在满洲立一国，区划西藏、蒙古，平均其力，唇齿相依，形成进步之计划，则面对欧洲之豺狼，亦不足为虑也。

第三项又，即使在任何情况下，签订战胜条约时，也必须将以下六个要冲，纳入本邦版图：

其一盛京盖州以南之旅顺半岛

其二山东登州府管辖之地

其三浙江舟山群岛

其四澎湖群岛

其五台湾全岛

其六扬子江沿岸左右十里之地

旅顺半岛，渤海之门户，乃控制清国北部、与我对马相对、便于压制朝鲜之地。特别是拥有大连湾及旅顺口两个良港，最适宜船舰停泊。是以，道光二十年(1840 年)，英法同盟军北侵之时，以此为据点，整顿船舰。

第四项登州半岛，拥有芝罘和威海卫两个良港，与大连湾和旅顺口相对，是为扼制渤海必要之地，而且是平时南北通商船舶必由之地，其贸易利益亦为不少。清国若失去旅顺、登州两个半岛，则不能在渤海浮动巨舰捍卫京畿，不过是仅以在大沽口内防御河口之小型军舰，如现有之

① 遗憾的是，提供此一原始文件的日本学者未能复制附图。——译注

龙骧、虎威、飞霆、策电、镇东、镇西、镇南、镇北等不能在大海中自由运转之军舰防备。尔后，清国海军之作战亦不足为虑。

第五项在鲁西亚东图之策中，其谋略在于乘机吞并满洲，将大连湾作为根据地，以蹂躏东洋。万一俄国先行占领此地，则东洋之事又不可知也。但鲁西亚要权衡中央亚细亚，不首先在此一方面达到目的，则不会仅以浦潮斯德(海参崴——译注)之孤军而轻易实行之。此乃我最为有利之时机，故而必须先行占领之。

第六项舟山群岛，是为清国中部要冲，可扼扬子江口，可制福建、浙江。有事之日，攻其不备，便于为外国所有，是为对本邦不利。又，台湾及澎湖岛是清国之重地，乃各国经常垂涎不已之地。夫，台湾东半部，现今尚为化外蛮地，仅其西半部服从清国教化，不过设置二府八县而已，但土地最为富饶，物产颇富。是以二十四年前，既已开放台湾、淡水、鸡笼三港。翌年，又加打狗港为西港，以作为各国贸易之地。由此可知其为要冲、富饶之地。是以，必须占领台湾、澎湖两岛，以台湾为重镇，在常备军之外，另行训练生蛮，编制一种军队，并利用鸡笼煤炭，在澎湖岛设置镇守府，以制清国中南部各省，且作为他日对南洋之根据地。若是此两岛为他国所有，则东洋之命运实不可期也。

第七项或有谓曰：因谋求伸张国威，且挽回亚细亚之大势，今日投机将清国分割为数个小邦，虽大有希望，但虎视眈眈之白人，焉有放任之理耶？其必然群起而介入两国之间，妨碍我之目的。特别是俄、英、法、德，欲投此时机，在清国夺取一份土地，如同反掌。事若至此，又有何良策耶？莫如采取自卫之道，渐次谋求富强。

夫，是说或许如此。但此说不察将来，徒为过虑。现今，即令采纳此说，我国之安宁岂能不陷入几乎不保之域乎？以目前之形势，预测清国将来之变态有三：其一为第一编第一项所论，清国之富强是也。其二为本编第二项所论，他国侵入是也。其三为豪杰举起反旗，颠覆清朝，创立新国是也。而且，其结果亦不相同。在此三种变态中，第一种则与本邦之安宁无关乎？仅以自卫是务，乃是坐而自求困弊颓废，决非国家之上策。也即，坐而招致困弊，进而谋求伸张，其得失如何焉？更何况，分割清国、占有其一部，并非无名之暴举，而是全然有理耶？

夫，彼清朝乃来自满洲而夺取明朝之支那者。立于今日之世界，不尽力将之导向开明。故而，要使之退回其本土满洲，在其支那再兴彼等故主明朝，使之统辖其地。然而，若是全部与之，为权衡东部亚细亚和安宁，又绝非上策。因观察其将来，其实际势力又如新造出一个清国。加之，即使再造其朝廷，因俄然成立，同样也没有平素磨炼之实力。因百年创业之时运，故而有如本编第二项所述，将之分割，在属国中寻找作为彼族武圣而尊崇之关羽后裔，或是其他名望之家，封以王位。我国于此孜孜勤奋，教育彼族，养成实力，进而作为彼两国之开导者、善后处理之庇护者，兼而在西藏、内外蒙古、准噶尔封立达赖喇嘛及各个酋长，监视其在施政上是否给予人民幸福。如是，权衡得平、安宁可保。谁人能一味认定我谓强夺土地者焉？

然而，豺狼之白人，无论其有无名义，皆将对我之目的试行妨碍，若是前来论辩，可恳切说明前述之公道，或有顽固者，则可托言左右，尽力迟缓、迁延其议论。若有投机而谋求夺取清国者，当切实审视地形，于我无害之地，可付之不闻不问。最终彼得寸土、我得丈地，彼占一小部、我占大部可也。然，现今幸而欧洲各国相互适值没有远征时机及实力之际，断然确定先制进取之计划，以求国家他日之安宁幸福，乃是今日最大之急务也。

总之，对清国有可乘之机，欧洲或中央亚细亚战乱之时，磨戈而待其机，是为肝要。

四　“甲午战争”前夕的日本社会和战争的基本原因

1894 年爆发的中日甲午战争（日本史称日清战争），至今已是九十周年。在有关问题的研究上，中外学界积累了不少成果。在日本，仅以日清战争为主题的专著，粗略计算也不下一二十种。如田保桥洁先生的

《近代日鲜关系之研究》、市川正明先生编的《日韩交涉史料》、大山梓先生编的《山县有朋意见书》，以及战争的当事者陆奥宗光（时任外务大臣）撰写的《蹇蹇录》和日本外务省编纂的《日本外交文书》（如第二十七、八卷）等等，均是研究中日甲午战争所必需的。在我国，如所周知，解放后连续出版了以《中日战争》为题的七卷本资料，内容丰富，至今不失为重要的研究依据。如《中日甲午战争》《朝鲜问题与甲午战争》《中日甲午威海之战》等等，也为数不少。近年来，有关问题的研究更是向纵深发展，不仅有大量的学术论文，而且出版了许多新著。[①] 此外，中国近代史著作，也都以甲午战争作为一大重点，进行分析和论证。笔者作为后学，一方面深深感到有关问题研究的发展很快，同时也感到有些基本问题似有进一步明确的必要。

比如，在战前的日本，以野吕荣太郎著述《日本资本主义发展史》为代表的“讲座派”，曾认为中日甲午战争的爆发，“基于日本资产阶级对朝鲜市场的要求”。[②] 但是，战后日本的史学界，却是另外一种倾向占据上风。比较多的学者认为，甲午战争“不是以日本资产阶级经济侵略的冲动为先导的”。[③] “日清战争的主要动机和目的，在于对朝鲜进行政治的和军事的压制”。[④] 还有的学者认为，甲午战争“是以伊藤博文、陆奥宗光等藩阀势力和以川上操六等军部为主导的、积极而人为的侵略战争”，并认为“将内争转向对外的侵略政策”，是日本天皇制官僚体制的“惯用手段”。[⑤] 此外，也有的认为，甲午战争是中国挑起的，[⑥]是中国清政府违反

① 详见戚其章：《三十年来甲午战争史研究概况及争论问题》，载《南京大学学报》1982年第3期。

② 见《论集·日本历史》，第11卷，有精堂1975年版，第337页解说。

③ 中塚明：《日清战争之研究》，岩波书店1968年版，第291页。该书是日本学界六十年代研究的代表作。

④ 山边健太郎：《日韩合并小史》，岩波书店1973年版，第116页。

⑤ 远山茂树：《日本近代史》，第1卷，岩波书店1975年版，第206页。

⑥ 持这种见解的，有日本军事史专家松下芳男，见其著作《近代的残年·日清战争》。

了1885年《天津条约》的结果。① 如此等等，中日甲午战争的研究和记述，出现了多种结论性的见解。

在我国，对于中日甲午战争的是非问题是明确的，即：日本是这场战争的侵略者和肇事者。然而，在具体论述上，长期以来也有种种不同的说法：

一是日本军国主义侵略说。如1964年出版的翦伯赞先生的《中国史纲要》，认为甲午战争"是日本军国主义以吞并朝鲜并向大陆扩张势力为目的而发动的侵略战争"。1976年人民出版社出版的《近代中国史稿》，也持类似的见解。

二是日本帝国主义侵略说。如1979年中华书局出版的《中国近代史》，认为甲午战争"是日本帝国主义侵略中国的战争，也是它推行大陆扩张政策的重要步骤"。

三是没有发展到帝国主义阶段的日本侵略说。详见范文澜先生的《中国近代史》。其中谈到，1870年以后，自由资本主义已先后向帝国主义转化，为争夺市场、原料和势力范围，各帝国主义在全世界展开了斗争，而甲午战争就是帝国主义国家在远东瓜分世界的斗争的一环。但当时的日本，还没有发展到帝国主义阶段。

此外，还有将日本称为"新兴的资本主义、帝国主义国家"的(如郑昌淦先生1957年出版的《中日甲午战争》)。我国的经济学界，在谈到甲午战争时，则往往侧重日本采用军事侵略作为经济扩张的手段，或是认为甲午战争的实质，是帝国主义各国为了实现资本输出和分割中国而发动的(如魏永理先生编的《中国近代经济史纲》、凌耀伦先生的《中国近代经济史》等等)。

上述不同的说法，各有自己的研究和见地，但同时也说明中日甲午战争的研究并没有终结。这也是本文所以着眼于以下两个基本问题，进行再探讨的主要原因。

---

① 见日本防卫厅防卫研究所：《战史丛书·大本营陆军部(一)》，朝云新闻社1974年版，第18页。

1　甲午战争前夕的日本是军事封建的资本主义

中日甲午战争前夕的日本，究竟处于什么社会发展阶段，直接关系到甲午战争的性质。为此，本文试首先进行一些力所能及的阐释。

世界历史的发展表明，十九世纪以来，亚洲各国普遍面临着两种选择：要么是被迫采用资产阶级的生产方式，变封建社会为资本主义；要么是被迫沦为西方资本主义的殖民地或半殖民地。这是不以人的主观意识为转移的。在这种形势下，中国由于1840年"鸦片战争"的失败，开始逐步陷入半殖民地的状态。而当时同样面临着民族危机的日本，从1868年开始却发生了逐步改变社会性质的"明治维新"。

那么，日本是怎样步入资本主义社会的，又有哪些特征呢？

中外学界公认，1868年日本明治新政权的建立，是日本走上近代化的起点。但是，以天皇为首的明治政权的建立，并不是日本资产阶级革命的标志或结果，而是当时以"西南强藩"(如九州的萨摩藩、长州藩)出身的下级封建武士和部分宫廷贵族为主导的，利用日本内外交困的形势，取代德川幕府的政治统治。这一点对日本近代社会的影响很大，以致成为后来日本资本主义受到"混浊"和"歪曲"的主要原因。①

比如，明治初年，可以称作是新政权施政纲领的《五条誓文》中，虽有"广兴会议，万机决于公论"，但它并不是基于资产阶级的"主权在民"，而不过是"兴列侯会议……"的变种。又如其中的"求知识于世界"云云，纵有求新的味道，但落脚点仍是"大振皇基"。② 至于明治初年连续颁布的内外文告，除了有意修改不平等条约的成分而外，也多是突出或强调"朕即国家"的观念，要求各藩及其臣民"佐朕之不逮，同心协力，各尽其

---

① 参阅田名纲宏：《新日本史之研究》，旺文社1964年版，第291页。

②《五条誓文》为1868年4月6日(庆应四年三月十四)以天皇率领百官向天地神明宣誓的形式颁布的。内容为：一、广兴会议，万机决于公议；二、上下一心，盛行经纶；三、官武一途，以至庶民各遂其志；四、破旧有之陋习，基于天地之公道；五、求知识于世界，大振皇基。见大久保利谦等编：《近代史史料》，吉川弘文馆1973年版，第50—51页。

分”。[①] 或朕欲继承“列祖伟业”、“亲营四方，安抚汝等亿兆”等等。[②] 此外，施于民众的“五榜告示”，更是首先强调“为人者应正五伦之道”。他如禁止民众结党、“强评”等等，[③]也与旧幕时代无异。时至1889年，日本政府颁布的《大日本帝国宪法》，仍是贯彻“君权神授”的所谓“不磨大典”。按照当年伊藤博文的说法，起草宪法的根本目的，就是要使皇室“独”为国家的“机轴”。[④] 因此，宪法宣布：

> “大日本帝国由万世一系的天皇统始之”（第一条）；
>
> “天皇神圣不可侵犯”（第三条）；
>
> “天皇为国家元首，总揽统治权……”（第四条）；
>
> “天皇由帝国议会协赞行使立法权”（第五条）；
>
> “天皇召集帝国议会、命令其开会、闭会和休会，以及解散众议院”（第七条）；
>
> “天皇统帅陆海军”（第十一条）；
>
> “天皇宣战、讲和及缔结各种条约”（第十三条）
>
> ……[⑤]

如此等等，以非常的大法明确了非常的权利。一部偌大的日本宪法，俨然是天皇的无限权利法。可见，明治政权下的日本，封建色彩极浓、极重。从这个意义上讲，日本学者多将天皇制政权视为“绝对主义王权”，并非言过其实。

与此同时，明治政权又把军国主义作为基本国策之一。1880—1893年间，日本政府为扩充陆海军的军费开支及其在历年岁出总额中所占的

---

①《日本外交文书》，第1卷，第1册，第465页。

②《日本外交文书》，第1卷，第1册，第557页。

③ 即1868年新政权在宣布五条誓文的同时颁布的五种告示，引文见大久保利谦等编，前引书，第53页。

④ 1888年6月18日，伊藤博文在制宪会议上的演说，见《近代史史料》第238—239页。

⑤ 引文见田名纲宏：《新日本史研究》第310页所收史料70。

比例如下：①

年代(年)	岁出总额(万日元)	军费开支(万日元)	所占比例(%)
1880	6 314	1 201	19.0
1881	7 146	1 185	16.5
1882	7 348	1 241	16.9
1883	8 103	1 616	19.9
1884	7 666	1 748	22.8
1885	6 111	1 551	25.4
1886	8 322	2 052	24.7
1887	7 945	2 223	28.0
1888	8 150	2 254	27.7
1889	7 971	2 344	29.4
1890	8 212	2 569	31.3
1891	8 355	2 368	28.3
1892	8 458	2 378	28.1
1893	7 673	2 282	29.7

特别是1885年以后，日本的军费开支始终多达历年岁出总额的百分之二十五至百分之三十。因此，日本又是一个典型的军事国家。

然而，明治政权下的日本，又确实走上了资本主义道路。这个过程，是从1871—1873年间，以政府主要成员外出考察欧美资本主义的社会制度和物质文明开始的。1871年11月，日本政府派出以右大臣岩仓具视、参议大久保利通、木户孝允和伊藤博文等人为首的大规模的"使节团"。"使节团"原订有两项基本任务：一是试想对欧美列强修改幕府末年缔结的不平等条约；二是"采摘"欧美各国现行的"诸种方法"。天皇在"敕令"中要求随行人员"亲自观察本省紧要事务目前在文明最盛的国家

① 据杉田一次：《近代日本的政战略》，原书房1978年版，第118页。

内实施的情况，究其方法以施于内地”。[①] 后来，“使节团”在修改条约无望的情况下，便专门考察欧美各国的社会制度和物质文明。他们跋山涉水、远渡重洋，“冒寒暑、究远迩”。从美国开始，顺次走遍了英国、法国、比利时、荷兰、普鲁士、俄国、丹麦、瑞典、意大利、奥地利、瑞士等十二个国家，历时长达一年半之久。

这次出访，在日本的历史上，可以说是空前的。它不仅人数多、规模大，出动了当时日本政府的主要成员，而且对日本的近代化产生了深远的影响。其一，通过这次出访，日本政府的主要成员切身地了解到什么是欧美的社会制度以及物质文明。“使节团”的成员每到一地，不仅“跋涉于穷乡僻壤，采访于田野农牧”，而且“观察城市工艺、了解市场贸易”，[②]实可谓历尽艰辛、无所不至、无所不访。从而获得了前所未见、前所未闻的新知识。特别是西方资本主义各国以煤铁致富的实况，以及面积不如日本九州的比利时的“营业之力”，更使这些目击西方社会的日本人感到瞠目和惊叹。以致木户孝允言称：“我国今日的文明，不是真正的文明，我国今日的开化，不是真正的开化”。[③] 这种深刻的思想变化，使日本政府的主要成员产生了急起直追的强烈愿望。其二，这次出访，使日本政府的主要成员找到了日本应该仿效的目标。使团回国后，仅是各省派出的“理事官”的报告便多达四十一册，而整个使团的报告，更是洋洋万言、汇集为一百卷的《特命全权大使美欧回览实记》。其中不仅详细记载了西方各国的政治、社会、经济，而且详细记载了各国的军事、文化、教育，乃至风俗人情、社会福利和宗教信仰等等，从而为日本政府后来的施政方针提供了依据。其三，这次出访，使日本政府的主要成员选择了“内治”为先的战略方针，压抑了以士族代表西乡隆盛为主的“征韩派”，[④]并

① 《大使全书》，第 23 号，见大久保科谦：《岩仓使节研究》，宗高书房 1976 年版，第 200 页。

② 《特命全权大使美欧回览实记》，第 1 卷，岩波书店 1978 年版，第 11 页。

③ 《木户孝允文书》，第 4 卷，第 319 页。见后藤靖：《士族叛乱之研究》，青木书店 1974 年版，第 16 页。

④ 日本明治初年的“征韩论”，具有多种背景。其一，在很大程度上，是日本前资本主义政策的延续。详见拙文《日本明治初年的“征韩论”》，载《南开大学学报》1985 年第 1 期。

重新组合了以大久保利通为核心的权力结构。此后,资本主义的"殖产兴业""文明开化""振兴贸易"等等,才切实地盛行起来,从而使"明治日本的起步真正进入了轨道"。①

然而,由于日本国内政治上的特征,加上十九世纪七十年代以后的国际形势,又不准许日本按照一般资本主义发展的常规行事,以及日本内外政策的需要等等,因而又造成了日本资本主义的某些特征:

一,政府自上而下地扶植和保护资本主义的成长,并与特权"政商"相勾结,使日本较早地出现了在资本主义经济中占据优势的"财阀"势力。由于日本的资本主义经济,自始就是在天皇制政权的扶植和保护下成长起来的。这就是所谓的"自上而下地发展资本主义"。从1873年大久保利通提出"殖产兴业",中经"振兴海外贸易"以及颁布《官营工矿企业处理概则》等等,都带有以国家政权的力量来扶植和保护特权私人资本成长的性质。如1880年日本政府颁布的《官营工矿企业处理概则》。这项经济政策,实际等于将国家兴办的工矿企业(除军事工业外),无偿地或廉价地转让给私人资本。其中,如阿仁铜矿,政府开发投资为一百六十余万日元,1885年处理时尚有二十五万日元的生产设备和八万日元以上的库存物资。但是,和政府关系密切的"政商"古河市兵卫,当时却仅仅支付了一万日元的现金,而其余的则是作价二十四万日元、以无息的优惠条件分十年偿还。又如小坂银矿,政府开发投资为五十四万日元以上,但也仅仅以二十万日元的生产设备和七万日元的库存物资作价售给了久原庄三郎。再如长崎造船厂,政府投资六十二万日元,出售时(1887年)虽然定价五十四万日元,但三菱后来实际只是交付了九万日元的现款。而政府投资三十一万日元的富冈丝厂,1893年时也仅以十二万元的代价卖给了三井。②

凡此种种,壮大了私人资本的实力,促进了商业高利贷资本向产业

① 大久保利谦:《岩仓使节研究》,第87页。
② 参阅山口和雄:《日本经济史讲义》,第131页。

资本的转化。据统计,1889 年日本所得收入最高的一百零四户中,除了原有的旧藩主、旧公卿之外,就是上述政府经济政策的受益者。① 此外,也正是由于天皇制政权的扶植和保护,日本较早地出现了与政府关系密切,乃至溶为一体的所谓“财阀”,即垄断资本集团。其中,如三菱集团便是很能说明问题的一例。1873 年,岩崎弥太郎创办“三菱商会”时,家当不过是旧土佐藩的几条旧船,但因在 1874 年为日本政府出兵台湾效力,所以格外得到天皇制政权的青睐。1875 年,日本政府将所属的 13 只船无偿地转给了三菱,并从 1875—1883 年,连续支付补助金、贷款和船费,合计在八百万日元以上,而其中有三百九十万是无偿的。这不仅奠定了三菱财阀的基础,而且使三菱与日本政府的军政战略达到了一致性。

二,军事工业占据优势。日本政府在“富国强兵”“殖产兴业”的方针下,首先着力经营的,就是从旧幕府和各藩接管的兵工厂,并将军事工业作为产业的“核心”。在处理官办矿企业中,纯粹的军事工业保留不动。因此,日本的军事工业无论在规模和发展速度上,都远远地超过一般民营企业。据 1892 年统计,十四家官办工厂拥有动力二千四百一十八马力,平均每家占有一百七十二点七马力,而同年日本总数二千九百一十七家工厂,包括人力、水力在内,平均却只拥有一马力。② 又如 1889—1907 年间,民营工厂工人增长速度为二点九倍,而同期内陆军工厂则增长二十一倍,海军工厂增长十一倍。③

这些情况表明,日本资本主义自始就带有军事性。军事工业在资本主义经济中占据优势,是日本政府推行军国主义和对外侵略政策的重要基础。从整体上说,日本资本主义经济是后进的,但其枪炮弹药的生产却是先进的。

---

① 参阅大桥隆宪:《日本的阶级构成》,第 18—19 页。

② 见下中邦彦编:《日本史料集成》,第 522 页。

③ 据小山弘健:《日本军事工业发展史》,第 115—116 页。又,丰田四郎:《日本资本主义发达史》上,青木书店 1955 年版,第 270 页第 29 表 a。

三，近代资本主义的生产关系和农村半封建土地所有制的并存。本来，资本主义生产关系的发展，应取代封建的生产关系。但是，日本却保留并扩大了农村半封建的土地所有制。究其原因，首先在于明治政权的建立，并不是一个阶级取代另一个阶级，而幕府末期的日本，资本主义生产关系的萌芽也没有达到不突破封建的生产关系便不能发展的程度。所谓的私人资本，基本上停滞在商业高利贷资本的阶段。这一点也就先天地决定了日本资本主义发展的特征。特别是明治政权本身，更是以最大的地主集团——皇室为核心的。因此，尽管这个政权可以被迫地采用资产阶级的生产方式，发展本国的近代工业，但却不能不维护新兴地主阶级的利益。

比如 1873 年开始推行的“地租改革”，①虽然在将实物地租改为按土地价格征收货币地税上，具有强行资本原始积累的作用，但是这项改革并不限制地主对佃农的实物剥削。而小农“不但依然被课以封建性的重税，并且由于现金地税制的结果，又使他们的生产物从属于货币价格，受商业资本的无耻剥削”。② 以致广大的贫雇农不得不继续为自己的生存而斗争。与此同时，日本全国的佃耕地却从 1873 年占耕地总面积的百分之三十一点三，逐步上升为占 1892 年耕地总面积的百分之四十以上。③

在此期间，明治政权又极力从政治上维护和扩大新兴地主的势力。如 1878 年实施的《府县会规则》，其中便明文规定：平均拥有一点五八町步（面积单位、每町步为九十九点一五公亩）以上的土地所有者，才能被选为府县会议员。至 1890 年，日本政府又规定：“大地主得以互选町村应选议员定额的三分之一”。④ 这就是说，只有地主阶级才能当选为地方

① “地租改革”往往被译为“地税改革”。按改革条例的内容看，是将原来的实物地租改由货币交纳地租，因此译为“地租改革”为宜。

②《野吕荣太郎全集》上，新日本出版社 1965 年版，第 204 页。

③ 据大桥隆宪：《日本的阶级构成》，第 38 页；森喜一：《日本工人阶级状况史》《劳动者的生活》等。

④ 见平野义太郎：《日本资本主义社会结构》，岩波书店 1964 年版，第 300 页。

议员，而他们又可以不经过有限制的选举就保有三分之一的席位。因此，从1890年召开第一届帝国议会开始，三百名议员中就有一百二十九人为“农业者”。此后，地主阶级的代表一直占据议会的半数左右。此外，由于贵族院也有半数是大地主，以致“带有土臭的地主与旧公卿、大名，以及散发着铜臭的新兴财阀资本家相并列，成了天皇制国家统治阶级的一翼”。[①] 近代日本的“大陆政策”，实际正是代表他们的利益和要求。农村半封建的土地所有制和城乡私人资本主义所有制相互结托、并存，两者共同构成了日本天皇制政权的经济基础和社会支柱。

此外，还可以举出日本资本主义的一些特征，如工业发展的“跛行性”、大企业与中小企业并存，乃至工场手工业的大量存在、工人劳动条件极为恶劣，并深受封建意识的束缚等等。

到中日甲午战争前夕，日本基本上确立了以军事工业和民间轻工业为主体的近代工业国家的基础。1892年，雇用二十名工人以上的工厂，已占据全部工厂总数的一半。1893年，日本工矿企业和水陆运输业资本，合计占各行业总资本的百分之八十以上。此外，长期作为政府财政主要来源的地税，也从1873年占据全部税收的百分之九十八点四逐步下降到只占1894年税收总额的百分之三十七点二。[②]

总之，中日甲午战争前夕的日本，是个军事封建的资本主义社会。这也就从根本上决定了1894年甲午战争的性质，即军事封建的资本主义日本，在国际列强以亚洲为侵略重点的形势下，对业已陷入半殖民地的中国和朝鲜的侵略战争。

日本军国主义侵略说，在认识近代日本的军事性上是妥当的，但在全面判定甲午战争的性质上则有所不足；而日本帝国主义侵略说，则过高地估计了甲午战争前夕日本资本主义发展的水平。因为甲午战争的

---

① 井上清等：《日本农民运动史》中译本，第56页。

② 据山口和雄：《明治十年代的工厂生产》（载《经济学研究》第四期），见《日本史料集成》第521—522页；又《近代史史料》第291页第290表及田名纲宏：《新日本史之研究》第298页表。

胜利才是日本向帝国主义阶段转化的又一起点。

2 “甲午战争”是日本资本主义发展的必然阶段

列宁指出:“资本主义生产的规律,是生产方式的经常改造和生产规模的无限扩大。在旧的生产方式下,各个经济单位能存在好几世纪……相反地,资本主义企业必然超出村社、地方市场、地区和国家的界限”,“每个资本主义工业部门的自然趋向使它需要‘寻求国外市场’。”①日本也不例外。事实上,在其步入资本主义、着手发展近代企业的同时,便已经提出了国外市场问题。比如 1874 年大久保利通在提出“殖产兴业”时,便特别以英国为例,说其虽属小国,但君臣合力,制订前古未有之航海法,占宇内漕运之利,以大振国内工业,却是日本应该引为“规范”的。②第二年,大久保利通又专门以“振兴海外贸易”为题,提出了政策性的意见。他主张日本在发展资本主义工业的同时,应积极“开拓海外直接销售的基础”,甚至主张不惜以国家的力量,扶植大商巨贾,予以相当的资金,以“发展商业、疏通和扩大销路”。③ 与此同时,那些早期便和新政权关系密切的特权“政商”,也有如此要求。其中,如“大仓组商会”(大仓财阀的前身)的创始人大仓喜八郎,早在 1874 年日本出兵侵台期间,便要求“在琅峤获得十万坪的租借地”,以发展日本的对外贸易。④

显然,日本资本主义一起步便开始要求获得海外市场。1876 年,日本迫使朝鲜对外缔结第一个不平等条约,急于打开朝鲜“闭关自守”的门户,要求开辟元山和仁川两港作为“通商口岸”,一方面是为了掠取朝鲜的黄金和大米,同时也是为了占有相应的市场。此后,寻求海外市场,则成了日本政府一大战略目标。如 1879 年,日本政府专门设立横滨正金银行,目的正是在于提供对外贸易资金,以扩大海外市场。至于“三井物

---

①《列宁选集》,第 1 卷,第 187 页。

②《大久保利通文书》,见大久保利谦等编:《近代史史料》,第 117 页。

③《大久保利通文书》,见大久保利谦等编:《近代史史料》,第 124—126 页。

④ 见大仓财阀研究会:《大仓财阀研究》,近藤出版社 1982 年版,第 46 页。

产公司”（三井财阀的前身企业）在政府的资助下，先后在海外开设支店，以及“三菱邮船公司”（三菱财阀的前身）收买英国轮船公司从日本至上海的航线、设备等等，就更是与寻求海外市场息息相关。由此可见，对于资本主义生产来讲，并不存在首先满足国内市场，而后转向海外的顺序问题，因为资本家的生产是以最大限度的利润为转移的。

特别是日本的资本主义，由于它的后进性，以及国内市场狭窄、资源贫乏等等，因此陷入半殖民地状态的中国和朝鲜，就更成了它掠夺的对象。日本资本主义不仅需求中国和朝鲜的原料，而且需求在中国和朝鲜开辟广阔的市场。十九世纪的八十年代，正是日本资本主义工业迅速成长的时期。如 1883 年由特权政商涩泽荣一、大仓喜八郎、益田孝等人筹办的大阪纺织厂，建立初期便拥有二十五万日元的资本，雇用三百余名工人，纱锭在一万五千枚以上。随后在 1886—1890 年间，又连续兴起了二十余家与大阪纺织厂规模类似的近代化大企业。因此，获得海外原料和市场的要求更为强烈。

1885 年，日本政府参议兼宫内卿伊藤博文来华与李鸿章谈判朝鲜问题。其间，伊藤博文便曾公然表示：“日本对朝鲜的主张是经济性的……并不要求任何法律权力。由于不断增长的人口衣食之需，打算利用朝鲜作为补给国内米产不足的一个最好的资源，并作为日本子孙后代寻求职业最近便的场所。”①这是一份很妙的自白。其中所谓日本“并不要求任何法律权力”，与日本的对朝关系不符，而且是自欺欺人之谈。但是，伊藤博文所说的要把朝鲜作为补给“资源”和日本子孙后代“寻求职业”的“场所”，却如实地反映了日本政府和国内大资产阶级的迫切要求。

同样，日本大阪纺织厂的创始人涩泽荣一，1887 年也有在上海投资设厂的计划，以便就地榨取中国工人的血汗，掠夺原料和占有相应的国际市场。当时的驻华公使盐田三郎也曾提出，“最好的办法是仿效其他

---

① 有贺长雄：《日本人治日本》，见〔美〕泰勒·丹涅特：《美国人在东亚》中译本，第 406 页；〔加〕诺曼：《日本维新史》中译本，第 202 页。

外国人的作法，不管道台的反对，迅速安装机器，着手发展实业。”[①]此种设想虽然一时未能实现，但三井物产还是在1888年和英国怡和洋行、美国旗昌洋行合资，在上海开设了棉纺厂。此外，日本的棉纺业资本早就要求废除棉纱出口税和棉花进口税，以扩大资本主义企业和产品的销路。及至1889年，日本纺织联合会理事井上甚太郎，则进一步在《棉业论》中强调，为了日本纺纱业的稳定发展，“必须谋求在势力范围内的原料来源”，不然的话，“我国的纺纱和机制业的向背，则不仅要受原料产地的支配”，而且一旦原料国家“生衅”，便有“造成事业中断或至少造成异常恐慌”的危险。[②] 井上在论中还指出，中国的华南、台湾以及朝鲜南部正是适合种植棉花的地区。不言而喻，井上甚太郎的观点，不仅反映了日本产业资本对海外原料来源的追求，而且表达了日本大资产阶级急于将中国和朝鲜的某些地区纳入日本“势力范围”的欲望。

1890年，日本的总理大臣山县有朋，则在政府的《施政方针》中，公开地表示：日本不仅要保护国家的主权线，而且还必须“保护利益线”。什么是“利益线”呢？即所谓凡是和日本国家的疆域即主权线“有密切关系的区域是也”。[③] 按照山县有朋的说法，日本“利益线的焦点实在朝鲜”。[④] 按照这样的《施政方针》，日本势必“得陇望蜀”，将周围邻近的弱小国家（中国与朝鲜）纳入日本的“保护”之下。山县内阁的《施政方针》，标志着近代日本的“大陆政策”成熟了，同时也进一步证明了日本政府的军政战略与大资产阶级的要求是互为表里、一脉贯通的。

那么，1894年的甲午战争与日本资本主义的发展有无必然的联系呢？对此，本文认为是肯定的。

---

① 见藤村道生：《日清战争》，岩波书店1974年第二版，第21页。

② 见藤村道生：《日清战争》，第23页。

③ 见大山梓编：《山县有朋意见书》，原书房1967年版，第203页。

④ 见大山梓编：《山县有朋意见书》，第197页。

第1表 1877—1882年日韩贸易统计表 （单位：日元）

分类＼年月		1877.7—1878.6	1878.7—12	1879	1880	1881	1882.1—6	合计
输出分类	日本品	87 149	29 332	55 647	116 130	202 069	47 519	537 846
	外国品	141 405	113 286	511 306	861 883	1 742 668	695 043	4 065 591
输出		228 554	142 618	566 953	978 013	1 944 737	742 562	4 603 437
输入		119 538	154 707	677 061	1 373 671	1 882 657	897 225	5 104 859
合计		348 092	297 325	1 244 014	2 351 684	3 827 394	1 639 787	9 708 296

第2表 1877—1882年朝鲜对日本的输出品分类统计表 （单位：日元）

品　名	贸易额	品　名	贸易额
米	1 529 636	骨	67 131
金	972 242	鲍	19 298
皮革	829 132	毛毯	67 175
豆类	557 057	捻线绸	62 463
海带	178 018	人参	60 202
生丝	174 019	药品	48 805
海参	171 382	麻织物	43 342
杂品	130 098	豆糟	9 395
银	87 056	青铜	7 356
干鱼	86 620	毛发	4 432
釜山·元山两港五年间输出额合计 5 104 859			

其一，日本资本主义对朝鲜的关系，孕育了战争的必然性。1876年，日本迫使朝鲜对外缔结第一个不平等条约后，完全垄断了朝鲜市场。详见1、2两表。①

从表中可以看出，1882年以前，日本对朝进出口总额增长很快，1881年为1877年7月至次年6月的十一倍。与此同时，还可以看出，日本从朝鲜的

① 见彭泽周：《明治初期日韩清关系之研究》，塙书房1969年版，第283—289页。

进口，主要是大米、黄金、皮革和豆类。而日本的对朝出口，则主要是转手贩卖“外国品”，本国产品不过占历年对朝出口总额的百分之十一点七。这一方面反映了日本对朝鲜原料的掠夺，同时也反映了日本资本主义的发展水平。但是，1882 年以后，日本对朝进出口情况发生了明显地变化。见下 3、4 表：①

第 3 表　1885—1892 年日本对朝出口中内外商品比较表（单位：日元）

年　度	出口总额	日本产品	外国产品	百分比	
				日　本	外　国
1885	461 819	234 405	227 414	51	49
1886	829 366	701 204	128 162	85	15
1887	551 907	360 611	191 296	65	35
1888	707 175	559 358	147 817	79	21
1889	1 092 996	887 099	205 896	81	19
1890	1 250 713	1 021 855	228 857	82	18
1891	1 466 039	1 267 275	198 764	86	14
1892	1 410 699	1 229 820	180 878	87	13

第 4 表　1885—1892 年日中两国对朝出口额比较表

（单位：墨西哥银元）

年度	中国对朝出口额	日本对朝出口额	合计	百分比	
				中　国	日　本
1885	313 342	1 377 392	1 690 734	19	81
1886	455 015	2 064 353	2 519 368	18	82
1887	742 661	2 080 787	2 823 448	26	74
1888	860 328	2 196 115	3 056 443	28	72
1889	1 101 585	2 299 118	3 400 703	32	68
1890	1 660 075	3 086 897	4 746 972	35	65
1891	2 148 294	3 226 468	5 374 762	40	60
1892	2 055 555	2 555 675	4 611 230	45	55

① 见彭泽周：《明治初期日韩清关系之研究》，第 298—305 页。

可见,日本对朝出口的本国产品逐年增多。1885 年占据对朝出口总额的百分之五十一,至 1892 年则占据百分之八十七的比重。这种情况的变化,标志着日本资本主义工业的成长,同时也意味着朝鲜是日本出口的主要对象。但是,与此同时,还有另外一种明显的变化,即日本对朝进出口的垄断局面,逐步受到了中国商人的竞争。1885 年,中国商人对朝出口额占据同年朝鲜进口额的百分之十九,日本占百分之八十一;1888 年,中国商人占百分之二十八,日本占百分之七十二;至 1893 年,中国商人占百分之四十五,日本占百分之五十五。

甲午战争之前,中国商人利用陆路之便对朝鲜的转手贸易,并没有取代日本对朝鲜的进出口。但是,上述趋势的变化对于业已形成的日本资本主义来讲,是绝对不能容忍的。用日本驻釜山代理总领事的话说,日本的对朝贸易遇到了“可怕的劲敌”。① 而大资产阶级的代言人、改进党的岛田三郎,则在 1893 年就解决朝鲜禁止粮食出口问题而公开扬言:像朝鲜这样的国家,只能“列为属国”。进而,他又言称,朝鲜问题实际是由谁来“占有”的问题,现今日本政府应该“强行再强行”,已不是谈谈“区区道理的时候”了。② 言外之意,即日本应该“强行”占有朝鲜。至于当时的《东洋经济杂志》,讲得就更为露骨。它说,解决朝鲜问题的“唯一办法,就是诉诸干戈”。如果中国加以干涉,那就“在天津也投掷一弹”。可见,仅就日本对朝鲜的经济掠夺而言,日本资本主义的发展已经到了只靠一般手段,不足以维持垄断局面,也不足以照旧对朝鲜进行掠夺的阶段。因此,“诉诸干戈”,或者像《自由党党报》所说的那样,日本“要在朝鲜占有兵略、政略和商略上的重大权力”,③则到了不可避免的阶段。

其二,从当时日本资本主义的对华关系来看,战争也成了日本扩大海外市场和确保对朝权益的必要手段。早在 1870 年,日本外务省曾在《四项外交急务》中,就把中国喻为“昔时汉土六国之势……处于三川两

① 《大久保利通文书》,见大久保利谦等编:《近代史史料》,第 192 页。

② 见藤村道生:《日清战争》,第 24 页。

③ 见依田熹家:《战前的日本与中国》,三省堂 1976 年版,第 25 页。

周之地位,势成宇内必争之地”。[①] 为此,从所谓“宇内经略之远图”的战略出发,要求与中国立约,“均沾”各国在华权益。但是,1871 年的中日首次立约,日本并没有达到“均沾”列强在华权益的目的。换句话说,日本并没有挤入列强对华的不平等条约的体系之中。因此,当时的日本政府便耿耿于怀,甚至有企图废约之念。尔后,随着日本资本主义工业的发展,打开中国市场以及掠取中国的原料,就更加成为迫切问题。1892 年,日本对华出口总额(包括对香港出口在内)已达到一千九百六十五万日元,占日本同年对外出口总额的百分之二十一点五,比 1884 年大约增长了两倍。但是,日本的对华贸易几乎全部由中国商人所控制,日本从事对华出口的,还仅限于三井物产公司在上海、天津开设分店的程度。[②] 这和欧美国家是不能相比的,而对于日本的产业资本和贸易运输业的资本来讲,无论如何也是必须解决的重要课题。再以日本资本主义工业发展最快的棉纺业来看,从 1887 年开始,五年间生产规模扩大了四倍,生产量提高了八倍。九十年代初,日本的棉纺业的发展水平已经到了可以和英国竞争的程度,但是却因为需要缴纳棉纱出口税和棉花进口税,以致日本的棉纱在上海的市场上反而处于不利的地位。因此,日本资本主义为了向中国扩张,也必须借助于暴力来首先解决日本所处的不利地位。与此同时,自从日本迫使朝鲜开国,虽然通过一系列不平等条约而获得了种种侵略特权。但是在这个过程中,又总有中国清政府为了维持对朝传统势力的影响。比如 1882 年,日本原想利用朝鲜同年发生的反日暴动(“壬午事变”)迫使朝鲜“割让巨济岛或郁陵岛”。[③] 但因中国清政府的出兵干涉而没有得逞。特别是由于当年中朝陆路贸易章程的签订,中国商人也把商业的触角伸入朝鲜,从而更加妨碍了日本资本主义对朝鲜的经济掠夺和对朝出口的垄断局面。因此,1885 年以后,日本政府为了全面占有朝鲜,便已经开始将军政战略的重点对准中国。恰如日本军界要人山

---

① 《日本外交文书》第 3 卷,第 192 页。

② 请参阅拙文《1871 年中日立约分析》,《历史档案》1982 年第 1 期。

③ 见藤村道生:《日清战争》,第 21 页。

县有朋在1888年所说的那样，无论从东洋的形势和日本的外交政略来讲，“若要伸张我国国权、保护我国国利，使我国国威光耀海外，受万邦尊重，除了兵力之外有何可恃？”①可见，无论从山县有朋所说的“伸张国权”还是“保护国利”来讲，诉诸战争都已成为日本政府早就选定的手段。

其三，日本资本主义的发展水平，具备了对华进行侵略战争的物质条件。如前所述，甲午战争前夕，日本大体上确立了以军事工业和轻工业为主的经济基础。也正是在这个基础上，日本逐步完成了对华战争的准备工作。1893年，日本陆军已拥有七个野战师团，十二万人的兵力，若加上十多万人的后备兵员，战时则可调动二十三万人。与此同时，海军也以击沉中国北洋水师的主力舰为目标，完成了扩建计划。甲午战争之前，日本海军已拥有三十一艘军舰、二十四艘水雷艇。从数量上大体与当时中国清政府的海军力量相当，但因速度的提高和炮火的改进，在实力上又优于当时中国的北洋水师。而值得注意的是，又正是日本的大资产阶级支撑了这场战争。当年日本政府为了对华战争而筹集的二亿二千五百万日元的临时军事费用中，有一亿一千七百万日元即占总数的百分之五十二是通过涩泽荣一等“资产家和财产家”们，以军事公债的形式提供的。② 这在日本也是前所未有的。此外，像“大仓组商会”那样的特权大资产阶级，在甲午战争中就更是付出了众多的财力和物力。据称：“在日清战争前后，大仓组的活动是异常的。实际上，日本陆军之所以能够做出预想的行动，就是因为有大仓组的巨大力量”。③ 它不仅承担了日本陆军工兵所无力完成的军事工程，而且在军事上也“付出了许多世间所不知道的苦心”。④ 从这个意义上讲，1894年的甲午战争，实际是日本大资产阶级的战争。他们不仅出钱、出力，而且直接参与了这场侵略战争。

---

① 见田保桥洁：《近代日鲜关系之研究》上卷，宗高书房1972年版，第795页。

② 见大山梓编：《山县有朋意见书》，第185页。

③ 见楫西光速等：《日本资本主义的发展》1，第206页。

④ 见《大仓财阀之研究》，第129页。

其四,甲午战争在日本资本主义的发展史上成了划分又一阶段的标志。日本通过这场侵略战争不仅变成了拥有海外殖民地的国家,而且极大地刺激了资本主义工业的发展。先以具有综合性的银行业为例,1893年,一百日元资本的纯利全日本平均为十六点五七日元,但1895年则增长为二十点五八日元,至1896年进一步增长为二十七点九三日元。[①] 也就是说,一场侵略战争使以银行业为代表的各种资产者,普遍增长了至少百分之二十四的利润。可见,日本的资本主义是在日本民众和被侵略者的鲜血之上发展起来的。1894年日本工业公司为七百七十八家,但1897年则迅速增长为一千八百八十一家。两者相较,激增了百分之一百四十一。与此同时,日本对"亚洲"国家的出口额也迅速增长。1898—1902年间,日本对上述地区的出口已占据对外出口总额的百分之四十三点二二。[②] 特别是以棉纺和丝织业为代表的产业,更是一举霸占或扩大了在朝鲜和中国的市场。甲午战争期间,日本驻元山的领事馆便向国内报告:"日清开战以来,中国商人从本地撤离。不只是丝绸方面,其他曾为中国商人所经营者,也一举转移到我手……九月份以后,日韩贸易在统计表上显著上升。"日本驻仁川的领事馆也报告说:"今年秋季以后,〔朝鲜〕输入的丝绸都是我国商人经营,年内……合计二十万九千三百六十一匹中,我国商人输入十八万余匹。"这些情况进一步证明了甲午战争已是日本资本主义发展的必然阶段。日本资本主义不仅具备了对外发动侵略战争的实力,而且通过侵略战争而获得了更大的发展。此外,据日本棉纺联合会统计,1897年日本对华出口的棉纱(包括香港)为三千九百六十二万余斤,按价值计算为1892年对华出口八千日元的一千五百八十三点七五倍,占据当年日本对外出口棉纱的百分之九十五;同年,日本对华出口的棉布为一百零一万余匹(约合一万多码),价值约占当年日本棉布出口额的百分之四十,而同时对朝出口的棉布则占当年日本出口

① 见《大仓财阀之研究》,第130页。

② 参阅守屋典郎:《日本经济史》中译本,第129页。

额的百分之五十以上。[①] 也就是说，甲午战争以后，朝鲜和中国成了日本棉纱、棉布的主要市场。恰如涩泽荣一所说的，由于甲午战争，使日本“业已达到百万纱锭，而且正在发展的纺织公司和各种产品，一齐涌入了中国这个巨大的市场”。[②]

因此，归根结底，1894 年的甲午战争是日本资本主义发展的需要。“战争并不是偶然的事情，也不是基督教牧师……所认为的‘罪恶’，而是资本主义发展的不可避免的阶段。”[③]这也是本文对甲午战争和日本资本主义关系的结论。

五　“甲午战争”与《马关条约》

1892 年 8 月，伊藤博文第二次组阁，陆奥宗光担任外相。

1893 年，日本政府大体完成了既定的扩军计划。根据战时编制，陆军拥有七个师团，兵力为 12 万人以上，若加上 10 余万人的后备兵力，则可调动 23 万人。与此同时，海军也以击沉清政府北洋舰队的主力舰为目标，建造了大型军舰。至“甲午战争”爆发时，日本海军已拥有 31 艘军舰、24 艘水雷舰。

在拥有上述军事实力的基础上，日本政府又进一步作了战前准备。除了向中国大陆派遣特工间谍人员而外，参谋本部次长川上操六还亲自于 1893 年 4 月，进入中国和朝鲜进行作战的实地调查，并由参谋、谍报人员绘制了有关中国、朝鲜的地形、地物，编制出详细的军用地图。后来，得到此种地图的欧人波纳尔也说：“这份地图本身，就是日本久已蓄意侵略中国的证据”。[④]

1894 年春，适值日本政府准备发动侵略战争之时，朝鲜南部爆发了

① 据大久保利谦等：《近代史史料》，第 290—291、302—303 页。
② 日本外务省：《通商汇纂》，见稻田正次编：《明治国家形成过程之研究》，第 440、435、444—445 页。
③ 见藤村道生：《日清战争》，第 7 章第 3 节。
④ 见中国社会科学院近代史研究所：《帝国主义侵华史》，人民出版社 1972 年版，第 331 页。

由秘密结社“东学党”人全奉准领导的农民起义。起义军提出了“灭尽权贵”“逐倭灭洋”的纲领性口号，表明了反帝反封建的性质。5 月 31 日，起义军攻占南部重镇全州，并控制了全罗道等广大地区。

此种事态，给日本政府出兵朝鲜提供了有利的借口。日本驻朝鲜公使大鸟圭介暗自庆幸，毫不掩饰地声称：若东学党进入京城，对日本来说，乃是“颇为可喜的时机”。[①] 此时，日本参谋本部次长川上操六，也极力主张“以东学党匪乱为机，用兵力断然实行朝鲜政府之改造，恢复‘甲申’政变后消沉的日系势力。”[②]

为了掩人耳目，日本驻朝鲜公使馆派员前往清政府驻朝使馆，对驻朝代表袁世凯称：“匪久扰大损商务，诸多可虑。韩人必不能了，愈久愈难办，贵国何不代韩戡〔乱〕？……我政府必无他意。”[③]事隔一日，日本驻朝代理公使杉村睿又亲自出面，再次促使清政府出兵朝鲜。与此同时，日本政府则通过驻天津领事，直接对李鸿章作同样表示。

根据 1885 年中日有关朝鲜问题的《天津会议专条》，只要清政府出兵朝鲜，也就等于日本政府有了出兵朝鲜的依据。这正是日本政府所希望的。

1894 年 6 月 1 日，朝鲜政府向袁世凯请求“援兵”。6 月 3 日正式提出这种请求。[④] 6 月 4 日清政府决定应请出兵，派遣直隶提督叶志超、太原总兵聂士成，率领清兵 1500 人，于 6 月 6 日“分坐招商轮船先后出发”，并电训驻日公使汪凤藻“知照”日本外务省，“以符前约”。[⑤]

然而，日本政府在 6 月 2 日，便做出了“不问”清国以何等名义，日本也要出兵的决议，并得到天皇“裁可”。当晚，日本外务大臣陆奥宗光、外务次官和参谋本部次长川上操六又秘密策划，认定：

---

① 参阅藤村道生：《日清战争》，岩波书店 1974 年第二版，第 51 页。

② 参阅田保桥洁：《日清战役外交史研究》，刀江书院 1951 年版，第 99 页。

③ 见《李文忠公全书》电稿，第 15，第 33 页。

④ 据日本外务省编：《日本外交年表并主要文书》上，年表部分，第 111 页。

⑤ 见《李文忠公全书》电稿，第 15，第 33 页。

“明治十五年〔1882 年〕和十七年〔1884 年〕京城之变时，因清国先发制人，故而以我之失败而告终。此次，无论如何必须节制清国……必须以在韩清国兵力以上之兵力前往……。得知我军进入京城，前两次取胜之清兵，必定来京城攻击我军。若此时予以击退，则必派李鸿章属下号称四万淮军之两三万人，我若亦派出与之相应之兵力，于平壤附近战而胜之，则可讲和，以将韩国置于我国势力之下告一段落……。”①

日本德富苏峰在《陆军大将川上操六》一书中记载，川上和陆奥共同协商：首先派遣一个可达七八千人的混成旅团（旅团的平时编制为二千人）。此后，日本外交与军事行动相互协调，“就是基于此次一致”。②

随后，陆奥宗光训令驻朝公使大鸟随时准备归任，并与海军大臣秘密商议：大鸟搭乘军舰“八重山”号归任，并“特别增载海军若干，而且该舰及海军概听公使指挥”。日本参谋本部也向第五师团长发出密令：为将若干军队派往朝鲜，应进行“至急出师准备”，同时密令邮船公司等征用运输和军需品，“急骤之间做了各种最为敏捷的处理。”③

6 月 9 日，清政府派出的军队刚刚登陆牙山（12 日方全数到达），日本政府已经运兵仁川，“前后共约四千五百名”，并点兵四百前往汉城。④6 月 10 日，日军控制了京城至仁川一线的战略要地，掌握了发动战争的主动权。

此时，李鸿章接到日军出动的消息后，大为惊愕，但其仍把希望寄托在欧美列强的调停上，并且告诸日本驻天津领事：“如已派兵保护官商，断不可多，且非韩请派，断不可入内地，致华日〔士〕兵相遇生衅。”⑤

6 月 12 日，日本政府照会清政府：“这次我政府向朝鲜派出军队，是

①《林董回忆录》，第 210 页。见中塚明：《日清战争研究》，第 120 页。

② 见日本外务省编：《外务省百年》，原书房 1969 年版，第 310 页。

③ 陆奥宗光：《蹇蹇录》（中塚明校注），岩波书房 1983 年版，第 25 页。

④ 见《李文忠公全书》电稿，第 15，第 37 页。

⑤ 见《李文忠公全书》电稿，第 15，第 35 页。

依据《济物浦条约》上的权利。关于派出问题，除依据天津条约照会之外，我政府是自行所欲行者，关于我军队之多少及进退行止，毫无受清国政府掣肘之理。”①

此时，朝鲜形势发生变化。6月10日，全奉准领导的起义军与政府达成协约后，京城地区十分平静，清政府派遣的军队远驻牙山，并未深入内地，也没有出现川上操六等人所预计的情况，以致日军失去了挑起战争的借口。

6月16日，日军混成旅在仁川登陆完毕。同日，日本政府企图制造口实，用陆奥宗光的话说，“百尺竿头，再进一步”。于是，一方面对欧美国家伪称：日本出兵朝鲜“全然在于护卫驻该地之帝国公使馆、领事馆，保护帝国臣民之安全，决无他意。”②另一方面则对清政府提出了所谓“共同改革朝鲜内政”的方案。其中包括：共同镇压朝鲜内乱；两国派出常设委员，调查、整顿朝鲜财政；设置必要的警备兵力等等。

此时，日本政府在《针对朝鲜国变乱的阁议决定》中，明确决定：“在与清国政府开始商议后，不见结局，不撤回目前在韩派遣之士兵”；“若是清国政府不赞成我国意见，帝国政府要以独力使朝鲜政府从事前述之政治改革。”③

然而，日本政府所谓的“改革”，不过是控制朝鲜的借口。陆奥宗光承认：“余自始对朝鲜内政之改革，并不特别注意”，“莫如以此促成破裂之机，欲作为一变阴天，使降暴雨，或得快晴的风雨计而利用之。”④

6月21日（旧历五月十八），清政府据理答复：“朝鲜之变乱，业已镇定，早已不烦清国士兵代剿。两国会同镇压之说，已无议论之必要。至于善后方法，其意虽美，但应朝鲜自行厘革。我国尚不干预其内政，日本当初就承认朝鲜自主，当是更无干预其内政之权。关于变乱后撤兵之

---

① 陆奥宗光：《蹇蹇录》（中塚明校注），第39页。

② 见日本外务省编：《日本外交文书》，第27卷第2册，第268页。

③ 日本外务省编：《日本外交年表并主要文书》上，文书部分，第141页。

④ 陆奥宗光：《蹇蹇录》（中塚明校注），第63页。

事，乙酉年〔1885 年〕所定之条约具在，今无须再议。”①

6 月 22 日，日本外务大臣陆奥答复汪凤藻，言称“帝国政府断然不能命令撤退现在驻朝鲜国之军队。”②同日，训令进兵京城的大鸟：“日清冲突不可避免，”③并向清政府递交了《第一次绝交书》。

6 月 27 日，陆奥通过加藤书记官向大鸟传达训令：“制造开战口实。”④

7 月 10 日，大鸟向朝鲜政府提出限定时日，实施改革(7 月 16 日朝鲜答复要以撤退日军为先决条件)。

7 月 12 日，当日本政府确信各国将处于观望状态时，陆奥立即向大鸟发出训令：“英国在北京的仲裁已告失败，今有断然采取处置的必要，如不至引起外界过度非难，当利用某些口实，迅速开始实际行动。”⑤

7 月 14 日，日本政府通过驻华公使小村寿太郎，向清政府递交《第二次绝交书》。内称：

> “朝鲜内讧，变乱屡起，实由内政不治所致。故我帝国政府深信……莫如与朝鲜有利害关系的贵我两国共同予以助力……。不料贵国政府断然拒绝，而专事促我撤兵。又，近日驻贵国英国公使重视对贵我之友情，好意居中调停，以统一贵我分歧为已任。然贵国依旧只是主张我国撤兵，更无容纳我国意见之表示。此非贵国政府好事而何？事局既已至此，将来所生事态，帝国不负责任。”⑥

特别值得注意的是，深得日本政府真意的小村，还特意在上述“贵国政府好事而何”这一具有诬蔑和挑衅的用语之前，添加了“有意滋事”的内容，千方百计地要把矛盾推向武力冲突。

---

① 见日本外务省编：《日本外交年表并主要文书》上，文书部分，第 141—142 页。

② 日本外务省编：《日本外交年表并主要文书》上，文书部分，第 142 页。

③ 日本外务省编：《日本外交年表并主要文书》上，年表部分，第 112 页。

④ 日本外务省编：《日本外交年表并主要文书》上，年表部分，第 112 页。

⑤ 陆奥宗光：《蹇蹇录》(中塚明校注)，第 73 页。

⑥ 见日本外务省编：《小村外交史》，原书房 1966 年版，第 50 页。

7月23日，日本政府派出联合舰队，并下达了开战的密令。同日，日军按照预定作战计划闯入朝鲜景福宫，扶植大院君把持朝鲜国政。

7月25日，日本海军在朝鲜丰岛海面，突然袭击清政府北洋水师的“济远”和“广乙”号，并击沉运兵船“高升”号，不宣而战，揭开了“甲午战争”的序幕。30日，日本陆军占领朝鲜牙山。

8月1日，日本天皇发布《宣战诏书》。内称：

“朕即位以来，于兹二十余年，寻求文明之化于和平之治……。岂料清国之于朝鲜事件，对我采取殊违邻交，有失信义之举。

“朝鲜乃我帝国首先启发，使其与列国为伍之独立国家，而清国每称朝鲜为属邦，公开与暗中干涉其内政，并在其内乱之际，借口拯救属邦之难，而出兵朝鲜。朕依据明治十五年〔1882年〕之条约出兵备变，更欲使朝鲜永远避免祸乱，保持将来治安，以维持东洋全局之和平……。然清国反而设置种种生乱之辞，加以拒绝……。事既至此，朕虽以和平为始终，专事内外宣扬帝国之光荣，但亦不得不公然宣战，依赖汝等忠实勇武，速克和平于永远，以期保全帝国之光荣。”①

事实表明，日本天皇的《宣战诏书》实际是自欺欺人，而且是推卸发动侵略战争的责任，并掩盖侵略意图。

同年8月17日，日本外相陆奥宗光要求内阁制定将来的对朝政策，他向首相伊藤博文提出了甲、乙、丙、丁四种方案，以供选择：

(甲) 日本政府已向内外表明朝鲜为一独立国，又声明应使其改革内政。今后日清交战之结局，胜利归我之后，依然放任该国自主，不对其干涉，他国亦丝毫不能干涉，其国将来之命运任其自力。

(乙)将来虽以朝鲜为名义之独立国，但日本也要间接或直接永久的，或某种长时期地扶植其独立，并代以防御其他外侮之劳。

---

① 日本外务省编：《日本外交年表并主要文书》上，文书部分，第154页。

(丙)如果朝鲜终究不能以自身之力维持独立,而日本直接或间接地单独担任保护之责又不是上策时,则按照英国政府曾向日清两国政府劝告的那样,由日清两国约定,将来负责保全朝鲜领土之完整。

(丁)朝鲜以自身之力不能独立,而我国独立保护又不得策,日清两国负责保全该国领土也终究没有彼我合作之望时,则使将来的朝鲜国象欧洲的比利时、瑞士一样,作为各强国担保的中立国。①

对于上述四种方案,日本内阁决定采取(乙)案,也即名义上承认朝鲜独立,而实际上剥夺朝鲜的内外权利。这一事实进一步表明,日本发动“甲午战争”绝不是为了朝鲜的独立,而是要将朝鲜置于自己的统治之下。

同年 8 月 20 日及 26 日,日本驻朝鲜公使大鸟圭介又迫使朝鲜政府签订了《日韩暂定合同条款》和《大日本大朝鲜两国盟约》。

《日韩暂定合同条款》中规定:

“京釜两地及京仁两地间修筑铁路一事,朝鲜政府考虑财政尚不充裕,愿与日本政府或日本某公司订立合同,相机动工,但目前情节曲折,难以动工,要妥筹良法,以尽速立约动工”(第二款)。

“日本政府于京釜及京仁两地业已架设之军用电线,应酌量时宜,订立条款,以期存留”(第三款)。

“为使两国将来交际亲密,且奖励贸易,朝鲜政府应在全罗道沿岸开一通商港口”(第四款)。

“日本政府夙愿帮助朝鲜成就独立自主之业,将来有关巩固朝鲜国独立自主之事宜,当由两国政府派员会同协商议定”(第六款)。②

也就是说,日本政府在对中国宣战初期,便在朝鲜攫取了汉城至釜

① 见陆奥宗光:《蹇蹇录》(中塚明校注),第 158—159 页。日本外务省编:《日本外交文书》第 27 卷第 1 册,第 647—649 页。

② 日本外务省编:《日本外交文书》第 27 卷第 1 册,国际联合协会 1953 年版,第 653—654 页。

山、汉城至仁川之间的铁路铺设权和电信架设权，进一步控制了汉城、釜山和仁川等南部枢纽地区，而所谓"朝鲜国独立自主之事宜，当由两国政府派员会同协商议定"，则是企图进一步把持朝鲜国家的生存命运。这是所谓暂定条款的要害。

进而，《大日本大朝鲜两国盟约》中规定：

"此盟约以使清兵撤出朝鲜国境之外，巩固朝鲜国之独立自主，增进日朝两国之利益为目的"（第一条）。

"日本国负责对清国之攻守战争，朝鲜国当为日军之进退及粮食准备尽力给予方便"（第二条）。①

上述两项内容，实际仍是为了控制朝鲜。用陆奥宗光的话说，是将朝鲜"牢固地置于我国手中，使之不敢他顾。"②

同年11月7日，对政府决策具有重大影响力的山县有朋，更以维护朝鲜"独立"为名，提出了有关对朝政策的奏折。他说：

"帮助此国名实保全独立，实属至难之业……依臣之见，最为急务者，有以下两策。一曰铺设自釜山过京城至义州之铁路；二曰向平壤以北至义州枢要之地移民。"

随后，山县有朋对上述两项政策作了明确解释。他说：

"釜山义州之道路，也即作为通向东亚大陆之大道，是将来横断支那、直达印度之道路。我邦要称霸东洋、永远雄视列国，也需以此道路作为直达印度之大道。此乃臣所确信无疑者……决不可因为一时小有不利而踟蹰百年大计。

"至于向平壤以北的枢要之地，移殖邦人之理，与之稍有不同。平壤以北乃是接近清国之地，……因距清国疆界不远，所以容易为之左右之倾向理所难免。宜向枢要之地移住邦人，使之逐渐掌握其

① 日本外务省编：《日本外交年表并主要文书》上，文书部分，第157页。

② 陆奥宗光：《蹇蹇录》（中塚明校注），第152页。

商业农业之权，同时应诱导土著，使之走向真正文化之域，以断然杜绝清国之影响。”

此外，山县在奏折中，还明确主张：

“要帮助弱小之朝鲜，保全其独立，以一次驱逐清兵，使之绝迹于〔朝鲜〕八道，仍不足以成事，至少在今后数年之内，要驻扎若干兵员，以备其警急。”。①

由此可见，霸占朝鲜、“称霸东洋”，乃是日本政府发动“甲午战争”的根本目的。

这就是当年日本天皇在《宣战诏书》中所说的“寻求文明之化于和平之治”。

1894 年 9 月，中日黄海海战之后，战场移向中国东北。10 月 24 日，日军经过月余整顿，分兵两路同时侵犯大陆。一路由平壤北进，渡江入侵辽东；另一路经海上，在辽东半岛花园口登陆。清军除聂士成部在虎山抵抗外，余皆溃逃。26 日，日军占领安东、九连城。11 月初攻占大连，22 日占领旅顺。李鸿章经营 16 年之久、耗费几千万银两的海军要塞落入日军之手。

在此期间，日军对旅顺居民进行了野蛮的大屠杀。日军士兵洼田仲藏在 11 月 21 日的从军日记中写道：“见到支那兵，即欲使之成为粉末，见到旅顺市中之人，也皆杀之。致使道途唯有死尸，行进为之不便。室内之人，也皆杀之。每户几乎都有二三个至五六个死者，其血横流，其味恶臭。”②英国人詹姆斯·阿兰在《龙旗翻卷之下》中，也记述了日军惨杀中国居民的情景：“用刺刀穿透妇女的胸膛……，将不满两岁的幼儿串刺起来，故意地举向高空，让人观看。”③

① 大山梓编：《山县有朋意见书》，第 224—225 页。

② 见宇野俊一：《日本的历史》第 26 卷，小学馆 1977 年版，第 62 页。

③ 见宇野俊一：《日本的历史》第 26 卷，第 62 页。

据不完全统计，日军仅在旅顺地区便连续屠杀了两万多中国居民。[①] 这是从军的欧洲军人和特别通信员目击的惨状。以致当时的美国报刊也惊骇地写道："日本是披着文明的皮肤，长着野蛮筋骨的怪兽！""现今日本揭掉了文明的假面具，露出了野蛮的本体"等等。[②]

然而，对于这种屠杀事实，当年的陆奥宗光便称："这种虐杀事件的虚实，另外即使是事实，其程度如何，也有追究的必要。"[③]实可谓否认侵华日军罪行的第一人。

同年 12 月 13 日，日军攻占海城后，向缸瓦寨推进，但遭到中国军民的激烈抵抗。远藤永吉在《日清战争始末》中记载："此次战役中许多负伤者倒卧雪上，纵有卫生队东奔西跑地以担架送至野战医院，但仍有许多伤者倒卧雪中……其声哀绝凄惨，闻者暗中落泪。"[④]这说明日本政府所发动的侵略战争，给普通士兵所带来的也是灾难。

日军在此次战役中失败，使之被迫退回海城。但是，正当爱国军民英勇抗击侵略者的时候，清政府却加紧了乞和活动。当时的美国政府也感到排斥列强、联合日本压迫中国的时机已经到来，于是暗示日本政府愿意居中调停。

1895 年 1 月，清政府派出张荫桓、邵友濂为全权赴日议和。但是，日本政府蓄意破坏和谈，并于 1 月 20 日从威海东侧的成山头登陆，包抄困在威海港内的北洋水师。由于李鸿章"不得出洋浪战"的指令，致使日军迅速占领荣城，然后分兵进逼威海。北洋水师的官兵虽然进行了半个月的抵抗，但终因清政府内的投降派和国际帝国主义的破坏而全军覆没。

3 月上旬，日军集中兵力进占辽东，先后攻陷牛庄、营口、田庄台，并肆意烧杀。日军下士官兵本利三郎在《日清战争从军秘录》中写道：日军

---

① 据当地《忠魂碑》的记载。又，当时西人目睹：旅顺仅有 36 人的帽子上写有"此人勿杀"，为了掩埋尸体而幸免。

② 见陆奥宗光：《蹇蹇录》（中塚明校注），第 126 页。

③ 见陆奥宗光：《蹇蹇录》（中塚明校注），第 126 页。

④ 见宇野俊一：《日本的历史》第 26 卷，小学馆 1977 年版，第 65 页。

火烧田庄台的市镇时，"黑烟遮蔽天日。"当时住在奉天的英国传教医生狄卡特·库里斯泰，在《奉天三十年》中，也记述了他所见到的情景：田庄台"曾是拥有一万人口的繁华城镇，而今已变成荒凉的废墟。还有冒着烟的房屋。因为冬季来临而拢岸的数百船只也被烧毁。街上到处都是牺牲者，凶恶的瘦犬贪婪地寻食着尸体。"①

由此可见，日军在侵华过程中，屠杀中国民众并非一时一事。

1895 年 3 月 19 日，清政府按照日本政府的意愿，派遣李鸿章为全权代表到达下关(马关)，3 月 20 日开始议和。当时，日本政府决意迫使李鸿章接受事先拟定的议和条件。因此在李鸿章提出先行停战时，日本政府则乘机提出以下出四项条件：

> 日军占领大沽、天津、山海关等处之城垒；
>
> 前述各处清军将一切武器、军需品引渡给日本国军队；
>
> 日本军务官管辖天津至山海关间的铁路；
>
> 休战期间清国担负日本国军事费用。②

这四项条件，实际是企图将华北置于日军控制之下，以使清政府在谈判中更无回旋余地。李鸿章拒绝了上述条件。于是，开始正式和约谈判。

4 月 1 日，日本外相陆奥宗光提出《和约底稿》，其条件极为苛刻。4 月 8 日，日本政府总理大臣伊藤博文言称："倘若此次谈判不幸破裂，则一声令下，我六七十艘运输船，将进而搭载增派之大军，轴轳相接，陆续开往战地，诚如是，则北京之安危亦有不忍言者。再说句严酷的话，清国全权大臣一旦离开此地后，能否再安然出入北京城门，似亦不能保证。这岂是吾等悠然迁延谈判日期之秋焉？"③全然是一种威压的态势。

4 月 17 日，李鸿章终于在日本政府拟定的条款上，稍加改动之后，签

---

① 见宇野俊一：《日本的历史》第 26 卷，小学馆 1977 年版，第 66—67 页。

② 外务省编：《日本外交文书》第 28 卷第 2 册，国际联合协会 1953 年版，第 290 页。

③ 见陆奥宗光：《蹇蹇录》(中塚明校注)，第 285 页。

署了内含11款的《下关讲和条约》。其主要内容是：

第一条　清国确认朝鲜为完整无缺独立自主之国，有损其独立自主的朝鲜国对清国的贡献和礼仪等，将来应完全废除。

第二条　清国将下记土地主权并该地的城垒、兵器制造所及官有物永远割与日本国。

一、下记经界内的奉天省南部之地：

从鸭绿江口上溯该江至安平河口，自安平河口横贯凤凰城、海城、营口至辽河口的折线以南之地，并包括上述各城市，且以辽河中央为界。

辽东湾东岸及黄海北岸属于奉天省之各岛屿。

二、台湾及其附属岛屿。

三、澎湖列岛，也即英国格林威治东经119—120度，北纬23—24度之间各岛屿。

第四条　清国约定向日本国支付库平银二亿两，作为军费赔偿。上述金额分八次支付。第一次及第二次各支付五千万两。第一次支付应在本条约批准交换后六个月之内，第二次支付应在本条约批准交换后十二个月之内。余额分六年支付，其第一次应在本条约批准交换后两年之内，第二次应在本条约批准交换后三年之内，第三次应在……四年之内，第四次应在……五年之内，第五次应在……六年之内，第六次应在……七年之内。自第一次支付之期日起，尚未支付之金额，每年支付百分之五的利息。（下略）

第六条　日清两国间之一切条约，因交战而消灭。清国约定，在此条约批准交换后，迅速任命全权委员与日本国全权委员缔结有关通商航海条约及陆路交通贸易协定，且以现在清国与欧洲各国间的现有各条约章程，作为日清两国各条约之基础。（下略）

第一、清国在现今为各外国开放的各城市港口之外，为日本国臣民……开放下列城市港口，但应以现今开放场所同一条件，享有同样特典及利益。

（一）湖北省荆州府沙市。

（二）四川省重庆府。

（三）江苏省苏州府。

（四）浙江省和杭州府。

日本国政府有权在上述城市设置领事。

第二、为运送旅客及货物，将日本国汽船之航路，扩大至以下场所：

（一）扬子江上游，自湖北省宜昌至四川省重庆。

（二）自上海入吴淞江及运河，至苏州杭州。（下略）

第三、日本国臣民在清国内地购买货物及产品，或将其输入商品向清国内地运送，上述购买物品或运送品入库时，不纳任何税金厘金，且有临时借用仓库权利。

第四、日本国臣民在清国各开放场所，可自由从事各种制造业，只缴纳所定的输入税，便可将各种器械自由输入清国……。

第八条　作为诚实履行本条约规定之担保，清国承认日本国军队暂时占领山东省威海卫。（下略）①

上述条约签订后，仅隔两日，日本政府便迫使清政府予以批准生效。据日方记载，4 月 10 日李鸿章在谈判中言称：“赔偿金两亿两，实在是莫大之金额，非我国今日所能负担者……更请减轻。”伊藤博文说：“已如明确所言，……已无另行减轻之余地。如果今后继续战争，赔偿金额将不止于此。”李鸿章又称：“贵国连未占领之台湾，也作为要求条件，至少难以理解其意。”伊藤博文称：“即使未占领者也作为要求条件，又有何妨？”当李鸿章表示：“要求现在未占领之地，非为得当”时，伊藤博文则称：“如果那样，则直接送兵去占领如何？”②

---

① 见日本外务省编：《日本外交年表并主要文书》上，第 165—167 页。

② 日本外务省编：《日本外交文书》第 28 卷第 2 册，第 410、414 页。

由此可见，当年日本政府在议和谈判中，不仅出手凶狠，而且态度非常傲慢。

是时，中日下关谈判却引起了国际列强的注意。如同年 4 月 1 日，日本驻俄公使西德二郎在发给陆奥宗光的电文中言称：

> “3 月 26 日发行的俄国官报中谈到，现今欧洲视线转向远方日本大本营之邻市下关……。新闻言称：如今清国能否使日本承诺议和，其关系颇为重大……。假若一朝不幸，议和破裂，则东洋将酿成前所未有之纠纷。不独老朽之清国陷入危殆之地，欧洲诸大国之利益，也将甚为蒙受损伤。欧洲各新闻之意见，与之大同小异……。今列举重要机关所论之要点，则是言称欧洲诸国认为日本要求过大，不可袖手旁观。故而有必要在媾和谈判终结之前进行干涉。如果日本在获得与文明各国为伍之名誉地位的道德权利之上，更要获得过分之实际利益，则欧洲各国终究不能默认。”①

显然，这是日本政府非常顾虑的。如果与李鸿章的谈判议而不决，势必节外生枝。后来的事实也证明了这一点。

1895 年，沙俄外交大臣洛巴诺夫认为：“中华帝国在今日被破坏的情况下……很难即刻复原以至‘威胁’我们了。”②但是，日本企图一举占有辽东半岛的要求，却直接触犯了沙俄南下的目标。洛巴诺夫表示：“这些被日本硬塞进条约的苛刻条款，尤其是要求割让辽东半岛，俄国甚至比中国更感到厌恶！”③因此，同年 4 月，沙俄政府召开“特别会议”，决定迫使日本放弃占领“满洲”南部，否则俄国“将保留行动的自由……依照我们的利益来行动。”④

4 月 23 日，俄、德、法三国公使前往日本外务省，对日本割占辽东提

---

① 见日本外务省编：《日本外交文书》第 28 卷第 2 册，第 305 页。
② 见张蓉初：《红档杂志有关中国交涉史料选译》，第 150 页。
③ 见 A·洛巴诺夫—罗斯托夫斯基：《俄国与亚洲》，纽约麦克米伦公司 1933 年版，第 221 页。
④ 张蓉初：《红档杂志有关中国交涉史料选译》，第 159 页。

出异议。沙俄公使在备忘录中谈道:"俄国皇帝陛下政府查阅日本向中国要求的讲和条件,认为日本领有辽东半岛不仅有经常危及中国首都之虞,同时将使朝鲜国的独立有名无实,阻碍将来远东的永久和平。因此,俄国政府为向日本皇帝陛下政府再次表示诚实的友谊,劝告日本政府应确然放弃领有辽东半岛。"①

德、法公使的"劝告"内容,大体与俄国相同。也即不承认日本抢先占据中国东北。日本政府将此事照会英国,但英国政府依然表示坚持"局外中立"。②

在此之前的 4 月 2 日,也即李鸿章公开提出讲和条件的第二天,为了避免列强进行不利的干涉,日本政府曾通过驻外公使,试图以牺牲中国为代价,来缓和欧洲列强的干涉。据德国外交文件记载:日本驻柏林公使青木周藏曾通知德国政府说:"日本将要求'满洲'的部分领土"。他特意补充说:"旅顺口将变成直隶湾中的直布罗陀。"与此同时,他还劝告德国在中国南部获得一块领土,并称这比德国"在非洲所有的殖民地都更有价值。"此外,青木周藏还向德国表示:日本政府不反对俄国为了它的铁路而取得"满洲"的一部分,而英国或许可以获得舟山等等。③

显然,日本政府为了达到割占辽东半岛的目的,在同欧美列强的外交中是煞费苦心的。然而,当时的德国有意把沙俄引向东方,却无意支持日本政府占有辽东。而当时的法国又与俄国具有同盟关系。因此,这一外交手段未能奏效。至于当时的英国,虽有意利用日本牵制沙俄的南下,但也无意为了日本而加深与俄国的对立。这样一来,日本企图笼络"强援",以对抗三国干涉的希望破灭了。于是,日本政府只好面对三国干涉。

① 见日本外务省编:《日本外交年表并主要文书》上,文书部分,第 169—170 页。

② 见日本外务省编:《日本外交年表并主要文书》上,文书部分,第 171 页。

③《德国外交文件》第 9 卷,第 260 页第 2231 号文件,1895 年 4 月 2 日,德国外交部档案司米尔堡的条陈。见〔英〕菲利浦·约瑟夫:《列强对华外交》中译本,商务印书馆 1959 年版,第 86 页。

1895年4月26日，日本政府训令驻俄公使西德二郎向俄国表示："在日清讲和条约已为我皇上批准的今日，放弃辽东半岛颇为至难。……希望俄国政府鉴于不伤日俄两国多年的亲密善邻关系，再次考虑此次劝告"。并称："日本将来永久占领辽东半岛，也不会危及俄国的利益，在有关朝鲜的独立上，日本政府无论如何也要使俄国政府充分满意"等等。[①] 但是，俄国政府没有答应日本的这种请求。

4月27日，西德二郎向国内回电："俄国皇帝认为日本的请求违背俄国的劝告，没有使人满意的充分理由，不予采纳"。此时，日本驻美国公使栗野也发回电报说：美国只答应在不违反"局外中立"的范围内给予协助。[②]

4月30日，日本政府再次训令驻俄、德、法三国公使，提出所谓"同意在保全日本国之名誉和威严之后"，另以追加定约的形式，对下关条约进行如下修正：第一，"帝国政府同意除金州厅之外，放弃其在奉天半岛的永世占领权"，但是要与清国协议决定"作为日本国放弃其领土的代价金额"；第二，在清政府全面履行讲和条件的义务之前，"作为担保，有权占领上述领土"。[③]

但是，这种妥协方案依然没有得到沙俄政府的同意。5月3日，西德二郎回电称：经过极力论辩，俄国政府不满意我国的照会，并决议不改动当初的"劝告"。

至此，日本政府只能忍气吞声。5月5日对三国宣布："日本帝国政府基于俄法德三国政府的友谊忠告，约定放弃永远占领奉天半岛"。[④] 5月9日，俄德法三国公使分别代表本国政府前来表示"祝贺"。以俄国为首的三国干涉，就这样在角逐中收场了。

但是，此时的陆奥宗光却在内心决定："即使对俄德法三国全然让

① 见陆奥宗光：《蹇蹇录》(中塚明校注)，第311页。
② 见陆奥宗光：《蹇蹇录》(中塚明校注)，第313—315页。
③ 见日本外务省编：《日本外交年表并主要文书》上，文书部分，第171页。
④ 见日本外务省编：《日本外交年表并主要文书》上，文书部分，第172页。

步，但对清国一步不让”。[①] 这表明近代日本政府对邻近国家的侵略政策是不会改变的。与此同时，日本国内则出现了“卧薪尝胆”的呼声，预示了日俄必然要有更大的矛盾与争夺。

六　日本帝国在侵略中膨胀

“三国干涉还辽”告一段落。1895 年 6 月 2 日，清政府全权大臣李经方与日本桦山资纪交接台湾和澎湖列岛。此后，日本政府镇压台湾同胞的激烈反抗，对台湾开始了长达 50 年的殖民统治。

进而，同年 11 月 8 日，日本政府又按照既定方针，与清政府签订了《归还辽东半岛条约》。其中规定：

清政府必须在 1895 年 11 月 16 日以前，再向日本政府支付库平银三千万两，以作为“归还奉天省南部土地之报酬”，而日本的撤兵则需在支付银两之后的三个月之内。[②]

1896 年 7 月 21 日，日本政府进一步投井下石，与清政府缔结了内含 29 条的《日清通商航海条约》，其中除了规定相互派遣外交官、领事官和享有“国际公法”所赋予的权利之外，另行规定：

> “日本国臣民及其家属、雇员、仆婢，可在清国现今为外国人居住贸易而开放或将来开放之各港市，往来、居住、从事工商业和制造业，可从事其他一切合法职业，搭载其商品和携带物品随意往来于上述各开放港地之间，且可在已为外国人使用和占用所选定或将来选定之地区内，租借、买卖房屋，租借土地，建筑寺院、墓地、病院，对于此等一切事项可享有现今给予最惠国臣民或将来给予的同等特权及豁免权”（第四条）。
>
> “日本国船舶可在现今停泊港口……并将来作为停泊港口之一切

① 见陆奥宗光：《蹇蹇录》（中塚明校注），第 320 页。

② 见日本外务省编：《日本外交年表并主要文书》上，文书部分，第 173 页。

场所，按照有关外国贸易之现行章程，为装卸货物而停靠”（第五条）。

“日本国臣民携带本国领事发放、地方官副署之护照，为了旅游或商贸，可在清国内地各处旅行”（第六条）。

“清国与泰西各国之间所实施之税目及税则，适用于日本国臣民向清国输入，或从日本国向清国输入，适用于日本国臣民从清国输出，或从清国向日本国输出之一切物品”（第九条）。

“日本国臣民向清国输入，或从日本国向清国输入之一切物品，按照现行章程，在开港场所之间搬运，无论其所有者之国籍或搬运船只之国籍，一概不得收取各种税金、赋捐、手续费用和厘金”（第十条）。

“在清国之日本国臣民的人身、财产之裁判管辖权，专属日本国官吏”（第二十条）。

“清国官吏或臣民对在清国之日本国臣民，提出有关其财产的诉讼时，当由日本国官吏审理判决”（第二十一条）。

“在清国犯罪成为被告之日本国臣民，当依照日本国法律，由日本国官吏审理”（第二十二条）。

“日本国政府及臣民，可享有大清国皇帝陛下现今给予或将来给予他国政府或臣民的一切豁免及利益”（第二十五条）。①

《下关讲和条约》和《日清通商航海条约》的签订，使日本变成了拥有海外殖民地的国家，实现了与欧美列强“均沾”在华侵略权益的战略目标，并开始向军事帝国主义方向发展。

当年，日本政府从中国获取的2.3亿两白银（折合日币约3.65亿日元），相当于1895年日本国家财政收入的4倍以上。日本大藏大臣也情不自禁地承认：中国的赔款使日本迎来了财政转变的新时期。② 而中国为了这种赔偿却不得不大举外债，总数达三亿七千万两，以致中国负债累累，时至1938年尚未还清。这是“甲午战争”所产生的第一个后果。

---

① 全文见日本外务省编：《日本外交年表并主要文书》上，文书部分，第176—181页。
② 见深谷博治：《日清战争与陆奥外交》，日本广播出版社1940年版，第7页。

相反地，日本通过侵略战争和索取大量赔款，国内产业迅速发展。如 1894 年日本的私营造船公司为 4 家，纳税资本为 27 万日元，1896 年虽然只增加 1 家，但纳税资本却上升为 227 万日元。同样，1894 年日本有 9 家煤炭公司，纳税资本为 97 万日元，而 1896 年则增加为 17 家，纳税资本也激增为 960 万日元。1894 年日本的银行总数为 869 家，名义资本 1.29 亿日元，纳税资本 1 亿多日元，而 1898 年末，银行总数则增加为 1806 家，名义资本为 3.8499 亿日元，纳税资本也增至 2.5268 亿日元。1893 年，每 100 日元资本的纯利，全国平均 16.57 日元，而 1895 年增至 20.58 日元，至 1896 年更增加为 27.93 日元。[①] 如此种种，不一而足。

上述事实表明：日本帝国正在侵略中膨胀。侵略战争成了日本资本积累和增殖的源泉。日本人民在战争中付出的是血，而大地主大资本家所获得的却是带血的利润。

“甲午战争”的另一后果，则是将当时的中国推向了半殖民地的深渊，拉开了国际帝国主义瓜分中国的狂潮：

1897 年 11 月，德国强占胶州湾，次年迫使清政府签订租界条约（为期 99 年）。1898 年 3 月，俄国强行租借旅顺、大连湾（为期 25 年）。英国强占威海卫，强行扩大租借九龙半岛及大鹏湾、深圳湾（为期 99 年）。同年 4 月，法国租借广州湾（为期 99 年），并把滇、粤、桂三省作为“势力范围”。同年，日本迫使清政府宣布不将福建省让与他国，而美国则在 1899 年向各国提议，要求中国实施“门户开放”。

一时之间，划分“势力范围”、强占租界、在华筑路等等，构成了国际帝国主义瓜分中国的重要手段。而日本则成为在华拥有租界最多的国家。

“甲午战争”后，日本内阁频繁更迭。1896 年至 1898 年，日本内阁总理大臣三易其人。1898 年 11 月，山县有朋第二次组阁（1898・11—1900・10）。但此时日本的驻华公使却没有变化（1897・6—1899・11）。

---

① 见守屋典郎：《日本经济史》中译本，第 126—129 页。

因此，透过驻华公使矢野文雄（龙溪）的政策主张，可以深入了解日本政府的对华政策。

矢野文雄（1850—1931）以著述“政治小说”而闻名，他在1889年完成的《浮城物语》中写道：“我等既然生在这个地球上，就应有横行全球的自由。焉有因为生于日本，便只能活动于日本之理。我等既已生于地球，就应以地球为舞台，成就稀世大业……。西洋人种以地球作为功名之地，而我日本人以本国为功名之地，岂非不堪痛惜？我等今将蹂躏整个地球，席卷无人之地，为日本开拓数十倍之大版图，以献于〔天皇〕陛下。”①

表面上看，这是几近张狂的描述，但却如实地反映了当时日本社会的国家主义思潮。特别是其担任驻华公使时期的思想主张，更与其“政治小说”有着“共同的特征”。②

1898年3月，矢野文雄向日本政府明确提出：列强现今已经开始正式分割中国了，日本有必要把台湾对岸的福建省，划为日本的势力范围。③ 日本政府采纳了这一主张。于是，矢野在4月22日向清政府递交了要求“不将福建省内各地让与或租与他国”的照会。④ 4月24日，清政府被迫同意了日本政府的要求。

接着，同年5月，矢野又奉命向清政府提出了“希望该省铁路铺设权不要落入他国之手”的要求，进一步迫使清政府作出了“在有关资金和工程方面，需要借助他国之时，先与日本政府交涉”的承诺。⑤ 日本政府采取的上述办法，与当年法国强租广湾并获得云南铁路铺设权的手段一模一样。此后，福建省变成了日本的“势力范围”。

这里，值得一提的是，矢野还有一个更为深远的投饵之策，也即为了

---

① 见河村一夫：《近代日中关系史诸问题》，南窗社1983年版，第54页。
② 河村一夫：《近代日中关系史诸问题》，第53页。
③ 见藤村道生：《日清战争》，岩波书店1973年版，第214页。
④ 见日本外务省编：《日本外交年表并主要文书》上，第185页。
⑤ 参阅信夫清三郎编：《日本外交史》第1卷，第199—200页。

在中国获取更多的侵略权益，矢野还曾专门向本国政府提出大批接受中国留学生的意见。他认为，接受中国留学生，不仅有助于获得福建省的铁路铺设权，而且是“将来在东亚大陆树立我国势力的长远之计”。他说，“若将受到我国感化的新人材，散布于老大帝国之内……其从武者不仅要模仿日本的兵制，而且将使军用器械仰赖于我，至于士官人物的聘用，也必然求助于日本。这样，支那的军事势必大半日本化。又，理科学生在器械、职工等方面也将求助于日本，使支那商工业与日本自然存在密切关系，从而成为我国商工业向支那扩张之阶梯。法律、文学学生将以日本的制度为准，谋求支那将来之发展。事若如斯，则我国势力及于大陆者乃不可估量也……”①如此种种，充分反映了日本政府企图全面控制中国的野心。

此后，扩大在中国的“优势地位”，则变成了日本政府的战略目标。其具体表现则是充当“远东宪兵”，与国际列强串通一气，联合镇压中国人民的反帝爱国斗争。

1900 年，中国人民掀起了义和团运动。这场斗争首起山东，国际列强的侵华权益受到打击。于是，列强便开始酝酿联合镇压。是时，日本政府在国际列强联合出兵之前，便指令驻英公使与英国协商，主动要求承担英国的出兵任务。用当时日本陆军大臣桂太郎的话说，参加这场联合行动乃是日本“将来掌握东洋霸权的绪端”。②

日本政府的主动，得到了当时陷入南非战争的英国政府的支持，并表示愿意提供经济援助。1900 年 5 月，日本派出舰队驶至天津大沽口，充当了八国联军侵华的急先锋，并一度充任总指挥。在列强初期约 4700 余人的侵略军中，日军占 3200 人，居侵略者的首位。③ 及至 8 月，八国联军达到 33500 人，日军仍然占据多数，据当时日本总理大臣山县有朋的

① 日本外务省史料馆藏《在本邦支那留学生关系杂纂》，见河村一夫：《近代日中关系史诸问题》，第 58—59 页。

② 见《岩波讲座日本历史》第 16 卷，岩波书店 1976 年版，第 58 页。

③ 参阅《论集日本历史》第 11 卷《立宪政治》，有精堂 1975 年版，第 233 页。

数据,“我邦前后出兵不下 25000 人”。①

8 月 14 日,八国联军以日军作先导攻入北京,所到之处,烧杀抢掠,无恶不作。联军统帅瓦德西供认:“中国此次所受毁损及抢劫之损失,其详数将永远不能查出,但为数必极重大无疑”。至于杀人放火、强奸妇女等暴行,为数也“极属不少”。② 如此等等,这就是所谓“文明对野蛮”的战争!

在联军侵华期间,日本政府还一手制造了“厦门事件”。1900 年 4 月,日本驻台湾总督府民政长官后藤新平窜至福州,与当地日本领事合谋,由“驻厦门福州领事兼任台湾事务官,由台湾派出属僚……在领事管辖下,处理有关台、福事务”。③ 这实际是企图蚕食福建的第一步。

6 月 15 日,日本内务大臣西乡从道致书外务大臣青木周藏,进一步协商此事。西乡在信中写道:“台湾与支那福建之关系颇厚,复加彼我交涉逐渐频繁,在统治台湾上尤有调查报告该省事情之必要。台湾总督提出,委托驻该省厦门、福州的帝国领事调查上述事务,并向厦门领事支付年金一千元,向福州领事支付五百元作为津贴,且将两名总督府官员派往厦门、一名派往福州,辅助事务……”④对此,青木立即表示同意,并于 8 月 17 日向日本驻上海、香港领事发出通知,指令凡是有关涉及台湾与中国南部的事项,当报告外务省的,也要同时报告给台湾总督。

此前的 8 月 14 日,日本海军大臣山本权兵卫也向驶至厦门的“和泉”号舰长斋藤,发出了不失时机地占领厦门炮台,“努力使若干兵员登陆”的指令。⑤

---

① 见大山梓编:《山县有朋意见书》,第 257 页。

② 瓦德西:《拳乱笔记》,见中国近代史资料《义和团》第三册,第 29 页、第 34 页。

③ 日本外务省外交史料馆藏《后藤台湾民政长官出差支那厦门福州件》,见河村一夫:《近代日中关系史诸问题》,第 140 页。

④ 日本外务省外交史料馆藏《有关委托驻外帝国领事兼任台湾总督府事务及事务官件》,见河村一夫:《近代日中关系史诸问题》,第 141 页。

⑤ 日本海军大臣官房:《明治三十三年清国事变海军战史抄》卷五,第 598—599 页。见大山梓:《日本外交史研究》,良书普及会 1980 年版,第 204 页。

时至8月20日，总理大臣山县有朋更以《北清事变善后策》为题，提出了所谓“南方经营”的战略方针。他认为：

“支那虽然……暂时免于分割，但国家之生气久已衰耗，没有自行恢复之力。将来倘有诱导动机之微者，将继续发生变动，是乃各国亦明知者。所以，现今都在采取预先准备之策，且谋求将来遇有分割之机，不致误算。而作为此种方策，则将是扩张其势力范围，在其域内驻屯军队，要求铺设铁路，开采矿山等特权。”

进而，山县言称：

“值此之时，我国将以何等方针处之呢？”他先是违心地言称：“我邦对支那之关系，在于贸易而不在于侵略，在于保全而不在于分割。曩者，要求不割让福建，也毕竟只是保持与各国均衡，为了维持东亚和平”云云。然而，其提出的具体方针，却是“应在福建之外，进一步将浙江纳入我国势力区域。诚如是，那么将来则可与台湾相对，成掎角之势。平时作为在支那内地贸易工业之根据地，有事之际，则可以扼制东亚之咽喉……”。

“至于势力区域之设定”，山县主张：“第一要观察支那今后之形势，第二要审视各国之向背和动静，不可没有计划。至其限界，也应根据他日之形势而确定是及于江西，还是及于浙江及江西之一部。”

随后，山县明确表示：“谚曰追两兔者而不获。当此各国共同猎于支那之际，先追南方之一兔，获之而后，再行追逐北方之一兔，也未为晚也。……要实现我国南门之经营，发展工商业，必须占有福建、浙江之要地，更何况，事情顺利、时机亦可呢？”

此外，山县在这篇《善后策》中，还进一步提出了“北方经营”问题。他说：

“姑且不论朝鲜在我国历史上的关系。因其地位在远东占据海陆要冲，与我国国防及经济有至关重大的关系，得之失之，足以决定我国国运之兴废消长。前余年，我国敢于不惜与清国构兵、流血、暴骨，岂有他故焉。不幸的是，事逢三国干涉，归还辽东。但是，谁人又能一日忘记北方之经营呢？……若要将朝鲜纳入我国势力区域，则不可没有与俄国开战之决心，唯有以此决心方能实现北方经营之目的。”①

山县有朋的《善后策》，经内阁会议后，变成了政府的决策。也就是说，此时的日本政府不仅要乘机先从中国南部下手，而且还要与沙俄争夺朝鲜和中国东北。因此，8 月 22 日，日本参谋本部长大山岩经过天皇批准，及时地向台湾总督儿玉源太郎下达了指令：“一有机会，即应占领厦门”。② 于是，8 月 24 日便发生了日军烧毁设在厦门的东本愿寺并强行登陆的占领事件。

上述情况表明，“厦门事件”实际是日本政府扩大侵华政策的产物。此一事件虽因中国人民的抗暴斗争和国际列强间的矛盾而未能得逞，但却暴露了日本政府企图利用一切时机，扩大侵华势力的阴谋。这也是 1915 年日本政府对华提出二十一条要求时，再次要求占有福建的历史背景。

日军强占厦门受到挫折，但在与欧美列强联合出兵侵华过程中，却掠夺了大批财物。1901 年 9 月，国际列强迫使清政府缔结《辛丑条约》，中国又被迫向各国赔款 4.5 亿两白银(分 39 年付清，加上利息和各省的赔款，总计为 10 亿两)，日本从中分得了 3470 万两以上。日本帝国主义就是这样通过一次又一次的掠夺发展起来的。

此外，根据《辛丑条约》，当时的列强为了“保持京师与海通路无断绝之虞”，得以在黄村、廊坊、杨村、天津、军粮城、塘沽、芦台、唐山、滦州、昌黎、秦皇岛和山海关等十二个地点“驻兵留守”。此后，便出现了日本的所谓“支那驻屯军”，也即日本政府侵略中国的前哨部队。

---

① 见大山梓编：《山县有朋意见书》，第 261—264 页。

② 见信夫清三郎编：《日本外交史》第 1 卷，第 207 页。

1936年4月，日本政府突然增加“天津驻屯军”的数量，并越出条约范围占据地处北平南北交通要道的丰台，实际则是准备发动全面侵华战争的前兆。这是后话。

综上所述，可以看出，1895—1900年前后，随着国际帝国主义时代的到来，日本政府依靠军事力量，成为帝国主义瓜分中国的重要一员。此后，日本的东亚战略和政策则进入了新的时期。按照山县有朋的说法是，“我国通过这次战争〔甲午战争〕将在海外获得新的领地，诚如是，则已需要扩充军备来守卫新领地，更何况要乘连战连胜之机而径直成为东洋之盟主呢？”①

① 见大山梓编：《山县有朋意见书》，第230—231页。

第三编　日英同盟与对俄战争

一　日俄关系的历史追述

18 至 19 世纪,沙皇俄国的对外扩张大体上是沿着以下三个方向推进的:一是从堪察加半岛沿千岛群岛南下;二是力图蚕食中国东北和朝鲜;三是沿着中亚地区向南推进。

1858 年,沙俄与日本签订了所谓《和好通商条约》后,继续南下。

1858—1860 年,沙皇俄国利用英法对华进行第二次"鸦片战争"之机,迫使清政府签订了《瑷珲条约》和《中俄北京条约》,一举霸占了中国黑龙江以北、乌苏里江以东的大片领土。1860 年的《中俄北京条约》,虽然没有明确规定俄国占有库页岛,但以后的清政府已无力维护自己的领土,以致库页岛连同乌苏里江以东的大片土地,一并被俄国霸占。当时的日本由于在库页岛南部有所活动,且有移民行迹,所以也主张拥有主权。这样一来,沙皇俄国的领土欲望与日本的"主权"说产生了矛盾,并构成了日俄交涉库页岛问题的局面。

1859 年 8 月,沙俄东西伯利亚总督穆拉维约夫,率领七艘军舰来到日本品川海面,"其目的就是要通过他与幕府高级官吏的直接谈判,使整个库页岛变成俄国的领土”。[①] 穆拉维约夫向日方代表提出的三个条件是：

(一) 以库页岛和虾夷(北海道)之间的海峡为日俄国界;(二)日本在阿尼瓦湾和库页岛拥有渔业权;(三)日本人在阿尼瓦、黑龙江和“满洲”拥有居住自由。这三条的核心是俄国必须领有库页岛。

当时,穆拉维约夫主张俄国领有库页岛的依据有两条。一是所谓根据《瑷珲条约》,库页岛已当然为俄国所有;[②]二是所谓外国觊觎该岛,俄国不加防范是危险的。[③] 对此,日本幕府没有答应。当时英、法驻日公使也反对俄国的要求。结果,经过数次谈判,穆拉维约夫没有达到目的。

基于俄国的上述要求,日本幕府感到有在库页岛巩固势力的必要,遂命令秋田、仙台、会津和庄内藩担任“北虾夷地”(指库页岛)的警备。但因库页岛的风土气候不适宜日本人久住,其移民势力仍难以稳定。于是,也感到有必要同俄国划定“边界”。

1862 年,日本幕府为了延期对外开放,派遣以竹内保德为正使的使节团前往欧洲。同年 8 月,竹内与沙俄政府谈判,要求以北纬 50 度划分两国在库页岛的边界。但沙俄政府亚洲局长伊格纳切夫言称:“维持现状没有什么苦恼。若是划定边界,则以宗谷海峡为宜。”后来,俄方提出按北纬 48 度线的山河走向划界,但因日方的副使京极表示反对,以致双方没有达成协议。

1867 年 3 月 30 日,日俄达成《库页岛暂行规定》。内中记述了双方的基本观点,并有五项临时规则。主旨是共有库页岛,两国人员皆可随意在全岛往来、居住和从事产业建筑,以及发生纠纷时由双方官员裁判等等。[④] 但此时的日本并没有放弃对库页岛南部的领土要求。

1870 年 6 月 7 日,时任日本外务大辅的寺岛宗则,就库页岛问题征

---

① 沼田市郎:《日俄外交史》,第 27 页。

② 参阅彼得·阿·巴顿:《日俄领土问题》日译本,鹿岛研究所出版社 1967 年版,第 71 页。

③ 参阅沼田市郎:《日俄外交史》,第 27—28 页。

④ 见日本外务省编:《日本外交年表并主要文书》上,文书部分,第 31—32 页。

求英国驻日公使巴库斯的意见，意在寻求国际支持。但是，巴库斯的态度冷淡，并称中国也主张库页岛是本国的领土，“1818 年的文书中载有该领地事项。”同样，美国政府也拒绝对日俄之间进行“仲裁”。①

然而，1872 年 5 月，外务卿副岛重臣在与沙俄驻日代理公使毕错夫谈判时，却提出了如果日本将库页岛全部让给俄国，那么，作为代价，日本以后向大陆出兵时，俄国是否允许任何地方都让日军通过的问题。②此事表明：近代日本政府的对俄交涉，与其蓄意染指中国大陆也是密切相关的。

1875 年 1 月，日本驻俄公使榎本武扬，与俄国外务参政、亚洲局长斯赖莫夫进行谈判。5 月 7 日，日俄双方签订《库页岛千岛交换条约》。内中规定：

“第一款 大日本国皇帝陛下，以至其后胤，将现今所领库页岛一部分之权利及属于君主之一切权利，让与全俄国皇帝陛下。自今而后，库页岛尽属俄国帝国。以拉彼鲁兹海峡为两国边界。”

“第二款 全俄国皇帝陛下，以至其后胤，作为取得第一款所载库页岛权利之补偿，将现在所领有之千岛群岛，即第一占守岛，第二阿赖度，第三幌筵岛，第四磨勘留岛，第五温祢古丹岛，第六春牟古丹岛，第七越渴磨岛，第八舍子古丹岛，第九牟知岛，第十雷公计岛，第十一松轮岛，第十二罗处和岛，第十三斯列道内瓦（音译）及宇志知岛，第十四计吐夷岛，第十五新知岛，第十六武鲁顿岛，第十七知理保以岛及普劳特（音译）、知理保耶夫（音译）岛，第十八得抚岛，共计十八岛之权利及属于君主之一切权利，让与大日本皇帝陛下。自今而后，千岛全岛属于日本帝国，以勘察加地区之洛帕特卡角与占守岛之间的海峡，作为两国边界。”③

① 参阅沼田市郎：《日俄外交史》，第 55 页。

② 见沼田市郎：《日俄外交史》，第 67 页。

③ 日本外务省编：《日本外交年表并主要文书》上，第 58 页。

至此，日俄初次划分北方领土的边界。但是，此种划界并没有挡住沙俄的南下，也没有改变近代日本对外扩张的意识。

二　日俄在东北亚的矛盾

沙俄的南下势头，危及了英国在东亚的既得权益，并使日本政府感到是其推行"大陆政策"的障碍。

1875 年 1 月 21 日，驻俄公使榎本武扬向政府提出了《有关桦太问题·朝鲜政策意见书》。内称：

> "俄国之伎俩，万事不图华丽，渐行而不倦。故而，彼得大帝及叶卡特琳娜女皇业已着眼有如新领沿海道地方。1860 年虽占据该地，但今后十余年，尚且不致逞威权于亚洲，是其财力有限。此时，我邦幸而尚可考虑将来。为其计者，固然不外富国强兵四字，但针对俄国南侵，似当预先注意如下两件事情。第一，我要先于支那训导朝鲜……务必使我威德感响于朝鲜国内。俄国虽然着眼此事，但其地理困难及国务有缓急之序，所以尚未下手。若是俄国抢先此事，万一在面对我对马岛之朝鲜占据一地，我国海防则将失去重大目的。去年森山〔茂〕出使朝鲜，最得要领。第二，朝鲜若是愚昧顽固，不与我交际之时，我当托故在对马岛对岸先行一步。"①

榎本武扬的上述意见与日本政府的对外政策是吻合的。1876 年 2 月，日本政府迫使朝鲜签订所谓《日朝修好条规》，实际是抢在沙俄前面，占据有利地位，并在朝鲜攫取了当时西方列强还没有取得的种种权益。

同年 3 月，彼得堡出版的《罗各斯》新闻言称："对于接近俄国边境地区的这种纠纷，政府是不能置若罔闻的。"②此种舆论实际是日俄矛盾行

---

① 日本外务省编：《日本外交文书》第 8 卷，第 127 页。见芝原拓自等：《日本近代思想大系 12 对外观》，岩波书店 1988 年版，第 43 页。

② 信夫清三郎：《日本外交史》第 1 卷，每日新闻社 1974 年版，第 100 页。

将扩大的信号。只因当时的沙俄政府正在忙于对欧洲的争夺，所以才没有作出特别的行动。

19 世纪 80 年代，日本更加需要掠取和占有朝鲜的原料和市场，而沙皇俄国也兴起了新的扩张思潮。这种思潮认为，把东方合并到俄罗斯帝国之内，乃是俄国的"历史使命"。① 这种思潮进一步助长了沙俄政府南下的野心。于是，1886 年沙俄政府决定修筑横贯西伯利亚的大铁路。

列宁指出："修筑铁路似乎是一种简单的、自然的、民主的、传播文明的事业。……实际上，资本主义的线索象千丝万缕的密网，把这种事业同整个生产资料私有制联系在一起，把这种建筑事业变成对十亿人民(殖民地加半殖民地)，即占世界人口半数以上的附属国人民，以及对'文明'国家资本的雇佣奴隶进行压迫的工具。"②

当时，沙俄政府主管这条铁路的财政大臣维特承认：修筑这条铁路将对俄国东部港口以有力的支持，它将"确保"和"巩固"俄国太平洋舰队的"地位"，并在"发生政治纠纷"时，由于"控制通往太平洋水域的国际商业航道"而产生"重要影响"。③

沙俄修筑西伯利亚大铁路，不仅引起了宿敌英国的敏感，而且引起了日本社会的强烈反响。用当时日本自由党成员(后任驻朝公使)大石正已的话说：西伯利亚铁路"乃是席卷日、清、韩，并把英国赶出太平洋的武器"，在其竣工之际，俄国将"不费一兵一卒"地吞并朝鲜，而日本的"寿命"，也将随着铁路的延长而"缩短"。④

1888 年 1 月，时任内务相的山县有朋，在扩张军备的意见书中也说："俄国之志，在于侵略。故而，西伯利亚铁路一旦竣工，必然指向朝鲜或印度境界而先开事端。"⑤

---

① 见乔治·亚力山大·伦森：《俄国向东方的扩张》中译本，商务印书馆 1979 年版，第 113 页。

②《列宁选集》第 2 卷，第 733 页。

③ 格隆特·菲尔斯托娃：《帝国主义时期的俄国》，莫斯科 1959 年版，第 43 页。

④ 见藤村道生：《日清战争》，岩波书店 1973 年版，第 17 页。

⑤ 见大山梓编：《山县有朋意见书》，第 178 页、180 页。

1890年3月，时任总理大臣的山县有朋，在《外交政略论》中进一步言称：

> “西伯利亚铁路已进至中亚，不出数年，及其竣工，则发自俄都，十数日即可饮马黑龙江。吾人不可忘记，西伯利亚铁路完成之日，即是朝鲜多事之时；而朝鲜多事之时，即是东洋发生巨大变动之机。”①

对此，深解其意的外务大臣青木周藏，于同年便主张对外缔结军事同盟，以阻止俄国南下。当时负责海军的有栖川宫威仁亲王也称：“北部俄国觊觎东洋之日久矣，早就不再满意符拉迪沃斯托克（海参威）军港了”。②

也就是说，沙俄政府修筑西伯利亚大铁路，以推进其侵略政策，同日本政府“攻取朝鲜，以制辽东”的战略方向，终将发生不可避免的冲突。

因此，1894年日本发动“甲午战争”之前，沙俄政府一方面暗中怂恿日本，另一方面则是通过驻华公使表示“我们当然不能置身局外”。③ 进而，同年12月，沙俄驻日公使希特罗渥，又公开要求日本政府就中日战争的“结局”交换意见。1895年2月14日，希特罗渥更加明确地提出了“俄国要在太平洋沿岸获得自由通路亦非一日”的要求。④ 这些情况表明，日俄之间争夺东北亚的矛盾始终存在着。

沙俄联合德、法迫使日本退还辽东，表明沙俄在推行远东政策上取得了外交上的成功。同时，日俄的争夺也随之成为列强在东北亚的主要矛盾。

“甲午战争”结束后，沙俄以干涉日本“还辽”有功，向清政府索取“报酬”。1896年6月，沙俄政府趁尼古拉二世加冕典礼之机，诱使清政府代

① 见大山梓编：《山县有朋意见书》，第197页。

② 见大山梓编：《山县有朋意见书》，解说部分，第10页

③ 见张蓉初译：《红档杂志有关中国交涉史料选译》，三联书店出版社1957年版，第3页。

④ 见张蓉初译：《红档杂志有关中国交涉史料选译》，第331页、第333页。

表李鸿章密谈，并在莫斯科签订了《中俄密约》。沙俄以“共同防御”日本为由，取得了在中国境内修建铁路并开设银行的特权。

对此，沙俄外交大臣洛巴诺夫情不自禁地承认：“迄今为止，我们可以看到，俄国的外交达到了正在远东寻求的两大目标，并使之结合在一起了。这就是：把日本从大陆上排斥出去和横贯西伯利亚的铁路通过中国领土延伸下去。”①

在沙俄利用铁路和银行扩张势力的同时，日本政府也积极利用朝鲜的“独立”，在朝鲜排挤亲俄势力。

1894 年 10 月，日本政府任命内务相井上馨出任驻朝公使。井上赴任后，采取“右边申斥大院君，左边压抑王妃”的方针，并于 11 月 20 日向朝鲜国王提出了二十条内政“改革纲领”。用井上自己的话说，乃是“乘现今之机会，在军事战略关系及实利关系上，巩固我帝国之地位。”②

井上的“改革纲领”包括要求京城至釜山铁路、京城至义州的铁路铺设权；电讯线路的管理权；海军要港的租借权；以及开放古阜港和大同港，并设置居留地等。此外，则是向朝鲜贷款 30 万日元，以海关税作抵押，派遣日本人监督朝鲜海关；以及以全罗、忠清、庆尚三道的租税作抵押，贷款 500 万日元，在归还本利之前，由日本政府派遣官吏，监督上述三道的税务和地方事务。③

日本学者认为：上述“改革纲领”的实质，是“将朝鲜作为埃及型的从属国，或者是变成后来在伪满洲国建立傀儡政权那样的殖民地。”④

1895 年 5 月 14 日，俄国外交大臣洛巴诺夫在彼得堡召见日本公使西德二郎，以“劝告”的方式指出：俄国政府对于日本政府对朝鲜内政的过份干涉表示关注，切望日本政府“妥善处理”。此时，西德二郎还从美国驻俄使馆获悉：俄国政府将向日本政府正式提出日军撤出朝鲜的要

① A·洛巴诺夫—罗斯托夫斯基：《俄国与亚洲》，第 225 页。
② 藤村道生：《日清战争》，第 135 页。
③ 藤村道生：《日清战争》，第 135 页。
④ 藤村道生：《日清战争》，第 136 页。

求。消息传至日本，外务大臣陆奥宗光深感忧虑，担心不接受沙俄的“劝告”，一旦沙俄海军南下占领朝鲜并控制黄海水域，迫使日本从朝鲜撤军的话，那时日本将会失去对朝鲜的控制。于是，建议内阁从速考虑暂时改变对朝方针，以缓和形势。

6 月 4 日，日本政府决定：“将来的对韩政略应尽量停止干涉，采取使之自立的……他动方针”。① 与此同时，日本政府则决定从朝鲜调回井上馨，由陆军中将三浦梧楼接任。

是时，朝鲜以国王闵妃为首，主张亲近俄国势力，并趁机推翻了亲日政府。为维持日本的势力，三浦梧楼与被推翻的大院君合谋，于 10 月 8 日发动政变，杀戮了以闵妃为首的一批宫廷大臣，迫使国王接受废黜王妃（朝鲜史称“乙未政变”）。这样一来，沙俄有了向朝鲜紧急派兵的借口。

1896 年 2 月 11 日，朝鲜国王逃到俄国公使馆避难，要求俄军保护，同时声明：日本在朝鲜的改革“一律无效”，②并“在俄国的鼓励下，立即宣布了一项改革计划。”③

由日本驻朝公使一手制造的“乙未政变”，引起了欧美列强的各种猜疑和抗议，变成了国际注目的问题。日本代理外相西园寺公望也深感此事“极不得策”，遂慑于再次引起国际干涉，不得不照会各国“不再干涉朝鲜内政”，④并指示驻俄公使西德二郎与俄协商解决问题的可能性。

同年 5 月 14 日，日本驻朝公使小村寿太郎与沙俄驻朝公使韦贝谈判，签订了《韦贝・小村备忘录》。日本政府在《备忘录》中间接地承认了对“乙未政变”应负的责任，并同意俄国政府可在朝鲜设置不超过日军数量的武装警备队；两国军队在朝鲜“秩序恢复”以后立即撤回。⑤

① 日本外务省编：《日本外交年表并主要文书》上，文书部分，第 172 页。

② У・A・雅康托夫：《俄国与苏联在远东》，伦敦 1932 年版，第 46 页。

③ A・洛巴诺夫—罗斯托夫斯基：《俄国与亚洲》，第 229 页。

④ 藤村道生：《日清战争》，第 193 页。

⑤ 日本外务省编：《日本外交年表并主要文书》上，文书部分，第 175 页。

是时，参加沙皇加冕典礼的日本代表山县有朋，同沙俄政府进一步谈判，于6月9日（俄历5月28日），签订了《洛巴诺夫·山县议定书》及相关的秘密条款。其中除确认《韦贝·小村备忘录》之外，还规定了如下事项：

> 日俄两国可对朝鲜的财政困难提出劝告和援助；
>
> 日本政府继续管理釜山至京城的电讯线路，俄国保留架设自京城至俄国边界电讯线路的权利；
>
> 不问原因之内外，若朝鲜国之安宁秩序混乱，或有混乱之危险，日俄两国政府……认为有必要进一步派遣军队，以援助本国官宪时，两帝国政府为了预防其军队间的一切冲突，要确定各自用兵的区域，保留两国政府之军队全然不予占领之空地（秘密条款第一条）。①

表面上看，这些内容似乎是日俄双方达成了妥协，但实际是“貌合神离”。特别是上述秘密条款，更是以划定用兵区域为名，掩盖了日俄之间发生冲突的可能性。

1897年，沙俄政府连续向东北亚进行渗透：1月间，租借朝鲜月尾岛；2月间，租借仁川海岸；8月间，又有租借绝影岛的要求。② 年底，沙俄政府又决心占领旅顺口，把日本当年吐出的“肥肉”攫为己有。沙皇尼古拉二世声称：“我已决心占领旅顺口，……假若我们不去占领，那么它将会被英国人占领。”③ 12月17日，沙俄驻日公使罗森通告日本外相西德二郎，声称“为了对抗德国舰队占领胶州湾，俄国舰队停泊在旅顺口”。④

1898年1月，沙俄政府为了避免日本政府的异议，提出了准备以《洛巴诺夫·山县有朋议定书》为基础，就日本在朝鲜的某些利益可以“超过”俄国的问题进行谈判。但是，俄国财政大臣维特早就表示：俄国不能

---

① 日本外务省编：《日本外交年表并主要文书》上，文书部分，第175—176页。

② 林茂等编：《日本内阁史录》第1卷，第一法规出版会社1981年版，第255页。

③ A·洛巴诺夫—罗斯托夫：《俄国与亚洲》，第227页。

④ 日本外务省编：《日本外交年表并主要文书》上，年表部分，第128页。

丧失俄国银行在朝鲜所享有的“特别”地位。[①] 显然，这是沙俄政府企图以朝鲜为诱饵，采取“安抚”手法，使日本不至反对其在旅顺口的行动，同时阻止日本以此为由而占据朝鲜。

日本政府对于沙俄的上述行动极为“愤懑”，立即提出抗议。同时针对沙俄的建议，于1898年2月4日向沙俄外交部递交了“新方案”。其中特别强调：日俄双方在有关工商业问题上，采取任何新措施之前，必须达成一致协议，朝鲜国王的财政顾问，需由日本政府指派等。[②]

同年3月，日本政府进一步提出“满韩交换”的建议。外相西德二郎以便函的方式通知俄国公使罗森：“日本政府认为，对朝鲜提供意见和帮助的义务应由日本承担，倘若俄国赞同这一见解，日本政府则认为满洲及其沿岸地区，在日本利益和关注的范围之外”。[③] 但是，沙俄政府不肯放弃对朝鲜的“特别”地位，不同意这种建议。

4月2日，沙俄政府复函日本政府：“不能容许把俄国势力完全从朝鲜排除出去。”[④]与此同时，罗森向西德二郎表示：“俄国政府对于日本政府认为满洲及其沿岸在日本的利益范围之外的声明，表示最大的满意，但俄国政府关于朝鲜问题不能作同样的声明。”[⑤]

1898年4月25日，日俄在东京签订《关于朝鲜问题的议定书》。其中除了表明双方“不干涉”朝鲜内政，以及所谓“不经相互协商”不得派遣军事、财政顾问之外，沙俄政府只是同意不妨碍日本与朝鲜在商业及工业上的关系。[⑥] 这个议定书意味着并没有解决日俄争夺东北亚的矛盾。

1900年，中国爆发了反帝反封建的义和团运动。7—9月间，沙俄政府从满洲里、瑷珲、哈巴罗夫斯克（伯力）、乌苏里斯克、珲春等五个方面

① 鲍·罗曼诺夫：《俄国在满洲》中译本，商务印书馆1980年版，第182页。
② 鲍·罗曼诺夫：《俄国在满洲》中译本，第181页注。
③ 日本外务省编：《日俄交涉史》，原书房1969年版，第291页。
④ 日本外务省编：《日俄交涉史》，原书房1969年版，第293页。
⑤ 罗森：《外交工作四十年》第1卷，第157—158页，见鹿岛守之助：《日本外交政策的历史考察》，第89页。
⑥ 日本外务省编：《日本外交年表并主要文书》上，文书部分，第186页。

出兵，强行占据了中国东三省。其名义是“保护”中东铁路，实际是企图一举实现南下的野心。当时，俄国陆军大臣库罗巴特金言称：义和团事件给俄国提供了一种借口，“我们将使满洲变成布哈拉。”[①]言外之意，是像1868年沙俄政府吞并中亚布哈拉汗国一样，要把中国东北变成俄国的领地。

据库罗巴特金的日记可知，当年沙皇尼古拉的野心非常之大。他不仅要“夺取满洲，把朝鲜并入俄国，而且还想把西藏并入俄国”。此外，还要“夺取波斯，占领达达尼尔和博斯普鲁斯。”[②]

沙俄政府的这种野心激化了沙俄与国际列强、特别是与日本的固有矛盾。日本外相青木周藏认为，沙俄占领中国东北，已经不能依靠区区的外交手段来解决了，必须决心以“大和魂”（即诉诸武力）来对付沙俄。为此，他一方面密切注视国际关系的微妙动态，另一方面则秘密训令驻德公使井上德之助，寻找机会接近德国皇帝，弄清日本若在远东与某个国家开战时，德国将采取什么态度。

事后不久，井上德之助发回电报，内称已同德皇会面，不失时机地提出了上述训电的主要内容，当德皇询问“某个国家指的是哪个国家”时，本使答以“没有特别指定”。于是德皇连称“明白了”。接着便说：“在那种情况下，德国将毫不犹豫地保证，对某个国家与其说是保持好意的中立，不如说是保持严正的中立”。接到这一回电以后，青木不由自主地露出了微笑，自信“这样，就可以打败俄国了”。

同年9月15日，青木外相对秘书口授《征俄上奏文》。其大意是：

“俄国不仅要吞并满洲，而且要吞并朝鲜的野心，业已到了毫不掩饰的露骨程度。……事已至此，以区区的外交手段相对应，已属无益……。惟有毅然而起，外以挽回国运于未倒，内以唤醒民心于垂倾”。他要求天皇“赐决迅速商议讨俄”。[③]

---

① 亚尔莫林斯基：《维特伯爵回忆录》中译本，商务印书馆1976年版，第83页。

② 张蓉初译：《红档杂志有关中国交涉史料选译》，第271页。

③ 中田千亩：《日本外交秘话》，第199—201页。

上述事态说明：日本政府已把对俄作战问题提到日程上来了。

沙俄占据东三省后，也担心日本“进入朝鲜”。于是，同年年底通过日本驻朝鲜公使，向日本政府提出了所谓“朝鲜中立化”的建议。与此同时，俄国驻日公使伊斯沃尔斯基也询问日方意见。然而，日本政府没有立即答复。当时日本驻华公使小村寿太郎(后任外务大臣)认为，俄国提出“朝鲜中立化”，将使日本失去现今在朝鲜的地位，并对日本的威信造成重大影响。他主张，如果不将满洲也作为中立地带，则不能同意俄国的建议。① 这一主张得到日本政府的同意。

1901 年 1 月，日本政府正式对俄国作出答复：“今日再次特别约定朝鲜中立，在事实上就等于帮助维持满洲现状，或至少有被视为默认这种状况的危险”，因此只要中国东北局势不恢复到俄军占领之前的“状态”，日本政府就不同俄国讨论朝鲜问题。②

这时，中俄在彼得堡的谈判情况已经传出。各国对沙俄企图以“交地”为名，实现长期占有的企图表示不满。日本政府更是“说理与金钱并用”，极力阻止中俄缔结有关协定。后来，俄国政府伪称中国“捏造”事实，拒绝第三国干涉时，更使“日本政府感到，以自己的力量开展强烈的外交战，已经没有日本的出路。”③于是，1901 年 3 月 14 日召开内阁会议，讨论对俄的“和战问题”。

此前的 3 月 12 日，日本外相加藤高明有一长篇汇报。内称：“英国当局对俄国没有试行强力抵抗的决心。……舆论也极为沉静……。德国对于这个问题虽对日英两国表示同情，但行动势必有限，而美国则认为有必要进一步唤起各国注意，声称目前不能采取超出已经采取的措施”。他认为：现下已是迫使日本“独力决定处理这一问题”的时候了。

加藤进一步表示，现今可供选择的方针有三种：

---

① 日本外务省编：《日俄交涉史》，第 354 页。

② 鲍・罗曼诺夫：《俄国在满洲》中译本，第 253 页。

③ 鹿岛守之助：《日本外交政策的历史考察》，三秀舍 1959 年版，第 129 页。

一、“向俄国公开抗议，若达不到目的，便直接由战争来解决”；

二、“向俄国宣布：帝国在平衡与自卫上所应采取的适当手段，并在朝鲜作出无须日俄协商的行动”；

三、“对俄国的行动，只限于一般的抗议或保留权利，以待他日相机处理”。①

上述情况表明，日俄争夺东北亚的矛盾已经到了临战的边缘。

1901年3月24日，日本政府对俄国提出第一次抗议。内称：俄国要求中国缔结的“交地”协定，“超过了适当防卫俄国在满洲历来具有的权利的必要范围”，“破坏了目前东洋的均势”，要求俄国政府“修改协定方案，并为了适应各国的权利和利益，应将协定方案提交在北京的各国代表会议。”②此种抗议，与当年沙俄干涉日本归还辽东相差无几。

次日，沙俄外交大臣拉姆斯道夫对日本公使珍田表示：不能接受日本政府对有关两个独立国家正在谈判的问题提出“此种通谍”。同时声称：“满洲问题完全是专属于俄国的重要事件。日本提议将之交附北京会议，是与俄国历来采取的原则不相容的。”③

在这种情况下，日本政府开始与英国进行同盟交涉，企图“以此联合势力，迫使俄国顺应我方的要求”，④并使沙俄“尽可能地远离满洲。”⑤

4月6日，日本政府对俄提出第二次抗议。言称：“帝国政府对目前的形势，保留发表意见”，并对拉姆斯道夫的说法“表示遗憾和不能同意”。至此，日本政府直接对俄交涉告一段落。4月20日，日本政府要求架设釜山至马山浦的电线及海底电信的上陆权，以对抗俄朝连接电信。⑥

11月底至12月初，离职首相伊藤博文访问彼得堡，同维特和拉姆斯

---

① 鹿岛守之助：《日本外交政策的历史考察》，第129—130页。
② 日本外务省编：《日俄交涉史》，第323页。
③ 日本外务省编：《日俄交涉史》，第324页。
④ 日本外务省编：《日本外交文书》第34卷，第67页。
⑤ 平塚笃编：《伊藤博文秘录》附录，春秋社1929年版，第10页。
⑥ 日本外务省编：《日本外交年表并主要文书》上，年表部分，第143页。

道夫进行会谈。俄方"彬彬有礼"，但"否决了日本在朝鲜的独立的行动自由"，并希望按照下列公式与日本解决"满韩问题"，也即"我们取得满洲，完全归我们，我们给你们朝鲜，但不全归你们。"①

沙俄政府拒绝日本的"满韩交换"，同时暴露了"朝鲜中立化"的虚伪性。至此，所谓"日俄协商"宣告彻底结束，日俄争夺东北亚的矛盾已经走向激化。

三　日英同盟与对俄战争

"日俄协商"未能解决双方的矛盾。日本政府内主张日英同盟的官僚承认："日俄协商不过是一时的弥补之策。向大陆伸展的日本势力和从西伯利亚南下的俄国势力发生冲突是必然的、宿命的。因此和与日本利害相同的英国结成同盟，以挫败俄国的锋芒……是此时应该选择的道路。"②

日本政府考虑对外结盟问题，是从三国"干涉还辽"开始的。三国干涉使日本政府意识到，要推行本国的"大陆政策"，不能不同欧美列强发生关系，单独依靠日清战争的胜利，不足以保证和维护既得的侵略权益。

1895 年 4 月 5 日，时任陆军大臣的山县有朋在给外相陆奥宗光的意见书中谈道：

> "自从讲和条件传到欧洲以来，俄国政府已表现了极为不良的征兆，终将对我国要求予以重大障碍。英国政府的意向，虽然尚未得悉，但也必定惹起许多难题，以其惯用手段，趁机谋取权益。此时，两大强国显然要合纵连横，反对我国的要求。如果真是如此，将对我极为不利……。此外，现今战局终了，洞观将来的形势，独立维持东洋的权力，终究是不可能的"。

① 鲍·罗曼诺夫：《俄国在满洲》中译本，第 285—288 页。
② 中田千亩：《日本外交秘话》，第 205 页。

山县主张：日本政府应变换外交，“笼络其中一国，使之成为我国的朋友，以打破他们的联合”。①

对此，陆奥不仅“同感”，而且承认：“自辽东半岛的措施以来，凡是我国将及于中国和朝鲜的外交事件，无不招致欧洲强国的交涉，到底不能独断专行……”。② “我国实已进至无可再进之地，止于不能不止之处”。③

5 月 3 日，驻朝公使井上馨也从维持在朝鲜的侵略权益出发致函陆奥，认为“在东洋独自谋求国家权益，不仅非常困难，而且徒劳无效”。④

然而，在欧洲列强中，谁是日本的“朋友”？对此，有的主张“日俄协商”，认为俄国南下固然是对日本的威胁，但其拥有军事实力，日本尚且无力对抗，不如采取怀柔、笼络以缓和俄国的远东政策，以彼之所欲，换我之所求。但当时的驻外公使青木周藏、加藤高明以及外务次官林董等人，却主张“日英同盟”。民间有影响的思想家福泽谕吉也持这种主张。他认为，要维持在战争中所获得的名誉和利益，就必须与欧洲强国结盟，而这个强国只能是英国，因为英国的外交政策经常受到俄国南下的威胁，所以日英同盟是可能的。⑤

但是，当时的伊藤博文、井上馨和陆奥及山县有朋认为，日英同盟是一种幻想。1896 年 8 月，《世界之日本》杂志发表社论“外交同盟之保证”。内中写道：

> “日英同盟其名甚美，……然而英国不是忧人且予以帮助的堂吉诃德，要依靠同盟保证日本安全的同时，英国也必然要通过同盟来保证其安全，若不能给予此种担保，英国决不是这一同盟的参加者。”
>
> “现今日本的国力，果真可以给英国无限的防御以安全吗？英

① 渡边几治郎：《日本近世外交史》，千仓书房 1938 年版，第 307—308 页。
② 渡边几治郎：《日本近世外交史》，第 310 页。
③ 陆奥宗光：《蹇蹇录》（中塚明校注），岩波书店 1983 年版，第 371 页。
④ 渡边几治郎：《日本近世外交史》，第 310 页。
⑤ 渡边几治郎：《日本近世外交史》，第 313 页。

> 国对日本表示友好固然可信，但英国不能不维持其在东洋的地位，这也是事实。日本的实力对内自守有余，但英国不相信日本有对外派出同盟军，转战大陆，向新加坡以外的海洋派遣舰队的能力。而没有这种力量，日英同盟就是没有意义的。……这也就是英国所以称意大利为同盟，而不骤称日本为同盟国的原因"。

该社论认为："日本的实力如果和现在没有显著的差别，那么日英同盟就只能是梦想、是虚荣、是画饼"。①

这篇社论实际是陆奥宗光的意见，它反映了当时日本政府主要成员的意见，并在一个时期内，成为日本政府对沙俄关系的主要策略。

然而，这条途径对于日本的侵略政策并不顺利。时至 1899 年 10 月，曾在俄都与沙俄政府缔结协定的山县终于在《对韩政策意见书》中，提出了日本政府所面临的尖锐问题，也即"是否要采取抛弃我国利益的政策"。对此，山县针对俄国在朝鲜有取代日本的形势，主张"排除各种困难，也要维持和扩大我帝国之利益"。②

此后，主张与英国结盟的呼声愈来愈高，随着日本政府对俄作战的准备，日英结盟则成为日本政府推行侵略政策的重要选择。一度主张"日俄协商"的伊藤博文，也变成了不惜身家性命，宁愿与俄国决一死战的人物。

日英结盟作为一种国际列强相互对抗的手段，其前提也孕育在英俄的矛盾之中。早在 1885 年，英俄为了争夺中亚地区，在阿富汗几至冲突时，伦敦《泰晤士报》特别通讯员科尔齐赫(Colguhoun)便说："俄国是所有政治家的恶梦……而且又是目前在满洲不能排除的烦恼"。他主张，在英俄被迫宣战时，应就阿富汗、喀什噶尔、库尔卡及朝鲜问题，同中国联合，同时还应针对朝鲜问题，实行英中日三国联合。③ 这种设想的目

---

① 渡边几治郎：《日本近世外交史》，第 315—316 页。

② 大山梓编：《山县有朋意见书》，第 254—255 页。

③ 鹿岛守之助：《日本外交政策的历史考察》，第 51—52 页。

的，在于使“英国实质上管理中国的陆海军”，维护英国的在华权益，但提出了日英联合的设想。

“甲午战争”前夕，英国政府所以同意与日本改订幕末缔结的不平等条约，其中一个重要因素，也是基于英俄矛盾。及至“三国干涉还辽”，英国出于利己的动机，不仅没有加入，反而对日本政府表示了某种亲近。当年 6 月 23 日，英国外交大臣金伯雷对日本公使加藤高明说：“本大臣确信，日英两国的利害颇为相同，……特别是贵国与我国之间距离遥远，相互没有嫉妒之念，而利益又极为相似，所以今后更加密切交际，经常保持深厚的友谊，乃是我最为热切希望的。”①

1898 年以后，英国的对外政策出现了接近日本的意向。3 月 1 日，在英国议会上有人公开表示：“只有依靠日本的援助，才能维持我们在北太平洋的地位。只有依靠日本的援助，才能从中国把俄国排斥出去……。”②

同年 3 月 17 日，英国殖民大臣张伯伦招待日本公使加藤高明。晚餐后，张伯伦对加藤谈道：“如果中国北部落到俄国手中，那么不管现今英国或其他人倡导的理论如何，结局都将使中国实际陷入被分割的状况。英国绝不喜欢形势如此发展，英国宁愿中国完整。贵国的希望必然也是如此。总之，贵我两国利害相互一致，处于理应相互合作的地位。然而，贵国至今对英国没有提出任何建议，这是我感到意外的。”

加藤也说：“我政府对于英国的沉默或许同样感到惊异”。张伯伦进一步声称：“如此相互疑惑，闭口不谈，毫无益处。现今两国需要开诚布公，彻底了解对方的意图。如果贵方就这个问题有什么建议的话，尽管今日难以确切地说将得到英国政府的同意，但英国政府将以好意接受，并予以充分考虑后答复，这是没有疑问的。贵国政府如有希望，不管商

① 加藤伯传记编纂委员会：《加藤高明》上卷，1929 年版，第 251 页。

② British Parliamentary Dcdbates 4th Series, LIV, 305—306, March 1, 1898，见鹿岛守之助：《日本外交政策的历史考察》，第 91 页。

谈的事项成熟与否，一切附之保密，更是没有什么困难的……”①

此后，日英结盟问题提到双方的议事日程，并随着国际形势的演变，成了双方的现实选择。

为了扼制沙俄南下及不断扩大的侵略势力，英国一度也想通过“协商”的途径，缓和俄国的远东政策。但是，英国政府很快发现：沙俄出兵中国东三省后，把天津白河左岸也变成了“俄国部队由于作战行动而取得的财产”。英国政府认为，这是“作为一种领土来占据的”，并企图控制北京与海洋方面的联系。因此，下令修筑穿过俄国这块新“租界”的铁路侧线，以致双方几乎火拼。后经联军统帅瓦德西的裁决，虽避免了冲突，但英国依然声称保留“对整个租界或其中所有权的合法性提出质疑”的权利。②

1900 年 10 月，英国与德国缔结《英德协定》（亦称“扬子江协定”）。内称：目的是保持两国在华的“利益及现行条约的权利”。同时宣布：“不利用现下的纷扰，占有何等利己的领土利益”，对于其他国家的这种企图，两国保留“预先协商”的权利。③

显然，这是针对俄国的。但是，当时的德国希望把俄国引向东方，却没有为了日英的利益对俄作战的意图。次年 3 月 15 日，德国又宣布上述协定不适用于“满洲”。这种情况也加速了日英结盟。

1901 年 2 月 16 日，德国驻伦敦大使馆秘书致首相布洛夫的公文透露：日本政府正在追求日英德三国同盟，以便对俄进行战争。他说：

> “从几日前我与此间日使的长谈中，我相信，我已获得肯定的印象：日本政府……将决定一个极其强硬的行动，以对付俄国在朝鲜与华北的扩大欲望。据林董男爵的意见，如果俄国企图插足朝鲜，并确信英德两国都严守中立的话，日本政府将立即采取非常措施。

① 鹿岛守之助：《日本外交政策的历史考察》，第 91—92 页。

② 参阅马洛泽莫夫：《俄国的远东政策》中译本，第 161—162 页。

③ 日本外务省编：《日本外交文书》第 33 卷，第 59 页。

> 但是关于俄国在满洲，特别是在辽东半岛的行动，日方只有在东京人士估计能得到英国的实际支持和肯定有德国善意的中立时，才进行军事行动。”①

德国驻伦敦秘书的情报，符合日本政府的意图。当时，首相伊藤博文不仅对林董在伦敦设法形成日英德三国同盟的活动表示同意，而且奏请天皇批准，令其继续交涉。②

同年3月14日，日本政府在拟议三国同盟的交涉中，又召开对俄“和与战”的秘密会议。这同林董向德国方面透露的将要采取“极其强硬的行动”，也是完全吻合的。

促成日英同盟的另一个条件，是1899年以来英国正陷入对布尔人的战争。布尔人原系荷兰在南非移民的后裔。19世纪在南非建立了奴役黑人的德兰士瓦共和国和奥兰治自由邦。自当地发现钻石和金矿以后(1867年)，欧洲殖民者便蜂拥而至，特别是英国更以开普为据点，不断向东北、北部和西北扩张，蚕食或兼并大片南非土地。被列宁称之为“公开鼓吹帝国主义，最无耻地实行帝国主义政策的谢西尔·罗德斯”，③便是英国在非洲侵略活动的典型。

1895年12月至1896年1月间，罗德斯所策划的从西部向德兰士瓦共和国进行武装袭击的计划，遭到了布尔人的打击，以致不得不辞去开普殖民地总理职务。

1899年10月，英国殖民主义者又借故发动战争，这就是所说的“英布战争”。这场战争使英国政府先后投入了25万“远征军”，耗资2.5亿英镑。至1902年5月，战争虽以布尔人的战败而结束，但却牵制和消耗了英国的兵力和财力。

在这场战争期间，中国爆发的义和团运动更使英国政府首尾不能相

① 孙瑞芹译:《德国外交文件有关中国交涉史料选译》第2卷，商务印书馆1960年版，第300页。
② 中田千亩:《日本外交秘话》，第208页。
③ 列宁:《帝国主义是资本主义的最高阶段》中译本，第70页。

顾，也无法采取有效的措施来对付俄国的南下。

1900年6月16日，日本外相青木对英国驻日公使说："日本政府若得到英国政府的同意，可立即派出大量的救援军队。"[①]这一表示可谓正中英国政府下怀。

7月6日，英国政府发出了提供财政帮助、促成日本出兵的备忘录。至此，日英在联合镇压中国人民这一点上，达成了相互合作的关系，日本政府迅速派出大批兵力，充当了八国侵华的急先锋。

1901年1月，日本政府暗示英国共同干涉沙俄。英国外交大臣兰斯敦表示认同，并对日本公使林董表示："非常满意日本政府对英国政府的深厚信用。英国政府今后决心以同样的信用对待日本政府。"[②]

1901年3月11日，英国政府对远东局势作了如下分析，认为日本要一劳永逸地战胜俄国，是难以置信的。但是，如果把辽东半岛作为战争奖品让给日本占领，那么这种实力较量也许可以长期地推迟下去。辽东半岛掌握在日本手里，将使俄日两国不能和解，这对英国是有利的。因此，我们要鼓励日本把我们看作它的朋友和反对俄法的可能的同盟者。[③]

4月16日，日本外相加藤高明训令驻英公使林董，授权他以个人的名义，非正式地向英国试探拟议中的日、英、德三国同盟问题。

次日，林董会见英国外交大臣兰斯敦。谈到中国问题时，林董说："在我的脑海里，浮现了日英之间是否有希望成立某种永久性协定的问题。"对此，兰斯敦说："对于这种政策，尚且没有一个有效的实质性的提案，我难以表示与否"，"不过，若是何人对此有建议，不论什么时候，都可以欣然地商议。"在这之后，兰斯敦又暗示了希望德国参加的意图。[④]

4月24日，时为元老的山县有朋向伊藤首相提出《东洋同盟论》，

---

① 日本外务省编：《小村外交史》，第157页。

② 加藤伯传记编纂委员会：《加藤高明》上卷，第424页。

③《关于战争爆发的英国文献》第2卷，第54号，见鲍·罗曼诺夫：《日俄战争外交史纲》中译本上册，第207页。

④ 鹿岛守之助：《日本外交政策的历史考察》，第136页。

内称：

“清国纲纪已灭，国本已坏，不过仅存余喘而已。纵令列强维持其势力均衡，也是为了暂时保全之。外有俄国逼迫，内有乱民继起，到底不能长久保存其残骸。清国之瓜分，乃是命数所使然，非人力所能制者……支那之命运果是如此的话，我也不可不预先决定应对方策，谋求进而维持东亚和平，退而保全我国疆域。”

他进而言称：

“我国与俄国之关系，虽然还未至甚是破裂，但早晚不免一大冲突之势。彼若依恃其强，进而侵犯我之权利线，我也必须有坚决对抗之决心。而避免此种冲突，防范战争于未然之策，唯有借助其他有关国家之势力援助，以抑制彼之南下。现今有同盟之计划，恰好给我以良机，宜迅速探察英国意向，进而与德国商议成立盟约。……如果此一同盟成立，则可维持东亚和平，扩张我国通商，振兴我国工业，谋求挽回经济，而且他日乘机在福建浙江等地设定势力范围也可不甚困难。今日之计，唯在迅速成立此一同盟。一旦失去良机，将后悔莫及。”①

5 月 15 日，林董再次访问兰斯敦，表明日本政府的外交政策在于所谓“保全”中国领土完整和门户开放，而在朝鲜则具有死活的重大利益。同时又说，英国和日本对中国方面的利害相同，需要相互合作，阻止侵害我们利益的其他国家的联合。②

7 月 31 日，兰斯敦向林董询问，日本政府对合作有什么要求。林董回答：

“根据我个人的意见，日本在满洲的利益是间接的。但是，如果俄国开发满洲资源，进而把手伸向朝鲜的话，日本终究是要予以遏

① 大山梓编：《山县有朋意见书》，第 265—266 页。
② 鹿岛守之助：《日本外交政策的历史考察》，第 136 页。

止的。因此，根据本人的意见，最重要的是让俄国尽可能地远离满洲。第二，在不得已同俄国交战的场合下，必须使俄国得不到第三国援助。”

针对林董的上述表白，兰斯敦言称：

“大英帝国在朝鲜虽然没有利害关系，但不愿意看到朝鲜落入俄国手里。英国对华政策，在于维持门户开放和保全中华帝国。现今日英两国目的一致，是为了保护两国相互利益而采取某种措施的时候了。”①

当天，林董发回国内的电报称：

“英国政府历来怀有日英同盟的希望。外交大臣兰斯敦在会见本使之际，进行了较为具体的谈话。结果就以下宗旨达成了一致：第一，维持‘保全’支那领土的原则，防止将来的分割。第二，鉴于日本在朝鲜有优越利害关系的事实，英国承认日本在朝鲜的自由行动。第三，日本或英国与别国交战时，同盟国一方严守中立，若第三国加入敌国，则进一步以武力援助友方。”②

这里，林董所说的“一致”，显然是双方共同对付俄国，但其所谓“‘保全’支那领土”则是日本政治家的谎言。

得悉上述情报后，8月8日，日本代理外相曾弥荒助连续两次训令林董，表示对英国的提议“绝无异义”，并要求林董以“秘密谈话形式”，继续进行有关谈判。同时强调：“把朝鲜置于外国膨胀政策的影响之外”，是日本政府“冒何等危险，付出多大代价，也必须坚持的方针。”③

8月14日，兰斯敦对林董表示：鉴于日本比英国有更大的利害关系，要求日方首先提出合作的具体意见，并希望林董有正式任命，以便在他从爱尔兰度假回来后，进一步协商。

---

① 平塚笃编：《伊藤博文秘录》附录，第9—10页。

② 见中田千亩：《日本外交秘话》，第205页。

③ 见平塚笃编：《伊藤博文秘录》附录，第10—11页。

在此期间，日本驻北京公使小村寿太郎回国，正式接任外务大臣。

10月8日，小村电训林董："政府反复详细地考虑了和英国同盟的提议，予以支持并确定了认可贵官前述方针的政策，特此授予贵官就此与英国政府正式交涉的权能。"①

10月16日，林董访兰斯敦，再次表明日本政府希望"保持在朝鲜的一切利益，使之不受他国妨碍。"②

11月1日，日本外相小村接见英国公使，希望英国政府提出同盟条约方案，并要求迅速结盟。五天后，英国政府提出了同盟条约方案。

11月28日，日本政府决定缔结日英同盟，并针对英国方案做出修正案。

12月7日，小村寿太郎在元老秘密会议上，做出如下说明：

> "清韩两国与我邦之关系颇为密切，尤其是韩国之命运，是我邦之死活问题，顷刻也不能等闲……。如果一任时势推移，满洲无疑终将归俄国实际占领。若满洲既为俄国所有，则韩国亦自然不能保全。故而，我邦今日迅速采取处置办法，极属紧要。
>
> "征诸以往历史，鉴于现下事态，使俄国按照我国的希望，答应解决韩国问题，已非纯然外交谈判之所能者。解决韩国问题的方法，只有两个：一是为了贯彻我国的希望，示以不辞交战的决心，二是与第三国结合，依其结果，使俄国不得不承认我国的希望。"

进而，小村说明了日俄协商与对英结盟的利害关系：

> 一、(前略)与英国协约的结果，可抑制俄国的野心，比较永久地维持东洋和平。
>
> 二、无需担心各国非难，且与帝国屡次宣布的原则相一致。(下略)
>
> 三、可增加我邦在清国的势力……更加容易实施在该国扩张我国利益及其他各种计划。

---

① 见渡边几治郎：《日本近世外交史》，第319页。

② 见平塚笃编：《伊藤博文秘录》附录，第12页。

四、有利于解决韩国问题。(下略)

五、可获得财政上的方便利益。(下略)

六、通商利益不少。(下略)

七、可与俄国保持海军力量的权衡。(下略)

小村最后言称:

"诸列强或曰三国同盟,或曰两国同盟,正在各自依靠合纵连衡来保护和扩张自己的利益……故而,相信我邦在此时机断然缔结协约是为上策。"①

同年12月12日,日本驻英公使林董向英国政府提交日方修正案。1902年1月30日,日英在伦敦签署第一次《同盟条约》。其条文如下:

第一条,两缔约国相互承认清国及朝鲜之独立,声明在上述两国绝无侵略趋向。然而,鉴于两缔约国之特别利益,也即对于大不列颠国而言,其利益主要关系清国,对日本国而言,其不仅在清国拥有利益,而且在韩国拥有政治、商业及工业方面之特殊利益。因此,两缔约国若因受到各国侵略行为;或因清国或韩国发生为了保护两缔约国臣民之生命财产而需要干涉之骚乱,而受到侵犯时,两缔约国承认,各自为了维护上述利益,可采取必要之措施。

第二条,若日本国或大不列颠国之一方,为了防护上述各自利益而同各国开启战端时,另一方缔约国应保持严正中立,并努力防止他国对其同盟国交战。

第三条,在上述场合下,若其他一国或数国加入对该同盟国交战时,另一缔约国应予以援助并协同作战,讲和时也应在与该同盟国相互一致之基础上进行。

第四条,两缔约国约定,各自不进行不与另一方协议而同他国

① 日本外务省编:《日本外交年表并主要文书》上,文书部分,第202—203页。

缔结有害上述利益之其他条约。

第五条，日本国或大不列颠国在认为上述利益受到威胁时，两国政府当相互充分而无隔阂地通知。

第六条，本条约自签订之日起，立即实施，五年内有效。若五年终了之十二个月以前，缔约国之任何一方均未通知本条约作废时，则在缔约国一方表示本条约废止之日起，一年内继续有效。但至上述终了日期，若同盟国一方正处于交战状态，本同盟至讲和终了以前依然有效。

与此同时，两国还以秘密照会的形式确定：

“日本国政府(大不列颠国政府)承认，日本国(大不列颠国)海军在平时尽可能地与大不列颠国(日本国)海军联合行动，在一方之军舰驶入另一方港口、装载煤炭及有助于两国海军之安全及效力上，相互予以便利。现下，日本国及大不列颠国各自要在远东维持超过任何第三国的海军优势(下略)。”①

列宁指出：日英同盟条约的缔结，“准备了日本对俄国的战争。”②
英国外交大臣兰斯敦承认：

“英日同盟虽然不是旨在策动日本政府走向极端，但它引起的，而且必然会引起的后果，是使日本感觉到，它可以和它在远东的大敌进行较量，而不用担心欧洲会像上次那样进行干涉，并夺去它的胜利果实。”③

后来，林董在回忆录中也称：“没有日英同盟就没有日俄战争。”这进一步说明了日英同盟与日俄战争之间的内在关系。

日英同盟实际是军事同盟。在林董与英国交涉期间，日本驻伦敦公

---

① 日本外务省编：《自本外交年表及主要文书》上，文书部分，第203—204页。

②《列宁全集》中译本，第23卷，第126页。

③ 1904年4月18日上呈爱德华七世奏折，见罗曼诺夫：《日俄战争外交史纲》上册，中译本，第231页。

使馆武官陆军少佐宇都宫太郎，便于1902年1月29日拟定了《日英军事协商案》。其主要内容是，战时联合作战，平时交换情报，特别是为了获得亚洲至欧洲水域的整个制海权，设想了海军联合作战的问题。

同年3月中旬，宇都宫又与英国陆军部作"个人接触"，英方也表示有意就军事问题协商。4月中旬，宇都宫和英国陆军部作战计划科长阿达姆中校（Eaaitham），进行有关日英联合对俄法作战的"图纸研究"。此时，英国驻日公使马库托纳特，也向日本外相小村提出了军事协商问题。后经小村与山本海军大臣、寺内陆军大臣的密议，遂有在横须贺举行的日英秘密军事会议。

5月2日，日本参谋本部起草了《日英协定有关军事问题应进一步协商的主要事项》。其中的要点是：

（一）在日英协约所规定之战争场合，两缔约国迅速集结海军，尽可能迅速歼灭敌方舰队，或将之封锁，以使陆军自由运动；

（二）以船舰帮助运送陆军；

（三）在日英协约第二条（即指中立事项）之场合下，相互以示威牵制敌方，以为援助；

（四）为达到战时之胜利，两缔约国调查各强国的情况，平时交换各种情报。①

5月14日，日英在横须贺举行第一次军事会议，为在伦敦举行正式会谈进行准备。这次会议以"交换意见"的形式，作出了如下协议：

（一）规定相互信号法；

（二）规定相互电讯密码及无线电密码；

（三）交换情报；

（四）有关陆军情报可在英国"中国海舰队"与日本陆海军之间

① 村岛滋：《日英同盟史的一个侧面》，见日本国际政治学会编：《日英关系史的发展》，有斐阁1978年版，第18页。

交换者，经日本海军交换（不破坏经公使及公使馆将校交换之惯例）；

（五）战时向英国运送船供应酬煤矿炭（军舰除外）；

（六）战时英国供应同盟舰队煤炭；

（七）平时相互给予军舰入坞修缮之方便；

（八）〔日本〕战时陆军所需要之运输船，可雇用英国在东洋之船只，以补充相互之不足。

5月20日，日本参谋总长大山岩起草了《日英联合军大作战方针》，也即后来日本《帝国国防方针》的“原型”。其中明确了假想敌（俄法），并陈述了对敌战略：俄法两国若不挑起舰队决战，而想通过将俄国陆军集中到远东来达到目的时，日英两国则要集中舰队歼灭敌人舰队；如果敌方避开这种决战，则予以封锁并运送陆军，在敌人陆军兵力集中之前，占据攻击海军根据地的优势地位。此外，还有日本陆军动员计划、铁路运输方法以及对清、对韩方针等，末了附有列强海军力量对比，以及俄法在东亚的陆军兵力。

7月7—8日，日英在英国陆军部谍报局，举行“战时共同行动会议”。8月7日，日英陆海军联合会议协定的内容是：

（一）以歼灭敌方舰队及野战军为目的；

（二）日英尽可能迅速集中强大的海军对付敌方舰队主力，另以机动的巡洋舰队保护主要的交通路线；

（三）陆军作战根据情况决定，有关作战方案进一步协商；

（四）有关共同信号法；共同电讯号、交换情报；战时煤炭供应；运输船的挪用；入坞及修缮；电信交通；海底电缆等等。

8月8日，日英专门就陆军方面达成的重要协议内容是：

（一）两同盟国共同对俄法作战时，日本陆军可采取的最有效的行动，是按照福岛少将所说的计划梗概，对俄国在“满洲”的兵力发动进攻性的战斗；

（二）在“满洲”进行陆上作战，无论获得制海权与否，都要尽快开始行动。若不能这样做，则要赶在俄国野战军第一次集结完毕之前；

（三）基于这一点，按照本次会议第一天所决定的方法，充分计划有关英国能够对日本协助的海上运输问题；

（四）有关日英联合作战的提议记录在案，但英国向“满洲”派遣野战军须根据情况而定，现今对此项不能明确约定；

（五）日英军队从事联合作战时，有关司令权临时协商决定；

（六）制订陆军地图，根据协议，双方使用同样尺寸，供日英两国陆军将校使用。双方共同的参谋地图，以两国文字标记地名；

（七）调查制订关于朝鲜、“满洲”及印度支那的日英文字的兵要和手册；

（八）希望定期召开两国陆军代表会议。①

上述协议表明了日英一体、共同对付俄国的事实。日军参谋总长大山岩承认：各国兵力有长短，“长短相补，组成强大的一团，以对付反对其目的的国家，是这一同盟的精神”。②

1903年1月16日，英国通知日本政府：上述协议业经女王批准。

2月17日，日本首相桂太郎上奏，也得到天皇的“裁可”。此后，日本政府进一步准备对俄战争，并在向英国及时通报的情况下开始对俄谈判。

同年6月23日，日本御前会议确定《有关满韩的日俄协商文件》。其中，要求“俄国承认日本在韩国的优势利益”；“今后不得妨碍韩国铁路向满洲南部扩张，以便连接东清铁路及山海关牛庄一线”；“俄国承认为了韩国改革及善政而给予助言及援助，属于日本专占之权”等，而日本政

① 以上有关日英军事协定，见村岛滋：《日英同盟史的一个侧面》，日本国际政治学会编：《日英关系史的发展》，第18—24页。

② 大山岩答复桂太郎，见村岛滋：《日英同盟史的一个侧面》，日本国际政治学会编：《日英关系史的发展》，第25页。

府准备承认的，则只是“俄国在满洲经营铁路的特殊利益”。

上述文件明确写道：

“帝国在南北两端与大陆具有最为紧切关系者，即北部之韩国，南部之福建是也。韩国恰如利刃，从大陆指向帝国首要部位，作为突出半岛之尖端，与对马相距仅是一衣带水。若其他强国奄有该半岛，帝国的安全则将经常受到威胁，终究难保无事。如此情况，是帝国决不能容忍者。因此，预防此种情况，可谓帝国的传统政策。另一方面，在急速完成京釜铁路的同时，必须获得京义铁路的铺设权，进而与满洲铁路及关外铁路相连接，以作为大陆铁道干线的一部分。是为在韩国之经济活动最为主要者。”

进而，该文件又称：

“福建与台湾密迩，互为车辅关系，而且是我在支那大陆的唯一立脚点。因此，帝国对其命运也不得旁观。清国积弊日久，已是所谓病入膏肓者，施以何等改革，也无望自力保全独立。现今已开始利益之分割，领土之分割虽然难以实施，但是我方应预想到其结局或上述情况的到来，准备万全之策。而可谓有关上述设施要点的铁路经营，是为连接厦门、福州，贯通福建省，进入江西省分叉，一以通向杭州，一以通向武昌之重要线路。此事目前已与清国当局交涉，是为追随不割让福建条约之精神，出于确立势力区域之目的。此外，当然还要努力在该地扶植帝国势力。”

该文件认为：

“俄国不仅在辽东已经租借旅顺大连，而且实际上将继续占领满洲，继而在韩国边境试行各种设施。如果无视此种情况，不仅俄国在满洲之地位将绝对不可动摇，而且其余波还将立即及于韩国半岛，汉城之宫廷及政府将在其威压之下惟命是从……故而，为帝国考虑，现今对俄国试行直接交涉，以解决事局，极为紧要。……若空过今日,将来再难重逢同一机会,大局既去,则将贻憾万世。”①

同年7月,日本政府在上述决策下,通过驻俄公使与俄国进行决定性的谈判。

10月6日,日本外相小村召见俄国驻日公使罗森,向他指出:

“俄国在北清事变〔指中国义和团反帝运动〕中的地位,与其他各国毫无不同,不能解释为征服行为……而且吞并满洲将威胁朝鲜独立,进而影响日本的安危。因此,日本对于这一点不能不要求必要的保障。再者,日本在满洲通商上已拥有许多利益,并且由于和清国缔结的条约而拥有种种权利,所以在这些利益的安全与和平发展上,也需要得到相当的保障。”②

12月11日,俄国提出谈判内容的修正案,针对日本政府的上述态度,取消了有关“满洲”的内容。14日,小村外相将有关情况通知英国政府,言称:“由于俄国的答复,没有提及满洲和拒绝承认日本的条约权利,因此是令人极端不满的。”18日,英国政府作出反应,充分赞同日本政府对俄国修改方案的反驳,并且作了相应的临战准备。如训令爱尔兰军团接到命令立即开赴印度,海军预备役军人必须将所在地点通知海军部等。③

1904年1月初,日本又及时地向英国提出了借款问题,并与英国缔结了在伦敦募集公债的协议。此外,日本政府提出:俄国黑海舰队通过海峡时,日本政府是否可以指望英国的协助?1月27日,英国政府做出答复:“英国为对付俄国舰队强行通过海峡,制订了五条详细措施。”④

至此,日英捏合在一起,形成了日本出面对俄国作战,英国背后撑腰的阵式。

---

① 见日本外务省编:《日本外交年表并主要文书》上,文书部分,第210—211页。
② 见日本外务省编:《小村外交史》,第336页。
③ 参阅罗曼诺夫:《日俄战争外交史纲》上册,中译本,第370—371页。
④ 参阅罗曼诺夫:《日俄战争外交史纲》上册,中译本,第372页。

2月5日，林董极其秘密地“预先通知”英国外交大臣兰斯敦：日本政府明天将进行军事动员。次日，兰斯敦向林董提交保证书，进一步明确英国在战时正式承担的义务：目前尽力阻止他国参战，并不让第三国调停。①

2月7日，日本政府故伎重施、不宣而战，派遣联合舰队发起了对旅顺口俄国海军的突然袭击。准备已久的日俄战争，在日英军事同盟的前提下拉开了战幕。

2月10日，日本天皇发布对俄《宣战诏书》，内中言称：

“求文明于和平，加深与各国友谊，以永远维持东洋治安，不损害各国之权利和利益，确立将来可永久保障帝国安全之事态，乃朕历来国交之要……今不幸与俄国开启衅端，岂朕之志焉？帝国之重，在于保全韩国，是非一日之故……。然而，俄国尽管与清国盟约，且对列国累次宣言，但依然占据满洲，益加巩固其地位，最终欲吞并之。满洲若是归俄国领有，则无由支持保全韩国，远东之和平亦根本无望。是以，朕期此时妥协解决时局……。但俄国毫无互让精神，旷日持久，徒是迁延时局解决，表面倡导和平，暗中扩大陆海军备……。事已至此，……今日唯有求之于旗鼓之间。”②

同日，沙皇尼古拉在《宣战诏书》中也称：

“为保持朕所轸念之和平，朕于巩固远东之安宁已尽全力。基于此旨，朕曾同意修改两帝国间有关朝鲜问题的现存协约，但未及此种商议终了，且不待朕之政府的最近答复，日本便照会与俄国停止谈判及断绝外交关系……令其水雷艇突然袭击停泊在旅顺口炮台外侧朕之舰队”等。③

---

① 参阅罗曼诺夫：《日俄战争外交史纲》上册，中译本，第390页。

② 全文见日本外务省编：《日本外交年表并主要文书》上，文书部分，第222—223页。

③ 见日本外务省编：《日本外交文书》，日俄战争第1卷，145—146页。

总之，日俄双方都不承认是这场帝国主义争夺战的制造者。

四　日俄签订《朴茨茅斯条约》

日俄战争初期，军事形势对日本有利。据 2 月 8 日《泰晤士报》报道，英国为配合日本的军事行动，单方面废除了供给俄国旅顺口舰队煤炭的协议。[①] 这种“釜底抽薪”的办法有力地支持了日本。随后不久，英国又阻止了俄国为防御日本进攻而堵塞营口港的行动。

3 月 12 日，英国政府宣布中立条款：在日俄战争期间，两交战国不得使用英国的港口及其海外属地或保护国的航道，并且不准在上述地区购买战备物资。[②] 这种表面上的中立，又限制了俄国舰队的行动，而日军则可以逸待劳、从容对俄交战。

此外，英国对通过苏伊士运河的来往船只，也进行最严格的检查，并经常把俄国驶往远东的船舶情报传给日本。同年 9 月，俄国波罗的海舰队为了避免受到英国规定的刁难和暴露舰队的实力，只得把舰队分为两部分，主力舰队被迫绕过好望角，增加一万公里的航程。而且因为英国拒绝供应煤炭，以致俄国向东调遣舰队的航程十分艰难，只好在军舰的浴间、工作室或通道、甲板上也装满煤炭。这不仅影响了波罗的海舰队的航行和演习，而且战斗人员也极为疲惫，从 9 月起航到第二年的 5 月，才抵达东海海面。但此时的旅顺口已经落入日军之手，波罗的海舰队已经失去了增援作用，并暴露在日本海军的袭击之下了。

同年 12 月，当英国得悉俄国在东调波罗的海舰队期间，可能派遣黑海舰队东渡时，更是特意把驻俄大使派往敖德萨，监视俄国舰队行动。英国政府在训令中说：倘若俄国黑海舰队违反有关穿过达达尼尔海峡的规定，命令黑海舰队出航，则认为是对英国的“挑战”，并决心采取相应的

① 见《东方杂志》，1904 年第 1 期，第 89 页。

② 见《东方杂志》，1904 年第 2 期，第 80 页、第 130 页。

手段。①

上述表明：日俄战争实际是日英同盟的对俄战争。林董在回忆录中承认："（日本）陆海军在日俄战役中的卓越胜利，以及对马海峡的大海战，是战争史上未曾有过的事迹，但是如果没有日英同盟的话，终究是不可能的。"②

1905年2月15日，日本政府在东京召开日英同盟纪念会，外相小村发表演说：

> "我们现在为了祝贺日英同盟条约三周年而在这里集会。当时，我们就坚信这个同盟无论在平时或战时都具有重大价值。而今，经过三年的经验，更加充分认识到了这一点。希望为了两国及全世界的利益，将来继续和巩固这一同盟。"③

是时，小村所以提出"继续和巩固"日英同盟，是因为沙俄虽然在陆上连续败北，并失掉了旅顺要塞，但实力犹存。俄国陆军总司令库罗巴特金从1904年10月开始，费了三个月的时间，在沈阳以南一百五十俄里的战线上，进行了攻击日军的准备。总计调集了33万人，拥有1250门大炮（但机枪仅56挺），在兵员人数上略多于日军。而日军为了进攻沈阳，也集结了25万人（有的称30万），拥有200挺机枪，但大炮少于俄军的数量。这就是所谓日俄"奉天会战"前夕的双方兵力。库罗巴特金声称：俄军必须进攻，决不能再退却。日军总指挥大山岩也把这场即将来临的决战，视为"生死攸关"的重大战役。

但是，2月15日之际，这场会战的结果如何，尚难预料。因此，从对俄即将决战的军事角度来说，日本政府也需要加强与英国的同盟。

此外，日本政府为了达到霸占朝鲜、在"满洲"扩大侵略势力的目的，需要英国和其他列强的同意或默许。日本政府对俄作战的经费，主要是

① 见日本外务省编：《日本外交文书》，日俄战争第1卷，第1050页。

② 林董回忆录，英文手稿，第80页。见罗伯特森·思克特：《日本、英国及世界》，第12页。

③ 日本外务省编：《小村外交史》，第620—621页。

通过发行债券的方法来源于英美。这一切决定了日本政府必须加强和继续对英国的同盟关系。

然而,1905年3月10日“奉天会战”之后,军事形势开始对日本不利。这场会战使俄军死伤9万多人,日军也伤亡7万。当时俄国没有对日讲和的意图而是积极准备再战,而日本政府特别是军事领导机关却直接感受到了形势的严峻。

3月13日,日军总司令大山岩向大本营提出《政略与战略一致》的意见书。内称:

> “在我国战斗力恢复之前,不可妄动大军是为紧要,我国战斗力恢复之后的战略,也要和我国政略保持一致。换句话说,进而追击敌人或是采取持久作战方针,一旦不能与政略保持一致,那么,赌注几万人生命而进行的战斗,将最终没有意义或没有结果。倘若由于战略上的成功,而不决定应该采取的政略方针,军队就要遭到无目的的损失和伤亡,这决不是细节小事。”

对此,时任参谋总长的山县有朋表示同意。3月15日,山县有朋在发给大山岩的电报中认为:保持政略与战略一致,在“今后更为必要。”①

3月27日,山县有朋向内阁主要成员提出了《政战两略概论》(23日起草)的意见书。其中写道:“敌国政府依然不改其意,进而派遣数十万军队,决心继续战争”。因此,日军面临着两种选择,或是“据守现在占领地区,待敌南下,采取再次予以击破之手段,或是进而冲击哈尔滨,不仅把敌人从其在满洲的最后根据地赶出去,而且杀至海参崴,使敌国永远不能出现在太平洋上”。

但是,山县承认:无论采取哪种方针,都存在以下两点必须考虑的问题:“一是敌人在其本国尚有强大的兵力,而我已经用尽了有限的兵力;二是敌人不缺少将校,而我自开战以来已损失了许多将校,今后不能轻

---

① 见渡边几治郎:《日本近世外交史》,第374—375页。

易补充。”他忧虑地认为，就是“采取守势、占据现在的占领地区，也不可不迅速采取补充手段，更何况采取攻势呢?”。他希望内阁“妥善确立国家的大政策。”①

上述情况表明，日本军界要员已经感到继续对俄作战的困难。

5月17日，英国提议将日英同盟改为攻守同盟，并扩大适用范围。外交大臣兰斯敦对林董说：日俄战后，俄国将把力量转向印度方面，“若这时便知道日本陆军能够立即援助英国，那么俄国鉴于在这方面也不能有所作为，则将不得不放弃它的计划。”②实可谓一语道破了相互利用的关系。

5月24日，日本政府决定，将日英同盟改为攻守同盟。其具体理由是：

> 其一，“攻守同盟远比现行条约更为有效”。
>
> 其二，“俄国为了他日复仇的目的，正在显著增加它在远东的军备……。若我邦同英国缔结攻守同盟，且针对俄国在远东的军备扩张，也做必要程度的军备扩张，则俄国将没有试图复仇的余地”。
>
> 其三，“基于这次战争，我邦的真正价值已为列强所承认，并博得了列强的赞许，但同时必须认识到，内中也有畏惧猜疑之念。这种念头将随着战后我国力量的发展而更加增长，或有使我邦处于孤立地位之虞，若与英国缔结攻守同盟，则可防止此种忧虑，且可避免他国排挤”。③

也就是说，日本政府改订日英同盟，既有战时的需要，也有对俄战争之后的目的。

8月12日，日俄讲和谈判开始期间，日英在伦敦提前缔结了第二次同盟条约。其主要条文如下：

---

① 见大山梓编：《山县有朋意见书》，第274—276页。

② 见日本外务省编：《小村外交史》，第623页。

③ 日本外务省编：《日本外交年表并主要文书》上，文书部分，第237页。

两缔盟国一方……因受到一国或数国攻击，或因一国或数国的侵略行动，该缔盟国为了保护本条约前文所记述之领土权或特殊利益而至交战时，不问前述攻击或侵略行动发生在何处，另一缔盟国将立即对其同盟国进行援助，予以协同作战。讲和之际，也在双方同意的基础上为之（第二条）。

日本国在韩国拥有政治、军事和经济上的卓越利益，大不列颠国承认日本国为了维护和增进其利益，有权在韩国采取认为正当而必要的指导、监理及保护措施，但这种措施须不违反对各国商工业的机会均等原则（第三条）。

大不列颠国在关系印度国境安全的一切事项上，拥有特殊利益。日本国承认大不列颠国有权在前述国境附近，为了维护其印度领地而采取认为必要的措施（第四条）。①

日英第二次同盟条约扩大了同盟的范围，明确了攻守同盟的性质。其中不仅划定了各自的权益范围，并将敌对国家扩大为“数国”。第二次同盟条约不仅加强了日本政府对俄谈判的有利地位，预先得到了英国对其霸占朝鲜、扩大侵华权益的支持，并为日本对俄战后确定的“攻势”国防方针，营造了有利的国际条件。

日本德富苏峰在《公爵桂太郎传》中写道：日英第二次缔结同盟条约之时，正是日本需要战后休养和“不可不予期俄国进行复仇战”的时候，而日本和英国再次结成最为亲密的关系，则“不只无须担心欧洲联合及俄国的复仇战，而且在战争的结局即在讲和会议上，也可以得到英美列强的后援。”②

此外，日英第二次同盟条约的前言中，有一特别的表述。也即：日英缔结第二次同盟条约的目的，在于“保持两缔约国在东亚及印度的领土权，并防护两缔结国在该地区的特殊利益。”这种表述，看似暧昧、模糊，

---

① 全文见日本外务省编：《日本外交年表并主要文书》上，文书部分，第241—242页。

② 德富苏峰：《公爵桂太郎传》坤卷，故桂公爵纪念事业会1937年版，第255—256页。

而实际是日本政府正在提升东亚战略目标。它意味着对俄战争之后，日本政府必然会有新的要求。

此前的 4 月 21 日，日本政府根据外相小村的意见，决定了《日俄讲和预定条件》。内含“务必实现的”“绝对必要条件”，和“在事情允许的范围内应谋求实现的”“必要条件”。

其“绝对必要条件”有以下三项：

（一）要使俄国约定，完全由日本政府“自由处理”所谓“远东和平最大祸源的韩国”。

（二）在所谓“基于帝国以往主张的保全满洲主义”之下，使俄国军队在一定的期限内撤出该地。同时表示日方军队也撤离“满洲”。

（三）要求俄国将辽东半岛的租借权，以及中东铁路的哈尔滨至旅大支线，“纳入我国掌中，以杜绝将来之祸根”。

其“必要条件”有以下四项：

（一）要求俄国赔偿军费。

（二）要求俄国交出因为战争而逃窜到中立国港口的舰艇。

（三）要求俄国割让库页岛及其附近岛屿。

（四）要求俄国给予日本在沿海州沿岸的渔业权。①

也就是说，日本政府提出的讲和条件，并非完全是针对俄国的。然而，此时的俄国没有讲和的迹象，波罗的海舰队正在东渡。

5 月 27 日至 28 日，沙俄舰队在日本海大海战中被日本海军歼灭后，改变了日俄在远东的军事力量的对比。俄国海军大臣比利列夫承认：俄国舰队“已经不堪言状，现今日本在远东的海上，完全成了主人。”②

5 月 31 日，小村寿太郎抓住时机，向驻美公使高平小五郎发出训令：“在日本海军大捷，歼灭了俄国赖以希望扭转战局的武力的今天，俄国政

① 日本外务省编：《日本外交年表并主要文书》上，文书部分，第 236 页。
② 见渡边几治郎：《日本近世外交史》，第 384 页。

府将倾向讲和，这并非失当的设想……在这种情况下，为了使两交战国互相接近并进入会谈，需要第三者友谊斡旋。……日本政府希望〔美国〕大总统直接地而且完全以自己的提议来劝说两交战国为了直接会谈的目的而相互接近。”①

6月1日，高平会见美国总统罗斯福，转达了上述训令的内容。罗斯福愿意承担斡旋。此后，日俄双方出现了讲和趋势。

6月30日，日本政府再次确定对俄谈判条件，除4月21日所决定的内容外，又开列了由全权代表酌情处理的两项“附加条件”：一为“限制俄国在东洋的海军力量”；二为“撤除在海参威的军备，使之改为商港”。这是基于“日本海大海战”的胜利而膨胀的要求。

7月8日，小村以全权代表的身份从横浜前往美国。8日，日俄全权代表会面。

此时，日俄双方都尽量对美国表示好意，俄国全权代表维特非常注意取得舆论的好感，而日本政府在对美关系上也尽量给予特别待遇。如小村赴美期间，美国陆军部长塔夫脱和罗斯福女儿及上下议院的议员等前往菲律宾，在回国途经日本时，明治天皇亲自召见，并在宫中设宴招待，十分殷勤。

7月29日，日本首相桂太郎同塔夫脱举行会谈，达成《桂·塔夫脱协定》，内容是日本政府保证无意侵夺菲律宾，危及美国的利益；而美国则同意日本政府对朝鲜实行“保护”，并剥夺其对外缔结条约的自主权。②

8月10日，日方在事先征得罗斯福意见的基础上，提出了12项对俄讲和条件。这些条件与日本政府事前拟定的方案稍有不同：一是将要求“赔款”字样改为“付还”日本军费；二是取消了解除海参崴军事设施的要求。这是小村全权临机决定的，其余条件依如日本政府的原拟方案。

8月12日，维特对日方讲和条件提出异议。其争议之点大体可分为

① 见日本外务省编：《小村外交史》，第451页。

② 日本外务省编：《日本外交年表并主要文书》上，文书部分，第240页。

二类，一是日本与俄国在朝鲜和中国东三省的权益如何进行重新分配问题；二是俄国对日赔款割地问题。前者原本是日俄战争的根源，因此谈判中势必要进行一番讨价还价。维特带有讽刺意味地说："战前日本所要求的，似为韩国的独立和保障中国领土，现在看了这些要求的条件，与战前的主张似大有径庭之处。"①但此类问题终因俄国在军事上的战败，而使日本政府得到了所要求的各种权益。所以，日俄谈判后期主要集中在第二类问题上。

沙皇任命维特为全权之际，尼古拉曾表明"朕不能赔偿一文战费，也不割让俄国的一寸土地"，②以致维特拒绝日本政府割地、赔款的要求。维特在谈判中认为：日军占领库页岛（时为 7 月），并非取得了领有权，将之割让给日本，是"俄国的尊严所不能容许的"。割让领土是只有无力再战的情况下才出现的，而俄国目前还没有处于这种地步。至于支付战费也即赔款问题，维特表示：俄国不能改变不支付战费的态度。

对此，小村言称"俄国全权是否拒绝讨论此事?"维特言称："双方不同意见的理由已经明确，虽说不敢拒绝友好讨论，但只怕是徒劳无益。付还军费完全与俄国的现实地位不符，俄国与其服从与之尊严不相容的条件，不如宁可再战。"③如此交锋，谈判处于僵持。但此时维特得悉，俄军在北满的处境并不乐观。

8 月 17 日，维特在发回本国的电报中，要求就日方有关付还战费、割地及限制海军力量、交出被扣军舰等条件给予训令，同时流露了"库页岛目前在日军手里，难料今后数十天内有夺回我手中的可能。"这一电报转至尼古拉手边，尼古拉在电报批示："朕先前所下达的一寸土地不让、一个卢布不给的命令，依然不变。"④于是，维特作了即将离开朴次茅斯的准备。

8 月 23 日，小村提出了妥协方案：

---

① 见〔日本〕东亚同文会编：《对华回忆录》中译本，第 161 页。

② 见亚尔莫林斯基编：《维特伯爵回忆录》中译本，第 104 页。

③ 参阅日本外务省编：《小村外交史》，第 530—539 页。

④ 见日本外务省编：《小村外交史》，第 544 页。

一、将库页岛分成两部分，北纬50度以北归还俄国，北纬50度以南属于日本。

二、日俄两国约定，不采取任何有碍宗谷海峡及鞑靼海自由航行的措施。

三、俄国支付12亿日元，作为库页岛北纬50度以北归还给俄国的报酬。

四、若上述内容达成协议，日本则撤回付还军费的要求，但有关日本为保护及供养俄国俘虏的费用不在其内。①

此时，美国总统劝告日本放弃还地"报酬"，沙皇同意将库页岛分为两部分。

8月29日，日方接受了俄国的最后答复。

9月5日，双方签订讲和条约及其附约(10月4日批准生效)。

日俄《朴次茅斯讲和条约》的主要内容是：

俄国帝国政府承认日本在韩国拥有政治、军事及经济上的卓绝利益，并约定不妨碍、不干涉日本帝国政府在韩国采取认为必要的指导、保护及监理措施……。(第二条)

日本国及俄国相互约定，根据本条约附属追加条款第一项的规定，从辽东半岛租借权效力所及地区以外的满洲，同时全部撤兵。除上述地区外，将现在日本国或俄国军队所占领或监理之下的全部满洲的专属行政，完全归还给清国……。(第三条)

俄国帝国政府在清国政府的承诺之下，将旅顺口、大连及其附近领土及领水的租借权并与该租借权相关的或其组成部分的一切权利、特权及让与，转让给日本帝国政府。又，俄国帝国政府将前述租借权效力所及地区的一切公共建筑物及财产转让给日本帝国政府。两缔约国相互约定，上述规定应得到清国政府的承诺……。

① 日本外务省编：《小村外交史》，第557页。

（第五条）

俄国帝国政府约定，将长春（宽城子）旅顺口间的铁路及其一切支线，连同在该地区所附属的一切权利、特权及财产，以及属于该地区铁路或为其利益而经营的一切煤矿，不收补偿，且在清国政府承诺之下，转让给日本帝国政府。两缔约国相互约定，上述规定应得到清国政府的承诺。（第六条）

日本国及俄国决定，各在满洲的铁路经营，完全限于商工业之目的，决不以军事战略目的而经营。该项限制不适用于辽东半岛租借权效力所及地区之铁路。（第七条）

此外，该和约中还有俄国政府将库页岛南部永远让与日本国，以及日本国臣民在俄国濒临日本海、鄂霍茨克海、白令海沿岸拥有渔业权等等。①

《朴次茅斯和约》使日本政府实现了对俄作战的目的，罗斯福说："日本博得了令人惊异的胜利，取得了显著的报酬。日本获得了满洲及韩国制驭权，取得了旅大和库页岛南部，又因为击败俄国的海军而自然地拥有强大的海军力量，在太平洋内除了英国之外，造成了任何国家也难以匹敌的优势。"②

日本学者指出：日俄战争胜利的第一个意义，是在日本国内萌生了相信"力量福音"的大国意识，刺激了亚洲各国的民族解放运动。然而，日本却与之愈来愈远而走上了追随欧美的道路。其二是扩大了日本的殖民地。特别是把"满洲"作为"20亿国币和10万人的鲜血"所赎买的贵重代价。"不能失去满洲"成为国民的口号，而且反复将之作为制造"满洲圣地传说"，或煽动对外危机感，或使对外扩张正当化而使用的手段。③

日俄战后的日本一变而为世界的八大强国之一，进入了所谓"世界

① 全文见日本外务省编：《日本外交年表并主要文书》上，文书部分，第245—247页。

② 见中田千亩：《日本外交秘话》，第259页。

③ 见池井优：《三订日本外交史概说》，庆应通信1992年版，第96页。

的大日本”时代。但是，也面临着对欧美国家的矛盾。

五　日本对俄战争后的“攻势国防”

1905 年 9 月 2 日，伦敦《旁观者》报声称：“〔日本〕这个新兴的国家打败了被称为欧洲最强的国家，粉碎了它的陆海军，证明它具有动用使西洋第一流名将也感到畏惧踌躇的五十万精锐转战亚洲大陆的能力。它使现今任何国家也没有以存亡作赌注的决心，都觉得与日本枪炮相见是不可能的。倘若日本真的称雄北太平洋，扩大它多年来在北京的优越势力，那么，在中国这个还没有开放的最大市场上，它将成为世界贸易和其他事业上最强盛的竞争者。”

同样，伦敦《晨邮报》也以“世界的大日本”为题，论说日本在东洋的勃兴，导致了欧洲各国的政治变化，并称“今非昔比，日本在中国的威望及维护这种威望的任务，明显地加重了。虽然其程度尚难预料，但它毫无疑问地将成为扶植中国的一种有形或无形的巨大势力。”①

姑且不论英国的上述舆论出于何种动机，仅从这些议论中也可看出，当时的国际帝国主义国家确实已对日本刮目相视了。特别是在日本国内，更是大有不可一世之概。

1905 年 6 月，当日本政府决定对俄国讲和的消息传出后，日俄战前便积极鼓吹对俄作战的“七博士”，便在报纸上公开地提出了种种“最低限度”的讲和条件，诸如要求俄国赔款 33 亿元；不准俄国在日本海设置舰队；在贝加尔湖以东限制俄国的守备兵力，以及不经日本同意俄国不得在中国获得有关土地权益等等。②

此外，还有人要求俄国割让贝加尔湖以东，主张日本进攻俄都。③

凡此种种，反映了帝国主义分子和大地主大资产阶级的愿望。

---

① 见渡边几治郎：《日本近世外交史》，第 427 页。

② 见渡边几治郎：《日本近世外交史》，第 423—424 页。

③ 见日本外务省编：《小村外交史》，第 604 页。

特别值得注意的是，日俄战争前后，日本社会涌现了一批积极推行帝国主义政策或为之张目的右翼势力，如樱田俱乐部、青年国民党、南佐庄、黑龙会、江湖俱乐部、同志记者俱乐部等等。他们联合起来反对日俄讲和条约，并煽动深受战争灾难与付出重大牺牲的国民，于 1905 年 9 月 5 日在东京日比谷公园，通过所谓《否认讲和条约决议》。内称："我全权委员议定的讲和条件，丧失了战胜的效果，有误君国大事"。并且要求否认讲和条约。与此同时，则以"国民"的名义，要求在中国东北的日军"蓦然奋进，以粉碎敌军"，并向枢密院递交了要求拒绝批准讲和条约的决议。① 在这些右翼团体中，便有后来积极在华进行侵略活动，筹划"满蒙独立"的内田良平、头山满以及小川平吉等人。

此外，日本陆军大学及海军大学的国际法讲师、后任军阀袁世凯顾问的有贺长雄，更是写有"两大名著"：一是《保护国论》；二是《满洲委任统治论》。前者针对朝鲜，后者针对中国。在有贺长雄看来，日本政府理应在中国东北代替行使主权，并有必要采取类似英国在塞浦路斯岛、奥匈帝国在波斯尼亚（今南斯拉夫境内）所行使的"委任统治"。②

上述情况表明，日本帝国主义称霸东亚的野心更加膨胀。

与此同时，日俄战争以后，日本完成了以重工业为主的"第二次产业革命"。除轻纺工业有所发展外，资本主义生产的统治地位在工矿和重工业部门也大体确立起来。如采矿业自从 1902 年输入水压机械后，至 1911 年已经普遍使用锤式凿岩机，并且实行电力生产。1890 年使用电力 5300 马力，至 1908 年激增为 2000 万马力。另外，企业公司也从 1902 年的 135 家，增加到 1910 年的 252 家。在此期间，投资额也从1000万日元扩大到 1 亿日元以上。从主要矿产的生产量来看，也大体实现了成倍增长的水平。

1901—1905 年，日本铣铁年均产量 5.5 万吨，钢材年均产量为 4.1

① 见黑龙会编：《东亚先觉志士记传》上，第 870 页以下。

② 见黑龙会编：《东亚先觉志士记传》中，第 350 页。

万吨，但是 1911—1913 年，铣铁年均产量则达到 22.7 万吨，钢材年均产量激增为 22.2 万吨。在此期间，财阀资本或民办重工业也有了相当长进。如釜石制铁厂自 1903 年开始制钢、轧钢作业，至 1912 年，除拥有生产铣铁 4.8 万吨的能力而外，还生产了 1.1 万吨粗钢。1901 年住友财阀收买了日本制钢所后开设了住友铸钢厂。1905 年铃木商店收买了小林制钢所，设立了神户制钢所。1907 年川崎造船所也在兵库开设铸钢厂，分别制造铁路和军用钢制品。1907 年日本海军当局与三井资本合作，在室兰设立了日本制钢所，开始生产特殊高级钢材及制造大炮等军火武器，至 1912 年创立日本钢管公司，开始生产钢管等产品。

此外，日本的造船业在日俄战争后也达到了世界水平。1906—1915 年，国产船舶吨数年均 49.7 万吨，远远超过了进口船舶吨数。①

然而，正如列宁指出的那样："资本主义愈发达，原料愈缺乏，竞争和追逐全世界原料来源的斗争愈尖锐，那么占据殖民地的斗争也就愈激烈"。② 日俄战后的日本在扩大对外侵略的同时，则开始同它往日的盟友和支持者——英美帝国主义发生了新的矛盾和争夺。

首先从日英关系来看，尽管各自怀着相互利用的心计，并连续缔结同盟条约。但是，帝国主义之间相互争夺的矛盾并没有消失。特别是日本将沙俄赶出"南满"和朝鲜半岛后，虽然口口声声表示要"保全"中国的领土完整，维护各国在中国东北的"机会均等"和门户开放，但实际上和沙俄政府一样，也是力图独霸"满洲"。

1905 年 8 月，山县有朋在题为《战后经营意见书》中，便流露了这种意图。他说：

"满洲之地，虽然在战后理当还给清国，鉴于帝国对各国之信义，不能撕毁有关公约。但是，依靠清国今日之实力维持满洲一带的和平与秩序，并抑制俄国南下，不可不谓困难。也即，恢复和平之

---

① 以上参阅山口和雄：《日本经济史讲义》，东京大学出版社 1964 年版，第 187—190 页。

② 《列宁选集》第 2 卷，第 802—803 页。

后，……不可不采取手段，在某种名义之下，使若干军队驻屯在哈尔滨以南的要地，一以保护由于媾和而归我所有的铁路，一以控制俄国南下。”①

同年10月27日，日本政府决定的《有关满洲事项和清国缔结条约的文件》中，更是毫不掩饰地声称：“这次与俄国讲和的结果，满洲的一部分已经成为帝国的势力范围，因此帝国需要维持和确立此种势力。”②

也就是说，日俄战后的日本政府已把中国东北的一部分，视为排他性的“势力范围”。所以，日俄讲和条约缔结之后，日本政府旋即派遣外务大臣小村来华，迫使中国清政府缔结有关转让“南满”利权的条约，并对国际列强施以种种制约。这样一来，便首先引起了它的同盟者英国的注意。

1906年5月，英国驻日本大使马库托纳特以个人名义，在给伊藤博文的信件中，对日本政府企图封闭“满洲”的行为，提出了尖锐的异议。他说：“目前英美贸易社会几乎公开表示：日本在满洲的军事官员依据军事行动对外国贸易予以束缚，满洲的门户比以往俄国控制时更加封闭，而实行这种封闭主义又是专门针对欧美人的，对日本人却实行开放。……依我个人的愚见，现在日本政府所采取的政略，完全将在对俄战争时同情并提供军费的国家隔离起来，只能认为这是日本的自杀政略。……不，日本的此种政策是一种发疯的政策。”③如此等等，措辞十分尖刻。

这封信虽说出于私人名义，但它表明由于日本政府的企图，而使潜在的日英矛盾公开出来。因此，伊藤博文感到忧虑。

再就日美关系而言，在日俄讲和期间，美国总统罗斯福确实对日本政府有所偏护，而日本政府所以把议和地点选在美国朴次茅斯，也是基

① 见大山梓编：《山县有朋意见书》，第278页。
② 见日本外务省编：《日本外交年表并主要文书》上，第251页。
③ 见日本外务省编：《日本外交年表并主要文书》上，第261页。

于对其和谈有利。但是，各帝国主义之间的合作关系从来就是相对的，只有各自的利益才是绝对不变的。

1904 年 3—5 月间，罗斯福便不止一次地表示过：美国“要在两个一蹶不振的敌国中间建立平衡”，而且“从我们的利益来讲，我们希望日俄战争延长下去，希望它们两败俱伤，尽可能耗尽元气。即使缔结和约后，边界纠纷也还不能得到解决，两国在利益范围的界限上也一如战前那样彼此对峙。这样，就可以使它们保持战争状态，并抑制它们在别的方面的野心，日本就无法在胶州湾威胁德国，也无法在菲律宾威胁我国了。而俄国的注意力将从它的西境转移集中到东方”。罗斯福还说：他“不愿意见到俄国在远东遭到过大的削弱，……在缔结和约后，应力求保持两国之间在战前就已存在的边界纠纷。”①

由此可见，罗斯福之所以在日俄战争期间准许日本政府在美国募集外债，并在日俄双方筋疲力尽之下积极促成讲和，乃是出于利己的动机。这可使美国政府两边讨好，并收取推行其所谓“门户开放”的实际利益。

与此同时，日俄战争的结果已经使美国政府意识到：日本将是美国在远东扩张势力的对手。为此，1905 年 7 月，日美双方缔结了《桂·塔夫脱协定》，就各自在朝鲜和菲律宾的权益划定了界限。但是，这一协定并没有终结双方矛盾，充其量是使双方在争夺殖民地的矛盾上维持了一段“平静”。时至日俄战后，日本政府力图把“满洲”攫为己有，而美国则企图把它的触角伸向中国东北。这样一来，双方的矛盾便表面化了。其重要表现就是围绕中国东北铁路问题而展开了尖锐的角逐。

当时，美国垄断资本代表、铁路大王哈里曼为了达到奴役整个世界的目的，想成为世界的铁路大王。他力求首先取得中国东北的铁路经营权，进而收买中东铁路，取得通过和控制西伯利亚铁路的权益，然后直达波罗的海，再横渡大西洋连接在其势力之下的美国铁路，构成贯通宇内的铁路网。

---

① 见罗曼诺夫：《日俄战争外交史纲》中译本下册，第 527 页。

1905年3月，哈里曼来到日本，向日本政府提出了日美共同管理“南满铁路”问题。当时日本政府由于担心俄国报复，所以同意了哈里曼的意见，以便在“共管”之下形成一道防范俄国的屏障。

同年10月12日，日本政府与哈里曼相互交换了有关共同管理“南满铁路”的预备性协定。其中规定：

为了准备资金以收买日本政府所获得的满洲铁路及其附属财产，修整改筑和延长该铁路，以及完善大连的铁路终点，双方组织一个“辛迪加”，并对其取得的财产拥有共同和均等的所有权。另外，将涉及铁路的煤矿采掘权给予一家公司，双方对该公司拥有共同和均等的利益权和代表权。

有关开发满洲的各项企业，以双方拥有均等利益权为原则，由双方共同代表所决定的实际价格来收买满洲铁道及其附属财产、铁轨、枕木、桥梁和其他一切线路设备、车站建筑、月台、仓库、船坞码头等等。

此外，规定另有加入者时，须在双方协议和同意后才能进行。①

上述预备协定，意味着美国垄断资本平分了日本在中国东北所获得的权益。这从对付俄国复仇的角度来看，似乎是可行的。但从日本政府力图独霸“满洲”来说，则是相互矛盾的。因此，当小村寿太郎于10月16日回到横滨，听到政府与哈里曼有上述预备协议之后，立即表示反对，旋即会见总理大臣桂太郎，认为通过日俄战争拼命获得的经营大陆的大动脉，不能就这样被美国夺去。接着，小村又走访曾支持与哈里曼缔结预备协定的元老井上馨，陈述日本向大陆扩张及“南满铁路”的重要性。②于是，日本政府在1906年1月，重新审议并废弃了与哈里曼缔结的预备协定。

日本政府撕毁与哈里曼的协议之举，引起美国政府的反感，并导致了日美关系的恶化。美国政府公开指责日本“忘恩负义”，并继续通过驻

---

① 见日本外务省编：《日本外交年表并主要文书》上，第249页。

② 参阅中田千亩：《日本外交秘话》，第264页。

奉天领事，插手中国东北的铁路问题。与此同时，则在国内掀起了排日运动，如禁止日本移民、对日本学龄儿童歧视等等。

1906 年 10 月，罗斯福对上议院海军委员会主席海尔说："日本国民是傲慢而好战的，而且又在日俄战争中获得胜利，所以美国必须以日本为目标来扩张海军力量。"①显然，日美矛盾业已加深。

在此期间，日本参谋本部秘密地制定了所谓"攻势国防方针"。这种攻势化的方针，最初是由时任陆军省军事课长田中义一(1864—1929)提出的。1906 年，他在题为《随感随录》的军事意见书中认为，"战后之经营已不是仅仅决定陆海兵力这种单纯的意义了，必须确立基于我帝国国策的大方针"。他说，由于日本在海外有了保护国和租借地，加上日英攻守同盟的关系，"历来的仅以守势作战已不能成为国防的根本原则，必须以攻势作战作为国防的基础方针，这实为战后经营的第一要点"。在这个前提下，田中不仅论及了日本的政略与战略一致和经济上加以协调的关系，而且具体地提出了"攻势"化方针的设想。诸如在对中国使用兵力时，应首先攻取中国南部，然后以北京为目标，在直隶加以策应；在与俄法同盟作战时，应攻取法属安南；在对美作战时，应攻取菲律宾等等。②

此后，"攻势作战"则变成了日本政府"国防方针"的基本内容，而且是为了贯彻"国策"的"大方针"。

田中的上述意见受到日本参谋总长儿玉源太郎的赞赏，认为它是"有关当前时务的紧急而恰当的建议"，并将之推荐给陆军大臣和山县元老。田中本人也因为这份意见书而于同年 6 月被任命为陆军军制调查委员，为日后的升迁铺垫了基础。

同年 10 月，日本陆军元帅山县有朋在田中义一上述意见的基础上，直接向天皇呈奏了《帝国国防方针案》，要求确立采取"攻势作战"的国防

① 见沼田市郎：《日俄外交史》，大阪屋号书店 1943 年版，第 182—183 页。

② 见上法快男：《陆军省军务局》，芙蓉书房 1979 年版，第 140—141 页。

方针。内称：

“我帝国的国防方针，历来以守势为专长，其作战计划，也是陆海两军分别策定。因此，在协同一致上不免有所遗憾。最近战役之旷古大捷，顿时改变了宇内形势。担保东洋和平，实在陛下掌握之中。因此，从维护帝国自身权势及完成对盟国的责任义务而言，国防方针也不容沿袭保守主义，必须以攻势作战为专长，其作战计划之实施，首先必须陆海两军协作，这种协作必须依据国防方针做指导，而国防方针又必须以国策为基础，与政略一致。……方今适值着手战后经营之秋，首先策定国防方针，以示确乎不拔之准绳，使陆海两军知晓计划之所归，乃是帷幄统率国家军队至关重要之急务。”

山县认为：

“作为明治三十七八年战役〔也即指日俄战争—本书注〕的结果，在海外拥有保护国和租借地之时，考察各国在东洋的形势，我国的国防方针不可不采取进而攻击敌人或覆灭敌人根据地之策。三十七八年战役之前的守势作战方针，不仅不适合维护我国国权、保持我国领土，而且日英同盟缔结以来，我帝国已具有了大陆作战的责任和义务。”

进而，山县言称：

“将来我国扩张国利国权，以向清国谋求为有利。”其“理由”是：

“鉴于清国现状及其与各外国之关系，推测其将来，彼国的前程尚难预料。如遇此等机会，在我帝国和清国的国际关系及地理位置均优于各国的同时，向清国扩展国权、增进利益亦必须卓绝，而且应该作为帝国享有的权利而谋求。在遇有对清国用兵之际，我陆军的主要目的在于攻占清国南方。我国海军在此时应确实占领台湾海峡，歼灭其舰队或封锁之，采取威胁其沿岸都市之举。”其“理由”是：

> “无论是清国自身不能维持国内秩序，或与外国因国际关系而发生事端而不得不对彼国用兵之时，务必首先占有将来适于扶植我帝国国利、国权之地。此时，我应采取的有利方针是，首先以台湾海峡为主，确实占领清国南部，然后着手攻取北京为有利。因为扬子江流域及其以南地区的生产力富饶，足以富国，支配台湾海峡，则足以称雄远东。东以韩国为根据，西自清国南部开始，逐次谋求实利进展，则可实现我国之雄图矣。”①

山县有朋的上述意见，实际是日本政府进一步对外侵略扩张的纲领。它意味着日俄战争之后的日本政府，并没有满足从沙俄手里攫取的种种权益。其提出的“攻势”国防方针，不仅在于扩大侵略中国，而且要“称雄远东”，实现日本的“雄图”。

对此，天皇命令加以“研究”。于是，以参谋本部第一部长松川和田中大佐、海军军令部第一班长川岛令次郎和财部彪大佐为主，日本陆海军统帅部开始就国防方针问题进行协议。

1907 年 1 月 29 日，日本陆海军统帅部共同策定了有关方案。2 月 1 日，参谋本部和军令部长向天皇“奉答”国防方针案。4 月 4 日，得到天皇“嘉纳”。② 至此，《日本帝国国防方针》得以确立。其中“基本方针”的第一项内容是：

> “帝国的政策，是根据明治之初所决定的开国进取的国策而实施的，未曾有过偏离其轨道之事，自不待论。今后要益加按照此一国策，谋求扩张国权、努力增进国利民福。
>
> 欲扩张国权、增进国利民福，虽然不可不在世界之多方面经营。但特别要拥护在明治三十七八年〔1904—1905 年〕战役中，抛洒几万生灵及巨万财货而在满洲及韩国扶植的利权和在亚细亚南方及太平洋彼岸正在张皇的民力发展。必须以更加扩张之作为帝国施政

① 见大山梓编：《山县有朋意见书》，第 296—300 页。

② 参阅黑野耐：《帝国国防方针研究》，总和社 2000 年版，第 86 页。

的大方针。”①

也就是说，采取攻势方针，进一步扩大日本在海外的侵略权益，已经成为日本国家的根本战略方针，而且要向“亚细亚南方及太平洋彼岸”谋求发展。这实际是日本尔后建立所谓“大东亚新秩序”的原始表述。

此后，“攻势作战”变成了日本政府“国防方针”的基本内容，而且成为贯彻“国策”的“基本方针”。从这个意义上讲，1931 年日本关东军所发动的“九一八事变”，并不是所谓关东军的“独走”，而根源在于日本国家的国策，关东军不过是贯彻国策的强力机构。

与此同时，1907 年《日本帝国国防方针》的确立，是在日本天皇直接控制下形成的。当年，日本内阁只有总理大臣一人知晓。这说明了日本军部的特殊地位，以及近代日本天皇制的特征。

---

①《日本帝国国防方针》，见黑野耐：《帝国国防方针研究》，第 95 页。

第四编　从“征韩论”的泛起到日韩“合并”

一　日本明治初期的“征韩论”

1868年4月15日(旧历三月二十三日),日本新政权命令对马(严原)藩主宗义达继续掌管“实际处理朝鲜事务”,并要求其“尽力树立国威”,“一洗旧弊奉公”。① 这一指令明确了所谓“布国威于海外”的具体方向。

前近代的日本与朝鲜,是对等的国家关系。朝鲜李氏王朝所奉行的传统政策是:“西不失礼,东不失信”,也即对中国皇帝朝贡,执属国之礼;对日本以郑重态度相待,不失信义。当时日本与朝鲜沟通的渠道,是通过对马藩宗氏。宗氏每年可派出17次“岁遣船”,向朝鲜输送铜和其他特产,而朝鲜作为“返还”物资,则是送给对马大米、木棉、牛皮等。后来,这种物物交换变成货币交换,宗氏从中获得很大利益。此外,朝鲜方面还每年赐给对马大米一百石。但是,对马与朝鲜的往来,必须使用朝鲜颁发的印章,按照固定的称谓与程序。

---

① 见多田好问编修:《岩仓公实记》下卷,岩仓公旧绩保存会1927年再版,第8页。东亚同文会编、胡锡年译:《对华回忆录》中译本,商务印书馆1959年版,第8页。

1868年5月27日（旧历闰四月六日），宗义达向新政权表示效忠，他在呈文中言称：

“上代三韩朝贡中断”之后，朝鲜与日本的关系为之“一变”，及至幕府时期，朝鲜“虽阳表诚信，但也仅限庆吊聘问之礼”，其与对马实似私交，有关交际并无一定法典。为此，他要求“值此更始一新之际，一洗从前之旧弊，以确立无穷之根基”。并称如果朝鲜“不辨皇国厚眷，万一有非礼倨傲之态，则当作出赫然膺惩之勇断，以立英武之皇猷。”不然，“国威难立，且有害将来之功业”。①

宗义达的上述建议，实际是近代日本“征韩论”的第一声。

1869年1月23日（旧历十二月十一日），宗义达受命派遣樋口铁四郎作为“大差使”，向朝鲜礼曹参办递交文书。内称：

> “日本国左近卫少将平朝臣义达，奉书朝鲜国礼曹参办公阁下：我邦皇祚联绵，一系相承，总揽大政，二千有余岁矣。中世以后，兵马之权，举委将家，外国交际并管之。至于将军源〔德川〕家康，开府于江户，亦历十余世，而升平之久，不能无有流弊，事与时乖戾。爰我皇上登极，更张纲纪，亲裁万机，欲大修邻好。而贵国之于我也，交谊已久矣，益笃恳款，以归万世不渝，是我皇上之诚意也。乃遣正官和平节〔樋口铁四郎〕、都船主藤尚氏，以寻旧悃，菲薄土宜，略效远敬，惟希照亮，肃此不备。”②

对此，朝鲜方面认为书中含有“皇祖”、“皇上”字样，且将“大人”改称为“公”，是为“不逊”。而且所用印章与旧日不同，所以不肯受理。然而“毫无绝交之意”。③ 但此事却成了日本政府上下鼓动“征韩”的借口。

就近代日本新政权的核心而言，最先将“征韩论”提到日程的，是新

① 见日本外务省编：《日本外交文书》第1卷1册，第659、666页。

② 见多田好问编修：《岩仓公实记》下卷，第8页。日本外务省编：《日本外交文书》第1卷2册，第692—693页。

③ 参阅《日本外交文书》第3卷，第32页。见多田好问编修：《岩仓公实记》下卷，第8页。

政府的参与木户孝允。

1869 年 1 月 26 日(旧历明治元年十二月十四日)，木户孝允在日记中写道：

“明朝岩仓公出差，下问前途之事。据此上言数件，尤为大者有二。一为确定天下之方向，派遣使节赴朝鲜，责问彼之无礼，彼若不服，则鸣其罪而攻击其土，以大张神州之威。诚如是，则天下之陋习可以俄然一变，远定面向海外之目标，随而百艺器械切实相进，以至肃清窥窃于内、诽人之短、各不自省之恶弊，此对国家必有大益。”①

同年 2 月 11 日(明治二年元旦)，木户又与主管军务的副知事大村益次郎共同策划。其在 3 月 12 日(正月三十日)的日记中写道：“早晨参朝，连续传闻西京〔京都〕事情，实叹皇国人情可治之难，平生所思征韩之念，益加勃勃。故将所认致书大村。所谓征者，并非胡乱征之，乃欲推行宇内之条理也。推行其条理，即我国策也。”②

木户所谓的“国策”，也即要把征伐朝鲜作为确立日本“皇国之国体”，使之“万世不垂”和“在东海生辉的开始。”③而此时此刻，尚未发生朝鲜不肯受理对马藩国书之事。

在此期间，日本新政府将处理朝鲜问题交由外务省管理。于是，外务省派遣佐田白茅、森山茂等人前往朝鲜釜山进行实地侦察。

1870 年 3 月，佐田白茅上书言称：

“呜呼，其摒却之〔指上述国书——本书注〕，是为朝鲜侮辱皇国也。皇国岂可不下皇使以问其罪乎？……君辱臣死，实乃不共戴天之寇也。必不可不伐之。不伐之，则皇威不立也，非臣子也。速下

① 见渡边几治郎：《日本战时外交史话》，千仓书房 1937 年版，第 13 页。所认日期，据日本外务省编：《日本外交年表并主要文书》年表部分，第 54 页。

② 见渡边几治郎：《日本战时外交史话》，第 14 页。所认日期，据日本外务省编：《日本外交年表并主要文书》年表部分，第 58 页。

③ 见渡边几治郎：《日本战时外交史话》，第 16 页。

皇使一名，再选大将一名、少将三名，率领兵卒三十大队……不出五旬而虏其国王矣"。

"朝鲜仰正朔于清国……故天朝加兵之日，当遣使清国，说之所以伐之者，清国若是不听而且派出援兵，则可一并清国而伐之。朝鲜有太殷〔大院〕君者，国王之实父也。丙寅之年，朝鲜与法兰西战争之后，专握权柄，擅威福……厚税敛、蓄金谷，下民莫不怨焉。一旦举我三十大队，蹂躏彼之巢穴，则可土崩瓦解，一夫之太殷，七擒七纵，实为容易。"

他进而言称：

"以全皇国为一大城池，虾夷、吕宋、琉球、满清、朝鲜，皆皇国之藩屏也。虾夷之业，既已开拓，满清可交，朝鲜可伐，吕宋、琉球可垂手可得矣。所以朝鲜之不可不伐者大而有之。四年前法国攻朝鲜，取败刃，懊恨无限，必定不使朝鲜长久矣。再者，鲁〔俄〕国窥其动静，美国也有攻伐之志，皆垂涎于彼之金、谷耳。皇国若失此好机会而与之于匪人，则实失我唇，我齿必寒。故而，臣痛为皇国唱挞伐也。""伐朝鲜，富国强兵之策，不可轻易以糜财蠹国论却之。现今，皇国实患兵之多，而不患兵之少……。一举屠朝鲜，则不仅大练我之兵制，且可使皇威辉于海外，焉能不神速伐之。"①

同样，森山茂也在建议中声称："方今维新事业就绪，而四方不得志之士，英气郁勃，怀叹脾肉，窃望生变"，莫如"将彼等移植朝鲜半岛，可使将来之内乱转而向外，且可建立开拓国利于海外之基础，实为一举两得之策"，"我兵一旦登陆韩国，应先占庆尚、全罗二道之富源，施永久之策，定长住之法。……诚如是，则我国几万无职业之士族，可得以优其生业矣。"②

① 日本外务省编：《日本外交文书》第三卷，第139—140页。

② 见黑龙会编：《东亚先觉志士记传》上册，第23—24页。

同年7月，日本外务大丞柳原前光在《朝鲜论稿》中写道：

“皇国为绝海之一大孤岛，此后纵令有相应之兵备，但保全周围环海之地于万世，且与各国并立，皇张国威，乃是最大难事。朝鲜是北连满洲、西接鞑清之地，若使之绥服，实为保全皇国之基础，将来经略进取万国之根本也。若使他人领先，则国事于此休矣。况近年来，各国也探察彼地之国情，频繁窥伺者不少。既如鲁西亚者，吞食满洲东北，其势欲吞朝鲜，皇国岂能有一日之轻疏，更何况列圣垂念之地耶。”①

在此期间，日本政府向欧美派出了以右大臣岩仓具视为首的使节团，在对外改约失败的情况下，考察了西方的政治、经济、文化等制度。1873年5—7月间使节团成员分批回国。

是时，“征韩论”达到了高潮。其代表人物是留守政府的主脑西乡隆盛和政府参议板垣退助。1872年8月，西乡曾与外务卿副岛重臣等人合谋，将陆军中佐北村重赖、别府晋介派往朝鲜，并将外务省官员池上四郎、武市正韩派往中国东北，进行地理、风俗调查。1873年，又将陆军少佐桦山资纪、海军秘书儿玉利国派往台湾和中国南部从事调查，以“备有事之日”。西乡认为：“将冀希内乱之心，转移于外，乃是兴国之远略”，②在欧美列强“东渐”之际，与其坐以待毙，莫如进取朝鲜、台湾、库页岛等地，以奠定日本对外发展的基础。③

当时追随西乡隆盛、力主征讨朝鲜的桐野利秋，也毫不隐讳地说：“方今宇内为各国纷争，大小强弱相互吞并，甲起乙扑，互为盛衰之势”，“使我国与各国骈驰，独立于宇内，唯有航渡海外，战斗攻伐”，“现今英法普俄各国相峙，无暇及于支那、朝鲜、满洲，我日本宜在此时乘机跋涉于

① 日本外务省编：《日本外交文书》第三卷，第149页。
② 见渡边几治郎：《日本战时外交史话》，千仓书房1937年版，第27—30页。
③ 见渡边几治郎：《日本近世外交史》，千仓书房1938年版，第127—130页。

支那、朝鲜、满洲，掠而取之，以立侵入欧洲各国之基”。①

凡此种种，表明日本明治初年鼓噪“征韩论”的基本目的。一是要在经济上解决财政困难，将“征韩”作为“富国强兵之策”；二是要在政治上转移国内矛盾，使“窃望生变”和相互争斗之心转向国外；三是在国家发展战略上占据有利地位，以作为“将来经略进取万国之根本”。可见，近代日本的“征韩论”不仅具有现实利益，而且更有长远的战略目的。

1873 年 8 月 17 日，日本政府在参议西乡隆盛的要求下，作出了将之作为使节，以便实施“征韩”的决定。然而，同年 9 月回国的岩仓具视和大久保利通等人，则根据对欧美国家的考察和鉴于国内的形势，深感应该优先治理国内问题。于是，日本政府出现了所谓“征韩派”与“内治派”之争。

同年 10 月 13 日，大久保利通在其意见书中强调：“凡经略国家，保守疆土和人民，不可不深谋远虑。故而，进取退守，需见机而动，见其不可而止，有耻而忍，有义而不取，是为度其轻重，鉴其时势而有大期也”。进而，他列举了七条理由：（一）倘若对外构事，难保国内不发生变动；（二）对外构事必起外债，而有了外债则将“偿还无术”；（三）“猝然起兵”，将使国内“万事中止，前功尽废”；（四）“日耗财货、上下困顿”；（五）“今我与朝鲜交兵、鹬蚌相争，俄必为渔父；（六）英国也将借机以偿还债务为口实，“干预我国内政”；（七）日本同各国立约，并非对等，英法对我有如属国，而日本不以为耻，反倒“独咎朝鲜”，是为“忍大而不忍小”。②

当时的陆军大辅山县有朋认为：“过二、三年或许可能，如现在进行，则将引起极大之混乱。”时任海军卿的胜海舟也称：“海军在战术方面也没有做好准备，一旦政府命令开战，只有辞去海军卿之职。”③也就是说，当时日本军界对“征韩”没有必胜的把握。于是在异议之下，以西乡隆盛为首的“征韩论”未能实施。

---

① 见川崎三郎：《增订西南战史》，大和学艺图书会社 1977 年版，第 21—22 页。

② 渡边几治郎：《日本近世外交史》，第 127—130 页。

③ 池井优著：《三订日本外交史概说》，庆应通讯株式会社 1992 年版，第 55—56 页。

然而,"内治派"所反对的,并不是征伐朝鲜这一战略目标,而是认为时机尚未成熟。"内治派"虽然强调内治,但是"并没有舍弃侵略亚洲的意图。"①所以,两年后的1875年,以大久保利通为主导的日本政府挑起了"江华岛事件",将"征韩论"变成了入侵朝鲜的事实。

二　"江华岛事件"与迫订条约

1875年4月,日本政府派往朝鲜的外务少丞森山茂认为:只有对朝鲜施加军事压力,才是"最为有效的手段"。外务卿寺岛宗则采纳了这种意见,并经太政大臣三条实美、右大臣岩仓具视的批准,与海军大辅川村纯义秘密确定了向朝鲜派遣军舰的决策。② 于是,"云扬"号军舰于5月25日先行闯入釜山。随后,"第二丁卯"号也在6月12日以"演习"为名,在釜山展露炮口,实行军事恐吓。6月20日拂晓,"云扬"号军舰再次沿朝鲜东部海岸北上、进入永兴湾,后经迎日湾再次闯入釜山,"完成了第一次测量及示威活动"。

9月20日,"云扬"号第三次侵入朝鲜,并以寻求淡水为名,驶至汉江江口,直接威胁京城。当时,日舰只挂黄旗,没有日旗标志。朝鲜江华岛守军被迫对来历不明的军舰发炮,但因射程不足并未击中日舰,而"云扬"号却就此挂起日旗频频还击,并摧毁了江华岛炮台,进而占据了对面的永宗镇,使之化为火海。这就是日朝关系史上的"江华岛事件"。③

这一事件实际是日本政府蓄意制造的。特别是岩仓具视和大久保利通等人,更是认为这是"从天而降的绝好口实"。为此,岩仓等立即会同陆、海军首脑,进行紧急磋商,准备出兵朝鲜。④ 同年12月,日本政府决定派遣陆军中将、政府参议黑田清隆为全权大臣、元老院议官井上馨

---

① 后藤靖:《士族叛乱研究》,青木书店1974年版,第26页。

② 参阅田保桥洁:《近代日鲜关系研究》,宗高书房1972年版,第372页。

③ 以上行文,参阅田保桥洁:《近代日鲜关系研究》上,宗高书房1972年版,第372—397页。

④ 参阅申国柱:《朝鲜的开国》,见〔日〕国际政治学会编:《日本外交史研究——幕末维新时代》,理想社1960年版,第130页。

为副大臣，率领舰队前往朝鲜“谈判”。与此同时，则陈兵长崎，待机而动，并由外务卿会晤欧美公使，以求获得外交上的支持。

1876年2月10日，黑田一行抵达江华，并于次日开始交涉。黑田清隆不仅强词夺理，反诬朝鲜守军“不法”，而且将事先拟就的条约初稿强加给朝鲜。2月13日，双方进行第三次交涉时，黑田清隆更以“倘若失和，日本军民将大举入侵”相威胁，以致朝鲜政府于26日被迫接受了日方要求，按照日方草案，稍作改动后缔结了内含12条的所谓《日朝修好条规》(亦称《江华条约》)。

其中规定：

第一款　朝鲜国为自主之邦，保有与日本国平等之权……。

第四款　(前略)朝鲜国政府应在第五款所载之地开设两个港口，听准日本人民往来通商，在上述场所租借地面、营造房屋或租借朝鲜民宅，应任其各自随意。

第五款　在京圻、忠清、全罗、庆尚、咸镜五道之沿海，选择两个便于通商之港口后，应指定地名。开港日期应自日本明治九年〔1876年〕二月起……以二十个月为期。

第七款　朝鲜国之沿海岛屿岩礁……应准许日本国之航海者自由测量，审其位置深浅，编制图志……。

第八款　日本国政府可向朝鲜国指定口岸，根据时宜设置管理日本商民之官员，若有两国交涉事件，由该官员与该地方长官会商办理。

第十款　日本国人民在朝鲜国指定之各口岸，若有犯罪，与朝鲜国人民交涉事件，应概由日本国官员审断，若有朝鲜国人民犯罪，与日本人民交涉事件，可均由朝鲜国官员查办，但双方应据本国律例裁判，丝毫不得庇护，以示公允。

第十一款　两国……另立通商章程，以利两国商民。①

① 见日本外务省编：《日本外交年表并主要文书》上，原书房1972年第三版，第65—66页。

《江华条约》的签订，是近代日本政府效仿欧美，迫使朝鲜对外缔结的第一个不平等条约。它使日本政府实现了多年企图染指朝鲜的欲望，并确立了侵略渗透的基础。其中所谓"朝鲜国为自主之邦，保有与日本国平等之权"，并不是要确认朝鲜的独立自主，而是意在否定中国对朝鲜的传统地位，并为日后进一步扩张埋下伏笔。其他诸如自由测量朝鲜沿海岛屿、编制图志，以及单方面向朝鲜派驻官员，依照日本法律裁判犯罪事件等等，则是对朝鲜主权的侵犯。

同年 8 月 24 日，日本政府又与朝鲜政府签订了《日朝修好条规附录》和《日本国人民在朝鲜国议定各港贸易规则》，进一步从朝鲜获取了"可用日本国各种货币交换朝鲜国人民之所有物品……得在朝鲜国指定的各口岸内相互通用"，以及日本政府所属船只不纳港税，可在朝鲜各港输出、输入稻米和杂粮等特权。①

这实际是近代日本掠取朝鲜黄金和粮食的肇始。同年 9 月，日本政府又通过"有关芟除朝鲜宿弊"的公函，单方面宣布"我国人民向贵国输送之各种物品，在我海关不课输出税，贵国向我内地输入之物产，在数年间也不课输入税"，②迫使朝鲜接受无税贸易，为扩大对朝鲜的经济掠夺打下了基础。

三　设立"特别居留地"与使馆驻兵

1876 年，日本政府迫使朝鲜签订《江华条约》之后，同年 11 月，为了在朝鲜确立"战略要地"，又派花房义质（后为驻朝公使）出使朝鲜，并于 1877 年 1 月签订了《釜山居留地契约》，开始在朝鲜设置"特别居留地"。

根据 1895—1896 年日本外务省和驻朝公使的往返电文可知，这种"特别居留地"具有以下特点：一是专为日本人居住和营业而设；二是属于划定通商港口的一部分；三是除了日本人之外，他国人不准租借；四是

① 见日本外务省编：《日本外交年表并主要文书》上，第 67—69 页。

② 见日本外务省编：《日本外交年表并主要文书》上，第 70 页。

行政权只能由日本政府行使，拒绝朝鲜政府和其他国家介入；五是维持“特别居留地”的费用由日本政府从国库支付；六是日本政府可任意决定和实施居留地制度，无需朝鲜政府事先同意；七是日本政府独占警察权，直接派遣警察；八是战时可作为军事基地或兵站基地。

日本学者认为，这种“特别居留地”侵犯朝鲜国家主权的程度，超过当时列强在中国所设的租界，“几乎等于日本领土的延长”。此后，日本政府于1881年8月和1883年9月，又分别在元山和仁川设立了“特别居留地”，至1902年5月，又在马山浦设置了此种居留地，“形成了对朝鲜进行殖民地化的根据地网络”。①

在此期间，1880年5月和11月，日本外务大臣井上馨先后向新任驻朝公使花房义质发出训令。除继续要求朝鲜开放仁川之外，特意增加了以下内容：

> 第一，在关税问题的交涉中，要坚持凡是日本向朝鲜输出的物品，只纳值百抽五的从价税。对朝鲜方面提出的禁止谷物输出的要求，除荒年以外概不接受；
>
> 第二，向朝鲜国王及政府要人讲述国际形势，赠送新式武器，动员编练日本式军队；
>
> 第三，尽力使欧美各国与朝鲜订立的条约只规定“救护海上遇难的难民，不涉及通商贸易事项”。②

上述的第一项是要保证日本对朝鲜贸易的优势地位，并保证每年可以从朝鲜进口充足的廉价粮食；第二项是要从军事方面介入朝鲜内政；第三项是要防止其他列强在朝鲜均沾各种利益，实行垄断政策。这几项要求表明：日本政府实际是在推进对朝鲜的侵略，以便在经济、内政和对外关系方面，加强对朝鲜的控制。后经交涉，朝鲜政府不得不于1881年

① 参阅信夫清三郎编：《日本外交史》中译本上册，商务印书馆1980年版，第163—164页。行文中的时间，据日本外务省编：《日本外交年表并主要文书》上，年表部分。

② 日本外务省编：《日本外交文书》第十三卷，第420—423页；第426—428页。

6月，组成了以日本陆军少尉堀本礼造为教官的“别技军”。

与此同时，日本政府则步步推进对朝鲜的经济掠夺。1883年，朝鲜官员金宏集便向清政府驻朝官员马建忠透露：“日本自立约后，即要求开矿。”① 1888年日本驻仁川领事报告，日本从朝鲜输出的砂金是逐年增加的。② 据《日本帝国统计年鉴》，日本明治初年至1893年，日本从国外输入的黄金总值约为1230万日元，其中来自朝鲜的黄金价值为832万日元，约占总额的68%。③

朝鲜的粮食是日本政府掠夺的另一重要物资。日本资本主义是建立在残酷压榨劳动者的基础上的。当时日本工人的工资在世界上是最低的。日本政府为了维系资本主义生产，就必须维持低米价政策，而廉价粮食的来源，则主要是依靠对朝鲜的掠夺。由于前述日朝《贸易规则》中写有：“可用日本国各种货币交换朝鲜国人民之所有物品……得在朝鲜国指定的各口岸内相互通用”，以及日本政府所属船只不纳港税，可在朝鲜各港输出、输入稻米和杂粮等。所以，日本的特权商人不仅向朝鲜倾销英国兰开夏的棉织品和日本火柴等工业品，而且大量套购朝鲜的粮食，以致朝鲜米、麦、大豆等农产品的价格上升了两三倍，甚至连续出现了缺粮地区。

1882年7月23日，汉城爆发了大规模的士兵反日运动，起义士兵杀死了日本的军事教官，并袭击了日本公使馆。史称“壬午兵变”。这是由于“别技军”之外的旧军受到虐待引起的。朝鲜国王的生父、隐退多年的大院君李昰应，赶走闵妃集团，重新执政。是时，日本驻朝公使花房义质逃到仁川，搭乘英国军舰回国，要求政府立即出兵朝鲜。日本政府得知消息后，决定派遣军队前往朝鲜。

是时，日本参议院议长山县有朋以代理陆军卿的资格，在8月2日

① 马建忠：《适合斋纪行》卷四，见蒋廷黻编：《近代中国外交史资料辑要》，商务印书馆1934年版，第385页。

② 参阅日本外务省编：《日本外交年表并主要文书》上，第124页。

③ 参阅井上清：《日本历史》中译本下册，第670页。

和 3 日，分别对熊本镇台和东京镇台所辖地区发出召集令。5 日，又经天皇批准向各军管区发出召集令。这是近代日本政府首次为了对外作战而进行军事动员。

1882 年 8 月 30 日，朝鲜政府在日本的军事压力下，同日本政府签订了所谓“有关京城暴徒事变的日韩善后约定”，也即《济物浦条约》。其中，要求朝鲜政府从立约之日开始，以二十天为限，捕获凶犯，严惩首犯；对日本遇害者厚葬、抚恤 5 万日元；以及朝鲜向日本政府支付 50 万日元作为出兵和使馆损失的“填补”。此外，该条约第五条规定：

> “日本公使馆设置兵员若干，以行警卫之事。朝鲜国担当设置修缮兵营之事。若朝鲜国之兵民守律，一年后，日本公使认为无须警备时予以撤兵。”①

这实际是以“警卫”使馆为名，在朝鲜取得了驻军的特权。也是日本政府第一次将军事力量部署在东亚大陆，并为日后占有朝鲜迈出了重要的一步。而且，霸道的是，还要由朝鲜政府负责设置和修缮日本的兵营。

与此同时，日本政府又在仁川迫使朝鲜政府签订了所谓《日鲜修好条规续约》，扩大了日本人在仁川、釜山、元山的活动范围，并获取了“听任日本国公使、领事及其随员眷属游历朝鲜内地”的权利，以及迫使朝鲜政府一年后增加开放杨花镇，②扩大了渗透范围。

随后，日本政府为了从政治上控制朝鲜，又于 1884 年 12 月 4 日，支持朝鲜“开化党”发动政变，杀戮亲清派大臣，宣布割断与清朝的宗属关系。史称“甲申政变”。当时，日本军队闯入王宫，企图就机扶植亲日势力。政变发生后，清政府驻朝代表袁世凯率军开入汉城，与日军发生冲突。日本朝野掀起了对华宣战的呼声。当时担任天皇一等侍讲的副岛种臣提出：

---

① 日本外务省编:《日本外交年表并主要文书》上，第 90 页。
② 见日本外务省编:《日本外交年表并主要文书》上，第 91 页。

"若是开战，天皇陛下要行幸九州，定行宫于长崎，我军应采取以一部进入支那之芝罘〔烟台〕，攻占山东省，一部进入朝鲜，攻下京城〔汉城〕，驱逐国王，渐行追击之策。我军在达成攻击山东省之目的后，于谈判之中，应首先要求多额偿金，支那或许不会答应。因此，攻下之地应尽行占领，实施渐次蚕食之策。若经营占领土地，则可确立国家富强之基础。"①

副岛种臣的上述言论，代表了日本统治阶层的普遍心态。也即要把日本的国家富强建立在对外战争和掠夺之上。与此同时，这种言论表明，为了实现侵占朝鲜的战略目标，日本政府迟早要对清政府开战。只是由于当时日本军事准备尚未就绪，所以战争推迟了大约十年。

1885 年 4 月 18 日，日本政府利用中法战争的时机，在外交谈判中迫使清政府让步，两国最终就朝鲜问题签订了《天津条约》，又称《天津会议专条》，其内容是：

一、议定中国撤除驻扎朝鲜之兵，日本国撤除在朝鲜护卫使馆之兵弁，自画押盖印之日起，以四个月为期，在限内各行尽数撤回，以免两国有滋端之虞，中国兵由马山浦撤出，日本国之兵由仁川港撤出。

二、两国均允劝说朝鲜国王教练士兵，以足自行维护治安。又，由朝鲜国王选雇另一国武弁一人或数人，委以教演之事。嗣后中日两国均勿派员在朝鲜教练。

三、将来朝鲜国若有变乱重大事件，中日两国或一国需要派兵之时，应首先相互行文知照，及其事定，仍即撤回，不再留防。②

《天津条约》的签订，意味着清政府在维持中朝传统关系上的失利，而第三条则意味着日本政府又获得了出兵朝鲜的权利。

---

① 黑龙会编：《东亚先觉志士记传》(上)，第 90 页。

② 见日本外务省编：《日本外交年表并主要文书》上，第 103—104 页。

上述情况表明,自 1876 年以后,日本不仅在朝鲜获得了治外法权、设立特别居留地等方面的特权,而且获得了对朝鲜出兵的权利。此后,把朝鲜置于日本的统治之下,变成了日本政府的重要目标。

四 “保护”韩国的决策与实施

占有朝鲜进而再次攫取中国东北,实际是日本政府早就谋划的战略目标。

1903 年 12 月 30 日,日本政府在《对俄交涉破裂之际日本应采取的对清对韩方针》中,便明确决定:

“关于韩国,在任何场合之下,都必须以实力将之置于我国权势之下。但要尽可能地选择正当名义为上策……。”①

1904 年 2 月 23 日,日本政府根据上述决策,由驻朝公使林权助与朝鲜代理外部大臣李址鎔缔结《日韩议定书》。其核心内容是:

“第一条 〔韩国政府〕确实相信大日本帝国政府,并采纳其有关改善施政的忠告。”

“第二条 (略)”

“第三条 大日本帝国政府确实保证大韩帝国的独立及领土完整。”

“第四条 由于第三国的侵害或内乱,大韩帝国皇室的安宁或领土完整处于危险时,大日本帝国政府可迅速采取临机必要措施……。大日本帝国政府为了达到前项目的,可临机收用军事战略上的必要地点。”②

日本外务省在《小村外交史》中承认:

---

① 见日本外务省编:《日本外交年表并主要文书》上,文书部分,第 219 页。

② 见日本外务省编:《日本外交年表并主要文书》上,文书部分,第 223—224 页。

> “这个议定书是日本使朝鲜从属化的第一步”，“它使朝鲜放弃了自己的部分自主权，并承认了日本对其重要国务的干涉权。”①

随后，日本政府将前任首相伊藤博文派往朝鲜，5 月 18 日，使韩国宣布废除以往与俄国签订的一切条约，取消俄国在图们江、鸭绿江沿岸的森林采伐权。

5 月 31 日，日本政府又作出了《有关对韩方针的决定》。内称：

> “帝国对于韩国，应在政治上、军事上取得保护之实权，在经济上也要进一步谋求我国之利权”。

其理由是：

> “韩国之存亡，关系帝国之安危，断不可一任他国吞噬。此即帝国经常为了维持该国之独立，保全该国之领土而倾注全力之所以也。至于一再以国家命运作赌注而与强邻干戈相交之基本原因，亦实在于此。根据以往缔结的日韩议定书，新约定的两国关系，加上征俄之皇师报捷，韩国上下已有对我愈加信赖之状，但该国政治糜烂、人心腐败，终究不能永久维持其独立，事属显然。因此，我邦宜在政治、军事及经济上，不可不渐次在该国确立我国地位，以绝将来再度纠纷之忧，完成帝国自卫之途。帝国依据日韩议定书，虽然可在某种程度上取得保护权，但进一步在国防、外交、财政等方面，完成确实而适当的条约及措施，以对该国确立保护之实权，同时在经济上取得各种关系所需要之利权，并顺利实施经营，乃是当务之急。”

进而，该文件的“实施纲领”包括：

> 第一，（前略）在韩国驻屯我国军队，不仅是我国国防之必要，而且是帝国政府依据日韩议定书第三条，负担韩国防御及维持安宁的

① 见日本外务省编：《小村外交史》，第 713—714 页。

责任。因此,恢复和平之后,也要在该国枢要之地驻屯相当的军队……。

其次,收用韩国内地及沿岸军事战略必要之地,是我国防上不可缺少之事。依据日韩协约,在保证韩国独立及领土完整之外,予以实施乃是帝国政府当然而必要的权利。

第二,(前略)依据日韩议定书第五条,韩国政府虽然不能与第三国订立违反该协约宗旨的协约,但有关其他事项,可随意与其他国家缔结条约……。故而,要在适当而最近之机会,使韩国政府约定:在处理与外国缔结条约等其他重要外交事件时,要预先征得帝国政府的同意。(下略)

第三,监督〔韩国〕财政……要尽快从我邦之人中派遣适当的顾问官……着手改良征税法,改革货币制度,以期最终将韩国财务实权纳入我国掌中。

第四,(前略)我方掌握〔韩国〕交通及通信机构之要枢,于政治、军事及经济诸方面极为紧要。特别是交通机构中的铁路事业,可谓经营韩国的骨干。因此,应按如下顺序实施是为紧要:

甲、京釜铁路…… 纵贯韩国南道,是最重要的线路,要按照既定计划迅速完成。

乙、京义铁路…… 在黄海方面,纵贯韩国北道,是应该与京釜铁路相连,一贯韩国半岛,进而与东清铁路及关外铁路相接续,成为大陆干线之一部分的重要线路。目前因为军事的必要,正由军队着手铺设。和平恢复之后,有关该铁路的经营方法,当临机与韩国政府协议。

丙、自京元及元山至雄基湾之铁道……乃是在中央地区使上述纵贯韩国的线路与日本海方面联络,进而至豆满江附近之铁路,属于北边防御所必要的线路。该线路虽然不必急于铺设,但是要以国防必要的名义,在战争中获取一切权利,以预防他国获得此种权利为宜。

丁、马山至三浪津铁道。马山浦为控制镇海湾的韩国南端最优良的港湾，所以从京釜铁路开通支线与该处联络，在军事及经济上都极为有用。所以，去年与韩国铁道公司缔结密约，虽然间接获得了铺设并经营该铁路的权利，但还不能谓之完全。对此，应在此间采取确实获得此种权利的手段……。

第五，掌握〔韩国〕通信机关。将通信机关中首要的电信线为我方所有，并置于我国管理之下，是绝对必要的。……解决此种问题的最好办法，是使韩国政府将邮政、电信、电话事业的管理委托给帝国政府。帝国政府与部邦的通信事业一并经理……。

以下还有“开垦和殖民”诸项，内含农、林、矿业和渔业。具体内容包括：今后也要按照“韩国作为农业国，专门向我国供给粮食及原料，而我国向韩国供应工艺品”的原则，发展两国的经济关系；“要使韩国政府承认日本人在其内地的土地所有权或永久租借土地、使用土地权，在耕作畜牧等方面皆无妨碍”等等。①

《有关对韩方针的决定》，表明日本政府不仅要在政治、外交和军事上，而且要在经济上加强对韩国的控制，使之逐渐变为日本的专属殖民地。

同年 8 月 22 日，也即日俄战争中，日本政府按照上述决定，迫使韩国政府签订了第一次《日韩协约》。其中规定：

一、韩国政府聘用日本政府推荐的一名日本人为财务顾问，……有关财务事项，当概行咨询其意见后实施。

二、韩国政府聘用日本政府推荐的一名外国人为外交顾问，……有关外交事项，当概行咨询其意见后实施。

三、韩国政府与外国缔结条约及其他重要外交事项，即对外国人让与特权或处理有关契约时，当预先与日本政府协商。②

① 全文见外务省编：《日本外交年表并主要文书》上，文书部分，第 224—228 页。

② 日本外务省编：《日本外交年表并主要文书》上，文书部分，第 231 页。

这些条款不仅体现了日本政府对俄战争的意图，而且为日后吞并韩国迈出了重要的一步。此后，日本货币在韩国通用，“韩国外交机构也逐步从汉城转到东京。”①

在此期间，日本外相小村寿太郎于1904年7月，向首相桂太郎提出了《有关日俄讲和条件的意见》。其中，除了继续宣称“目的在于维持韩国存立以及保全满洲，确立远东永久和平”，以及所谓对俄战争乃是“自卫”之外，主要是日本帝国必须获得的侵略权益。其具体内容是：

“近来，各国于远东汲汲扩张利权，苟有可乘之机，则取得之，惟恐落于人后。故此，我邦宜乘此机会，进一步在满韩及沿海州方面扩张我国利权，以谋求我国力的发展。尤其是此次战争或许不能得到满意的军费赔偿，所以更有扩张我国利权的必要。”

“熟察清国内外形势，该国以自身力量永久维持独立及保全领土的希望甚小，迟早难料最终被瓜分的厄运。此事与帝国利害休戚关系极为重大。故此，帝国现今就应有准备，不可不奠定他日发生处理清国的重大问题时，得以优越势力参加的基础。”

“战争之前，帝国满足于使韩国作为我国的势力范围，在满洲仅是维持既得权利。然而，不幸的是，此种平和要求却为俄国所不容，以至开启战端。因此，基于战争的结果，帝国对满韩的政策与前日相比，自然不得不前进一步。也即应将韩国事实上纳入我国的主权范围，按照既定方针及计划，确立保护实权，进一步发展我国利权，使满洲在某种程度上作为我国的利益范围，以维护和扩大我国的利权。”②

上述种种，暴露了日本政府所谓“保全满洲”和“维持韩国存立”的欺骗性。

1905年1月25日，日本政府为了实现对俄战争的既定目的，通过驻

---

① 日本外务省编:《小村外交史》，第716页。

② 日本外务省编:《日本外交年表并主要文书》上，文书部分，第229页。

美公使高平小五郎向罗斯福表示：

“韩国半岛已自然成为日本帝国的国防外围。因此，我帝国政府认为，在该国完全维持帝国的优越势力，这对于帝国的康宁及静谧是不可缺少的……。为了防止有如开战当时侵犯帝国地位那种阴险势力的恢复，帝国政府认为将韩国完全置于日本的势力圈内，将对该国命运的保护、监督和指导完全纳入帝国的掌中是必要的。”①

对此，罗斯福没有异议。

4 月 8 日，日本政府通过《确立韩国保护权》决议。内称：

“基于对韩国施设的既定方针和计划，应以掌握保护实权的见地，逐步推进，在将该国国防财政实权，纳入我国掌中的同时，将该国外交置于我国的监督之下，且应限制其缔结条约权。”

其具体内容是：

第一，韩国之对外关系全然由帝国担任，韩国在外臣民归帝国保护。

第二，韩国不得直接对外缔结条约。

第三，帝国负责实施韩国与列国之条约。

第四，帝国在韩国设置驻在官员，监督韩国施政及保护帝国臣民。②

同年 8 月，山县有朋在《有关战后经营意见书》进一步写道：

“帝国对韩国的国策，业经庙议决定，现今无需赘述。现今已将该国国防、财政的实际权力掌握在我国手中，且将其外交置于我国监督之下，限制了该国缔结条约的权利，乃是近来的一大成功……。

① 见日本外务省编：《日本外交年表并主要文书》上，文书部分，第 232 页。
② 见日本外务省编：《日本外交年表并主要文书》上，文书部分，第 233 页。

但和平恢复之后，更宜不失时机，进一步确立我国对韩国的保护权，不可不采取手段，将该国的对外关系一并纳入我国掌中。”①

9月5日，日俄和约签订后，小村寿太郎带病赶至华盛顿，同罗斯福就有关实施和约的两个问题进行密谋。

其一是“关于在朝鲜设立保护权问题”。小村认为：“这种保护权的实施，原则上是根据条约的形式，倘若朝鲜不同意缔结条约，那么日本将不得不单方面宣布设立保护权”。

其二是“根据[日俄]讲和条约向清国要求用条约承认满洲铁路及租借地的转让问题”。小村认为：“这一要求不能得到圆满解决时，则不管清国的意愿如何，以实力实行对租借地和铁路的经营。”②

对于上述要求，罗斯福表示：“即使日本单方面宣布在韩国设立保护权，也予以支持”，并答应训令美国驻华公使对日本政府的意图，“予以成功的帮助”。进而，罗斯福认为：中国没有道理主张自身的权利，只能由日俄两国来处理有关事宜。他在发给驻华公使的训令中言称：“当清国政府就俄国根据朴次茅斯条约对日本的让与提出异议时，应在适当时机，予以强硬的注意。”③

也即，美国总统罗斯福充当了日本吞并韩国、重新占有辽东的支持者。

此外，据日本外务省《小村外交史》记载，由于日英缔结了第二次同盟条约，所以在中日北京谈判期间，英国政府对其驻华公使也发出了“临机对日本给予后援”的指令。

同年10月2日，小村自加拿大乘船归国时，就战后的大陆经营问题，向秘书口述了题为《满韩经营纲领》的意见书。据随行外务书记官本多熊太郎的记载，小村所提出的经营纲领的主要内容，则是要在韩国设

---

① 见大山梓编：《山县有朋意见书》，原书房1966年版，第281—282页。

② 见日本外务省编：《小村外交史》，第612—613页。

③ 见日本外务省编：《小村外交史》，第676页。

置统监府及理事处，设置辽东总督府，铺设连接南满与朝鲜的铁路，以作为向大陆用兵的基地等等。

10 月 27 日，日本政府根据上述策划确定了以下两个文件。

其一，《有关实施确立对韩国保护权的决定》中写道：

"对韩国确立我国的保护权，已经庙议决定。今日实施，是为最好时机。因为不仅英美两国已经同意，其他各国鉴于日韩两国的特殊关系和战争的结果，依照日英同盟及日俄讲和条约的明文，也默认韩国应该成为日本的保护国是不可避免的结果。"

该文件决定，将实施的时间确定在 11 月上旬，任命当时的驻朝公使林权助作为缔结条约的全权，并命令海军司令长谷川清对林公使予以"必要的援助"。同时派遣敕使向韩国皇帝递送天皇的书信，以及"以驻屯京城为目的，使正在运送中的帝国军队，尽可能在着手此事之前全部入京城"等等。

此外，该文件还特别决定：

"着手之后，估计韩国政府终究不能同意时，要采取最后手段，一方面向韩国通知确立保护权之旨，另一方面向列国说明帝国政府采取上述措施出于不得已的理由……。"①

其二，《有关满洲事项与清国缔结条约文件》中决定：

"这次与俄国讲和的结果，满洲的一部分已经归为帝国的势力范围。故而，帝国要维持和确立此种势力。作为讲和的延续，应该对清国要求的条件，必须考虑帝国的将来，鉴于内外形势，必须足以达到上述的目的。……使清国政府承认俄国对辽东半岛租借权及东清铁路的让与，是绝对必要条件，其他应尽量努力达到我国之希望。清国政府实质上具有宁可注重名义之习癖，所以与彼交涉之

① 全文见日本外务省编：《日本外交年表并主要文书》上，文书部分，第 250—251 页。

际,要尽可能采取不损伤其体面,而将实际权利纳入我国手中之方针为上策。……万一彼不承认上述两个绝对必要条件,我方则要暂停交涉,而且要有如同现在占据辽东租借地及满洲铁路之决心。”①

同年11月17日,日本驻韩公使林权助根据上述决策,在日军大兵压境、驻扎京城的情况下,迫使韩国政府签订了第二次《日韩协约》。其中规定:

第一条　日本国政府可通过东京外务省,监理指挥今后韩国对外关系及其事务,日本国的外交代表和领事负责保护韩国在外国的臣民及利益。

第二条　日本国政府完全负责实施韩国与他国之间的现行条约,韩国政府约定,今后不经日本国政府中介,不得对外缔结任何具有国际性的条约或协定。

第三条　日本国政府在韩国皇帝陛下之阙下,设置一名作为其代表的统监,为专门管理外交事项,统监驻在京城,并有内谒韩国皇帝陛下的权利。日本国政府拥有在韩国各开港场所及其他日本国政府认为必要的地方设置理事官的权利,理事官在统监指挥之下,执行以往属于在韩日本领事的一切职权,并为完全实施本条约的条款,掌管一切必要事务。

第四条　日本国与韩国之间的现行条约及协定,在与本协约不抵触的限度内继续有效。

第五条　日本国政府保证维持韩国皇室之安宁与尊严。②

至此,韩国沦为日本的“保护国”,距日本政府吞并韩国仅有一步之遥。此后,日本政府开始对韩国实行“统监”制度。12月,伊藤博文被任命为第一任统监(次年3月到任)。

---

① 全文见日本外务省编:《日本外交年表并主要文书》上,文书部分,第251—252页。

② 见日本外务省编:《日本外交年表并主要文书》上,文书部分,第252—253页。

五　日韩“合并”与开始殖民统治

对俄战争的胜利和《日清关于满洲条约》的签订，使日本政府在扩大侵略权益，并将触角伸向内蒙的同时，加紧了吞并朝鲜的进程。

1907年7月24日，日本政府以所谓“迅速谋求韩国富强，增进韩国国民幸福”为名，迫使韩国第三次签订《日韩协约》。内中规定：

第一条　韩国政府在改善施政方面接受统监指导。

第二条　韩国政府制定法令及重要行政处理，要预先经统监承认。

第三条　韩国之司法事务与普通行政事务相区别。

第四条　韩国任免高等官吏，由统监同意后实行之。

第五条　韩国政府任免统监推荐之日本人为韩国官吏。

第六条　不经统监同意，韩国政府不得雇聘外国人。

第七条　废除明治三十七年〔1904年〕日韩协约第一条。①

这是《日本外交文书》收录的条文内容。据战前日本黑龙会编纂的《日韩合并秘史》，上述协约总计为八条。其第一条是“韩国皇帝的诏敕，要预先咨询统监”。② 该条在日本政府公开的外交文书中没有记载，似因内容过于露骨而没有公布。

此外，上述协约还有《秘密备忘录》，具体地规定了解散韩国军队，各部次官、警察保安局长及法院、监狱的重要官员，须由日本人担任等等。③

第三次《日韩协约》签订后，日本政府在8月间强行解散了韩国军队，并于同年10月迫使韩国政府签订了有关警察事务的协定，把韩国的各项主权，几乎全部控制在握。据统计，至1909年1月1日，作为“韩国

① 日本外务省编：《日本外交年表并主要文书》上，第276页。
② 见黑龙会编：《日韩合并秘史》上，原书房1966年版，第329页。
③ 见日本外务省编：《日本外交文书》第40卷第1册，第493—497页。

官吏"而被任命的日本人，仅高级官员和审判官就多达2080人，警官为1548人。而这些人的薪水又必须全部计作韩国对日本的欠债。①

也就是说，日本政府不仅在各项权利上极尽把持，而且还要韩国政府承担其侵略韩国主权的经费。至于1908年12月日本在韩国设立的"东洋拓殖会社"，则是一个以"手枪"来推行经济掠夺的工具。这些说明：此时的日本政府已把韩国作为"囊中之物"。

1909年7月6日，日本政府做出决定"合并韩国"的决议。内称：

> "日俄战争开始以来，我国对韩国的权力逐步加大，特别是随着前年缔结日韩协约，在该国之施设大为改观，但我国在该国的势力还不充分，该国官民对我国的关系也还不能满足。因此，帝国今后须更加增进在该国的实力，加深其根底，在该国努力树立内外不可争之势力。"
>
> "为了合并韩国，使之成为帝国版图的一部分，在半岛确立我国实力，最为确实的方法，则是帝国按照内外形势，在适当时机，断然实行合并，将半岛名符其实地置于我国统治之下，且消灭韩国与各外国的条约关系，这是帝国的百年长计。……在合并时机到来之前，有必要按照如下大要项目实施之。"

其具体内容是：

> 第一，帝国政府按照既定方针……将必要的军队驻屯在韩国，并尽可能向该国增派大批宪兵及警察，以达到充分维持秩序之目的。
>
> 第二，关于韩国的外国交涉事务，要按照既定方针，将之把持在我国手中。
>
> 第三，将韩国铁路移交帝国铁道院管辖，在该院监督之下，与南满洲铁路密切连接，以谋求我大陆铁道的统一和发展。
>
> 第四，尽可能将大批本邦人移殖到韩国境内，以加深我国实力根基，同时密切日韩经济关系。

---

① 见姜在彦：《新订朝鲜近代史研究》，日本评论社1982年版，第362页注释(5)。

第五，扩张本邦官吏在韩国中央政府及地方官厅的权限，以期更加灵活实行统一施政。①

1910 年 8 月 22 日，日本政府最终迫使韩国政府签订了所谓《合并条约》。其中明文规定：

“韩国皇帝陛下将有关全部韩国的一切统治权，完全且永久地让与日本国皇帝陛下。”“日本国皇帝陛下接受前条所载之让与，且承诺将韩国全然合并于日本帝国。”②

此后，至 1945 年 8 月，日本政府在朝鲜半岛持续了 30 余年的殖民统治。

在上述期间，日本对韩国的殖民统治是极端野蛮、极端残酷的。日本政府“合并”韩国后，随即在韩国配置了二个师团的陆军和大量的宪兵警察。日本宪兵警察的主要任务，则是代行警察业务之外，专事搜查抗拒日本殖民统治的社会活动家，并进行“武断”处置，或逮捕、投狱，或予以虐杀。据统计，因从事救国运动而被投狱者多达数万人。

其中典型的事例，则是 1910 年 12 月捏造的所谓“暗杀寺内总督事件”，总共逮捕 120 余人，分别加以严刑拷问。当年英国《泰晤士报》记者马茨坎基对此作有如下详细报道：

“作为暗杀寺内的‘嫌疑者’，皆首先要受到警官的严厉审讯，使之自白‘暗杀事实’。对于回答‘什么也不知道’者，必定加以拷问。其审讯的方法有五种：一是将‘犯人’塞进狭窄的木箱里，使之不能站、不能坐，必须蜷在其中接受拷问，有的长达 36 个小时。二是将‘犯人’头部带枷，高高吊起，使之足不着地，只能大脚趾沾地。三是捆绑‘犯人’的拇指，将身体悬挂在空中。四是将‘犯人’的手臂和大腿曲扭捆绑，使之肌肉异常痛苦。五是将‘犯人’的手臂向后拉，背着脸置于地上，然后让其头朝上，将枷棍置于下颚，压迫头部上下，

---

① 日本外务省编:《日本外交年表并主要文书》上，第 315—316 页。

② 日本外务省编:《日本外交年表并主要文书》上，第 340 页。

并向鼻孔慢慢不停地滴水。经过以上五种拷问，人已半死半活，几乎处于气绝状态，失去知觉，奄奄一息不能说话，被强制的只有回答‘是’。而这种回答则被作为‘自供’。”

当时，中国上海的《华人报》也报道说：

日本政府近来向朝鲜输入的“文明”“幸福”当中，有一种最为巧妙的东西，那就是最新式的体刑。让‘犯人’匍匐，张开两臂，将其腕关节和膝关节用绳子捆绑起来，裸露臀部，体刑的执行者，右手紧握鞭子，左手插在腰上，用鞭子猛烈抽打‘犯人’的肢体，一直打到皮开肉绽。①

进而，日本吞并韩国后，则在朝鲜半岛实施所谓土地调查（1912—1918）。据统计，通过这一调查而非法掠夺的土地，大约占据韩国全部农地面积的40%。而朝鲜总督府则将这些土地让予日本的东洋拓殖株式会社，廉价卖给移住韩国的日本人。

此外，是在韩国推行愚民的“同化”政策。宣传荒诞无稽的“日鲜同祖论”“内鲜一体化”和“皇国臣民化”，并取缔朝鲜的国语和历史教育，凡有抵制的学校则被关闭。如朝鲜总督府在1916年1月4日公布的《教员须知》中写道：“盖我帝国开辟以来，万世一系、君民一体，拥有世界无与类比之国体。故而，帝国臣民必当同心协力，继承祖先之美德，以扶翼天壤无穷之皇运。是乃教育之大本，国家发布教育之所以也。”②

殖民地统治，莫过于使被殖民统治者“心死”。日本政府的此种殖民统治，手段可谓至极。

① 见山田昭次等：《日本与朝鲜》，东京书籍1995年版，第117—118页。

② 见山田昭次等：《日本与朝鲜》，第125页。

第五编　日本的“满蒙政策”与“九一八事变”

一　对华二十一条要求

进入20世纪，特别是对俄战争之后，日本扩大侵华权益，乃至长期霸占中国东北的企图更加强烈。如：

1911年10月，中国爆发了辛亥革命。清政府向日本政府要求为镇压动乱提供武器援助，日本政府立即应允，并于10月24日召开内阁会议，作出了《关于对清政策文件》。该文件确认：

> “鉴于帝国在政治经济上与清国具有极为密切的关系，帝国要经常采取努力对该国占据优势地位，并永远持续满洲现状之策，这是前内阁在职期间已经庙议决定的。”

其中，关于满洲问题的方针是：

> “延长满洲租借地的租借期限，决定有关铁路各项问题，进而确定帝国对该地区的地位，以根本解决满洲问题，乃是帝国政府经常筹划而不可懈怠者，苟有可乘之机，则当加以利用，采取断案之手段……。延长租借期限问题，在我属于拥有条约根据之事，故而对

满洲问题应暂时维持现状，防止对其侵害，同时要在出现良机之际，努力渐次增进我国利权。至于满洲问题的根本解决，则以等待机会，在对我最为有利且有充分把握之时，方行实施乃为上策。”

进而，该文件决定：

“帝国对支那本部的关系……在当地占据优势地位的趋势业已明显。加之清国事态极其缺少稳定，今后形势如何，何人也难以预测。一旦当地发生不测之变，对之应采取应急手段，不能发现将帝国置之于外之事。依照帝国的地理位置和帝国实力，此种事情更不容置疑。另外且帝国在东亚的一大任务也在于此。帝国不仅必须自我认识上述地位，并努力确立此种地位，而且现今必须同时采取使清国和列国逐渐承认上述地位之策。”

最后，该项决策指出：“针对此次武昌之革命变乱，也要依据上述方针，随时采取必要措施。”①

又如，1911 年 10 月 15 日，日本参谋本部第二部长宇都宫太郎，将其对华政策汇总为《对华私见》。其中写道：

“为帝国之生存，在自强自大的政策上，获得全部支那，当然是为上乘。然而，在列国对峙之今日，不能一气呵成此事。虽然遗憾，但也不能不将之视为目前之实情。然而，我国不能立即取之，他国也不可取之。这就是我心中所谓的支那保全论。不是为了支那而保全支那。

“就保全支那而言，其式样不过一二。略而言之，依如现在之区域而保全之，是为一也。二分、三分或数分而保全之，也各是其一种方法。从帝国的见地而论，就现状而保全支那，其国土人口稍许过大，在不远的将来，或许反而成为我国子孙之患。将之分割为若干个独立国而保存之，作为帝国来说是最为希望的。

① 日本外务省编：《日本外交年表并主要文书》上，第 356—357 页。

“这次内乱稍微认真发展，并不是没有至少分立为满汉两族两国的希望。我国有秘藏此种方针而对应这次时局之必要。也即，在国际礼仪及对清政策的表面上，当然要援助清朝，阻止其颠覆，但在背后则应极其隐蔽地援助叛徒，以使之更加强大，然后见机行事，居中调停，使之分立为两个国家，而且要尽可能地与双方结成特殊关系（例如，一以作为保护国或与之相类似的关系，一以等同于同盟国，而作为报酬性则是对我有利地解决满洲问题等等），以待时局再变之机。”

随后，他对上述政策意见做了如下归纳：

一、如我平素所主张的那样，首先要标榜保全支那。

二、在某种程度上援助清朝，以防止其颠覆。

三、同时要极其隐蔽地（如采取借政府反对党之手等间接手段）助长叛徒，在适当时机居中调停，使满汉两族分立为南北两个国家。

四、作为报酬，有利地解决满洲问题。

五、与上述分立的两个国家结成特殊关系。

六、对列国的分割，首先要极力反对。

七、在大势不得已时，我国当然要取得分份。但要尽量装成非本意的态度。

八、在我国的分地之内，北方树立满人的小朝廷、南方树立汉人的小朝廷，加以诱饵之，并收揽其他各国分地之内的人心，以准备他日上演第二出戏。①

这一政策主张与当年小川又次策划的《征讨清国策案》（请参阅本书第二编附件）具有同样的用心。两者的身份完全相同。它虽说是宇都宫以“个人意见”形式起草的，但却是经过参谋本部发给宇都宫第十四师团

① 上原勇作关系文书研究会编：《上原勇作关系文书》，东京大学出版会 1976 年版，第 55—57 页。

的。[1] 也就是说,宇都宫提出的政策意见,实际是日本参谋本部的意见。这说明日本参谋本部阴谋分裂中国也是一脉相承的。

1914年8月1日,欧洲爆发第一次世界大战。初期,战火并未涉及东亚。但日本元老井上馨在给首相大隈重信和元老山县有朋的意见书中认为:"这次大祸乱,对于日本的国运发展来讲,乃是大正时代的天祐。日本不能不与英、法、俄三国一致行动,以确立我国对东洋的利权。……不能不更换驻英、法、俄及驻中国的使节,以图刷新外交……。"[2]

井上所说的"天祐"是指大战的爆发为日本推行帝国主义政策提供了绝好的条件;其所说的"刷新外交",则是企图利用欧洲卷入世界大战期间,确立日本在亚洲的霸权。

8月4日,日本政府在英国对德宣战之前对外宣布:"帝国政府对于欧洲政局的最近形势,在政治和经济上感到忧虑……。万一英国卷入战争,或是日英协约的目的面临危险时,作为条约上的义务,日本将采取必要的措施。"与此同时,则是已经秘密地做出了海军参战的准备。[3]

8月7日夜间10点,日本内阁在现今早稻田大学会馆院内召开重要会议,加藤外相详细报告与英国交涉的情况,并称:"现今日本还没有处于因为同盟条约而必须参战的立场,条文规定日本参战的事态,现今也还没有发生。但是基于英国的请求,同盟的情谊和帝国在此机会可以从东洋肃清德国的根据地,在国际上进一步提高地位的利益,所以断然参战,是符合时机的良策。"经过一番讨论,最终议决:此时在日英同盟广泛基础上的参战,不仅符合同盟的本质,而且对我远东政策的大局有利。[4]

就这样,日本政府作出了参战的决定。会议至凌晨2点结束。8日下午6时,在大隈官邸又继续召开元老、内阁成员会议,通过了对德开战的决定。其速度之快,从接到英国的"希望"算起,不过是35个小时。

---

① 见《上原勇作关系文书》,第57页注。

② 见井上馨侯传记编纂会:《世外井上公传》第5卷,第67—68页。

③ 日本外务省编:《日本外交文书》,大正三年第3册,第99页、第96页。

④ 见渡边几治郎:《日本近世外交史》,第455—456页。

紧接着，8 月 9 日，加藤便向英国大使转交了关于日本对德《开战理由及战争范围的备忘录》。内称：

“为了在支那海面搜索德国伪装的巡洋舰并加以击毁的目的，帝国政府将使用所属的某些军舰，势必有如大使阁下在备忘录中记述的那样，作为交战行为需要对德国宣战。而一旦成为交战国以后，日本的行动则必然不能仅限于击毁敌国的伪装巡洋舰。日本为了实现日英两同盟国在支那海的共同目的，即为了消灭可能损害日本及英国利益的德国势力，有必要采取一切可能的手段……”①

也就是说，日本政府要求作为全面对德战争而参加世界大战。

此前的 8 月 7 日，时任日本驻朝总督寺内正毅写给“满铁”总裁后藤新平的信中言称：“依不肖之见，以袁〔世凯〕之手腕维持中国的安宁是困难的。因此，不逞之徒的蜂起将不可避免。此间维持支那治安，支撑东亚大局者，别无他人，非我帝国不可。在此期间，一方面对缔结盟约列强不失信用，保护彼等利权，同时确保我国利权，进一步开拓在满蒙及支那发展之途径，岂非正是当局之急务？”②

时至 8 月下旬，山县有朋则也向大隈、加藤及藏相若槻礼次郎提出了《对华政策意见书》。其中认为“必须肃清袁世凯对我之怀疑，使之对我有信赖之念”，并“给予有力的援助，使之自安且对我亲近”，以便达到“今后无论政治和经济问题，凡是同外国有关者，必先与我商议而后决定。”③

上述种种进一步说明了，日本参加第一次世界大战，与其说是对德作战，不如说是乘机扩大侵华权益。

在此期间，有一个特别值得注意的人物，那就是既能“响导舆论”，又与统治阶层有着广泛联系的内田良平。1914 年，他在题为《对华问题解

① 见日本外务省编：《日本外交年表并主要文书》上，第 380 页。

② 《后藤文书》，见北冈伸一：《日本陆军与大陆政策》，第 164 页。

③ 见大山梓编：《山县有朋意见书》，第 342—343 页

决意见》中谈道：

欧战的结局如何，今日尚难预料。但是，如果德奥方面失败，那么“俄国必将取代德国而占有欧洲大陆的霸权，在今后的若干年内，俄国将没有西顾之忧，在愈合战争创伤的同时，将更加向东方推进，不到掌握支那大陆的霸权而不止。英国也将乘战胜之势，扩大在扬子江流域所扶植的势力，紧握其利权”，“英、俄、法三国的联合势力不仅波及欧洲，而且将及于支那大陆”。

因此，他明确表示：“鉴于欧洲战局之结果，考察战后之大势所趋，今日不预先确定对应国策，采取最为妥善的手段，那么我帝国将失去对支那问题的主动地位，帝国外交将长期受到列国势力的掣肘。”①

这份意见书是内田良平于同年 11 月 29 日，递交给政府总理大隈、外务大臣加藤以及山县、松方等元老的，可谓恰是时机。现今无法确知日本政府决策人对这份意见持何等态度，但日本学者指出，内田的意见在“相当的程度上反映了当时日本所处的客观地位，以及日本人关于大陆政策的某种最大公约数的见解。”②所以，日本政府事实上是按照内田所估计的形势和主张而采取了相应的措施。这就是 1915 年 1 月，驻华公使日置益直接对袁世凯政权提出的 21 条要求。

日本外务省编纂的《外务省百年》披露：“所谓 21 条要求的原方案，是政务局长小池张造制订的，只在英国任职而对中国并不怎么通晓的加藤外相，在中国问题上特别器重小池局长”，而小池又是同陆军方面关系密切的人物，他“动员了小村欣一、广田弘毅等外务省对中国有关的人员，综合整理了参谋本部、陆军省、民间多方面的中国通的意见，从而作成了原方案。”③

这就清楚了，日本对华“二十一条”要求，之所以前有继承性、后有延展性，不因日本内阁的更换而改变其宗旨，其根源就在这里。

---

① 见曾村保信：《近代史研究》，小峰书店 1962 年版，第 161 页。

② 曾村保信：《近代史研究》，第 155 页。

③ 日本外务省编：《外务省百年》上，原书房 1969 年版，第 610 页。

1914年11月11日，日本政府确定了《二十一条要求大纲》，后经山县、井上、松方正义等元老重臣的同意，上报天皇，12月2日得到批准。于是对华《二十一条》便最后确定出来了。

同年12月3日，日本外相加藤高明向驻华公使日置益发出了内含如下要求的训令。其要求内容是：

第一号

第一条　关于德国根据有关山东省的条约等，对支那国所拥有之一切权利、利益和让与等等之处理，支那国政府约定，承认日本国政府与德国政府协定的一切事项。

第二条　支那国政府约定，不以任何名义，将山东省内或其沿岸一带的土地及岛屿，让与或贷与他国。

第三条　支那国政府允许日本国铺设可与自芝罘或自龙口或胶州湾至济南铁路相连接的铁路。

支那国政府约定，……尽快开放本条约附属书所开列的山东省各城市。

第二号甲案

第一条　两缔约国约定，将旅顺大连租借期限并南满洲铁路及安奉铁路期限，各进一步继续延长九十九年。

第二条　日本国臣民在南满洲及东部内蒙古，可获得为了建设各种工商业建筑物及农耕所必要的土地租借权或土地所有权。

第三条　日本国臣民可在南满洲及东部内蒙古，自由居住往来，自由从事各种工商业及其他业务。

第四条　支那国政府将本条约附属书所列记之南满洲及东部内蒙古的各矿山采掘权，许与日本国臣民。（括号内容从略）

第五条　关于下列事项，支那国政府承诺，须预先得到日本国政府同意：(1) 在南满洲及东部内蒙古，给与他国人铁路铺设权，或为了铺设铁路而接受他国人提供资金。(2) 以南满洲及东部内蒙古之各项税收为担保，从他国借款。

第六条　支那国政府约定，在有关南满洲及东部内蒙古之政治、财政和军事需要顾问和教官时，须预先与日本国协议。

自本条约缔结之日起，九十九年间，支那国政府委任日本国管理经营吉长铁路。

（第二号乙案从略）

第三号

第一条　两国缔约约定，在将来适当时机，两国合办汉冶萍公司，未经日本国政府同意，支那国政府不得自行处理属于该公司的一切权利、财产，且不得使该公司自行处理。

第二条　支那国政府约定，对属于汉冶萍公司各矿山附近之矿山，若无该公司同意，不得将其开采许与该公司以外者，若采取其他直接或间接有影响该公司之虞的措施时，应首先经该公司同意。

第四号

（前略）支那国政府约定，不将支那国沿岸港湾及岛屿，让与或租与他国。

第五号

第一条　聘任日本人作为中央政府政治、财政及军事顾问。

第二条　对日本在支那内地之医院、寺院及学校，承认其土地所有权。

第三条　（前略）日支合办必要地区之警察，或由此种地方的支那警察官厅聘任大批日本人，以刷新支那警察机构并有利于该机构的确立。

第四条　由日本提供一定数量（例如支那政府所需兵器之半数）以上的武器，或在支那设立日支合办兵器厂，由日本提供技师与材料。

第五条　将连接武昌与九江南昌线之铁路及南昌杭州间、南昌潮州间铁路之铺设权许与日本。

第六条　关于福建省铁路、矿山、港湾设施(包括造船厂),在需要外国资本时,应首先与日本商议。

第七条　承认日本人在支那之传教权。

第六号

支那国政府约定,在日本国政府将胶州湾租借地归还给支那时,将之作为商港全部开放,且同意日本国政府在其指定地区设置日本专管居留地。①

上述内容是日置益公使向袁世凯政府提出五号"二十一条要求"的蓝本。此外,则是附属表格与附记。其中,包括"保障袁大总统之地位及其一身一家之安全","严格取缔革命党及支那留学生"等。

总之,日本政府提出的上述要求,不仅志在攫取满蒙,而且企图将势力范围扩大到整个中国,以确立日本的"优势地位",使整个中国隶属于日本。

1915 年 1 月 18 日,日置益向袁世凯手交"二十一条要求"(上述第六号删掉)。其公文特别选用绘有水印枪炮的用纸,以示威胁恐吓。以后则开始了胁迫性的谈判。由此也反映了日本帝国主义的野蛮性。

同年 5 月 7 日,日本政府向袁世凯政府发出了《最后通牒》。内称:

"帝国政府对支那国政府开始这次交涉,一是谋求因日德战争所发生的时局之善后,二是解决成为妨碍日支两国亲交原因之种种问题……。五月一日支那政府对帝国政府修正案之回答,全然与帝国政府之预期相反,不仅对该方案没有诚意研究之痕迹,而且对帝国政府关于归还胶州湾之苦衷和好意,几乎不屑一顾。……支那政府之回答,只谈有关主权或条约等等,拒绝回应帝国政府之希望。帝国政府鉴于支那政府如此态度,遗憾地认为已无继续协商之余地……。

① 日本外务省编:《日本外交年表并主要文书》上,第 382—384 页。

于兹再次劝告，关于第一号、第二号、第三号、第四号之各项，及第五号关于福建省交换公文等，要以四月二十六日提出之修正案为准，不加任何修改，迅速答应承诺。帝国政府期待在五月九日午后六时以前，接到支那政府满意之回答。若至上述日期不能得到满意之回答，帝国政府将采取认为必要之手段……”①

1915 年 5 月 9 日，在日本政府的高压下，袁世凯政权接受了日本政府的侵略要求，于 5 月 25 日在北京同日本签署了《关于山东省条约》和《关于南满洲及东部内蒙古条约》，以及关于汉冶萍公司、胶州湾租借地和福建省的三项换文。

上述条约和换文，基本上是按照日本政府的要求签订的。如：

《关于山东省条约》中规定：“支那国政府约定，承认日本国政府与德国政府关于德国依据有关山东省条约及其他协定，对支那国所拥有之一切权利、利益和让与之处理所协定之一切事项。”（第一条）

《关于南满洲及东部内蒙古条约》中规定：“两缔约国约定，旅顺、大连之租借期限并南满洲铁路及安奉铁路期限，皆延长为九十九年。”（第一条）②

此外，则是迫使中国政府宣布不将山东省及其沿岸一带地区或岛屿租给或让与其他国家（有关山东省换文）；日本国在胶州湾设置专管居留地；日本国臣民可在南满为了建设商工业建筑或经营农业而商租必要的土地 30 年，而且可到期无条件更新租借；在东部内蒙古可从事日中合办的工农业；中国在南满聘用政治、经济、军事、警察顾问或教官时，优先聘用日本人；准允将来日中合办汉冶萍公司，不经日本资本家同意，不得收归国有，日本以外的外国资本不得加入；中国宣布不在福建建造各种军事设施，也不让其他国家在该地设置造船厂、海军基地等……③

---

① 日本外务省编：《日本外交年表并主要文书》上，文书部分，第 402—403 页。

② 日本外务省编：《日本外交年表并主要文书》上，文书部分，第 404 页、第 407 页。

③ 见日本外务省编：《日本外交年表并主要文书》上，第 407—416 页。

这些条约与换文的内容，无异于将中国置于日本的"附属国"地位。因此，与日本总理大臣大隈重信关系密切的哈佛大学校长埃里欧特，也认为日本政府的对华政策与其屡次宣称的"保全中国"是矛盾的。然而，大隈重信却说："日本的支那政策，在于防范支那的瓦解和瓜分……。攻占青岛也是为了保全支那的领土"。进而，大隈又说："支那的现状，无力防止瓦解，只有日本才具备保全支那的资格。支那认为日本侵略，乃是吃惯鸦片者反抗禁烟"云云。[①] 完全是帝国主义的立场、侵略者的逻辑。事实表明，大隈重信的"保全中国"论，不过是掩盖侵略、欺骗世界舆论的工具。

二　"满蒙政策"的用心和目的

1920 年 7 月，直皖战争爆发，日本政府持所谓"不干涉"态度。但由于直系军阀联合张作霖，并得到广东军政府及美国的支持，双方交战的结果是皖系军队失败，段祺瑞随即宣布下野。张作霖与直系军阀曹琨一起组织了靳云鹏内阁，成为中央政界的中心人物之一。在这种形势下，日本政府为了对应中国政局的变化，不得不采取新的对应措施。

1921 年 5 月 13 日，日本原敬内阁决定了《对满蒙政策》。内称：

> "满蒙与我领土接壤，在我国防及国民经济之生存上，具有至关重大的紧密关系，现今无需赘诉。而以上述两大利益为主，在满蒙扶植我国势力，乃是我国对满蒙政策的根本。
>
> "我国在满蒙的特殊地位和利权，在日支两国之间，具有明确的条约依据。再者，日俄两国之间约定，拥护和保持各自历来的特殊利益，并相互支持合作。然而，与欧美各国之间，在条约上尚不存在有关尊重上述我国特殊利益之充分而明确的谅解。所以，欧美各国特别是美国，历来动辄就藐视上述帝国的特殊地位及利益，呈现反

① 见渡边几治郎：《日本近世外交史》，第 488—491 页。

拨帝国方针之现象。最近,在有关组织对支借款团问题上,我与英美法国交涉之际,就我国对满蒙的特殊地位反复交涉,最终得以三国公文之形式,保障了我国上述特殊地位……。

"鉴于上述事态,帝国实施对满蒙之政策,不仅要以日支间的条约和协定为基础,而且要以上述借款团有关各国间的谅解为基础,大体按照下列各项实施最为适当。"

其中的第一项则是:

"谋求确保与灵活运用我国在满蒙既得的特殊地位及利权,自不待论。而且,今后要更加努力获得我国国防及国民之经济生存上所必要的地位和利权。但是,现今成为世界大势之国际倾向或民族自决主义,动辄便将上述必须而至当的要求,误解为侵略倾向,使帝国的国际立场益加困难。因此,在实施上要细心准备和机敏的熟虑。"①

同日,日本政府又做出了《关于对张作霖之态度》的决定。内称:

"张作霖期望在东三省维持和确保实际权利,进而向中央政界伸张其权势,这几乎是不容置疑的。最近,其对我文武官员表示,需要武器及其他物质援助。对此人今后之活动,帝国之态度需要最为慎重考虑。大体而言,对张作霖在东三省整顿充实内政及军备,在当地确立其牢固的势力,帝国应给予直接或间接的援助,但其为了在中央政界实现野心而要求帝国帮助时,则以不采取进一步帮助的态度为适宜之对策。基于上述方针,要让帝国派出官员向张作霖相机贯彻我国真意,为便于彼我联络接触,有必要决定如下谈判须知:

(一)帝国援助张作霖的主要宗旨,不在于对张作霖个人,而在于通过援助掌握满蒙实际权利的他,巩固我国在满蒙之特种位置。

① 日本外务省编:《日本外交年表并主要文书》上,第523—524页。

因此，无论何人，对于在满蒙与张作霖处于同样地位之人，帝国都要与之合作，致力于彼我共享满蒙利益。

（二）帝国一旦从西伯利亚撤兵，日支之间则有许多应该协定实施之事，如有关东支铁路问题、满蒙政策、朝鲜统治和治安维持，以及俄支、日俄边界防卫等等。而支那方面，当前的对手则是张作霖。帝国为了达到此种目的，必须使张作霖对我怀有好意。在这个意义上，帝国必须援助张作霖，以使之不在满蒙丧失立足之地。

（三）关于武器供应，根据各国有关停止对支那供给武器之协定，帝国答应张作霖的要求是不可能的，莫如使之建立兵器制造场，采取自给的途径。

（四）关于财政援助，帝国政府虽然可以临机善意考虑，但要尽可能采取经济借款、特别是采取合办投资形式，以避免列强猜忌，避免中央政府之嫉妒，最为重要……。

（五）关于东支铁路，在确立帝国方针确立，并期待其实现之际，不得不有赖于和张作霖达成谅解者甚多，特别是关于东支铁路南线轨道改筑问题，应见机向其说明改筑具有政治、经济和军事上的三大利益：一是在张巡阅使的实权之下，使南北满洲之交通联络顺畅自由；二是可实现与京奉铁路的直通联络和统一；三是便于南北满洲兵力的集中和分散。应务力通过他的手，进行对东支铁路借款，并依靠他的力量推动东支铁道厅，促进南线之改筑。”①

上述决策，可谓自我暴露了日本政府“满蒙政策”的真实目的。因此，1923 年 3 月 10 日，中国驻日代理公使廖恩焘，向日本外相内田康哉递交要求废除“二十一条”条约及换文的照会时，再次遭到了日本政府的拒绝。

至于日本政府对张作霖的“援助”，则不过是为了适应对华新借款团的建立与直皖战争后的中国形势，寻求新的代理人，以确保和扩大在满

① 日本外务省编：《日本外交年表并主要文书》上，第 524—525 页。

蒙的利益而已。也即，张作霖不过是日本政府用来实现其扩大侵略权益的工具。因此，当日本政府对张作霖的“工作”，并未能达到预期效果时，便发生了 1928 年 6 月 4 日炸死张作霖的“满洲某一重大事件”。

1927 年 4 月，日本军阀田中义一组阁，法西斯势力开始成为日本国家政治的主流。此后，攫取中国东北，以期长期霸占，进而蚕食华北，乃至整个中国则成为近代日本东亚战略和政策的重要目标。

1927 年 6 月 27 日，田中义一以首相兼外相的身份，在中国大连主持召开“东方会议”，参加会议的有外务省官员、驻华公使、驻奉天、上海、汉口的总领事，大藏省和陆海军当局的部长。此外，还有朝鲜总督府警务局长和日本关东军司令官武藤信义。这次会议的主题是讨论中国的时局和对策。

7 月 7 日，田中在会议结束时，以《对支政策纲要》为题作了如下训示。他说：

> “鉴于日本在远东的特殊地位，对待支那本土与满蒙自当不同。……在此期间，由于不逞分子乘支那政情不稳而跳梁，往往有紊乱治安，惹起不幸的国际事件之虞，帝国虽然期待支那政权镇压此等不逞分子及维持秩序……。但在出现非法侵害帝国在支那之权利及在留本邦人生命财产之虞时，根据必要，将断然采取自卫措施，以维护之。
>
> “特别是对日支关系，基于捏造虚构之流言，妄自掀起排日排货之非法运动，不仅要排除其疑惑，而且为了维护权利，要进一步采取相应之措施。
>
> “满蒙、特别是东三省地区，对我国防及国民生存上拥有重大的利害关系，因此，我邦不仅要特殊考虑，而且……作为接壤之邻邦，又不能不感到有特别的责任……。万一动乱波及满蒙，由于治安混乱，有侵害我在该地特殊地位和权益之虞时，不论来自何方……都要决心不误时机，采取适当措施。”①

① 日本外务省编：《日本外交年表并主要文书》下，文书部分，第 102 页。

对此，这次会议的推动者外务省政务次官森恪作了如下解释。他说：

"满洲的主权，固然如币原先生所说的在于支那，然而并不完全在于支那。日本也有权参与这个主权。因此，维持满洲的治安要由日本来担任。满洲是〔日本〕国防第一线，所以要由日本来防守。"①

这种露骨的霸占"满洲"论，表述了田中内阁召开"东方会议"的企图。

田中义一的上述训示，特别是所谓"支那本土与满蒙自当不同"，凡是有"侵害我在该地特殊地位和权益之虞时，不论来自何方……都要决心不误时机，采取适当措施"等等，更是无异于日本政府发出的战前动员令。

在此期间，武藤信义的随行人员——日本关东军高级参谋河本大作，已经与森恪等"强硬论者"，就"包括行使武力在内的解决满蒙问题的实施政策，达成了种种默契"。②

1927 年 11 月 29 日，日本驻奉天总领事馆（总领事吉田茂）拟定了《对满政策私见》，其提示性的结论是：

"苦于人口问题和粮食问题的日本，能否从地理关系上，在满洲大陆求得活路，是帝国之存亡问题。

"〔在日韩合并之后〕……进而成为开拓满洲之先驱，乃是帝国在东洋之使命。

"介于三 A 政策之美国和三 C 政策之英国之间，志在三分天下霸业……的日本，在满蒙追求其坚固不拔之地盘，乃是必然之要求。

"针对军阀暗斗不已，政治成为政客游戏，邻邦愈发混乱，在制我于死命之满蒙处于列国环视当中，堂堂正正地谋求其开发和安

① 见五味川纯平：《虚构的大义》中译本，外国文学出版社 1988 年版，第 21 页。

② 日本外务省编：《日本外交史辞典》，第 611—612 页，"东方会议"条（马场明）。

全，乃是我民族之特长。

“以上是帝国对满蒙之国策基调，满蒙特殊利益之观念，也胎源于此，并非只谓既得利益。而且，倘有否定者，断定是对帝国之挑战，不可畏惧。”

《私见》的最后结论是：

“英国历来以其庞大的海外领地和优秀的海军力量称霸于天下，欧洲战争以来，美国则是以其无尽之资源和莫大的财力，加上广大的领土，与之对峙。如果吾人假以一衣带水的彼岸三十六万平方公里和无限的资源，则不近乎作为东亚之盟主，而承担三分天下之业乎？特别是从地理关系而言，无需英国那种巨额的海军费用。”①

这实际是上述“东方会议”的政策效果。它说明日本政府霸占“满蒙”的用心，已经落实到驻外机构，并形成了沆瀣一气的共鸣。

1928年5月18日，日本政府向张作霖和南京政府发出《通告》。内称：

“现今动乱波及京津地区，满洲之地也将有蒙受影响之虞。维持满洲的治安，乃是帝国最为重视者。如果在该地发生治安紊乱或发生造成紊乱原因之事态，帝国政府将要极力阻止。故而，在战乱发展到京津地区，其祸乱及满洲时，帝国政府将……不得不采取适当而有效的措施。”②

同年8月9日，日本政府派遣外相内田康哉前往巴黎签署《非战条约》之际，田中在交给内田的训令《对支那政策要旨》中又称：

“满洲是日本的外部城廓，其治乱兴废影响日本、朝鲜，对我国拥有重大关系……。为了完全维持东三省秩序，有必要彻底防止共

① 小林龙夫等编：《满洲事变》（现代史资料7），みすず书房1964年版，第103—104页、第122页。

② 日本外务省编：《日本外交年表并主要文书》下，文书部分，第116页。

产主义分子潜入该地。共产主义分子的潜入，不仅混乱秩序，破坏经济基础，使东三省陷入毁灭，而且对我统治朝鲜也会产生许多危害，并有最终在对俄关系上产生恶劣影响之虞。

“在现在的状况下，〔东三省〕和南方妥协的话，有如前述，从日本的立场来说，甚是令人不快。幸而学良氏基于保安总司令之责任，考虑种种关系，自发地终止了妥协，实在是件好事。今后，如在各种自发处理时，日本都尽可能的暗中行事，那么，使东三省成为支那最进步的地方决非难事……。

“如有外敌侵入东三省之事，日本根据历来重视维持东三省治安之方针，将有不惜牺牲之决心。〔中略〕

“鉴于东三省在历史、政治和经济上与帝国具有特殊关系，所以维持该地治安、维护我国的特殊利益，乃是日本国民最为深刻的迫切要求。然而，国民政府成立以来的外交方针，或是违反条约规定、实施课税；或是煽动对外国人罢工；或是教唆各种排外运动；或是单方面撕毁国际条约等，过激行动甚多……。具有如此倾向的南方势力直接侵入东三省，是我帝国政府到底不能默视者。”①

田中的这一训示，再次表明日本政府已把中国东三省视为己有。因此，要以“反共”和不准许“祸乱及满洲”为名，阻止中国的统一，而且把当时的北伐军视为“外敌”，明确表示“如有外敌侵入东三省之事，日本根据历来重视维持东三省治安之方针，将有不惜牺牲之决心”。这种政策实际正是1931年日本关东军发动“九一八事变”的根源。

1929年12月，在南京出版的《时事月报》第一卷第二期上，刊登了《田中奏折》，内称：

“所谓满蒙者，乃奉天、吉林、黑龙江及内外蒙古是也。……不惟地广人稀，令人羡慕，农矿森林等物之丰，当世无匹敌。我

① 日本外务省编：《日本外交年表并主要文书》下，文书部分，第118—119页。

国因欲开拓其富源，以培养帝国恒久之荣华，特设南满洲铁道会社，借日支共存共荣之美名，而投资于其地之铁道、海运、矿山、森林、钢铁、农业、畜产等业，达四亿四千余万元。此诚我国企业中最雄大之组织也。且名虽为半官半民，其实权无不操诸政府。若赋予满铁公司以外交、警察及一般之政权，使其发挥帝国主义，形成特殊会社，无异朝鲜统监之第二。即可知我对满蒙之权利及特益巨且大矣。故历代内阁之施政于满蒙者，无不依据明治大帝之遗训，扩展其规模，完成新大陆政策，以保皇祚无穷，国家昌盛。"〔中略〕

"惟欲征服支那，必先征服满蒙，如欲征服世界，必先征服支那。倘支那完全可被我国征服，其他如小中亚细亚及印度、南洋等异服之民族，必畏我敬我而降于我。使世界知东亚为我国之东亚，永不敢向我侵犯，此乃明治大帝之遗策，是亦我日本帝国之存立上所必要之事也。"

进而，该《奏折》又称：

"此所谓满蒙者，依历史，非支那之领土，亦非支那的特殊区域。……此事已由帝国大学发表于世界。……最不幸者，日俄战争之时，我国宣战布告明认满蒙为支那领土。又华盛顿会议时，九国条约亦认满蒙为支那领土，因之外交上不得不认为支那主权。此两种失算致祸我帝国对满蒙之权益……。我国此后有机会时，必须阐明其满蒙领土之真相于世界当道，待有机会时，以得寸进尺方法而进入内外蒙古，以成新大陆。"

此外，则是言称：

"我大和民族欲步武亚细亚大陆者，握执满蒙利权，乃其第一大关键也。""至于南北满洲之权利，则以 21 条要求为基础，……另添如下附带条件权利，以便保持我永久实享之权利。"

其所说的“附带权利”包括：

> “三十年商租权期限满了后，[1]更可自由更新期限，并确认商、工、农业之土地商租权”；“获得奉天、吉林等十九个铁矿及煤矿权，以及森林采伐权”；“南满及东部内蒙古之铁道铺设并铁道借款优先权”；“吉长铁道之经营管理延长九十九年”；以及“黑龙江矿产全权”；“东三省中央银行之设立合办权”等等，凡14项之多。[2]

《田中奏折》被披露之后，又通过英文传播，从而引起世界各国的反响。与此同时，也出现了真伪问题的争议。日本学者认为：日本政府在“九一八”以后的海外扩张，与《田中奏折》的内容“竟然不可思议地对应”。[3]

也就是说，继续讨论《田中奏折》的真伪问题，已经没有实际意义，即使田中不通过《奏折》向天皇报告，也证明《奏折》中的政策是存在的。

1929年6月，田中义一因为已知的原因，也即日本天皇对其处置张作霖事件不力而辞职（或许正是由于侵略政策失秘），但其既定的方针政策，却被后任内阁继承下来。

三　阴谋发动“九一八事变”

1931年3月，日本关东军高级参谋板垣征四郎（1885—1948），对各兵种学校教官做了题为《从军事上看满蒙》的讲话。他说：

> “明治天皇在位期间，我国以国家命运作赌注，断然进行了日清、日俄两大战役，结果终于在大陆的一角确立了特殊地位……。
>
> “满蒙对帝国之国防及国民之经济生活上，有着极其深刻而特

---

① 1915年5月25日，日本政府迫使袁世凯政府签订《关于南满洲及东部内蒙古条约》，其第二条记载：“日本国臣民为了在南满洲建设各种商工业之建筑物，或为了经营农业可商租必要的土地。”同日，日本全权公使日置益与袁世凯政府外长陆征祥换文，写有商租期限为三十年，且可无条件更新。见日本外务省编：《日本外交年表并主要文书》上，第411页。

② 见王绳祖主编：《国际关系史资料选编》上册第2分册，武汉大学出版社1983年版，第575—579页。

③ 见日本外务省编：《日本外交史辞典》，第521页，“田中上奏文”条（稻生典太郎）。

殊的关系，这当然不能以单纯的经济观点来衡量，作为帝国的现实问题，我敢于毫无顾忌地向世界公然表明，解决满蒙问题是……建立在基于日本帝国之使命、以实现远大理想为目的之大信念之上的，深远之圣意也在于此。

“从兵略上观察满蒙之地位，满蒙（大体指东四省范围）北以黑龙江、西以大兴安岭与俄国领土为界，东南以鸭绿江与朝鲜为界，西南以松岭、七老头、阴山等山脉与中国本土隔开，划出了四周的天然屏障，自身形成了战略据点。（中略）

“由于帝国掌握着具有满蒙战略关键之据点，所以在这里形成了帝国国防第一线。从消极方面说，是完成朝鲜之防卫，从积极方面说，是牵制俄国向东发展，并握有对支那有力的发言权。（中略）

“满蒙的资源很是丰富，保有作为国防资源所必需的所有资源，是帝国自给自足绝对必要的地区。而且将来开发的余地甚大，满洲的价值在于将来，实在前途无量。（中略）

“根据大正四年〔1915 年〕之日支条约，尽管规定我国在南满洲除了土地商租权之外，拥有居住及营业权，在东部内蒙古还拥有以农业为主的合办事业权。但是，由于支那官宪没有诚意，所以在十五、六年之间，这些条约上的既得权益不仅没有实现，而且连居住和营业也正在受到支那方面的妨害。……目前积累的日满悬案，大小五百件余多，数年来一件也没有解决。”（中略）

他最后强调：

“从目前支那方面的态度来考察，不能不得出这样的结论：只用外交的和平手段，终究不能贯彻解决满蒙问题的目的。”①

板垣的讲演，可谓继田中之后，更为明确地道出了垂涎中国东北和谋求武力霸占的意图。

① 小林龙夫等编：《满洲事变》（现代史资料 7），みすず书房 1964 年版，第 139—144 页。

因此,当时日本参谋本部完成的《昭和六年〔1931 年〕度形势判断》中,有关根本解决"满蒙问题"的第三个阶段,则是"占领满蒙"。①

在此期间,积极鼓动武力解决满蒙问题的另一代表人物,便是日本关东军作战主任参谋石原莞尔(1889—1949)。同年 5 月,他在《满蒙问题私见》中写道:

"为了我国国运的发展,满蒙正是最为重要的战略据点。将满蒙置于我国势力之下,朝鲜之统治方能稳定。我国若以实力表示断然解决满蒙问题的决心,则可立于对支那本部的指导地位……"。"满蒙的农产足以经济我国民的粮食问题;鞍山之铁、抚顺之煤炭等,在目前足以确立我国重工业的基础;在满蒙的各种企业,可以救助我国现在的有知识的失业者,打开眼前的萧条。"

石原认为:

"单纯是经济上发展,在老奸巨滑的支那统治者之下,最终难以期待超过现在的情况,二十五年的历史已经做出了明示,特别是作为针对俄国的东洋保护者,为了安定国防,要刻骨铭记,解决满蒙问题的政策,除了将满蒙作为我国的领土之外,绝对没有其他途径。……而且,在确定战争计划上,要不问战争动机,确定日期,按照日韩合并的要领,向中外宣布合并满蒙足矣。……如有良机,依靠关东军的主动,成就回天之伟业绝非难事。"②

由此可见,日本借故发动侵略战争已经只是时间问题。

于是,同年 5 月下旬,日本关东军在金州进行实战演习,29 日举行部队长会议,日本关东军司令官菱刈隆做出如下训示。他说:

"满蒙之地,在帝国国防及生存上,具有甚深而特异之关系,不

① 小林龙夫等编:《满洲事变》(现代史资料 7),みすず书房 1964 年版,第 161 页。五味川纯平:《虚构的大义》中译本,第 21 页。

②《走向太平洋战争之路》别卷·资料编,朝日新闻社 1963 年版,第 99—101 页。见历史学研究会编:《日本史史料》(5),岩波书店 1997 年版,第 9—12 页。

可单纯以经济观点来衡量，原本无需赘述。所以，历代当局者都要倾注心血努力解决之。仔细观察帝国现今之形势，国难内外相逼，邦家前途实在不堪忧虑，而能够克服和打开此种现状，谋求国运的发展，妥善对应将来世界局势之变化……完成帝国高远使命之途径，实以根本解决满蒙问题为第一步。

"再看邻邦支那的形势，去年九月，以张学良和平通电为契机，一时得以小康。但随着这次国民会议的召开，两广及中原地区再次燃起反蒋运动，军旅相动，前途骤然不可逆睹，东北政权大有再次投入漩窝之虞。另一方面，支那官民的排日、收回利权运动渐趋本质，其势将及于满蒙，一再策划排除我国势力……。目前之事实，可谓日支处于政治、经济抗争时代，实有暗云低迷之感。加之，列国势力侵润，国际关系不容置之度外。因此，解决此一问题之际，需要举国一致之大英断，此乃深刻期待我军部者。

"在此非常时刻，要有非常之决心。诸位军官宜督促鼓励部下将卒，振作志气，努力练就精锐部队，并时刻进行周到准备，以期应变无误。本职深深信赖诸位，但愿上下一致，以死而后已之气概，完成阃外之重任。"①

随后，板垣进一步做了题为《关于满蒙问题》的讲演。其中，列举了四种"处理满蒙问题"方案：

一是将满蒙作为领土或作为保护国；

二是解决尚未解决的问题，实质上是要扩充超出现有之权益；

三是消极维持现有之实际权益，专门在经济方面求得发展；

四是放弃现有政治、军事权益，采取新的经济发展形式，但最终目的在于求得领土，即或是采取第二种方案，也必然要做好向第一种方案飞跃之准备，这是确信无疑的。

① 小林龙夫等编：《满洲事变》(现代史资料 7)，みすず书房 1964 年版，第 145 页。

板垣明确地宣称：

"谈到帝国之国防，首先应该注意和美国、俄国、英国之间的关系。帝国面临东西二万公里的太平洋，北起本土南至台湾，漫延五千公里……所以，唯一的解决办法就是从根本上解决满蒙问题。"①

"不管形势变化如何"，只要主动寻找"机会"，便"有必要使用武力。"

诸如：

(1) 抓住既得权益受到"践踏"，根据行使自卫权，送交最后通谍，准备行使武力；

(2) 中国本部祸乱波及东四省，现政权发生动摇时，为维持东四省之治安，则必须行使武力；

(3) 东四省内新旧两派发生争执、演出政变，为了维持治安，需要行使武力；

(4) 如发生排日暴动、日支两军冲突等，由于偶发事件扩大，为维持治安惩治暴动，需要行使武力等等。②

这就是所谓板垣的"创世纪的大演讲"。

同年6月中旬，日本陆军大臣南次郎指令转任参谋本部作战部长的建川美次，主持召开包括陆军省军事课长、参谋本部编制课长、欧美课长和中国课长参加的秘密会议，经过反复研究，建川等人策划了《满洲问题解决方策大纲》。内中决定：

一、关于缓和张学良政权在满洲的排日方针问题，要与外务当局紧密联系，加以实施，关于使关东军慎重行事问题，陆军部中央部门要加以周密指导。

---

① 见板垣征四郎刊行会编：《板垣征四郎》中译本，长春市政协文史资料委员会编：《长春文史资料》1988年第6辑，第292—293页。

② 见板垣征四郎刊行会编：《板垣征四郎》中译本，《长春文史资料》1988年第6辑，第297页。

二、(前略)如果排日运动发展的话,最终则将不得已而采取军事行动。

三、解决满洲问题,得到内外的理解是绝对必要的。陆军大臣要通过阁议,努力使各大臣了解当地的情况。

四、让全体国民特别是新闻界了解满洲之实情,其主要业务由军务局主要负责,情报部要予以合作。

五、陆军省军务局和参谋本部情报部,要与外务省有关局课紧密联系,使有关各国了解满洲实际发生的排日行动,在万一出现必要的军事行动时,使各国谅解日本的决心,要事先提出周到的不使之无理反对和压迫的工作方案,在得到上司的决定之后,顺利实施。

六、在军事行动时,需要多少兵力的问题,要与关东军商议后,由作战部做出计划,请求上司决定。

七、为求得内外理解之施策,要以一年,也即至来年春天为期,以便周到实施。

八、要让关东军首脑部门熟悉中央的方针,在未来的一年内隐忍自重,避免卷入因为排日行动而发生的纠纷,在万一发生纠纷时,要保持局部处理,努力使之不扩大范围。①

上述决策表明,武力解决满蒙问题,已经成为日本军界上下一致的目标。当时日本的军部之所以要求关东军"隐忍自重",主要是考虑国内的政治状况和国际形势。②

同年6月底,板垣等人完成了九月下旬在柳条沟〔湖〕发动战争的计划。③

7月,关东军专门从东京向奉天秘密调运两门24厘米的重炮,并将炮口对准北大营的中国驻军和飞机场。随后又运来30余架军用飞机、

① 小林龙夫等编:《满洲事变》(现代史资料7),みすず书房1964年版,第164页。

② 参阅信夫清三郎编:《日本外交史》中译本,第553页。

③ 五味川纯平:《虚构的大义》中译本,第31页。

20余门野炮及其他大批军火。

9月4—5日，日军则在沈阳兵工厂附近举行大规模的包围和攻击演习。

9月8日，又在北大营附近的旺官屯、关帝庙、老瓜堡等地进行野外实战演习，并在合堡大街进行巷战演习。随后还不断进行城市边沿战、夜战、拂晓战等一系列军事演习。

9月14—17日，日军又连续在北大营附近进行实战演习，甚至多次贴近北大营的围墙……。

9月18日晚十时左右，盘踞在中国东北的日本关东军，自行炸毁奉天〔沈阳〕北部柳条沟的一段铁路，随后嫁祸于人，进攻沈阳、占领北大营。这就是1931年的"九一八事变"。

日本关东军参谋部在《满洲事变机密政略日志》记载：

> "昭和六年〔1931年〕度的临时检阅与这次事变的情况极其相似，如各部队恰好在进行部分事先演习。而且由于中村事件，又处于极度紧张状态，要是仔细玩味，明眼达识之士，当可道破之。"①

日本的研究者明确指出："这个阴谋的策划者是石原莞尔，负责人是板垣征四郎，实行者是今田新太郎大尉和上述河本中尉等川岛连的两三个军官。"②

"九一八事变"后，日军迅速攻占沈阳、营口、凤凰城，并对长春展开进攻，以期全面占据中国东北。上述《满洲事变机密政略日志》记载：

9月19日午后，"营口、凤凰城之武装解除完了，唯有长春附近仍在激战的报告，东北政权者流，皆四散逃避。军司令官知道上述情况，认为如果不采纳幕僚之献策，不将事态扩大到今日这种严重地步，一举解决满蒙问题的话，终将遗悔百年。"③

---

① 小林龙夫等编：《满洲事变》(现代史资料7)，みすず书房1964年版，第183页。

② 岛田俊彦：《关东军》，1969年第11版，第107页。

③ 关东军《满洲事变机密政略日志》，见小林龙夫等编：《满洲事变》(现代史资料7)，第183页。

9月20日，日本参谋本部作战部长建川美次向关东军授意：

“鉴于中东铁路的性质和目前的一般形势，可以不向长春以北派兵，但要尽快打击吉林、洮南等地，当为有利。此外，使现有的东北政权崩溃，树立以宣统皇帝为盟主、接受日本支持的政权为上策。”

同日下午4点，关东军以“关参第385号电”，向陆军大臣、参谋总长“陈述了上述意见”。①

9月22日，关东军参谋长三宅光治，根据司令官本庄繁（8月1日就任）的意图，又召集奉天特务机关长土肥原贤二、参谋板垣征四郎、石原莞尔和片仓衷等，进一步策定了《满蒙问题解决策案》（关参第411号）。其内容是：

第一　方针

建立受我国支持、以东北四省及蒙古为领域的、以宣统皇帝为元首的支那政权，使之成为在满蒙各民族之乐土。

第二　要领

一、依照新政权之委托，国防和外交由日本帝国掌管，并管理交通、通讯之主要部分。

关于内政等，由新政权自行统治。

二、〔新政权〕元首及我帝国在国防、外交等方面所需之经费，由新政权负担。

三、维持地方治安，可启用下列人员为镇守使：

熙洽（吉林地方）；张海鹏（洮索地方）；汤玉麟（热河地方）；于芷山（东边道地方）；张景惠（哈尔滨地方）

（上述人员历来属于宣统皇帝一派）

① 关东军《满洲事变机密政略日志》，见小林龙夫等编：《满洲事变》（现代史资料7），第187页。

四、地方行政由省政府任命新政权之县长。①

这是分割中国东北的决策。上述《满洲事变机密政略日志》承认：

"本案在立案时，也有建川少将的建议，这在未成为独立国之前，是不彻底的。主要是通过树立亲日政权，由我方掌握管理其国防外交。这与近年来军〔部〕的占领方案有明显的让步，但这个新政权的用语，则意味着与支那本土的分离。"

进而，《满洲事变机密政略日志》承认：这是"在目前的形势下容易实现实质效果"的策案。②

然而，同年 9 月 24 日，日本政府却发表了所谓"帝国政府对满洲没有任何领土欲望"的声明。内称：

"帝国政府常以注重日华两国亲交，举共存共荣之实为一定之方针，苦心努力，始终期待实现之。然而不幸的是，过去数年之间，中国官民的言论，屡屡刺激我国国民感情。特别是在我国拥有最紧密利害关系的满蒙地区，最近不断发生不快事件，给我一般国民心理造成我友好公正之政策，中国方面竟然也不以同一精神回报的印象。值此群情骚然之际，九月十八日夜半，中国军队之一部于奉天附近，破坏南满洲铁路，袭击我守卫部队，以致发生冲突。"

进而又称：

"帝国政府于九月十日举行紧急内阁会议，决定了竭力不扩大事态之方针……。九月二十一日，从长春向吉林出动部队，也不是为了对该地进行军事占领，只是为了从侧面解除对满铁之威胁……。鉴于满铁沿线之不安，虽然将朝鲜驻屯军一个混成旅团之四千兵员，新属满洲驻屯军司令官之麾下，但满洲驻屯军之兵员总数，依然在条约所规定的限度之内，这当然不能说是对外关系上的

① 关东军《满洲事变机密政略日志》，见小林龙夫等编：《满洲事变》（现代史资料 7），第 189 页。
② 关东军《满洲事变机密政略日志》，见小林龙夫等编：《满洲事变》（现代史资料 7），第 189 页。

扩大事态。”①

日本政府的这一声明，实际是国际上少有的两面派。它不仅在发动侵略战争的原因上颠倒黑白，而且极力掩盖其分割中国东北的意图。

在此期间，日本参谋本部有一特别引人注目的决策文件，标题是《昭和六年秋末的形势判断及其对策》。内容包括对中国、美国、英国、苏联以及日本国内和国际联盟等方面的分析。此外，专门附有“关于支那对策细纲”。

该文件的开头称：

“此次满洲事变之际，当初由于关东军适当而果敢的行动，一举获得了奉天、吉林两省之大半，进而由于打击和驱逐马占山军，以致使黑龙江省也服从帝国之威严命令。但日支两国依然处于交战状态，而且，此间之另一方面，国际政局之变化也需要深虑。因此，不允许蓦然进行根本性的解决满蒙问题。时至今日，不得不实施在外观上以在满洲树立独立的新政权为目标、表面继续避免扩大事态等各种对外政策。”②

其结论部分是：

“综合判断以上的内外形势，由于和帝国利害最为紧密的苏联，目前正在充实国力，还难以在国外使用其威力，美国也因国内事情，不喜欢事态扩大，至于英国，则只是汲汲维持其现有势力，处于几乎不能他顾状态。加之国内舆论异常紧张，所以现今实可谓帝国进一步经营满蒙的绝好机会。”

该决策之“关于支那对策细纲”中，更是露骨地写道：

“基于形势判断，主要对策是迅速确立满蒙新政权……。与此同时，对支那本部，要颠覆消灭张学良及现在的国民党政权，且使支

① 日本外务省编：《日本外交年表并主要文书》下，第182页。

② 见小林龙夫等编：《满洲事变》(现代史资料7)，第165页。

那造成一时混乱，使世界之视听远离满蒙。如果做到的话，那么在支那树立几个政权，从南到北则可逐步具有浓厚的日本色彩，至于满蒙，则是要以最终使之几乎成为帝国色彩作为我国的根本方策。"①

这一文件进一步表明，策划与发动"九一八事变"完全是日本政府、特别是日本军部有计划的行为。而且，"九一八事变"依然不是日本侵华政策的终点。也就是说，1933 年日军入侵热河，进而蚕食华北、扶植伪政权，以至 1937 年发生卢沟桥事变，都在这种政策的延长线上。

四　建立"满洲国"傀儡政权

如上所述，1931 年 9 月 22 日，日本关东军所策划的《满蒙问题解决方案》(关参第 411 号)，不仅选定了傀儡政权的元首和可以起用的人员，而且谋划了傀儡政权所要覆盖的地理范围。因此，9 月 22 日午后 4 时，日本关东军便通知天津驻屯军司令官："应将宣统皇帝、罗振玉、徐良等置于其保护之下。"

同日，板垣参谋在奉天秘密访问张景惠，使之决心在 23 日北上(哈尔滨)归任；而今田大尉则前往吉林，与熙洽联系；9 月 25 日，今田又通过洮南公所所长河野正直与张海鹏联系，实可谓紧锣密鼓地进行伪政权的建立活动。

9 月 28 日，日本参谋本部第二部长桥本虎之助等人秘密抵达奉天，两次会见关东军参谋长三宅、高级参谋板垣、石原莞尔和奉天特务机关长土肥原贤二。据上述《满洲事变机密政略日志》记载，其主要任务是：沟通关东军的行动与陆军中央的联系，以及关于"树立新政权的问题"，以便"了解经过，疏通意志，在可能的范围内予以侧面援助"。

与此同时，则是传达日本陆军大臣和参谋总长的"口信"：

---

① 见小林龙夫等编：《满洲事变》(现代史资料 7)，第 169 页。

"在军事行动告一段落的今日，希望采取便于指导阁议的行动。所谓'不扩大事态'，是政治性的意义，要考虑向军事用兵所必要的地点扩展。大臣的意图是，一方面出于鼓励，同时又希望现今没有其他目的而需要集结的话，还要行动。之后，板垣参谋说明了新政权问题。其纲领如下：在现今的形势下，一举占领的方案是不可能的。所以，只能首先树立新的支那政权。此时，以支那人为盟主，也要使满蒙脱离支那本土，谋求满蒙统一，在表面上依靠支那人，但实质上要掌握在我国手中，这三条是绝对必要的。"①

从上述记载可知，日本陆军中央，也即所谓的军部，对于关东军策划建立傀儡政权是完全知晓而且是支持的，9 月 24 日日本政府宣称的"不扩大事态"，则不过仅仅是"政治性的意义"。因此，关东军在上述的政府声明之后，并没有中止军事行动。② 而且，加紧了有关建立伪满政权的工作。

10 月 6 日，关东军司令官本庄繁对满铁总裁内田康哉"恳谈"，再次明确：

"我确信，为了打开困难局面，除了必须建立新政权之外，没有别的办法。若只是维护既得的权益，其结果，仅是南满洲问题的祸患便将永远留于后世。"

"为了树立新政权，按照以下原则是有利的：一、使满蒙完全脱离支那本土；二、一手统一满蒙；三、表面上依靠支那人统治，但实质上掌握在我方手中。而这个新政权最终在实质上必须置于我国的保护之下，至少要获得军事、外交和交通的实际权力。"

进而，他还言称：

"我军行动的根本原因，在于支那军阀官宪积年唆使的侮日行

① 关东军《满洲事变机密政略日志》，见小林龙夫等编：《满洲事变》(现代史资料 7)，第 195 页。
② 请参阅吴廷璆主编：《日本史》，南开大学出版社 1994 年版，第 679 页。

为。本军的这次发动，是行使当然的自卫权。……从军事上观察，无需担心现在的一般形势。在目前的情况下，苏联决不会出现大事，英美也是如此。即使以彼等为对手，在军事上也不足为惧。作为国力，只要把满蒙纳入我国手中，则可以自行控制北支那，持续进行持久战。不，只要有此重大决心，从现在的国际关系上看，就决不会爆发此种战争，支那中部的排日也会戛然而止。”①

这一历史资料表明，作为侵略战争的肇事者，不仅没有丝毫的愧疚，反而奢谈什么“行使当然的自卫权”！然而，这恰恰就是当年日本政府和法西斯军人的逻辑。

10 月 21 日，日本关东军国际法顾问松本侠与板垣、石原莞尔等多次密谋后，确定了建立傀儡政权的第一次具体方案——《满蒙共和国统治大纲方案》。其核心内容是：

“〔前略〕对于外敌侵入，要断然排除；

“整理税制，改革征税制度……

“改革司法制度……

“为谋求资源的开发、产业的发达、贸易的振兴，欢迎外国资本及技术；

“铁道附属地（中东铁路和满铁）维持现状，但对中东铁路之护路军另行规定；

“在军事方面，根据与帝国之条约，国防军（对俄、对中）委托于帝国，为了只是维持治安，将若干军队驻于各个要地，并设置帝国之军事顾问；

“关于外交，公开承认帝国之干涉，在对外关系上不妙，但是要形成批准时，以帝国顾问（名义是顾问，实质上拥有权限）同意为条件的组织；

① 关东军《满洲事变机密政略日志》，见小林龙夫等编：《满洲事变》（现代史资料 7），第 202—203 页。

“各种政治机关中，也要派有帝国顾问，给予实权，以便指导监督；

“延续以往日支间缔结的条约上的各种权利；

“与支那人一样，承认日本人内地杂居权、土地获得权、森林采伐权、矿山开采权等……；全部铁路委托〔日本〕经营；

“关税特权，作为理想，希望与日本之间的输出输入全部无税……。①

在上述计划之下，日本关东军于同年10月设立所谓“自治指导部”，以汉奸于冲汉为部长，由关东军政治部主任中野琥逸为首席顾问，利用已经加入日本籍的清朝庆王溥伟所组织的“四民维新会”“东北筹治会”等，盗用民众团体的名义，进行建立伪政权的宣传。

10月24日，关东军进一步做出《解决满蒙问题之根本方策》。其中的方针是：

“要以建设与支那本土绝缘，表面上由支那人统一，而实际权力由我方掌握，以东北四省及内蒙古为领域的独立的新满蒙国家为目的。在此期间，要在神速地促进此一政权发展的同时，在各个方面实质性地确立推进我方经营的坚固不拔的基础。”

其具体“要领”包括：

“在辽宁省，要通过我方的暗中支持，树立特异的行政府……。在此期间，迅速确立吉林和黑龙江两省的亲日政权，并期待其稳定，对于热河省则要等待形势逐步好转”；

“吉林黑龙江两省一旦大体确立政权，则立即通过我方的暗中支持，以图快不图好为宗旨，立即使两者与辽宁省行政府联省统一，宣布建立承认我国要求条件的新国家”；

“在我方暗中促进建设运动中，如有以武力干涉或加以妨害者，

① 关东军《满洲事变机密政略日志》，见同上书，第228—229页。

要断然排击之”。[①]

1931年11月8日，土肥原贤二在天津市区策划暴乱，将前清退位皇帝溥仪秘密带往旅顺。12月11日，日本关东军指派汉奸赵欣伯、张燕卿、赵仲仁和日人中野琥逸、金井章次等组成“建国委员会”，拟定伪满政权体制。

1932年1月27日，关东军高级参谋板垣拟定“以奉天、吉林、黑龙江三省主席组织中央政务委员会，进行关于各省联络、统制事项及树立新国家的一切准备”。[②] 为此，日本关东军在国联派遣调查团之前，首先将自称黑龙江、吉林和辽宁省省长的军阀组织起来，成立了所谓“东北行政委员会”。然后由他们在3月1日发表建立伪“满洲国”声明。

3月6日，板垣将溥仪从旅顺带至汤岗子，与之最后确定了伪满政权的人选，并让溥仪以“执政”的名义，在事先准备好的致关东军司令官本庄繁的文件上签字。时间为3月6日，而所署日期却是所谓“大同元年三月十日”。其具体内容是：

“经启者：此次满洲事变以来，贵国竭力维持满蒙全境之治安，以致贵国军队及人民均受重大之损害。本执政对此深怀感谢，且确认此后敝国之安全发展，必赖贵国之援助指导。为此，对于左开各项，特求贵国之允可。

一、敝国关于日后之国防及维持治安，委诸贵国，其所需经费，均由敝国负担。

二、敝国承认，在贵国军队国防所必要的范围内，将已设之铁路、港湾、水路、航空等等之管理权及新路之修筑，均委托给贵国或贵国所指定之机关。

三、敝国对于贵国军队认为必要之各种设施，竭力援助。

① 关东军《满洲事变机密政略日志》，见小林龙夫等编：《满洲事变》（现代史资料7），第232—233页。

② 关东军《满洲事变机密政略日志》，见小林龙夫等编：《满洲事变》（现代史资料7），第367页。

四、敝国参议府可任用贵国知名卓识之士担任参议，其他中央及地方各官署亦可任用贵国之人。其人物之选定，委托贵军司令官保荐，其解职亦应商得贵军司令官之同意。

前项参议之人数及参议总数有更改时，若贵国有所建议，则依两国协议以增减之。

五、将来两国缔结正式条约时，即以上开各项之宗旨及规定，作为立约之根本。"①

上述种种，是傀儡溥仪向日本政府签署的卖国、卖身契约。

1932年3月9日，溥仪正式就任"执政"，国号"满洲国"，年号大同，定都长春(改称新京)。至此，伪"满洲国"宣告成立。

同年3月12日，日本内阁会议决定《满蒙问题处理方针纲要》。其中决定：

一、关于满蒙，要在帝国的支持下，使该地在政治、经济、国防、交通、通讯等各种关系上，体现帝国生存重要因素之性能。

二、鉴于满蒙已经从支那本部分离，成为一独立政权统治支配之区域的现状，要诱导使之逐步具备一个国家之实质。

三、现下维持满蒙之治安，主要由帝国任之。将来维持满蒙治安及保护满铁以外之铁道，主要是由新国家之警察乃至警察部队负责。为达到上述目的，要谋求新国家建设和刷新维持治安机构，特别是使日本人作为指导骨干。

四、要以满蒙之地作为帝国对俄、对支那的国防第一线，不允许外来之捣乱。为了上述目的，要增加与之相适应的帝国驻满洲的陆军兵力，而且应有必要的海军设施。不允许新国家拥有正规陆军。

五、以新国家为对象，恢复和扩充我在满蒙之权益。

① 板垣所准备的蹩脚的汉文，收入关东军《满洲事变机密政略日志》，见小林龙夫等编：《满洲事变》(现代史资料7)，第408—409页。日译文本，见日本外务省编：《日本外交年表并主要文书》下，第217页。本书行文参照两者。

六、在实行上述各项措施时，要努力避免与国际法乃至国际条约相抵触，特别是关于满蒙政权问题之措施，要在九国条约等关系上，可采取由新国家自动提议之形式。

七、为了实施帝国有关满蒙政策，要迅速设置统制机关，但目前维持现状。①

上述决定的根本目的，是企图把中国东北变成第二个朝鲜，而且“要以满蒙之地作为帝国对俄、对支那的国防第一线”。至于如何获得权益，按照上述决策，则是所谓“由新国家自动提议的形式”。

同年 8 月 7 日，伪满“国务总理”郑孝胥与关东军司令本庄繁签订有关伪满铁路、港湾、航道和航空等管理协约及附属协定。

9 月 9 日，郑孝胥又与时任关东军司令官的武藤信义签订有关矿业协定。所及范围遍及东北三省和热河省，多达三十八处，矿藏种类包括钢铁（含特种钢）原矿、轻金属原矿、煤炭、石油、油母页岩、铅矿、亚铅矿、镍矿、硫化铁矿、锑矿、锡矿、白金矿、水银矿、黑铅、石棉和硝石等等。而且，该协定规定：

日本帝国臣民（包括法人）所获得的矿产采掘权“全部是无期限的”（第一条），伪满政权制定或修改矿业法规，必须“预先征得日本国政府同意”（第五条）。②

9 月 15 日，日本驻伪满特命全权大使武藤信义，又与郑孝胥在长春签订《日满议定书》。内含二条：

一、在日满两国未另行缔结约定的情况下，满洲国确认并尊重日本国或日本国民在满洲国领域内，依据以往日支间的条约、协定及其他合同与公私契约所拥有的一切权利和利益。

二、日本国和满洲国确认，对缔约国一方之领土及治安的一切威胁，同时就是对缔约国另一方的安宁与存在的威胁，两国约定共

① 日本外务省编：《日本外交年表并主要文书》下，第 204—205 页。

② 日本外务省编：《日本外交年表并主要文书》下，第 222—223 页。

同承担国家防卫，为此，所必要的日本国军队要驻扎在满洲国内。①

同日，日本政府宣布承认伪“满洲国”。至此，日本政府初步完成了霸占中国东北的战略目标。

在此期间，中国南京政府向国联控告日本政府发动侵略战争的罪行。

1931年9月23日，时任国联议长的赖尔（西班牙外交大臣）向中日两国发出第一次紧急通告，要求两国不要采取使现状恶化或有害和平解决问题的一切行为，并寻求立即撤退各自军队的适当手段。②

对此，日本政府通过驻日内瓦全权代表，向国联作出答复，言称日军的行动“只是为了保护居留民、铁路和自身的安全”，日本政府“始终采取防止扩大事态恶化的方针”，以及所谓对吉林和奉天等若干地点的驻军“也不是军事占领”等等。③ 随后，第二天则发表了前述第一次颠倒黑白的政府声明。

9月30日，国联理事会做出决议，“知悉”日本政府代表“希望”在最短期间内撤退日本军队的声明（恢复到九一八事变之前），并约定10月14日再次审议事态的发展。④

然而，10月12日，日本政府却以尽管“九一八事变”时，“中国军队声明不抵抗主义，但在事实上却随处试图抵抗，以致日本军队出现许多死伤者”，以及所谓即使中国政府命令张作相、王树常两将军维持地方治安，也“不能不再次感到与事态当初有同样的重大威胁”为借口，拒绝在10月14日以前，撤退满铁附属地之外的军队。⑤

10月24日，国联理事会以十三国同意、日本一国反对的绝对多数通过决议，要求日本政府在11月16日之前，完全撤退占领中国各地的日

① 日本外务省编：《日本外交年表并主要文书》下，第215页。

② 日本外务省编：《日本外交年表并主要文书》下，第181页。

③ 日本外务省编：《日本外交年表并主要文书》下，第181页。

④ 日本外务省编：《日本外交年表并主要文书》下，第183—184页。

⑤ 日本外务省编：《日本外交年表并主要文书》下，第185页。

军。但10月26日，日本政府发表《关于满洲事变的第二次声明》，继续掩盖发动侵略战争的真相，重复所谓“满洲事变全然起因于中国军宪之挑拨行动”，并提出所谓“否定相互的侵略政策及行动”，以作为与中国政府单独交涉撤兵的条件。①

12月10日，国联理事会再次确认9月30日的决议，并组成五人委员会（李顿调查团），对“九一八事变”进行实地调查。与此同时，担任理事会议长的白里安追加宣布：“在有关定期完全撤退日本军队的9月30日决议所揭示的条件下，理事会切实期待日本军队尽可能迅速地撤退到铁路附属地之内。”②

但是，日本政府不仅没有履行撤兵的承诺，反而于12月23日开始进攻锦州，以期按照既定方针，消灭张学良的东北军。

1932年1月3日，日军占领锦州，东北军退入关内。

1月28日，日本政府为了转移国际视线，又在上海制造事端，然后嫁祸于人，借故挑起“一·二八事变”。

2月7日，日本政府发表关于“上海事件”并派遣陆军的声明，言称上海事件的爆发乃是由于中国的“排外运动”，“国土接近、利害最为错综的帝国，在列国当中处于最大的牺牲地位。”进而则称向上海派遣陆军的目的，在于保护帝国臣民和巨亿之财富，并完成所谓防备租界的“国际义务”。③

2月15日，日军第九师团和混成第二十四旅团，在吴淞附近登陆，20日发动第一次总攻击，25日发动第二次总攻击。及至3月1日，日军又以第十一师团在长江的七丫口（常熟县）登陆，从背后发起第三次总攻击。但因中国军民的强力抵抗，5月5日，签订停战协定，日军终未占据上海。④

① 日本外务省编：《日本外交年表并主要文书》下，第185—186页。

② 日本外务省编：《日本外交年表并主要文书》下，第193页。

③ 日本外务省编：《日本外交年表并主要文书》下，第198—199页。

④ 参阅吴廷璆主编：《日本史》，南开大学出版社1994年版，第680页。

同年 8 月 27 日，日本政府从国际关系的角度，确定了《时局处理方针案》。其中承认："继满洲事变而发生上海事件之后，我国的国际关系甚为恶化，或大势所趋，难保不导致国联或各国共同对帝国施加现实压迫之事态。其后，随着上海方面的情况变化，上述形势逐渐缓和，但我国将来的对支关系还有种种波澜，特别是满洲问题，今后还藏有许多难关，我国国际关系之前途，还不许俄然乐观。"

但是，该决策随后则称：

"万一国联等对帝国施加重大的现实压迫，我方也要以实力排除之，此事自不待论。为了防备这种情况，政府要及早充实军备，并充分考虑非常时经济及国家总动员问题。要以断然之决心和周到的准备处理今后的事态。"

进而，该决策所列举的具体政策是：

"处置上述事态，应以帝国独自的立场推进满蒙经略。这是帝国外交的枢轴。而鉴于昭和九年〔1934 年〕以后的对美兵力和苏联的产业计划等等，要迅速地致力于确立我满蒙经略的根基。"

"国联方面如果敢于进而干涉，触动帝国经略满蒙之根本，则按照三月二十五日阁议决定的方针处理。然而，尽管如此，国联方面如果依然不加反省，反而进一步颠覆帝国满蒙经略之根本，施加有危及我国国运之将来的现实压迫时，帝国则已不能留在国联之中……"①

也就是说，此时的日本政府面对不利的国际形势，不仅坚持其侵略政策，而且要加强军备，准备退出国联，以进行更大的冒险。因此，该决策的前言声称："帝国政府要益加发挥自主外交之真谛，为了打开国运并完成国家的使命而坚忍不拔地努力。"

在此期间，李顿调查团经过在日本和中国东北的实际调查，于 1932

① 日本外务省编：《日本外交年表并主要文书》下，第 206—207 页。

年9月初，完成了英文148页、内含10章洋洋万言的报告书。9月30日，递交给中日两国政府。10月2日公布于世。国联在此基础上组成十九国委员会，继续审议和听取中日两国的意见。

1933年2月24日，国联总会以42个国家同意、日本反对和一国弃权的绝对优势，通过十九国委员会的报告书和劝告案。其中：认为满洲的主权属于中国；认为日本军队在南满洲铁路附属地之外驻屯及在附属地之外的军队行动，与可以规律解决纷争法的各项原则不能两立；以及实施上述劝告，要依靠必要而适当的交涉机关行之等等。”①

对于肇事者和侵略者的日本政府而言，实际是不痛不痒，未能对日本政府的侵略政策和行为，形成有力的制约；而对于中国而言，则是有损国家主权，是牺牲中国来换取日本政府的妥协。特别是内中所通过的各项原则及条件”的内容是：

“中国及日本双方的利益两立”；“考虑苏联的利益”；“要与现存的多边条约相一致”；“承认日本在满洲的利益”；“中国与日本设定新条约关系”；“满洲自治”；“促进中国与日本的经济接近”；“关于中国之改造实施国际合作”等等，②更是顺从日本政府的意志，并将中国置于列强的共同管理之下。

然而，日本政府的国联代表松冈洋右却当场宣布：

> “日本代表难以同意十九人委员会已做成的报告案，因此向总会通告不能承诺。”

进而则称：

> “远东纷议的根本原因，在于支那无法律的国情和不承认对邻国的义务，完全唯自己的意志行事之非望。……日本作为其最近的邻国，在这一点上蒙受了最为重大的损害。”③

① 日本外务省编：《日本外交年表并主要文书》下，第262—263页。

② 日本外务省编：《日本外交年表并主要文书》下，第261页。

③ 日本外务省编：《日本外交年表并主要文书》下，第264页。

这是“贼喊捉贼”。随后，松冈朗读事先准备的宣言书，并退出会场。1933 年 3 月 8 日，日本政府决定退出国联，3 月 27 日发表退出国联通告，内称：

“帝国政府认为已经没有同国联合作之余地，根据国际联盟规约第一条第三项，帝国通告退出国际联盟。”①

对此，有日本学者认为，日本政府选择了国际孤立，而实际是我行我素，按照既定的国策方针，执意扩大侵略的选择。

① 日本外务省编：《日本外交年表并主要文书》下，第 269 页。

第六编　统治大东亚的妄想与失败

二十世纪的三十年代，日本国内完成了近代天皇制的法西斯体制，并与欧洲的德意法西斯国家结盟，进而通过1937年的全面侵华战争，拉开了旨在占据中国大陆和南方诸岛，实现其主宰东亚的战略序幕。但是，日本法西斯帝国的野心，不仅激起了中国和东亚各国人民更为强烈的反抗，而且激化了国际列强之间的矛盾。1942年世界形成反法西斯的统一战线，“大日本帝国”最终走向了崩溃。

一　《国策基准》与全面侵华战争

1936年3月9日，日本成立以广田弘毅为领班的内阁。广田上任后，不仅成立了首相、外相、陆相、海相和大藏相五人组成“内阁中的内阁”，而且恢复了1913年山本权兵卫内阁所废除的军部大臣现役制。与此同时，则是标榜“庶政一新”“广义国防”，强化法西斯体制。

同年8月7日，日本政府五相会议确定了《国策基准》，也即国家政策的基本准则。内中明确提出：

> “鉴于帝国的内外形势，当前帝国应确立之根本国策，在于外交与国防相结合，确保帝国在东亚大陆之地位，并向南方海洋方面发展。”

其基本大纲是：

“排除列强在东亚的霸道政策，以真正共存共荣主义，互颂幸福，也即体现皇道精神，乃是我对外发展政策上应经常一贯的指导精神。

“为了国家安泰，维护其发展，要充实确保帝国名实成为东亚安定势力地位的国防军备。

“为满洲国的健全发展和日满国防的稳固，要在除去北方苏联威胁的同时防备英美，要实现日满支三国的紧密合作，策划我国经济的发展，以作为对大陆政策的基调，在实行之际，要注意同各国的友好关系。

“要努力策划我国民族对南方海洋特别是对外南洋方面的经济发展，要避免刺激他国，以渐进的和平手段，谋求我国势力的发展，以期与完成满洲国相呼应，充实和强化国力。”

进而，这次五相会议又根据上述根本国策，确定了如下内外政策。其中包括：

“陆军军备要以对抗苏联在远东可以使用的兵力为目标，特别是要充实在开战之初，就能对其远东兵力加以一击的在满鲜的兵力。”

“海军军备要针对美国海军，充实整备足以确保西太平洋制海权的兵力。”

“我国的外交方策，首先要以圆满完成根本国策为本义，进行综合刷新。为有利而圆满地推进外交机构的活动，军部要从内部努力援助，避免表面工作。”

“指导和统一国内舆论，以巩固国民打开非常时局的决心”等等。①

① 日本外务省编：《日本外交年表并主要文书》下，原书房1973年第三版，第344—345页。

同日，日本的四相会议（首相、外相、陆相和海相）又专门依据上述的基本国策，制订了《帝国外交方针》。其中，涉及对苏联、美国、英国，以及对德国与荷兰的关系，但实际的重点依然是针对中国。内中进一步明确：

“为了遵循和实现国策，应确立外交方针，使施策顺应方针，派出文武官员要密切联系，并积极而适宜地指导国民，以期外交的完全统制。而在维护我‘公正妥当’的权益上，要经常采取积极的态度，戒除自屈和退缩，同时要努力消除各国对帝国的猜疑或恐惧。

“为了确立东亚持久和平，为了实现帝国的存立与发展，要扶植满洲国，要使与该国的特殊不可分的关系益加巩固……。

“对支那的中央及地方政权，要经常以严然的态度和‘公正的施策’来对待，并与对民众的经济工作相结合，诱导其不得不改变对日态度，以期实现以‘共存共荣’为基调的日支合作。

“在北支那方面，要在筹划与日满两国经济文化上融合与合作的同时，努力使之成为日满支共同防御苏联赤化扩展的特殊区域。对于其他地方政权，不进一步采取特别帮助或阻止支那统一和分裂的措施……。然而，鉴于日苏关系的现状，在当前的施策中，要以首先迅速地使北支那成为防共、亲日满的特殊地区，并在获取国防资源、扩充交通设施的同时，使整个支那反对苏联、依靠日本，作为实施对支政策的重点。”①

上述决策表明，日本政府“蚕食”华北，并连连得手之后，不仅要在中国东北巩固傀儡政权，而且要使整个中国“依靠日本”，并在南洋地区实施殖民统治，以建立日本帝国的霸权地位。因此，在其以所谓“公正的施策”不能达到目的时，则进一步采取军事手段，发动了全面的侵华战争。

实际上，1936 年 4 月 17 日，日本政府就决定增强驻中国华北的日军

① 日本外务省编：《日本外交年表并主要文书》下，第 345—346 页。

（日方称作支那驻屯军），18 日将“支那驻屯军”从 1770 人改编为 5770 人。[①] 其主力是步兵旅团第一、第二联队（按日军战时编制每个联队为1000人）。其中第一联队（联队长牟田口廉也）的本部设在北平市内，其下属的第三大队驻屯在丰台。丰台是当时北平南北交通的要冲之地，日本政府擅自增兵，并不顾中国政府的反对，将军队开入条约规定之外的丰台，这本身就是蓄意发动大规模侵略战争的前兆。

1937 年 6 月 4 日，“早为国民期待、具有新鲜吸引力”的近卫文磨“受命”组阁。6 月 9 日，时任日本关东军参谋长的东条英机，向陆军省次官梅津美治郎提出了《关东军关于对苏对华战略意见书》。内称：

> “南京政权对于日本所希望的调整邦交一事，丝毫没有作出反应的意思，如我方对它进一步要求亲善，从它的民族性来看，反而会增长其排日、侮日的态度，造成所谓‘吹毛求疵‘的结果。”“从准备对苏作战的观点来观察目前支那的形势，我们相信：如在我武力允许的情况下，首先对南京政权加以一击，除去我背后的威胁，是为上策”[②]

东条英机的上述意见，进一步表明了日本全面发动侵华战争的准备。

卢沟桥事变之前，日军便频繁有所行动。如驻丰台日军在 5、6 月间，“不分昼夜地实施中队教练”；5 月下旬在卢沟桥附近的一文字山，对驻丰台日军进行临时检阅；日军旅团长、联队长视察在卢沟桥附近的演习；以及多次对当地一带“实地调查”；6 月末，又有驻丰台的日军干部多人，参加在卢沟桥城（宛平县城）北部普及步兵操典的演习。[③]

7 月 7 日晚 7 点 30 分，驻丰台的日军第八中队，在中队长清水节郎

---

① 见臼井胜美编：《日中外交年表草稿》，クレス出版社 1998 年版，第 221 页。

② 秦郁彦：《日中战争史》1961 年版，第 333 页。见复旦大学编译：《日本帝国主义对外侵略史料选编》，上海人民出版社 1975 年版，第 228 页。

③《卢沟桥附近战斗详报》，见小林龙夫等编：《日中战争》4（现代史资料 12），第 340—341 页。

的率领下，于宛平城北附近的龙王庙，进行以"傍晚接近敌人主阵地，黎明发起突击"为主题的军事演习。

据参加演习的日军报告，10 点 40 分，中国军队的阵地方面，突然传来几发枪声，所以停止演习清点人数，当时有一名士兵失踪（20 分钟后归队）。日军在集结部队时，宛平城方面打来十几发子弹。于是，日军在准备"应战"的同时，向驻丰台日军大队长一木清直报告。一木接到报告后立即紧急集合部队，并向驻北平的日军联队长牟田口廉也报告。牟田口接到报告后，准许驻丰台日军立即出动，并命令大队长一木前往现场，准备战斗。

7 月 7 日晚，接到报告的宛平行署专员、宛平县县长王冷斋，命宛平驻军营长金振中加强县城的警戒，同时命警察保安队搜寻"失踪"的日本士兵。一个小时后，由于没有结果，王冷斋前往北平市政府及外交委员会，报告有关情况。其后，为了与日方交涉，8 日午前 2 点，北平外交委员会主席魏宗翰、委员孙润宇、专员林耕宇和北平绥靖公署交通处副处长周永业，前往日军特务机关。午前 3 点，日军特务机关的寺平忠辅大尉与王冷斋、林耕宇，一同来到日军联队本部。王冷斋、林耕宇对事件表示遗憾和道歉，但牟田口认为王冷斋没有资格代理宋哲元交涉。

此时，日军联队长认为，派遣王冷斋、林耕宇与之交涉，乃是代理宋哲元的秦德纯与"一丘之貉"的冯治安商议之后，"出于故意扩大事件"。①

当时，驻北平的日军特务机关长松井太久郎接到有关报告后，便与冀察政务委员会进行交涉。交涉的结果是，由日军特务机关副官寺平大尉、29 军顾问樱井德太郎和北平外交委员会专员林耕宇等组成调查组，8 日凌晨 3 点，向卢沟桥方面出发。

7 月 8 日午前 2 点，日军联队长牟田口派遣森田彻中佐赶往现场，命其调查情况，并要求中国军队"谢罪"。为"慎重"处理事件，牟田口命令森田率领步兵约一个中队和一小队机关枪，与冀察政务委员会的调查委

① 《卢沟桥附近战斗详报》，见小林龙夫等编：《日中战争》4（现代史资料 12），第 342 页。

员（王冷斋、林耕宇）前往宛平城，同时命令日军第三大队主力，部署在卢沟桥车站（宛平以东）的西南附近，采取“任何时候皆可开始战斗的态势。”①

8日凌晨，在前述调查组前往宛平县城的途中，牟田口联队长接到一木大队长的电话报告，言称凌晨3点25分，“听到从龙王庙附近传来三发枪声”。接到这一报告之后，牟田口联队长在4点20分发出“可以开始攻击”的命令。于是，一木大队长立即“决定向〔宛平〕城外部署的〔中国〕军队发起攻击”。是时，到达现场的森田，按照联队长的指示，进行兵力部署和交涉，日军暂停攻击并进行一般性的早餐，而此时日方记载：“龙王庙附近的支那军再次射击”，于是一木大队长立即命令“攻击前进”，时间为5点30分。大约15分钟后，日军占领龙王庙附近，进而夺取了永定河左（西）岸。②

8日午前9点25分，日军联队长牟田口向森田中佐下达命令：“贵官指挥出动于卢沟桥〔实际是指宛平城，以下相同——本书注〕附近之部队，要求卢沟桥的支那军队撤退至永定河右岸，必要时可解除其武装。”此外则是“可以本军的意图，迅速果敢地占领卢沟桥。”③

寺平、樱井和林耕宇等人前往宛平城的目的，是调查日军士兵“失踪”事情，但在交涉中，日方却要求中国军队“在8日午前11点以前，将卢沟桥及龙王庙的部队，撤退到永定河西岸。”与此同时，日军代理联队长森田中佐，也向29军代表王启元参谋要求：中国军队撤退到永定河西岸，并警告说：如果正中午以前不能履行，那么就要强行解除中国军队的武装。中国方面的代表认为：日本军没有提出这种要求的权利。予以拒绝。于是，中日交涉的舞台，从卢沟桥转向北平市内。

寺平大尉回到北平，8日午后1点，抵达北平外交委员会，要求会见

---

①《卢沟桥附近战斗详报》，见小林龙夫等编：《日中战争》4（现代史资料12），みすず书房1991年第6次印刷版，第341页。

②《卢沟桥附近战斗详报》，见小林龙夫等编：《日中战争》4（现代史资料12），第343页。

③《卢沟桥附近战斗详报》，见小林龙夫等编：《日中战争》4（现代史资料12），第343页。

北平市长秦德纯。秦德纯以在西苑出席军事会议为由，拒绝了寺平的要求。于是，寺平通过电话向秦提出了如下要求：日本军队和中国军队各自撤退到永定河东岸和西岸，如果不这样，则以实力解除中国军队的武装（为了实施此事，要将卢沟桥两千居民在短时间内迁移到特定地点）。对此，秦德纯没有接受。

在这种情况下，日方一方面决定继续交涉，另一方面则从天津和通州调遣援兵。8 日晚 10 点半，日本驻北平大使馆的加藤书记官，在得悉日方援军相继到达丰台和卢沟桥之后，前往秦德纯的私宅，再次要求将卢沟桥地区的 29 军撤退到永定河以西。秦为了防止扩大事态，同意采取两军隔离的意见。但是，主张 29 军之一部，必须驻守宛平城。

7 月 9 日凌晨 2 点，秦德纯与日军特务机关长松井大佐，签署了由三项内容组成的停战协议：（一）双方立即停止射击。（二）日本军队和中国军队分别撤退到永定河左岸和右岸〔也即西岸〕。（三）由冀北保安队担任卢沟桥的守备。

按照上述协议，为了接续卢沟桥守备任务的保安队，于 9 日凌晨 5 点穿过大井村时，受到了日军的阻拦和枪击。与此同时，日军开始攻击宛平城，百余发炮弹，破坏了城门、县政府所在地、公安局、电话局和驻军兵营。中国军队被迫反击。时至 7 点 10 分，日军的中岛顾问和 29 军的高级参谋周思靖，以及专员林耕宇等组成共同调查组，进入宛平进行调查和协议。8 点左右，双方同意停止射击。

是时，中国军队开始向永定河以西撤退，10 点 10 分以前，除了帮助军人家属撤离和向保安队交接任务的部分军队外，大部分已经撤退到长辛店。然而，日军不准许 200 名保安队进入宛平城，而且于午后 3 点，再次攻击宛平城。以致双方再次交战。后经过警察当局与日军特务机关长松井的再次交涉，保安队被减少为 150 人，且以不能携带机枪为条件，进入宛平城。

然而，此时的日军却开始准备“尔后的行动”。日军第一联队长将其三个中队，部署在卢沟桥附近的一文字山和大瓦窑一带（其他兵力暂时撤至丰台和北平市内)；驻通州的日军战车队和炮兵第二大队就地待命；关东军也派遣一个联队和飞机在山海关待命。

当时，日本参谋本部所提出的四项要求是：(一) 中国军队不能驻扎在卢沟桥永定河的左岸；(二)将来所必要的保障；(三) 惩办直接责任者；(四) 向日本方面谢罪。

当秦德纯拒绝这些要求后，日军从 10 日午后 5 点开始，再次发起对卢沟桥的攻击。当时，日军华北驻屯军旅团长河边正三亲自上阵，指挥二台装甲车进行增援。当日夜间，日军攻占衙门口、龙王庙和新庄等地。与此同时，日本关东军 2000 人开入关内，11 日到达天津。日本军部向驻天津的日军发出指令："要作最坏的准备"。其言外之意，无非是要采取新的军事行动，而日本的天津驻军也正是在这种指令之下，"顺利地完成了作战准备"。①

从上述情况来看，日军的军事行动是步步进逼，从前述 7 月 7 日"傍晚接近敌人主阵地，黎明发起突击"的"演习"主题，到连续不断的非理要求和军事行动，恰好说明了卢沟桥事变不是"偶然"的。

但是，日本政府却故伎重施，在 7 月 11 日发表的《派兵华北的声明》中反咬一口，声称："这次事变完全是支那方面有计划的武装抗日，已是无可怀疑的余地"。

随后表示：

> "维持北支那的治安，对于帝国和满洲国而言，是至关紧急的事情，于兹无须赘言。支那方面不仅要对不法行为，而且要对排日侮日行为进行谢罪，并作出今后不再发生此类行为的适当保障，乃是在维持东亚和平上极为紧要的。因此，政府在本日阁议之上，作出重大决意，确定向北支那派遣军队乃是政府所应采取的必要措施。"

---

① 以上事情经过，除已注明出处者外，参阅蔡德金根据中日双方资料撰写的论文：《卢沟桥事件爆发后的现场交涉与南京国民政府的对策》。见〔日本〕军事史学会编：《军事史学》第 33 卷第 2、3 号合刊，锦正社 1997 年版，第 111—114 页。

最后又称：

“维护东亚和平乃是帝国之宿愿。故而政府为了今后不扩大局面，并没有舍弃和平谈判的愿望，希望支那方面迅速作出反省，以圆满解决事态。同时对保全列国权益要从根本上予以充分考虑。”①

其中所谓“今后不扩大局面”，实际是一种骗人的伎俩。当时，日本政府的真实意图，是要就此“根本解决对支问题”。7 月 16 日，日本首相近卫文麿对海军大臣米内光政说：“在解决这次问题的同时，我想开始根本解决对支问题。北支那是满洲国的接壤地带，故而使我军驻屯是必要的，而且在北支那经济开发的意义上，我认为更有必要。”②这与前述关东军的意见也是一致的。

同样，日本陆军省军事课长田中新一大佐的业务日志中也记载：“只解决芦沟桥事件，无论如何是不能满足的。乘此机会要处理多年的对支悬案，在内阁官僚中间特别是在总理的胸中，原本就是根深蒂固的。所以，对收拾紧迫的事态反而有不在乎的倾向。”③

与此同时，近卫内阁所谓“不扩大局面”的说法，也是在试探中国方面的反应。因此，7 月 17 日，国民党政府主席蒋介石在庐山表示抗战之后，日本军部在 20 日便立即作出了武力解决问题的判断，并在同日内阁会议上作出了增派第五、第六和第十师团的决议。7 月 27 日，日本参谋总长命令日军“膺惩”平津地区的中国军队。28 日，日军开始进攻北平、天津。

进而，7 月 29 日，日本参谋本部作出了《对支那作战计划》。其中明确“要击溃平津地区的支那军队，设法使该地区平定下来。”同时“根据情况，以一部分兵力，在青岛及上海附近作战，……平津地区，以支那驻屯军约四个师为骨干，……青岛附近大体以一个师为骨干，……对第三国

① 日本外务省编：《日本外交年表并主要文书》下，原书房 1973 年第三版，第 366 页。
② 见江口圭一：《十五年战争小史》，岩波书店，第 110 页。
③《战史丛书·支那事变·陆军作战 1》，第 197 页，见江口圭一：《十五年战争小史》，第111 页。

应严密警戒,逐步动员必要之兵力,派往满洲。另外以五个师归中央直辖,可适应形势变化,作好准备"等等。①

此后,日军加快了全面侵华战争的步伐:

1937年7月30日,日军占领天津;8月8日,占领北平;8月13日,日军在上海拉开战幕;随后空袭杭州、南京、南昌和广德等地;8月27日,占领张家口;9月13日,占领大同;9月24日,占领保定;10月10日,占领石家庄;14日,占领绥远;17日,占领包头;11月8日,攻占太原;11月12日,攻占上海;11月27日,占领济南;12月13日,日军占领南京,并制造了震惊世界的"南京大屠杀"……,气焰嚣张,行为凶残。

据当年日本熊本第6师团一个士兵的《出兵大陆实录》记载,日军攻占南京后,"在宽2000米,不,也许更宽的江面上,漂满了无数的尸体。放眼望去,看到的全是尸体,岸上有,江里也有。那不是士兵,而是普通百姓的尸体。大人、小孩、男人、女人,简直就像浮在整个江面上的'木排'缓缓往下漂。再往上游看,死尸之'山'源源不断,好像没有尽头……扬子江成了'死尸之河'。"有的士兵"用刺刀挑着婴儿举到头顶,而且是在炫耀似的……那是连'住手'都来不及说的、一瞬间的事情……日军真是作孽啊。"②

当年远东国际军事法庭中国检察官顾问倪征奥指出:"侵华日军侵占南京后,置人类道德准则和国际法于不顾,蓄意制造了为期6个星期的血腥大屠杀,我遇难同胞达30万人以上,数以万计的中国妇女遭到强奸和轮奸,全城有三分之一的建筑遭到毁坏,文明古都成为一片废墟,沦为人间地狱。"③

1938年1月11日,日本御前会议进一步决定了所谓《处理支那事变

---

①《日中战争》2《现代史资料》9,1964年版,第25页。见复旦大学历史系编译:《日本帝国主义对外侵略史料选编》,第238页。

② 日本创价学会青年部反战出版委员会编:《扬子江在哭泣》,第三文明出版社1979年版,见朱成山主编:《侵华日军南京大屠杀外籍人士证言集》,江苏人民出版社1998年版,第49—50页。

③ 见朱成山主编:《侵华日军南京大屠杀外籍人士证言集》序言。

的根本方针》。其中除了继续标榜“和平”，欺骗视听之外，主要有两项内容。

其中的第一点是：

“如果支那之现中央政府此时幡然改悔，以诚意求和的话，那么，则以别纸甲号所列日支媾和交涉条件进行交涉……。”

“甲号”所列的交涉“细目”是：

支那正式承认满洲国。

支那放弃排日及反满政策。

在北支那及内蒙设定非武装地带。

北支那在支那主权之下，设置实现日满支共存共荣的适当机构，并予以广泛之权限，

特别是要实现日满支经济合作。

在内蒙古设立防共自治政府，其国际地位与现在之外蒙相同。

支那要确立防共政策，对日满两国实施防共政策予以合作。

在支那中部占领地区设定非武装地带，在大上海市区域要日支合作，共同维持治安和发展经济。

日满支三国缔结有关资源开发、关税、贸易、航空、交通和通信等所必要之协定。

支那要对帝国支付必要之赔偿。

此外，尚有附记：

（一）在北支那及支那中部的一定区域内，以保障为目的，在必要的期间内驻屯日本军。

（二）日支之间达成有关各项协定后，开始协定休战。

支那政府如诚意实行前述各项约定，并对我方日支两国提携共助之理想予以真心合作的话，那么，帝国则不仅准备解除上述约定中的保障条款，而且将进一步对支那之复兴及国家的发展和国民的

要求予以衷心合作。

其中的第二点是：

“如果支那之现中央政府此时不来求和的话，那么，今后帝国则不再期待以之作为对手来解决事变问题，而要扶植成立新兴的支那政权，与之协定调节两国国交，协助建设更生的新支那，而对现在支那的中央政府，帝国则将实施使之崩溃，且将之纳入新兴的中央政权之下的政策。”①

日本政府所开列的上述条件，实际是要求承认日本霸占中国东北的事实，并企图进一步分割中国，用傀儡政权取代国民党的中央政府，而且要在中国驻扎军队，全面控制中国的经济和资源，而且还要中国为日本政府的侵略行为支付所谓“必要的赔偿”。这就是当年日本政府所谓“不扩大事态”的真实含义。

面对日本政府的上述方针，中国人民并没有被日本帝国主义的侵略气焰所吓倒。1938 年 10 月下旬，日军攻占广州、武汉以后，日本对中国的侵略战争和中国人民的反侵略战争，实际已经进入了“相持阶段”。

在这种形势下，日本近卫内阁于 1938 年 11 月 3 日，发表所谓“虽是国民政府也不拒绝”的政府声明（也即第二次近卫声明）。内称：

“今凭陛下之稜威，帝国陆海军已攻克广东、武汉三镇，平定支那的重要地区。国民政府已不过为一地方政权。然而，该政府若固执抗日容共政策，在其崩溃灭亡之前，帝国绝不收兵。帝国所期求者，在于建设可确保东亚永远稳定的新秩序。此次征战的最终目的，亦在于此。

“建设这种新秩序，要以日满支三国合作，在政治、经济、文化等各方面树立互助连环的关系为根本，以期在东亚确立国际正义，达成共同防共，创造新文化和实现经济结合。这实际是稳定东亚、有

① 日本外务省编：《日本外交年表并主要文书》下，第 385—386 页。

利于世界发展之道。

“帝国希望于支那者，在于分担建设此种东亚新秩序之任务。帝国期待支那国民善于理解我国真意，愿与帝国合作。当然，虽是国民政府，如果抛弃以往的指导政策，改善人事结构，举更生之实，参加新秩序之建设，〔我方〕也毫不拒绝。

帝国坚信：各国也可正确认识帝国的意图，适应东亚之新形势。”（下略）①

日本政府的上述声明，明确地提出了要在东亚建设“新秩序”的战略目标。其中，虽说改变了“不以国民政府为对象”的态度。但是，其前提并不是放下屠刀，撤退日本在中国的军队，停止对中国的侵略战争，而是要求中国放弃抵抗，依然要以所谓“日满支三国合作”为根本，也即中国必须认同日本政府的侵略是“合法”的。这就是声明所说的“国际正义”和所谓的“新秩序”。至于“帝国坚信：各国也应正确认识帝国的意图，适应东亚之新形势”，则可谓毫不掩饰霸占中国、主宰东亚的战略意图。

二　所谓“大东亚新秩序”的真相

1940 年 4 月以后，德国在欧洲“闪电战”的胜利，对日本政府产生了非同凡响的影响。同年 7 月 17 日，日本组成第二次近卫内阁。基于陆军的提案，近卫内阁于 7 月 26 日，决定了以“确立大东亚新秩序”为根本方针的《基本国策纲要》。其中明确写道：

“现今世界处于历史重大转变之机，出现了以几个国家集团的产生与发展为基调的新的政治、经济与文化，皇国也面临着有史以来的重大考验。值此之秋，真正实现基于皇国建国大精神之国策，则要以把握上述世界史发展的必然动向，对各种庶政迅速加以根本革新，排除万难，完成国防国家体制为眼前紧急要务……。皇国国

① 日本外务省编：《日本外交年表并主要文书》下，第 401 页。

策在于以八纮一宇之建国精神为基础……首先建设以皇国为核心的日满支的强固结合为根干的大东亚新秩序。为此，皇国要迅速确立适应新事态的毫不动摇的国家态势，以国家总体力量推进上述国策的实现。"①

这是日本政府从建设"东亚新秩序"，向建设"大东亚新秩序"迈进的明确表示，也是随后提出建设所谓"大东亚共荣圈"的前奏。这究竟意味着什么？

同年7月27日，日本战时大本营和政府联席会议，进一步决定了由军部起草的《随着世界形势演变处理时局纲要》。其方针是：

"帝国对应世界形势的变化，要在改善内外形势，迅速促进解决支那事变的同时，要扑捉良机，解决南方问题。"

其施策要领包括：

"要以政治和战争策略的综合力量，集中处理支那事变，特别是要灭绝第三国的援蒋行为，尽一切手段迅速使重庆政权屈服。(以上为第一条主要内容)

"对法属印度支那(包括对广州湾)，要在以期彻底切断援蒋行为之同时，迅速使之同意我军担任补给之军队通过及使用机场等，且要努力获得帝国所必要之资源。

"对香港，要与彻底切断缅甸援蒋渠道相配合，首先要迅速强力推进有如剪除敌对性之各项工作。

"对荷属印度，暂且依外交措施努力确保其重要资源。(以上为第二条主要内容)

"处理支那事变大体结束时，为解决南方问题，要在内外各种形势允许的情况下，扑捉良机，行使武力。

"处理支那事变尚未结束时，在不至与第三国开战的限度内，如

① 日本外务省编：《日本外交年表并主要文书》下，原书房1965年版，第436页。

果内外形势、特别是形势发展有利的话，为了解决南方问题，施策也要行使武力。

"在行使武力时，要极力把战争对手仅限于英国。但是在这种情况下，因为对美国开战不可避免，所以也要予以准备，以期无憾。"(以上为第三条主要内容)①

也就是说，此时的日本政府不仅扩大了对东亚战略目标的范围，而且已经把本国侵略东亚的进程，与德意法西斯在欧洲的战争进程，相互密切地结合起来了。

随后，同年 11 月 13 日，日本御前会议进一步确定了《支那事变处理纲要》。其中明确规定："对支那事变的处理，要以昭和十五年(1940 年)7 月决定的《随着世界形势演变处理时局纲要》为准。"其具体方针是：

"继续进行武力战之外，要强化禁绝英美的援蒋行为，并调整日苏关系，尽政治和战争策略上的一切手段，极力消灭重庆政权的抗战意志，迅速使之屈服。

"适时积极改善内外态势，为适应实施长期的大持久战和建设大东亚新秩序，要恢复和增强帝国所必要的国防力量的弹性。

"为了上述〔目的〕要灵活运用日德意三国同盟。"②

也就是说，1940 年日本政府与德国意大利签订的三国同盟，和当年为了对俄战争而签订日英同盟一样，③也是为了准备进行更大的角逐。然而，日本政府却把旨在实现本国的侵略政策，渲染为受到了所谓 A(America 美国)B(Britain 英国)C(China 中国)D(Dutch 荷兰)的包围，一以寻求继续进行侵略战争的借口，二是欺骗国内民众。

1941 年 2 月 3 日，日本政府和大本营联席会议，进一步确定了有关

---

① 日本外务省编：《日本外交年表并主要文书》下，原书房 1965 年版，第 437—438 页。

② 日本外务省编：《日本外交年表并主要文书》下，原书房 1965 年版，第 464 页。

③ 1941 年 1 月 22 日，日本外相松冈洋右在交给野村的训令中，也完全承认这一点。见日本外务省编：《日本外交年表并主要文书》下，第 479 页。

《对德意苏交涉方案纲要》。其内容包括：

“帝国对大东亚共荣圈地带居于政治指导者之地位，负有维持秩序之责任。要使上述地带居住之民族维持独立，对现今英国法国荷兰葡萄牙之属领，也以使之独立为原则。对于没有地理能力之民族，则根据其各自之能力，尽可能准许其自治，由我国负责统治指导。在经济上，帝国在上述地带的国防资源方面，要保留优先地位。关于其他一般性的通商产业，与其他经济圈可适用相互门户开放和机会均等原则。

“将世界分为大东亚圈、欧洲圈（包括非洲）、美洲圈和苏联圈等四大圈（给英国留下澳洲和新西兰，大体按荷兰待遇），帝国在战后的媾和会议上，要主张予以实现。

“要使德国当局谅解日本极力使美国不能参战为宗旨的行动施策。

“德意特别是德国要牵制苏联，万一苏联攻击日满两国时，德意要立即攻击苏联。

“日本参加欧洲战争时，要与德意等友国缔结不单独媾和协定。

“急速完成海军准备，陆军要断然缩短在支那的战线。德国要极力援助日本充实军备，日本努力对德国提供原料及粮食。（此项内容在会议上改为：再就促进支那全面和平问题与德国恳谈。）

“松冈外相渡欧后，在与德意苏联政府交涉中，要努力贯彻上述要领，在必要时缔结条约。①

上述情况决定表明，此时的日本政府正在不遗余力地筹划更大规模的对外战争。其战略目标则是要与德意法西斯进一步密切配合，以共同实现瓜分和主宰世界的战略目的。

1941 年 7 月 2 日，日本御前会议再次决定了《随着形势演变帝国国

① 日本外务省编：《日本外交年表并主要文书》下，第 481 页。

策纲要》。其方针是：

一、不论世界形势如何变化，帝国都要坚持建设大东亚共荣圈……之方针。

二、帝国依然要推进处理支那事变，且……向南方推进，同时要适应形势变化，解决北方问题。

三、帝国为了达到上述目的，要排除各种障碍。

其具体要领是：

一、为了促使蒋政权屈服，要进一步从南方各地加强压力，且根据形势变化，对重庆政权适时行使交战权，并接收在支那的敌对性租界。

二、帝国……对南方重要地区，要继续进行必要的外交交涉，并促进其他各项施策。

为此，要整顿对英美作战的准备，首先要依据《对法属印度支那和泰国施策纲要》及《关于促进南方施策文件》，完成对法属印度支那和泰国的各项方针政策，以强化南进态势。

帝国为达到此项目的，要不辞对英美开战。

三、对于德苏战争，虽然要以三国轴心精神为基调，但暂且不予介入，要秘密整顿对苏联的武力准备，自主对应。在此期间，要以更加周密的准备，进行外交交涉。

苏德战争的演变对帝国有利的话，则行使武力解决北方问题，以确保北边安定。

四、在实施第三条时，各项施策、特别是决定行使武力时，要保持对英美战争的基本态势，不要出现大的障碍。

五、关于美国的参战，应按照既定方针，以外交手段等各种方法，极力加以防止，万一美国参战，帝国则要基于三国条约而行动，但有关行使武力之时机和手段，要自主决定。

六、要迅速转向彻底强化的国内战时体制，特别要努力强化国土防卫。

七、具体措施另定。[1]

上述《纲要》说明，日本政府为了推进东亚战略，不仅要继续坚持侵华战争，而且准备对英美开战。这是御前会议也即在日本天皇亲临过问之下决定的。而此时的战略目标，则是从所谓建设“大东亚新秩序”，变成了所谓“大东亚共荣圈”。至于名义或理由，则依然是所谓“确立世界和平”和所谓“确立自存自卫之基础”。

1941年12月1日，日本御前会议决定：“基于11月5日决定的帝国国策实施要领，对美交涉最终不能成立的话，帝国则要对美英荷兰开战。”[2]

在这种情况下，日本政府出动海军及其航空部队，于12月8日午前3点20分，袭击设在夏威夷群岛珍珠港的美国海军基地，拉开了对美战争的序幕。

然而，日本天皇在同日发布的《宣战诏书》中，却称：

“确保东亚稳定，以利于世界和平，乃是丕显之皇祖考、丕承之皇考所作述之远猷，朕之拳拳所措者。与列国加深交谊，同享万邦共荣之乐，亦为帝国国交一贯之要义。今不幸与美英两国开启衅端，洵非得已，岂朕之志耶。

“皇祖皇宗神灵在上，朕信赖尔等忠诚武勇，恢弘祖宗之遗业，迅速铲除祸根，确立东亚永久和平，以期保全帝国之光荣。”[3]

日本天皇的上述诏书，和当年的日清战争、日俄战争一样，都是把自身作为“受害者”加以渲染，从不谈及，也不承认对外侵略扩张的事实。这一方面是掩盖日本政府发动战争的阴谋，另一方面则是为了欺人耳目，把全体日本国民纳入侵略战争的轨道。

日本天皇发布对美《宣战诏书》之后，1942年1月21日，首相东条英机在第79次帝国议会上发表演说，内称：

① 日本外务省编：《日本外交年表并主要文书》下，第531—532页。
② 日本外务省编：《日本外交年表并主要文书》下，第564—565页。
③ 日本外务省编：《日本外交年表并主要文书》下，第573—574页。

“帝国现今举国家之全部力量，正在专门完成雄大而广泛之大作战，向建设大东亚共荣圈之大事业迈进……。”

从近卫内阁提出所谓建设“大东亚新秩序”，进而又一变为“大东亚共荣圈”，这究竟意味着什么？这是判断日本东亚战略和政策的依据，也是判断日本政府对外施策性质的依据。关于这一点，日本政府的种种决策，可谓做出了充分的说明。

前述1940年11月13日，日本御前会议所决定的《支那事变处理纲要》中，除了三条具体方针之外，还另行决定了“日本方面要求的基本条件”。其内容是：

一、支那承认满洲国(本项表现方式和时间可另行考虑)。

二、支那放弃抗日政策，树立日支善邻友好关系，为适应新的世界形势，与日本共同防卫东亚。

三、从共同防卫东亚角度出发，在认为必要的时期内，支那准许日本的下列驻兵：

(1) 在蒙疆及北支那三省驻屯军队。

(2) 在海南岛及南支那沿岸特定地点驻留舰船部队。

四、支那准许日本在上述地区开发和利用国防所必要之资源。

五、支那准许日本在扬子江下游三角地带一定时期内的保障性驻兵(根据情况相机取舍。)

此外，还有“汪蒋两政权合作，要继续尊重日本的立场，作为国内问题处理。”①

同年11月30日，日本政府与中国南京汪精卫汉奸政权所缔结的基本关系条约，实际上就是按照日本政府的上述决定签订的。其内容略有不同的，则是将前述准许日本“在蒙疆及北支那三省驻屯军队”，改为“根据别项协议，可在蒙疆及华北的一定地区驻屯必要之军队”(第三条)。

① 日本外务省编：《日本外交年表并主要文书》下，第464—466页。

但是,第四条又明确规定:“在维持共同治安所必要的时期内,有关日本国军队之驻屯地区等,依据……另行协议决定。”

在上述日汪基本关系条约之外,双方还有秘密协议、秘密协定和秘密换文。其内容包括:

> “基于条约第五条的规定,日本国所必要之舰船部队,可驻留在扬子江沿岸特定地点并华南沿岸特定岛屿及与之相关地点,日本国舰船可在中华民国领域内之港湾水域自由出入、停泊”(秘密协议第一条);
>
> “中华民国政府约定,……在日本国军队驻屯地区及与之相关地区的铁道、航空、通信、主要港湾及水路等等,要依照……另行协议决定,适应日本国军事必要事项之要求”(秘密协定第二条);
>
> “蒙疆(内长城线以北)……要成为高度防共自治区域……有关法令的制定,要预先与日本国政府协议”(秘密换文)等等。①

此外,日汪双方还有一个关于本次条约和最惠国条款的决议。内中规定,本次条约及附属文件给予日本的权利和利益,具有特殊性,“当然不是一般的第三国可以均沾的。即使将来出现第三国要求,除了两国协议所承认的特例之外,对上述的权利和利益要完全排除适用最惠国条款”。②

显然,这不是什么“共荣”,而是要把整个中国作为日本的殖民地,进行全面掠夺、全面控制。而且,不容许中国人民进行反抗斗争。

同样,1941 年 1 月 30 日,日本政府和大本营联席会议所决定的《对法属印度支那泰国施策纲要》中,也包括“帝国要以强行居中调停法属印度支那和泰国之间处理失地纠纷为契机,实施确立帝国对法属印度支那和泰国两地区指导地位之策。……要在法印特定地区设置航空基地及港湾设施,并设置使用及维护所必要之机构,对帝国军队之居住、行动给

① 日本外务省编:《日本外交年表并主要文书》下,第 469—470 页。
② 日本外务省编:《日本外交年表并主要文书》下,第 473 页。

予特别便利”等等。①

进而，1942 年 9 月 27 日，日本政府和大本营联席会议通过的《对泰国经济措施纲要》中，又决定：

一、泰国在经济上为完成大东亚战争所必需承担的事项及建立有关大东亚经济基础的事项，实质上均需由帝国予以指导和掌握。为此，应在财政金融、产业、交通、贸易等主要项目上规定指导措施……。二、为便于指导和统制泰国经济，要设置日泰经济灵活委员会，并采取其他应该措施。三、为使第三国在泰国的经济活动与我方相协调，须采取措施不准许第三国取得新的特殊经济权利。

此外，则是有关财政金融、交通通讯、产业资源、贸易、收购与配给等各方面的“指导措施”。其中包括“物价统制”、“汇兑管理”、“在国际交通通讯方面，原则上均由帝国掌握”、“开发资源”以及“使泰国尽力供应进行战争和维持国民生活所绝对必需之物资。”②

也就是说，日本政府不仅要在政治和军事上控制泰国，而且要在经济上全面控制泰国。

上述种种，可以看出，日本政府所谓建设“大东亚共荣圈”的实质，绝不是什么“新秩序”，也不是所谓的“共荣”，而是要确立日本在东亚和南洋地区的霸权地位，实行不折不扣的殖民统治和经济掠夺。

1942 年 11 月 1 日，日本官报公布《大东亚省官制》。明确规定：大东亚省大臣实施有关大东亚地区（除内地、朝鲜、台湾及库页岛以外）的各种政务；大东亚省下设四个局：总务局、满洲事务局、支那事务局和南方事务局。与此同时，则是对外务省的原有官制和掌管事项进行了某些调整。③

---

① 日本外务省编：《日本外交年表并主要文书》下，第 479—480 页。

② 日本参谋本部编：《杉山笔记》下卷，第 149—152 页。见复旦大学编译：《日本帝国主义对外侵略史料选编》，上海人民出版社 1975 年版，第 398—401 页。

③ 日本外务省编：《日本外交年表并主要文书》下，第 577—580 页。

日本政府设置大东亚省，表面上似乎只是政府机关的变化。然而，正如东条英机在前述议会上所说的："指导帝国目前正在进行的大东亚战争的要点，在于确保大东亚的战略据点，同时将重要资源地区纳入我国管制之下，以扩充我国的战斗力，与德意两国密切合作，相互呼应，进一步开展积极作战，一直打到使美英两国屈服为止"，"……建设大东亚共荣圈的根本方针，实乃渊源于建国之宏大精神……。而此一事业之成功，又是使我国武力战之成功导向最终胜利之必要条件。"①

换句话说，日本政府设置大东亚省，实际是为了对外侵略战争的需要，而大东亚省内所设置的四个事务局，又正是日本政府企图通过侵略战争而要达到的战略目标。

1943年6月12日，日本政府大本营联席会议进一步决定《南方甲地区经济对策纲要》。其所谓的"甲地区"，是指东印度群岛、菲律宾、马来亚、缅甸等南方占领地区。其指导方针或所谓经济对策的要点是："首先迅速开发和取得重要国防资源……，以全力协助完成大东亚战争，同时逐步确立大东亚经济建设之永久基础。"

其具体内容包括：

"取得的重要国防资源，均编入帝国物资调拨计划"；

"当地主要企业及其经营者由中央选定之"；

"石油的开发和取得应作为开发资源的重点"；

"帝国目前最期待于甲地区而又必须竭尽全力开发的物资为：铝矾土、铜矿、锰矿、钨矿、锑矿、铅矿、锌矿、铬矿、石灰石、云母、水晶、金刚钻、水银、稀有金属、石棉"。

此外，则是"建立以帝国为核心、各地区相互协作为基础的金融圈"；"发行南方开发金库券，作为当地货币"；"南方开发金库券采用

① 日本外务省编：《日本外交年表并主要文书》下，第576页。

当地原来货币相同的单位，两者等价通用”等等。①

也就是说，为了对外侵略战争，日本政府对南方甲地区的所谓“经济对策”，依然是多方面的掠夺。特别是南方开发金库券的发行和使用，与日本政府在中国占领区发行使用的“军票”一样，也是一种“无本掠夺”。

当年日本银行职员清水善俊执笔的《支那事变军票史》中写道：在战时或事变之际，在财政上发行军票的必要理由如下：一是“节约正货和外汇”；二是“筹措及支付军费方便”；三是“维持本国通货制度之必要，如防止增加发行本国通货（银行券）等”；四是“打击敌人的抗战力量”。军票的发行是没有储备的，“在这一点上，与日银券等银行券（兑换券）有很大的不同，是属于一种不兑换纸币。因此在使用军票时，政府没有何等资金（如租税、国债收入等现实岁入），只靠印刷军票券就可以支出。”②

开发金库券与日本政府发行的军票一样，也是与军事侵略相互配合的经济侵略。

据战后日本学者研究，南方开发金库券的发行，虽然被视为预定转换为银行券的中间性措施，但其“实质与军票没有变化。也即，南方开发金库券的发行额也没有限制，同样没有发行储备，在战争的末期，发行额急速增长（按与日元等价换算，1942 年达 4 亿日元，战争结束时达 194 亿日元）……换句话说，南方开发金库变成了掠夺占领地的中介机关。”③

事实表明，无论是“新秩序”还是“共荣圈”都不能掩盖日本政府的真实用心。

---

① 日本参谋本部编：《杉山笔记》下卷，第 425—431 页。见复旦大学编译：《日本帝国主义对外侵略史料选编》，上海人民出版社 1975 年版，第 402—411 页。

② 清水善俊：《支那事变军票史》，非卖品，三好印刷株式会社 1971 年版，第 5 页。

③ 日本外务省编：《日本外交史辞典》，大藏省印刷局 1981 年第三次印刷版，第 634 页。

三 “大日本帝国”投降

1941年12月10日，日军通过马来海战，登陆关岛和菲律宾北部。次日，德意也对美国宣战，并在柏林签署了日德意三国共同作战、不单独媾和，以及建设新秩序的三国协定。内称：

> “日德意三国在战争胜利终结之后，为了在1940年9月27日缔结的三国条约意义上的公正的新秩序的到来，也应最为密切的合作。”①

也就是说，日德意三国已经把东西两半球的侵略战争融合为一个整体，并为了“新秩序的到来”而开始了全球性的战争。对此，1942年1月2日，美英中国等26个国家在华盛顿发表《共同宣言》，表达了不单独对日媾和及联合战斗的意志。《共同宣言》的发表，标志世界反法西斯统一战线的形成。

在所谓“太平洋战争”的初期，日军长趋直入。1941年12月25日，占领香港；1942年1月3日，开始进攻缅甸；2月15日，占领新加坡(英军投降)；3月1日，在爪哇岛登陆；3月8日，占领仰光；3月9日，占领印度尼西亚(荷军投降)；3月17日，美军麦克阿瑟兵团退出菲律宾；4月1日，日军在西部新几内亚登陆；6月7日，占领阿留申群岛的基岛……。

一时之间，日军极尽疯狂，席卷东亚大陆和南洋各地。日本国内“赫赫战果”的报道也连续不断。实可谓举国一片欢腾，以致连上小学的儿童，每人都可以享受到政府分发的巧克力奶糖，使孩子们的心灵深处，也受到侵略战争的腐蚀。

然而，同年8月7日，美军在瓜达尔卡纳尔岛登陆之后，战局发生逆转。在此之前，由于苏军坚守斯大林格勒，德意法西斯在欧洲战场上，也开始出现败退之势。

---

① 日本外务省编:《日本外交年表并主要文书》下，第574页。

1942年12月31日，日本战时大本营决定放弃瓜达尔卡纳尔岛。

1943年4月18日，日本联合舰队司令官山本五十六的座机被美军击落；5月12日，美军在阿莰岛登陆，30日全歼岛上日军。此时，德意军队在北非战线投降；9月3日，美英军队登陆意大利半岛，9月8日，意大利向盟国投降。

在这种情况下，1943年9月30日，日本御前会议决定《今后应该采取的战争指导大纲》。内称："帝国要以今明年内决定战局大势为目标，在继续摧毁美英敌人攻势企图，迅速确立必胜之战略态势的同时，要急速增强决胜战斗力量，特别是航空战斗力量，以对美英实施主动作战。帝国要益加与德国密切合作……。要在国内迅速确立决战态势，同时，要更加强化大东亚之团结。"

此外，则是决定"帝国在进行战争上，于太平洋及印度洋方面应绝对确保的重要区域，是包括千岛、小笠原、内南洋（中、西部）及西部新几内亚、巽他和缅甸地区。"①

同日，根据上述指导大纲所决定的《当前紧急措施》中，进一步明确"将绝对防卫线退至马里亚纳、加罗林和新几内亚。"②

上述情况表明，日军实际是处于军事失利和退守之中。然而，日军为了改变在南洋地区的被动局面，同年在中国大陆上展开了所谓的"扫荡战"。1943年2月13日—3月13日，日军在长江以北，为了贯通汉口、岳州和沙市，展开了所谓"江北歼灭战"；5月5日，开始进行所谓"江南歼灭战"；同月12日又有所谓"鄂西作战"，23日占领渔阳关（29日被击退）；10月7日，日本战时大本营传唤"支那派遣军"总参谋长松井久太郎，命其向中国南部调遣5个师团，并集结5个师团作为大本营备用。同月，日军又开始在湖南省北部进行所谓"歼灭战"，12月3日，占领常德（11日被击退）……③

① 日本外务省编：《日本外交年表并主要文书》下，第588—589页。

② 日本外务省编：《日本外交年表并主要文书》下，年表部分，第175页。

③ 参阅臼井胜美：《日中文件年表草稿》，クレス出版社1998年版，第291—296页。

在上述期间，日本政府还分别于10月14日和30日，同菲律宾和中国汪精卫傀儡政权，签订了所谓同盟条约，声称以“建设大东亚”为目的，“铲除对之妨害的一切祸根”，实施政治、经济和军事上的密切合作等等。①

然而，日军的“扫荡战”不过是猖獗一时，并没有从根本上改变大日本帝国行将崩溃的命运。

1943年11月21日，盟国军队在吉尔伯特群岛的马金岛和塔拉瓦岛登陆，25日全歼岛上日军。至同年12月，中国抗日军民抵抗和牵制了大约62万日军(至1945年8月为105万)，②特别是八路军和新四军的力量日益增强，抗战根据地不断扩大，从而有力地把握了抗日战争的主动权。

同年11月27日，美英和中三国首脑发表《开罗宣言》，庄严宣布：

> “三大同盟国为了制止和惩办日本国的侵略而继续进行此次战争。三大同盟国没有为本国谋求何等利益之欲求，也没有何等扩张领土之念。
>
> “三大同盟国的目的在于，剥夺1914年第一次世界战争开始后日本国所夺取或占领的太平洋的一切岛屿，并将日本国从清国所窃取的如满洲、台湾及澎湖列岛等一切地区，归还给中华民国。
>
> “将日本国从依据暴力和贪婪而掠取的其他一切地区驱逐出去。
>
> “上述三大同盟国注意到朝鲜人民的奴隶状态，因此决心使朝鲜自由独立。”③

《开罗宣言》的发表，意味着世界反法西斯战线的加强，明确了反法西斯战争的主要目的。

---

① 日本外务省编:《日本外交年表并主要文书》下，第590—591页。

② 统计数字，见臼井胜美:《日中外交年表草稿》，クレス出版社1998年版，第297页、第313页。

③ 见日本外务省编:《日本外交年表并主要文书》下，第594—595页。

然而，有道是“困兽犹斗”。1944 年 1 月 25 日，日本大本营传唤松井，命其“为了歼灭支那西南敌人的主要空军基地，要确保湘、桂、粤、南部京汉铁路沿线的主要城市。”随后，于同年 2 月新设第 5 航空军，编入所谓“支那派遣军”；4 月 17 日，在京汉铁路沿线开始所谓“打通大陆作战”；5 月 27 日，日军又开始在湘、桂作战；6 月 18 日，攻占长沙；26 日，占领衡阳飞机场……。①

但是，日军的疯狂作战不过是一种变态的挣扎。同年 6 月 15 日，盟军登陆塞班岛(7 月 7 日全歼岛上日军)；7 月 1 日，日军在中国衡阳的突击战受阻；11 日发起的第二次衡阳攻击战，于 22 日以失败告终；此前的 7 月 21 日，盟军登陆关岛……。

同年 7 月 22 日，日本东条英机内阁倒台，成立了小矶国昭内阁。8 月 19 日，在日本天皇亲临之下，日本最高战争指导会议决定《世界形势判断及指导大纲》。其中，有关“东亚形势”中写道：

“敌人以对帝国短期结束战争为目的，将在各方面相互策应，继续进行有组织的总攻势，特别是以空袭本土及将本土与南方地区分离为目的，将依靠从太平洋及大陆方面的攻势作战，来谋求战局的急速进展，而且随着上述战局，还将窥窃登陆本土之机。”

“敌人与其武力攻势相策应，还将更加实施政治谋略，企图使我丧失战斗意志，同时，将加剧离间大东亚各国与日本。”

该文件进而言称：

“大东亚诸邦，除满洲之外，在现今的形势下，其对日合作态度已有消极之兆。今后，随着轴心国在东亚和欧洲战局的变化，加上敌人政略方面的激化，将逐步增大政府及民众的动摇和治安的恶化，尤其有导致支那占领区民众对日不合作、菲律宾民众摆脱日本走向敌对之大虞。”

① 参阅臼井胜美：《日中文件年表草稿》，第 298—300 页。

“西欧第二战线作战成功与否，将对德国的命运具有重大影响，德国今后如能抓住良机，进行反击，或者能够充分切断美英军队补给线的话，或可挽回战争局势，不然的话，美英战线将逐步向内陆扩大。”

“在东亚及欧洲形势发展不利于轴心国时，苏联是否还能对日本坚持以往的中立态度，是属疑问。但在不发生特别事态的限度内，不要出现苏联自行对日参战，以及对美国提供军事基地之举。”

“现今，敌人正在趁把握战争主动权之现状，倾尽全力，在政治和军事上进行强化决战攻势，从今年夏秋开始，军事与政治局势的发展将愈发严重。对此，帝国不论欧洲形势如何发展，都必须倾力于决战之努力，摧毁敌人，以政治军事施策相结合，坚决向完成战争而迈进。”以下，则是所谓“战争指导大纲”。其中内含：

“本年度后期，要最高度发挥皇军之战斗力，指导决战，以打击摧毁敌人之企图”；

“在太平洋方面，要歼灭前来进攻的美军主力”；

“要确保南方重要地区，且排除万难，以期保全圈内的海上交通”；

“在印度洋方面大体维持现状”；

“要贯彻维护国体之精神，激起敌忾之心，奋起斗争之魂，指导国内彻底斗争”；

“进一步密切统帅与国务之联系”；

“对重庆要迅速发动有统制的政治工作，以解决支那问题。为此，要极力利用苏联”；“对德国要在紧密联系之下，为迈向完成共同战争而采取御前手段”等等。①

上述决策内容，反映了日本政府不得不承认的现实，同时也表明日

① 日本外务省编：《日本外交年表并主要文书》下，第601—604页。

本政府依然企图作最后的挣扎。

但是，日军在战场上的失败，已经是无法掩盖的事实。同年9月15日，美军在帕劳、莫罗泰岛(今印尼以北)登陆；9月29日，全歼关岛和梯尼安(Tinian——塞班岛以南7.5公里)岛上的日军；10月20日，美军在菲律宾的莱特岛登陆，开始了切断日本与南方联系的战役，在随后展开的海战中，日本联合舰队惨败，丧失了它的主力；11月24日，美军从马里亚纳基地开始空袭东京；在中国战场和缅甸战场上，日军也处于挣扎之势……。

1945年2月4日，美国总统罗斯福、英国首相丘吉尔和苏联部长会议主席斯大林，在雅尔达会晤，达成《雅尔塔协定》(11日发表)。内中明确规定：

"在德国投降且结束欧洲战争之后的二个月或三个月，苏联依照下列条件与联合国一起参加对日战争：

一、外蒙古(蒙古人民共和国)维持现状。

二、恢复由于1904年日本国背信弃义攻击而受到侵害的俄国的原有权利。(1)库页岛南部及与之邻近的一起岛屿归还给苏联。(2)维护苏联在大连商港的优先利益，该港应国际化。恢复作为苏联海军基地旅顺口的租借权。(3)供给东清铁路及大连出口的南满洲铁路，要成立中苏合办公司，共同经营，但要保障苏联的优先利益。中华民国在满洲拥有完全的主权。

三、千岛群岛应引渡给苏联。"①

苏联在上述条件下参加对日战争，具有大国沙文主义倾向。特别是要恢复沙皇俄国时期在中国的侵略权益，更是有损中国主权。但是，苏联的参战对于加速大日本帝国的崩溃，却起到了重要作用。

同年2月14日，日本前首相近卫文麿向天皇呈递奏折。内称：

---

① 见日本外务省编：《日本外交年表并主要文书》下，第607—608页。

“战败虽然遗憾，但是迟早必至。谨以此为前提，陈述如下：

“战败乃我国体之瑕疵，然英美之舆论，现今尚未进至变革我国体之地（当然也有部分过激论者，其将来如何变化，难以预知）。因此，即使战败，在国体上也无需忧虑。从维护国体之方针而言，最堪忧虑者，与其是说战败，莫如说是随着战败而可能引起之共产革命。

“仔细考虑，我国内外之形势，现今急速向共产革命发展。也即，国外有苏联之异常扩张。我国国民不能确实把握苏联意图，自1935年苏联采取人民战线战术，即两个阶段之革命战术以来，尤其是最近解散共产国际以来，我国国民显然具有轻视赤化危险之倾向。此乃肤浅且偷安之见解。苏联最终不会放弃赤化世界政策，最近对欧洲各国进行露骨之策动，正在逐步明显。（中略）

“苏联此种意图，对东亚也是一样。现今，以从欧洲归来的冈野为中心，在延安也有日本解放联盟，并与朝鲜独立同盟、朝鲜义勇军、台湾先锋队等联系，向日本呼吁。形势如此推移，苏联不久即将干涉日本内政，情况十分危险（也即公开承认共产党，有如向〔法国〕戴高乐政府、〔意大利〕巴多里奥政府要求的那样，共产主义者加入内阁、废除治安维持法及防共协定等）。回顾国内，实现共产革命之一切条件，也有日益具备之概。也即生活贫困，工人之发言权增大，对英美敌忾心之高涨，反面则为亲苏气氛。军部内一伙之革新运动，趁机发起之所谓新官僚运动，以及正在背后操纵之左翼分子暗中活跃。其中特别值得忧虑者，是军部内一伙之革新运动。

“多数少壮军人，相信我国国体与共产主义可以并存。军部内革新论之基本方针，亦在于此。传闻皇族之中也有对此主张倾耳者。大部分职业军人，出身于中等以下之家庭，其多数处于容易接受共产主张之境况。又因彼等在军队教育中被彻底灌输国体观念，所以共产分子正在以国体与共产主义之并存论，将彼等拉拢过去。

“现今，业已明了，发动满洲事变、支那事变，并将之扩大，遂导致大东亚战争者，便是此等军部内有意识、有计划之行动。满洲事变之际，彼等则公开扬言事变之目的在于国内之革新。此乃众所周知之事实。支那事变之际，公开扬言'应该把事变永远延长下去，如果事变得到解决，国内就不能革新了'，也是此等一伙之核心人物。"

近卫又说：

"最近，战局已告危急，与此同时，一亿玉碎之呼声也在逐步增强。持如此主张者，虽是所谓右翼之流，但仔细观察，其背后则是正在煽动，以使国内陷入混乱，最终实现革命目的之共产分子……。就战败必至之前提而论，如果继续进行胜利无望之战争，则将全然受骗于共产党。因此，在下确信，应从维护保持国体的立场，迅速采取终结战争的方法。……总之，肃清此等一伙，实行军部重建，乃是从共产革命方面挽救日本之前提先决条件。"①

近卫的上述奏折，可谓以他多年从政、三次组阁的政治嗅觉，敏锐地感到了"大东亚战争"终将失败的命运。而且，在当时的历史条件下，敢于讲出来，可谓也是他的特殊地位和狡谲所致。然而，近卫毕竟是近卫。在日本对外发动侵略战争行将失败之际，他也没有明白"多行不义必自毙"的客观规律，而是把战争责任归结为"少壮军人"和所谓"背后煽动"的共产分子。归根结底，是为自己，同时也为以日本天皇为首的上层统治者开脱罪责。

进入 1945 年，日军在战场上更是节节败退。2 月 3 日，美军进入马尼拉；2 月 19 日，在日本硫磺岛登陆，3 月 17 日，全歼岛上日军；4 月 1 日，美军登陆冲绳本岛(6 月 21 日全歼岛上日军)；4 月 7 日，中国军队收复湘西北的老河口；5 月 9 日，日军在湘西作战以惨败而终；5 月 27 日，中国军队收复南宁；6 月 29 日，收复柳州；7 月 27 日，收复桂林……。在此期间，苏军首先攻克柏林，德国法西斯于 5 月 7 日宣布无条件投降。

5 月 9 日，日本政府发表《关于德国投降的政府声明》。内中将日本

① 日本外务省编：《日本外交年表并主要文书》下，第 608—611 页。

政府对外发动侵略战争的目的，改称为“原本在于自存自卫”，并扬言“欧洲战局之急剧变化，对帝国之战争目的不会给予丝毫变化。”①但是，6月8日御前会议所做的《世界形势判断》中，却不得不承认：

> “大东亚之战况，对帝国甚是不利……。美英趁有利之战争形势，将尽快地把帝国本土与大陆隔断，同时正在策划依靠激烈之航空作战，使帝国丧失力量，企图一举对帝国本土进行短期决战……。重庆方面依靠美国支援，将谋求强化美式基干战争力量，与增强空军相结合，策应美军作战。秋季以后，很可能对日进行全面反攻……。再者，面对我占领地区之敌，特别是延安方面之游击反攻，将益加激烈。”②

然而，与日本政府至此依然不肯放弃侵略政策一样，同日在御前会议上所确定的《今后应采取的指导战争之基本大纲》中，却列举了如下的方针和要领：

> “要以七生尽忠之信念为源动力，以地利人和，将战争进行到底，以期维护国体，保卫皇土，实现征战目的”。
>
> “迅速强化皇土战场态势，将皇军之主要战斗力量集中于此”；
>
> “抓住世界形势转变的微妙时机，灵活有力地实施对外各种政策，特别是对苏、对支那政策，有利地完成战争”；
>
> “在国内整备本质性贯彻国民战争的各种态势，以对应举国一致、皇土决战”等等。③

上述决策虽然是一种负隅顽抗的态势，但对于日本而言，已是风前残烛了。

同年6月15日，内府大臣木户幸一终于向外相东乡茂德提出了《收

---

① 日本外务省编:《日本外交年表并主要文书》下，第611页。

② 日本外务省编:《日本外交年表并主要文书》下，第613页。

③ 日本外务省编:《日本外交年表并主要文书》下，第615—616页。

拾时局对策试行案》。其中写道：

"冲绳战局之发展，虽然遗憾，但令人感到最终不得不成为不幸之结果。而且，其结果在最近之将来就将确实显示出来。从作为御前会议议案之参考的我国国力之研究来看，令人感到本年度下半期以后，在事实上几乎丧失了完成战争的一切能力。敌人今后将采取的作战，是我这个外行难以准确判断的。但是从现今敌人空军大量燃烧弹攻击之威力来看，使全国城市以至农村到处燃烧并非难事。而且不需要等到将来。也即当其采取破坏住房战术时，在住房储存之衣服粮食丧失的同时，特别是农村历来不习惯空袭，故而遭到如此意外攻击之时，预先疏散储存物品，终究难以实施，结局不得不几乎丧失殆尽，更何况全国之小村镇，没有对空防御，地上之民用防空设施也极为薄弱焉……。"

木户认为：

"从以上观点来看，果断收拾战局，乃是我国今日至上之要求……。虽说是由军部提倡和平，然后政府加以策定并开始交涉乃是正道，但从目前我国之现状来看，在今日几乎是不可能的，而且等待时机成熟，则恐怕失去时机，最终与德国之命运同蹈一辙，难免落入不能达到维护皇室安泰和国体的至上目的之悲惨境地。因此，从以往之事例来看，作为极其特殊之异例，而且实在诚恐诚惶，唯有为了下之万民，呈请天皇陛下勇断，根据上述方针，以收拾战局。"（下略）①

同样，日本驻苏大使佐藤在7月20日，也向东乡发出了要求促使"终战"的电文。内称：

"经过慎重考虑，本使无保留地提出如下意见……。本使在第

① 日本外务省编：《日本外交年表并主要文书》下，第616—617页。时间据同书年表部分，第185页。

1143号电文中业已提出:交战能力遭到破坏,依然继续战争是不可能的。然而,皇军以至全国国民,没有至上命令,不肯降于敌之军门,的确直至最后一人也不舍矛而去,但在敌人绝对优势的炮火攻击之下,业已丧失交战能力的将士及国民,即使最终全部战死,也不能挽救社稷,七千万国民草枯,上之一人焉得安泰?思及于此,令人感怀,个人之立场,军之名誉,以及作为国民之自负心,皆难替代社稷。也即,我应坚定决心,早日提出讲和。"

"关于提出讲和问题,本使认为,根据贵电第893号之派遣特使,在莫斯科进行最为至当。然而,派遣特使之事,不幸遭到苏联拒绝,因此需要其他方案。"

进而,佐藤再次重申:

"在提出讲和之际,我方应保留且应力主的,是拥护国体。这应该作为我方的绝对要求,并给对方以强烈的印象。此事,本使在第1416号电文中业已说过。关于这个问题,本使认为,将保持国体作为国内问题,不列入讲和条件,或许是一种方法。但在这种情况下,势必要在国内召集宪法会议,在形式上也要采取听取民众声音之体例。而且,在会议中难保没有极左党公然反对保持国体者。再者,召集宪法会议本身又与我宪法相抵触,如果按非常事态处理,则需要对违宪之非难,予以某种适当解决。"①

上述情况表明,日军的负隅顽抗已经到了难以保存社稷的地步。因此,如何结束战争,特别是如何保存国体问题,已经成为日本统治阶层最为焦虑的主要问题。

在此期间,日本政府曾提出向苏联派遣特使,以期通过苏联实现有条件的讲和。但苏联方面以理由不明拒绝接受特使,以致日本政府此次"幻想外交"失败。

---

① 日本外务省编:《日本外交年表并主要文书》下,第622—623页。

同年7月26日，美、英、中三国首脑联合发表《波茨坦公告》，庄严宣告：

“吾等代表数亿国民，一致协议给予日本国结束此次战争之机会。”

“德国对崛起的世界自由人民力量之无益的而且无意义的抵抗之结果，已对日本国国民极其明白地显示了先例……。吾等军事力量的最大限度的使用，将意味着日本国军队不可避免的而且完全的毁灭，同时也意味着日本国本土的完全毁灭。”

进而，公告宣布：

“吾等认为，不从世界上驱除不负责任的军国主义，则不能产生和平、安全及正义的新秩序。故而，必须永远铲除欺骗日本国国民，使之犯有参加征服世界之过错者的权力及势力。

“在确实证明建设上述新秩序，且粉碎日本国实行战争能力之前，吾等为了确保完成在此指出的基本目的，将占领联合国指定的日本国领域内的若干地点。”

“必须履行《开罗宣言》的各项条款，日本国的主权只限于本州、北海道、九州及四国并吾等所决定的各小岛屿之内。”

“日本国军队完全解除武装后，可各自返回家庭，得到从事和平生产的生活机会。”

“吾等没有使日本民族奴隶化，或使日本国民灭亡之意图。但是对包括虐待吾等俘虏者在内的一切战争罪犯，要严加惩处。要铲除日本国政府在日本国国民中间对恢复和加强民主主义的一切障碍，要确立言论、宗教及思想自由，并尊重基本人权。”

“准许日本国保持能够支撑其经济且能公正偿付实物赔偿之产业。但是能使日本国进行战争和进行再军备的产业不在其内。准许为前述目的而获得原料（与统制原料相区别）。准许日本国将来参加世界贸易。”（以下从略）

最后，公告明确宣布：

“吾等要求日本国政府立即宣布全日本国军队无条件投降，且提供与上述行动之政府诚意相适当而充分的保障。除了上述之外，日本国的选择只有迅速而完全的毁灭。”①

在这种形势之下，日本内阁总理大臣铃木贯太郎，依然在28日对记者表示：“政府不认为〔公告〕有任何重大价值，只能不予理睬。吾等唯有誓将战争进行到底。”②

8月6日，美军在广岛投下第一颗原子弹；8月9日，苏联对日宣战；中国八路军总部宣布全面大反攻；美军在长崎投下第二颗原子弹……。

1945年8月10日，日本情报局总裁下村和陆军大臣阿南惟几，相继发表谈话和布告，下村言称：

“最近，美英敌人加剧空袭，一直在准备本土登陆作战。对此，我陆海空军之精锐正在整顿迎击态势。现今，以我全军特攻之旺盛斗志，足以一举击溃骄纵之敌。在此期间，全体国民经常忍耐残暴敌人之轰炸，继续义勇奉公，实在不堪感激。美英敌人最近使用新发明的新型炸弹，将人类史上没有过的残忍无道，施予无辜之老幼妇女儿童。加之昨天九日，与我有中立关系的苏联加入敌方，单方面宣布之后，则对我加以攻击。我军固然要立即迎击，不容敌人轻易进攻。但现今不能不承认的确是处于最坏的状态。为了正当地维护国体，坚守保持民族名誉的最后一线，政府固然要做最善之努力，但也期待一亿国民为了维护国体，克服一切困难。”③

阿南陆军大臣的布告言称：

“苏联终于进犯皇国，尽管明文如何粉饰，但侵略称霸大东亚之

① 日本外务省编：《日本外交年表并主要文书》下，第626—627页。
② 见服部卓四郎：《大东亚战争全史》，原书房1965年版，第920页。
③ 日本外务省编：《日本外交年表并主要文书》下，第634—635页。

野心昭然。事已至此,又复何言?唯有断然完成圣战。即使卧野嚼土食草,也要断然一战,……全国官兵皆应体现楠公精神,再现时宗斗魂,为歼灭骄纵之敌而蓦进。"①

然而,这些言辞除了舆论欺骗之外,已经无法挽救大日本帝国崩溃的命运了。

1945年8月15日,日本政府播放天皇《终战诏书》。随着模糊不清的"玉音",大日本帝国在战争中倒下了。

同年9月2日,日本政府代表重光葵在"密苏里"舰上签署投降书。近代日本自"明治维新"开始的东亚战略和政策,以失败的结局而告终。

① 日本外务省编:《日本外交年表并主要文书》下,第635页。

第七编　战后日本的对外关系

一　战后初期日本国家的战略选择[①]

1945 年 8 月 15 日日本政府广播天皇《终战诏书》。8 月 28 日美军先遣部队飞抵厚木机场。30 日盟军最高司令官麦克阿瑟踏上日本本土。9 月 2 日日本政府代表重光葵和军部代表梅津美治郎在东京湾的美国"密苏里"号战列舰上正式向盟国签署了投降书。从此，日本开始了被占领的历史时期，时至 1952 年 4 月旧金山《对日和约》生效，历时六年零七个月之久，也即本文所说的战后初期。这一时期在日本的历史上可谓具有特殊的意义。它对于日本国民和各种政治势力而言，当是总结历史经验，重新认识自己，重新选择国家发展方向的大好时机。然而，由于美国对日政策的转变，以及日本政府维护"国体"和芦田均对新宪法的"修正"，从而就构成了战后日本国家进程的源头。

① 本节与肖伟教授合作。

1 《波茨坦公告》与日本维护"国体"

1945年5月德国法西斯投降，日本军国主义也面临着灭亡的命运。但是，日本政府依然企图顽抗。6月8日日本御前会议确定了《战争指导大纲》，鼓吹"举国一致"，"要以七生尽忠的信念为动力……实现征战目的"，进行"皇土决战"。另一方面，又想通过外交途径转变形势。① 同年6月18日日本最高战争指导会议作出决定，试想延长日苏中立条约，使苏联保持中立，并委托苏联进行斡旋，但最终遭到了苏联的拒绝。7月17日—8月1日美、英、苏三国首脑在柏林郊外的波茨坦举行会议，共同商讨战后欧洲处理问题。期间的7月26日美、中、英三国首脑联合署名发表了《波茨坦公告》（也被称作共同宣言）。其中明确宣布：

"吾等……代表数亿国民，一致协议给予日本国以结束此次战争之机会。……德国对崛起的世界自由人民力量之无益的而且无意义的抵抗之结束，已对日本国民极其明白地显示了先例。……吾等军事力量的最大限度的使用，将意味着日本国军队不可避免的而且完全的毁灭，同时也意味着日本国本土的完全毁灭"。

"吾等认为，不从世界上驱除不负责任的军国主义，则不能产生和平、安全与正义的新秩序，故而，欺瞒日本国民，使之犯有参与征服世界之举者的权力和势力，必须永远铲除"；

"在建设上述新秩序，并确认日本国实施战争之能力被粉碎之前，为确保实现吾等在此所指出的基本目的，要占领盟国所指定的日本领域内的若干地点"；

"必须履行《开罗宣言》的各项条款，日本国的主权只限于本州、北海道、九州及四国和吾等所决定的各小岛屿之内"；

"吾等要求日本国政府立即宣布整个日本国军队无条件投降，

① 日本外务省史料馆编：《日本外交史辞典》，大藏省印刷局1981年第三次印刷，附录资料，第205页。

并提供与上述行动之政府诚意相适当的而且充分的保障……”。

最后，公告明确宣布：“日本国除了上述选择之外，只有迅速而完全的毁灭”。①

《波次坦公告》是盟国敦促日本投降的文告，也是二战结束后盟国对日本进行改造的基本方针。

7月27日，日本政府得悉《波茨坦公告》之后，紧急召开最高战争指导会议，外相东乡茂德主张：应缓和盟国自《开罗宣言》以来所坚持的对日无条件投降的主张，并根据战争的实际情况，对盟国进行有条件的“和平交涉”。他主张暂且不要明确表示国家态度，但要加紧对苏交涉，并在看清苏联态度之后，再行采取措施。② 首相铃木贯太郎表示认同，但陆相阿南惟几等人坚决拒绝《公告》，并在随后举行的政府与统帅部的情况交换会上，迫使铃木首相改变了先前的态度。28日铃木首相在会见记者时表示：“政府不认为(公告)有任何重大价值，只能不予理睬。吾等唯有誓将战争进行到底”。③ 也就是说，面对即将崩溃的历史命运，日本政府依然企图进行战争。

8月6日美国B—29型轰炸机在广岛投下第一颗原子弹，市民死亡9—12万人。8月8日苏联对日宣战，在中国东北发起全线进攻。8月9日美国空军在长崎投下第二颗原子弹，又造成了多达6—7万人的死亡。④ 同日日本政府连续举行各种会议。但是，议论的主题，依然是接受《波茨坦公告》的条件问题。

根据《波茨坦公告》的要求，二战结束后日本军国主义势力将受到清洗，战争罪犯要得到惩处，而把国民推向侵略战争的日本政府也将难逃

---

① 小田滋等编：《解说条约集》，三省堂1983年版，第531—532页。

② 栗原健：《天皇》，原书房1985年版，第4页。

③ 服部卓四郎：《大东亚战争全史》，原书房1965年版，第920页。

④ 数字据江口圭一：《大系日本的历史14 二次大战》，小学馆1989年版，第264页。也有记载广岛死亡近40万人，长崎死亡12万居民者(信夫清三郎著、天津社会科学院日本研究所译《日本外交史》下册，商务印书馆1980年版，第703页)。

其咎。这对于日本的统治阶级来讲，显然是致命性的冲击。因此，如何缓解这种冲击，保存或维护现有统治阶级的权力和地位，则成了当时日本国家统治所面临的大事。

1945年8月9日日本首相、外相、陆相、海相和陆军参谋总长、海军军令部长，举行所谓"六巨头会议"，继而又举行临时内阁会议。但是，会议期间依然没有达成一致意见。东乡茂德主张：在"理解不包括要求改变天皇的国法地位"的情况下，接受《波茨坦公告》，而陆军方面则主张：除了天皇问题之外，还要把日本自主撤退军队，自行在国内处理战犯，以及盟国不实施保障占领等等，作为接受《波茨坦公告》的条件。[①] 当天午夜，日本政府要员又在皇宫的地下防空洞内举行御前最高战争指导会议。经过喋喋不休的争吵之后，铃木首相请求天皇裁决，天皇采纳了东乡茂德的意见。

8月10日日本政府通过瑞士、瑞典政府，向美、中、英、苏四国发出电文，表示接受《波茨坦公告》，言称"帝国政府在理解对本邦之共同宣言所列举的条件中，不包括要求改变天皇之国家统治大权的情况下予以接受"。[②] 也就是说，日本政府所关心的"并不是国民的命运，而只有国体如何"。[③]

8月11日，美国国务卿贝尔纳斯(Byrnes，J. F)作出答复：(1)"从投降之日起，天皇及日本国政府之统治国家的权限，将被置于为了实施投降条件而采取认为必要之措施的盟国最高司令官的限制之下"；(2)"日本国之最终的政治形态，应遵循《波茨坦公告》，依据日本国国民自由表明的意愿而决定"；(3)"盟国军队在完成《波茨坦公告》所揭示的各种目的之前，当驻留在日本国内"。[④] 这种答复实际是回避了日本的"国体"问

① 栗原健：《天皇》，原书房1985年版，第5页。

② 日本外务省史料馆编：《日本外交史辞典》，附录资料，第207页。

③ 藤原彰等编：《近代日本史的基础知识》，有斐阁1984年版，第502页。按照东乡茂德的说法是，保留天皇是保存"将来民族发展的基础"，栗原健：《天皇》，第6页。

④ 日本外务省史料馆编：《日本外交史辞典》，附录资料，第207页。

题,但为保存天皇留下了余地。①

8月14日日本政府通过驻瑞士公使,向美、英、中、苏四国发出通告:"(1)天皇陛下将发布关于接受《波茨坦公告》之诏书。(2)天皇陛下准备对其政府和大本营,予以并保障在为了实施《波茨坦公告》所必要的条款上签字的权限。天皇陛下还准备命令日本国所有的陆、海、空军官宪及其指挥下的一切军队终止战斗行为,交出武器,并准备发布盟国最高司令官为实施前述条款所要求的命令"。②

次日日本政府发布天皇《终战诏书》。内称"朕深鉴世界之大势与帝国之现状,拟以非常之措施收拾时局,于兹告尔忠良臣民,朕将命令帝国政府,对美、英、中、苏四国,通报接受其共同宣言之旨"。继而又称"抑谋求帝国臣民之康宁,共享万邦共荣之乐,乃皇祖皇宗之遗范。朕之拳拳所措,往昔所以对美英两国宣战,实亦出于冀希帝国自存与东亚之安定也。排斥他国主权、侵犯他国领土,本非朕之志也。然交战已历四载,尽管朕之陆海将士英勇奋战,朕之百官有司励精图治,朕之一亿人庶各自奉公,以尽其善,但战局依然未能好转,世界之大局也于我不利,复加敌人使用新式残忍之炸弹,频频杀伤无辜,残害之所及,实不可测,继续交战,终将不仅招致我国民族之灭亡,且将延及破坏人类之文明,倘若如斯,朕将何以保护亿兆赤子,何以谢陈皇祖皇宗之神灵焉,是乃朕之命令帝国政府接受共同宣言之所以也…"。③

日本政府的通告和天皇的《终战诏书》,是对《波茨坦公告》的答复,但值得注意的是,通告和天皇诏书的内容都是"终战",而不是《波茨坦公告》所要求的投降,特别是天皇《终战诏书》,不仅否认以其为首的日本政府所策划和发动的侵略战争,而且公然声称"每当念及战死沙场,以身殉职而死于非命者及其遗族,则是五内俱裂,且对负伤、蒙难而失去家业者

① 日本的研究者认为:这是"暧昧"的不作明确表示的"巧妙的外交文件"。(大冢高正:《外交与日本国宪法》,文真堂1992年版,第44页。)

② 日本外务省史料馆编:《日本外交史辞典》,附录资料,第207—208页。

③ 日本外务省史料馆编:《日本外交史辞典》,附录资料,第208页。

之生存深为轸念”,“欲为万世开启太平”。①

8月15日东乡茂德又通过驻瑞士公使,向美、英、中、苏四国发出电文,内称“鉴于《波茨坦公告》之占领目的,惟是保障完成《波茨坦公告》所揭示的基本目的,故而希望四国信赖我帝国政府有诚意实施有关条款,考虑使我帝国政府得以顺利完成职责,并避免无用之纠纷”。因此,电文要求:“(1)关于盟国舰队或盟国军队进入日本本土问题,由于日本方面也要有所准备,请切实考虑预先通报预定之事;(2)请切实考虑将盟国所指定的日本国内之占领地点,限于最少数量,并将东京排除在选择占领之外,而派驻当选地点之兵力也限于象征的程度”。随后又称:“解除武装不仅与海外三百余万军队有关,而且直接触及日本官兵之名誉,乃是最为敏感而困难的问题,我帝国政府对有关实施也最为忧虑,作为期待有效实施的最好方法,希望根据天皇陛下的命令,由我帝国军队自行实施,盟国接受其顺利实施之结果而引渡武器”。②

也就是说,日本政府在接受《波茨坦公告》问题上,一直企图附加条件,不想无条件投降。这些条件虽然没有完全成为事实,但其维护“国体”和保留天皇的意图却是始终如一的。后来,吉田茂也说:“关于皇室在日本战败时的存在方式问题,《开罗宣言》表示认从日本国民的选择,(日本)在接受《波茨坦公告》时,也表示了同样的宗旨”。③

这里应该指出的是,在日本维护“国体”和保留天皇的问题上,当时的美国政府与日本是不谋而合的。当年起草《波茨坦公告》的美国副国务卿格鲁(Grer, J. C),在同年5月末便向杜鲁门总统建议:如果以立宪君主制的形式来保存日本的天皇制,则有可能促使日本早日投降。他认为,日本的天皇只是被军阀所利用,实质上没有什么力量,只是一种象征,如果肃清军阀势力,那么,天皇对于日本的非军事化和民主化来讲,并不是一种有害的存在。他主张让日本作“军事的无条件投降”,而“不

① 日本外务省史料馆编:《日本外交史辞典》,附录资料,第208页。

② 日本外务省史料馆编:《日本外交史辞典》,附录资料,第208—209页。

③ 吉田茂:《世界与日本》,番町书房,第96页,见大冢高正:《外交与日本国宪法》,第44页。

是作否定君主制的无条件投降”,[①]并强调日本的早日投降可以减少美国士兵的伤亡,并希望在苏联对日本参战之前结束战争,把日本置于已经预料到的战后美苏对立的位置上。[②] 7月2日美国陆军部长史汀生也向杜鲁门提出了同样的意见。因此,7月23日杜鲁门总统作出了不触及天皇制的决定。[③] 从而迁就了日本政府的要求,最终使日本实现了维护“国体”和保留天皇的目的。

同年8月17日天皇对东久迩稔彦亲王训示:“令卿组阁,应尊重宪法,以诏书为基准,统制军队,维持秩序,努力收拾时局”。[④] 这一训示实际是提出了三项任务。一是要遵照战前的《大日本帝国宪法》,维护以天皇为中心的日本国体;二是要以《终战诏书》为准,办理“终战”事宜;三是要防止民众运动,维护现有的政治统治。因此,东久迩内阁上台伊始,便制定了《整顿和扩充警察纲要》,准备把已有的9万余名警察扩大一倍,并从旧陆军大学和海军大学以及宪兵队中选拔骨干。8月28日又制定了《关于处理言论、集会、结社的方针》,依然企图按照战前的《治安警察法》,严厉取缔反对国体的团体和言论。内务相山崎岩公开扬言:“管束思想的秘密警察现在还继续活动,对于进行反皇室宣传的共产主义不容赦免……。主张政治形态变革,特别是主张废除天皇制的共产主义者,应依照治安维持法予以逮捕”。[⑤] 充分反映了东久迩内阁力图维护天皇制以及抵制改造的态度。

但是,历史毕竟已经揭开了新的一页。10月4日“盟总”发布《关于废除对政治、公民、宗教自由限制的备忘录》,要求立即释放包括日本共产党在内的政治犯;废除特高警察;废除《治安警察法》和《治安维持法》

① 冯绍奎等:《战后日本外交》,中国社会科学出版社1996年版,第530—531页。

② 日本外务省史料馆编:《日本外交史辞典》,第208—209页。

③ 当时的史汀生主张:“即使有关天皇的条款,也要把保存天皇制的宗旨,通过外交渠道,非正式地通知日本。”(参阅日本外务省史料馆编:《日本外交史辞典》,第875页)

④《东久迩日记》,德间书店1968年版,第207页。见吴廷璆主编:《日本史》,南开大学出版社1994年,第799页。

⑤《朝日新闻》,1945年10月5日。

等13种旧法令，以及解除对政治、民权及信仰自由的一切限制。日本国内谴责皇族内阁的呼声也非常强烈。在这种情况下，东久迩内阁不得不于10月5日辞职。然而，极力维护"国体"却一直是战后初期日本政府的首要任务。

此前的9月2日日本政府代表重光葵等签署投降议定书之后，横滨终战联络委员会委员长铃木九万，从美国占领军副参谋长马歇尔少将手里，得到了一份由占领军总司令麦克阿瑟签署的《告日本国民书》。内称：(1) 将日本的行政、立法和司法权限，概行置于最高司令官之下，实施军政，并以英语作为公用语；(2) 违反投降文书、布告者，将受到军事法庭惩处；(3) 将"军票"作为法定货币使用。①

上述文件是事前准备好的，如果得以实施则意味着日本政府保存"国体"的失败。因此，铃木感到惊愕，要求"尊重日本政府"的意图，并立即向外务省作了报告。当日，东久迩内阁召开紧急会议，并向横滨派出了终战联络事务局长官冈崎胜男，再次向马歇尔请求不要发布《告日本国民书》。次日清晨，外相重光葵和冈崎胜男，为了进一步请求中止"军政"，又专门拜访了盟军司令麦克阿瑟。重光葵言称："根据我个人的信念，我理解占领军要求实施《波茨坦公告》，而且要满意地实施。如果是这样，那么通过日本政府实施占领政策，岂不是最为实际吗？如果占领军连日本政府都不容许存在，而自行其事的话，其结果也许会发生什么事情。但这个责任不在日本政府，而应归于占领军"。② 重光葵"也许会发生什么事情"的说法，多少带有裹胁的味道，但是恰好吻合了麦克阿瑟的心理状态，亦即进驻日本本土之前，麦克阿瑟担心日本残留的军队进行顽固对抗。而美国政府也没有作出否定天皇制的对日政策，因而美国占领军没有对日实施"军政"，而是采取了"间接统治"，也即通过日本政府发布种种命令。

---

① 大冢高正：《外交与日本国宪法》，第12页。

② 住本利男：《占领秘录》，每日新闻社，第47页，见大冢高正：《外交与日本国宪法》，第17页。

美国对日"间接统治"和日本政府维护"国体",实际是一个问题的两个侧面。这从当时的日美关系来讲,虽然带有巧合的因素,但是对于战后的日本来讲,其意义却是非同寻常的:

其一,"间接统治"和维护"国体"并非只是统治形式,而是保存了日本政府的统治职能,维护和保存了日本原有统治阶级的权力和地位。其二,"间接统治"和维护"国体"实际是对民主势力要求废除天皇制的压制,并从根本上决定了战后日本国家的基本性质。其三,维护"国体"、保留天皇,也就等于维护和保存了旧的传统习惯和思维方式,特别是天皇《终战诏书》所说的:"谋求帝国臣民之安康,共享万邦共荣之乐,乃是皇祖皇宗之遗范","往昔之所以对英美两国宣战,也实为出于冀希帝国之自存和东亚之安定"等等,更对战后的日本政治产生了负面影响。因此,日本学者也称:重光葵避免"军政"的功绩是极其重大的。"一旦实施军政,则将形成征服与服从的模式,任何事情都必须服从征服者","间接统治"则"多少留下了交涉的余地"并使日本保存了"按照政府的作风来考虑处理问题的可能"。①

由此可见,极力维护"国体"和保留天皇,实际是日本统治阶级在战后初期所作出的首要选择。它决定了战后日本国家的基本走向,决定了日本统治阶级的政治思想和思维方式的连续性。

2 战后的日本宪法与芦田修正

1945 年随着战后日本"民主化"和"非军事化"的进程,制订日本新宪法问题开始提到日程上来。从总体上看,此时美国政府仍然是把消除日本军国主义,减少美国在远东的军事威胁作为基本方针的。但是,透过对新宪法的起草和日本接受新宪法的过程,人们却能够看到,日本政府接受新宪法也是有其战略选择的。

同年 10 月 9 日币原喜重郎组阁,吉田茂留任外务大臣。在此之前

① 大冢高正:《外交与日本国宪法》,第 14 页。

的10月4日东久迩内阁的国务大臣近卫文麿到美军总部拜访麦克阿瑟，参谋长萨泽兰德和政治顾问艾奇逊也一同在场。近卫就日本政府组织和议会的构成问题，询问美军总部的指示。麦克阿瑟以非常坚决的语调说："第一，要修改宪法。在宪法修改中必须充分吸收自由主义的要素。第二，议会是反动的，即使解散这一议会，在现行的选举法下，也只能是当选的具体人选有所变化，实际仍是同一类型的人。为了避免出现这种情况，必须扩大选举权，承认妇女和工人的选举权"。①

10月8日近卫又与高木八尺（东大教授）、松本烝治（商法博士、曾任"满铁"副社长、内阁法制局长）等专程拜访艾奇逊，详细了解麦克阿瑟对修改宪法的真实意向。艾奇逊说："10月4日麦克阿瑟对近卫公开表明了对修改宪法以及其他改革的态度，实际是希望近卫掌握政治上的主导权。因为麦克阿瑟曾就是否应该成立新的政党，询问过他的意见。所以麦克阿瑟的讲话只能作此解释。按照我的推测，麦克阿瑟元帅似乎认为近卫公是赞同必要的改革的，并希望作为推动改革的领导明确表明态度"。② 随后，艾奇逊交给近卫一份《备忘录》，并预先对近卫言称："我的解释和看法是个人的、非正式的，而且是一般性的"。其主要内容是：

一、明治宪法的"众议院只有极受限制的权能"，"全然没有一旦形成追究决议，（内阁）必须总辞职的规定"。另外，关于解散众议院问题，是根据上级的命令进行总选举。关于预算问题，众议院虽有"受限制的制约权"，但对皇室却没有制约权。在审议法案问题上，"贵族院否定法案之后，众议院则没有使之通过成为法律的权能，贵族院可以恣意妨碍所希望的立法"。

二、旧宪法在"人权"上附加"法律保留"是个问题，而且"法律范围内"的人权受到限制。另外，宪法"不能规定选举人的资格"，日本存在"警察统制中央集权化的弊病"和"政府统制教育的弊病"。

---

① 升味准之辅：《日本政治史4 占领改革、自民党统治》，东京大学出版会1994年5月，第33页。
② 密西甘大学藏：《艾奇逊文书》，袖井《麦克阿瑟的两千日》，第160—162页，见升味准之辅：《日本政治史4 占领改革、自民党统治》，第34页。

三、日本贵族院“在任何意义上都是不民主的”。

四、明治宪法“缺少能够保护而且应该保护国民权利的规定”，“全然没有关于弹劾与罢免高级官吏的规定”。

五、明治宪法关于陆海军大臣的任命，“缺少使之对政府负责的规定”，将来如果设置此种官吏，应该予以调整、统制。民主宪法“不容许掌握政府或掌握非宪法手段所获得的权力，也即能够直接上奏天皇和拒绝入阁妨碍的权力”，要求大臣“文民”制。

六、日本枢密院“在政府之外”，是为了“抑制众议院”或“抑制人权而活动”。

七、“如果国民不能通过正当选举的代表提出和采用改宪方案，或者天皇把国会否决的法案，在不召开国会的情况下就作为法律，并为了使这种法律继续生效，在不举行国会的情况下而能够使之存在的话，则难以承认存在反映自由表示国民意愿的政府”等等。①

艾奇逊的《备忘录》反映了当时美国对日民主化的意图。因此，近卫拜访了艾奇逊之后，立刻同木户幸一（时任内大臣）紧急商量对策，惟恐占领军突然将已经修改完毕的宪法塞给日本。但是，据木户日记（10 月 9 日）记载，币原首相对修改旧宪法是“极为消极的”。② 外务大臣吉田茂也认为，修改宪法问题必须从缓，而且日本方面必须握有指导权才能行事。“当时，吉田所关心的，是防范占领军当局在军阀解体之后，攻击以日本皇室、财阀和官僚为中心的保守势力，并忙于制约实施占领行政的过分行为”。③

然而，为了避免在政治上陷入被动，币原内阁在 10 月 13 日成立了以国务大臣松本丞治为首的“宪法问题调查委员会”。这样，日本在准备修改宪法的事情上形成了两个渠道，一是内大臣府（以近卫为中心）；一

① 犬丸秀雄监修：《日本国宪法制定的经纬》，第一法规出版社，第 7 页；大冢高正：《外交与日本国宪法》，第 55—57 页。

② 升味准之辅：《日本政治史 4 占领改革、自民党统治》，东京大学出版会 1994 年 5 月，第35 页。

③ 小岛正固等：《吉田内阁》，见大冢高正：《外交与日本国宪法》，第 53 页。

是内阁的宪法问题调查委员会。不过，后者并不是以推进修改宪法为目的，顾名思义，是进行所谓的调查，这是币原首相和吉田外相等人对改宪问题持消极态度的反映。①

同年12月8日松本在众议院预算委员会上，以回答中谷武世议员质问的形式，明确了所谓"松本四原则"：（一）天皇总揽统治权的原则不变；（二）扩大议会权限，限制一般所谓的大权事项；（三）国务大臣的辅弼责任及于整个国家事务，辅弼责任限于国务大臣。另外，国务大臣对议会负责；（四）保护臣民的权利自由，强化国家对臣民权利自由的保障。②

这四项原则实际是前述宪法问题调查委员会的指导方针。据称，币原内阁成立时留任外相的吉田茂之所以将松本拉入内阁，正是为了"以保守性很强的松本博士为背景，在法理的支持下"，"应对财阀解体和改宪问题"。当时，吉田茂在改宪问题上，虽说采取称作"外务大臣权限以外的态度"，但实际与改宪具有深刻的关系。特别是通过松本入阁，更使吉田茂在内阁处于"可以行使强烈影响力的地位"。③ 从这个意义上讲，吉田茂实际是松本的支持者，后来形成的"松本改宪方案"也可以说是吉田改宪方案。

在日本政府进行秘密改宪准备的同时，美国国务院、陆、海军三部调整委员会也开始进行有关改宪方针的研究。1946年1月7日也即松本完成了改宪方案，并向天皇进行说明的同一天，美国三部调整委员会通过了题为《日本统治体制改革》(SWNCC228)的文件。11日将其送到东京美军总部。其主要内容是：（一）扩大选举权和建立对选民负责的政府。（二）拥有行政权的政府源于选民，并对立法府负责。（三）立法府由选民代表构成，对预算拥有专门议决权。（四）预算不经立法府同意不能成立。（五）保障基本人权。（六）都道府县职员由民选或地方官厅任

① 大冢高正：《外交与日本国宪法》，第62页。

② 大冢高正：《外交与日本国宪法》，第74—75页。

③ 大冢高正：《外交与日本国宪法》，第34页。

命。(七)修改或起草宪法要通过能够表明日本国民自由意志的方法进行。也即"七项民主事项"。该文件虽然没有涉及天皇问题,但是又为保存天皇留下了余地。诸如,内中还有"不承认天皇对立法府立法的否决权","天皇只是基于内阁的建议和承认而行动","剥夺天皇对军事的一切权能",以及"内阁向天皇建议并辅佐天皇","皇室收入纳入国库,皇室费用通过预算"。此外,则是"国务大臣为文民","立法府在需要时得以召开议会"等等。[①] 据称,麦克阿瑟因此而获得了决定天皇制的"王牌",后来日本新宪法的第九条之所以含有放弃战争的条款,乃是为了使反法西斯战胜国"认可"维持天皇制而写入的。[②]

在此期间,1945 年 12 月成立的远东委员会,[③]也注意到了日本的改宪问题。1946 年 1 月 17 日远东委员会与占领军民政局会谈时,菲律宾代表质问:"民政局是否已经开始就改宪问题进行研究?"民政局长惠特尼回答说:"并没有,因为修改宪法涉及到改变日本统治构造的基础,是一个长期问题,我们认为应该属于贵委员会的权限范围"。[④] 然而,事实并非如此。为了掌握对日政策的主导权,避免远东委员会插手日本的宪法问题,美国占领军总部决定,要赶在远东委员会来年在华盛顿召开正式会议之前,完成修改日本宪法工作。于是,命令币原内阁迅速提出改宪方案。这种情况表明,在日本改宪或政治体制问题上,已经出现了美国试想独手操作的意图。

同年 2 月 1 日(也有记为 1 月末的)早有准备的币原内阁非正式地向美军总部提出了名为《宪法修改纲要》的草案。这个改宪纲要是国务大臣松木丞治主持起草的,被称作《松本草案》。该草案与战前《大日本帝国宪法》相比,只是改变了一些词句,实际是立足于天皇主权论的改革

① 大冢高正:《外交与日本国宪法》,第 80—82 页。

② 大冢高正:《外交与日本国宪法》,第 82—83 页。

③ 最初由英、美、中、苏和法国、菲律宾等 11 个国家组成,1949 年 11 月缅甸、巴基斯坦也为成员国。

④ 升味准之辅:《日本政治史 4 占领改革、自民党统治》,东京大学出版会 1994 年 5 月,第44 页。

案。因此，2月8日尽管日本政府正式向美军总部提出，以期在吸收美军总部意见的基础上，完成改宪方案，但最终还是被美军总部否定了。

与此同时，美军总部的民政局也开始起草改宪方案。2月4日民政局长惠特尼在局内有关制宪的秘密会议上，传达了麦克阿瑟的“三原则”。他说“从今天开始的一周内，民政局将承担起制宪会议的作用。麦克阿瑟将军把为日本国民起草新宪法的这一具有历史意义的工作委托给了民政局。民政局草案的基础，应是麦克阿瑟将军所概述的三项原则”：一、天皇居于国家元首地位，皇位世袭。天皇依照宪法行使职务及权能，并要顺应宪法所表示的国民的基本意愿。二、废弃作为国权发动的战争，日本放弃作为解决纷争手段的战争，乃至作为保持自身安全手段的战争。日本的防卫和保护应委托给左右现今世界的崇高理想。不赋予日本拥有陆海空军的权能，也不赋予日本军以交战权。三、废除日本的封建制度，贵族的权利除皇族之外，只及于现存的一代。今后，华族的地位并不意味着国民或市民的某种政治权利。① 在惠特尼的领导下，美军民政局于2月12日最终完成宪法草案，并得到麦克阿瑟的批准。这一宪法草案被称作为《麦克阿瑟草案》。

1946年2月13日惠特尼在日本外务省的日光浴室内，与吉田外相、松本国务大臣和日本终战联络局参与白洲次郎进行会谈，向日本方面递交了《麦克阿瑟草案》，正式拒绝了日本提出的《松本草案》，并称日本如在20日前还不接受《麦克阿瑟草案》，美军总部便将予以公布，交由日本国民讨论。2月21日麦克阿瑟约见币原首相，再次强调“在当今的国际形势下，美国方面所提出的草案，是绝对必要的修改方案。只有这样才能确保天皇的地位”。② 最后，币原内阁终于在25日决定接受《麦克阿瑟草案》，并于3月6日公布了《修改宪法草案纲要》。

同年6月20日日本召开第九十届帝国议会，25日众议院开始对改

---

① 大冢高正：《外交与日本国宪法》，第91—92页。

② 信夫清三郎：《日本外交史》下册，第730页。

宪草案进行审议。经过4天的质疑后，由议长指名交付帝国宪法修改特别委员会(由72名议员组成)，该委员会由自由党的芦田均任委员长，并以芦田为首设置了13人组成的小委员会，以推进审议和作出共同修改案。7月25日至8月20日小委员会进行秘密讨论，8月21日作出共同修改案，并获得特别委员会的许可。时至10月7日修正案终于获得贵众两院的通过。11月3日公布，并决定从1947年5月3日开始实施。

战后的日本宪法与明治宪法相比较，最重要的变化主要表现为以下几点：

一是改变了旧宪法的天皇主权说，确定了“主权属于国民”，国家政治“权力由国民代表行使”的原则，天皇变成了“象征性的”存在。

二是放弃战争的“第九条”写道：“日本国民衷心谋求基于正义与秩序的国际和平，永远放弃以国家主权发动的战争、武力威胁或行使武力作为解决国际争端的手段”，“为了达到前项目的，不保留陆海空军及其他战争力量”。

不过，这里应该指出的是，“为了达到前项目的”这个附加语，是在最后审议阶段，由芦田所作的重要修改。其结果是，留下一个迄今争论不休的问题，也即如果这个附加语是就整个第九条而言，那么，日本的自卫战争权也便遭到了否认，而若是仅限于“解决国际纷争”，那么，日本的自卫战争权也便得到了认可。据称，芦田在宪法调查会上对这种修正的意义做了如下表述：“我担心按照第九条第二项原封不动，就会出现剥夺我国防卫力的结果……。由于加入为了达到前项目的这样的词句，原案中无条件地不保持战斗力，就变成了在一定条件下不保持战斗力了”。[①] 也就是说，“芦田修正”为日本的重新武装留下了一个可供开启的后门。

上述事实表明，战后的日本宪法名义上是由日本政府颁布的，但实际上美国政府的暗中操纵起了关键作用。日本虽说是在被动状态下接受的，但也纳入了主动的意图。也即在接受美国宪法草案的同时，“巧

---

① 室山义正：《日美安保体制》(上)，有裴阁1992年版，第91页。

妙”地加入了“芦田修正”，从而清楚地表明了日本政府对非武装所持的保留态度。进而，关于天皇问题，有如前述，这原本便是日本政府所要极力维护和保存的。新宪法虽说使天皇“形骸化”了，但依然是日本国家的“象征”，而且依然具有某些权能。这与明治宪法虽然有所不同，但毕竟是确认了日本政府所要维护的“国体”。

那么，日本政府为什么会接受这部新宪法？而接受新宪法又意味着什么呢？

首先，从直观的角度来看，战后日本的新宪法是在美国压力下制定的，但是在这背后却始终存在着强大的国际压力。大战结束后，对法西斯国家进行制裁，严格限定这些国家复活军国主义，是战后世界各国人民的普遍心声。面对这种历史局面，日本政府不接受改宪的可能性很小。如前所述，麦克阿瑟在说服币原接受改宪方案时，也曾强调：“只有这样才能确保天皇的地位”。这表明战后日本政府接受新宪法，乃是对当时的国际形势不得不作出的反应。日本政府接受新宪法是特定的历史产物，是当时的国际关系和国际环境决定的。

进而，日本政府接受新宪法，也可以说，是对国内政治形势发展的对抗。战后日本国内的民主运动，大体可以分为五个阶段：(一) 是 1945 年 10 月—1946 年 1 月；(二) 是 1946 年 1 月—5 月；(三) 是 1946 年 6 月—1947 年 1 月；(四) 是 1947 年 2 月—1948 年 2 月；(五) 是 1948 年 2 月—10 月。其中的第二阶段是“民主革命”的高涨时期。1946 年 1 月在第一阶段群众斗争高涨的基础上，以欢迎日本共产党领袖野坂参三归国的国民大会为契机，又出现了结成民主统一战线的政治高潮，并展开了在野党一致的倒阁运动。当时，为民主运动提出比较系统的统一战线构想的，是社会活动家中西功(1910—1973)。中西功认为，应该结成民主统一战线，而且要有一个“基本战略”，那就是“废除天皇制专制的国家机器，建设民主共和国，打倒一切封建制度和封建思想，进行农业变革，为增进人民福利而进行经济建设”。他主张，日本共产党是统一战线的倡导者和指导者，但不是唯一的垄断性的指导者，应该与其他民主政党合作，自觉地承认社会党和其他民主主义者的指导作用。诚然，战后日本的民主运动及其理论思想没有成为现实，但要求打倒“国体维持内阁”的呼声，却“实质性地决定了新宪法的政治性质。”[①]也就是说，日本政府接受新宪法，是有利于维护“国体”、有利于保存原有统治阶级地位的选择。因此，币原内阁的书记官长酋桥渡言称：“这个宪法乃是天皇制的避雷针”。[②]

据称，币原首相对新宪法进行解释时，曾经说过：“宪法如此规定，这在当今世界各国的任何宪法中都是没有前例的，在依然继续对原子弹及其他强力武器进行研究的今天，竟要放弃战争，也许有人认为这是梦想。但谁也不能保证，将来随着学术的进步和发展，不会发明比原子弹的破坏力还要大几十倍、几百倍的新式武器。到那时，几百万军队、几千只舰艇、几万架飞机都将完全丧失威力。在短时间之内，交战国的大小城市统统都变成灰烬，数百万居民一个早上全被杀光，这种情况是可以想象的。今天我们高举放弃战争的大旗，在国际局势的辽阔原野中虽然是特立独行，但是全世界早晚会从战争的惨祸中觉醒过来，终将同我们共树一帜，从遥远的后面赶上来，这种时代是会出现的”。[③]

日本思想史家丸山真男在评述币原的上述说法时认为，币原“预见了第九条在热核武器时代的新意义”，而且“是把国际社会的先锋使命托付给了日本”。[④] 然而，历史地考察，币原上述说法只是反映了战后日本政治家的思想意识，而不是对战前日本实行军国主义、发动侵略战争的反思。因而，随着时间和环境的变化，日本不仅走上了再军备的道路，而且出现了要求修改新宪法的主张。

此外，战后日本的新宪法又把日本扮成了“和平国家”，使之可以圆

---

① 藤原彰等编：《近代日本史的基础知识》，有斐阁 1984 年版第 6 次印刷，第 506—507 页。

② 信夫清三郎：《日本外交史》下册，第 730 页。

③ 信夫清三郎：《日本外交史》下册，第 731 页。

④ 丸山真男：《关于宪法第九条的若干考察》，《世界》第 235 号，1965 年 6 月，见信夫清三郎：《日本外交史》下册，第 731 页。

滑地实施逐渐军备。当初，美国试想借以抽“筋”，免去构成美国威胁的军国主义，但是后来又不肯将之切断，以期加以利用，而日本则通过“芦田修正”，在新宪法中加入了“私货”，于是战后日本宪法的第九条则成了“妙用”的工具。恰如吉田茂所说的：“宪法禁止军备，真是天赐良机，美国方面对我们有所责备时，宪法正是最好的挡箭牌。企图修改宪法的政治家，真是太愚蠢了”，“重整军备的日子反正会来到的，在那以前，防务暂时让美国人去搞，有人说我们要滑头，就让他们去说吧”。①

同样，当美国合众社记者汉斯莱向池田勇人（后任藏相、农商相、总理大臣）提问：“您认为‘加强防卫力量’不违反宪法，而‘重整军备’就违反宪法，……我们西方人是很难搞懂这两者的区别，请您指教。”对此，池田的回答是：“我们东方人的脑袋构造更为细密，所以懂得这两者的区别。”②然而，这是自欺欺人的。战后日本宪法的第九条实际成了可在两者之间左右逢源，日本国家安全战略中最具特色的可变之物，也就是说，战后日本的新宪法既是“和平国家”的招牌，而且能为重整军备发挥掩人耳目的作用，这才是以吉田为代表的日本政治家，对其情有独钟重要原因。

3　片面媾和与日美安保条约

从对外关系而言，日本在战后初期所面临的最大课题，则是如何实现媾和，重返国际社会，并结束被占领状态。本来，日本对外媾和的中心问题，应是如何履行盟国的共同宣言和协议，包括战争赔偿以及放弃武装等等，但是在冷战的国际环境下，日本在对外媾和问题上却产生了严重的畸变，成为日本安全保障方式与日美各自利益的谈判。

战争刚刚结束，日本政府就在秘密准备媾和工作。1945 年 11 月 21 日日本外务省成立了和约问题研究干事会和由省内科长组成的 12 人研

---

① 宫泽喜一：《东京——华盛顿会谈秘录》，谷耀清译，世界知识出版社 1956 年，第 100 页。

② 宫泽喜一：《东京——华盛顿会谈秘录》，第 164 页。

究会，具体负责人是条约局长杉原荒太。1946 年 5 月 22 日 12 人研究会提出了有关文件，设定在 1947 年夏季缔结有关媾和条约，并确定了四项媾和目标：1）恢复国家主权，尊重独立；2）确保国家生存和安全；3）重返国际社会；4）确立国际正义。在关于国家安全的构想上，该研究会提出，日本应参加在远东委员组织下成立的地区性集体安全保障体制，日本应该保持武装警察乃至治安队。[①] 这是早期具有代表性的关于国家安全的构想。

1947 年 3 月 1 日麦克阿瑟在外国记者俱乐部的午餐会上提出了应该开始对日媾和问题。同年 5 月 24 日日本成立片山哲内阁，并开始加紧研究对策。同年 7 月 26 日片山内阁的芦田均外相在《致艾奇逊大使的媾和条约希望书》中提出："希望媾和会议不强制媾和，在日本的参加下召开，其内容应是日本能主动接受的"；"希望媾和条约以《大西洋宪章》和《波茨坦公告》所宣示的国际准则为基础"；"希望日本自己履行媾和条约"；"从安全保障的角度考虑，非武装的日本有必要加入联合国"；"媾和之后，希望允许按照人口比例增强警察力量"；"希望废除占领下的在日外国人的特权地位"；"关于《波茨坦公告》所说的吾人所决定的其他岛屿的归属问题，希望充分考虑日本本土与这些岛屿之间的历史、人种、经济、文化及其他方面的关系"；"在决定赔偿时，希望允许日本经济独立和维护相当的生活水平"；"为了帮助日本恢复……希望对日本的贸易、海运、渔业等经济活动不加限制"。[②]

同年 9 月 13 日芦田外相向即将临时归国的美国第八军军长艾克尔伯格提交了个人名义的备忘录。该备忘录就日本国家安全问题提出了两种设想：1）在美苏关系改善，世界和平安定的情况下，日本希望依靠联合国保障日本的安全；2）在美苏关系恶化的情况下，日本国内治安需以增强警力相对应，保持国家独立，可采用美军为监督和约的履行而驻扎

① 西村熊雄：《日本外交史・第 27 卷・旧金山媾和条约》，鹿岛研究出版会 1971 年版，第 21—23 页。

② 西村熊雄：《日本外交史・第 27 卷・旧金山媾和条约》，第 32—34 页。

日本，抑或采用在日美之间缔结专门协定，将维护日本国家安全的责任交予美国的方法，美国依据条约在日本周边保持军队，有事之时提供美军使用的基地。[①] 芦田备忘录是在美苏之间业已出现冷战的情况下提出的，是日本关于战后国家安全构想的一次重大变化，也即芦田第一次将日本安全的支点，从中立的集体安保或联合国安保移向了美国。一般认为，这是战后日美安保体制的原型。

1948 年 1 月 6 日美国陆军部长罗亚尔在旧金山的演说中言称：为了不使日本成为“内外极权主义”和“非民主意识形态”的牺牲品，我们有必要对日提供经济援助，有必要根据国际形势的发展，修改妨碍日本复兴的非军事化政策、赔偿政策、排除经济垄断和经济清洗等政策。[②] 他主张：“我们要力求使日本独立，使之确立稳定的强而有力的自由民主主义，并由此而使之在远东可能发生的下一次极权主义的战争中发挥作用。[③] 罗亚尔的演说意味着此时的美国已经放弃了经济上削弱日本和非军事化政策，转而形成了在经济、军事上扶植并企图利用日本的政策。

1948 年 10 月第二次吉田内阁成立，此时国际安全环境开始进一步恶化，美苏冷战不断加剧。日本外务省就媾和问题进行了新的准备，在国家安全的构想上，也出现了与芦田构想相同的变化，也即：“关于安全保障，国内治安依靠自己维持，对外安全保障，在条约中规定保持独立，实现从前的构想，请求以美军为主体的盟军驻扎在日本的周边，不得已之时，承认美军在国内驻扎，但应附加限定驻扎地点的规定。[④] 这种变化表明，寻求美国的安全保护，已经成为日本官方的主导思想，日本政府期望以出让基地换取美国的军事保护。这种构想实际上已经开始脱离全面媾和与非武装中立的立场。

1950 年 4 月吉田首相经过一番周折，终于绕过占领军司令部派出了

---

① 西村熊雄：《日本外交史・第 27 卷・旧金山媾和条约》，第 38 页。

② 日本外务省史料馆编：《日本外交史辞典》，附录资料，第 874 页。

③ 信夫清三郎：《日本外交史》下册，第 749 页。

④ 西村熊雄：《日本外交史・第 27 卷・旧金山媾和条约》，第 50 页。

政治心腹池田藏相秘密访美，以打探华盛顿对媾和的意见。池田在访美期间先后会见了陆军部副部长伏里斯和担任过驻日美军第八军军长的艾克尔伯格中将。伏里斯、艾克尔伯格两人都从美苏冷战紧张对立的形势出发，对構和后美军撤离，日本可能出现军事真空而担心。艾克尔伯格言称："本人认为，麦克阿瑟提出的尽早缔结对日和约的主张是非常错误的。因为今年发生了苏联封锁柏林事件，欧洲的防务已经使美国疲于奔命，军事上根本无暇顾及日本。"他还说："陆军方面认为，如何保障日本的安全，比形式上的媾和更加重要。……认为日本只要保持中立就可以的论点，是非常不现实的。这样的论点简直一文不值"。①

池田在经过数日观察和考虑后，最后决定将吉田关于媾和的绝密口信，首先告诉道奇(此时的道奇既是国务院驻日公使，又是陆军部顾问)。池田所以这样做，是考虑不至于得罪国务院和国防部的任何一方。5 月 3 日池田与宫泽喜一(时任池田秘书)和道奇进行了长达两小时的小范围的交谈。在谈到安全问题时，池田以"本人受吉田总理大臣委托"的名义，向道奇转达了吉田茂的意图："日本政府希望尽快缔结和约。鉴于美国方面不便在此项和约缔结之后，提出美军仍有必要驻扎日本，以保障日本及亚洲地区安全这一希望，日本政府愿意研究由日本方面提出建议的方法。"随后，池田又说："关于这一点，已经参考了许多宪法学家的研究，宪法学家的意见可归结为：从宪法的角度说，如果在和约中加入允许美军驻扎的条款，将会引起许多问题。但是，采取由日本方面的另行请求驻扎的方式，则不违反宪法"。②

上述情况表明，战后美国对日政策的转变，与日本政府从初期的被动转向主动投靠美国，大体是同步进行的。在酝酿媾和之初，日本政府对国家安全的构想，经历了"依靠联合国""参加地区性集体安保体制"，以及"芦田构想"和池田访美时提出的依靠美军驻扎等阶段性的变化。

① 宫泽喜一：《东京——华盛顿会谈秘录》，第 26—27 页。
② 宫泽喜一：《东京——华盛顿会谈秘录》，第 29—30 页。

在这个过程中，日本政府意识到了美苏冷战的分裂以及对日本的影响，并逐渐放弃了非武装中立的构想，开始倾向与美结盟。池田的秘密访美，意味着日本政府已经彻底放弃了依靠联合国的中立构想，决意选择由美军驻扎日本来实现国家的安全保障，并开始按照这种方向推进。

当然，日本的对外媾和以及国家安全的构想能否实现，还要取决于美国占领当局的意志和各种复杂的国际因素。① 因此，这里有必要考察一下美国政府所持的态度。美国的对日媾和方案，大体上是从 1949 年到 1950 年期间形成的。在这个过程中，美国的对日构想在国防部、国务院、占领军司令部之间，也曾出现过激烈的争论和前后的变化。

1949 年 3 月 11 日美国参谋长联席会议制定了题为《日本有限度的再武装》、编号为 NSC—44 的政策文件。其中集中地表达了美国国防部在对日媾和上的意见。该文件提出的核心目标是，有限度地重新武装日本。并提出了以下几点建议：(1) 现阶段就应规划重新武装日本的最终目标，以便在紧急情况下维持国内的治安，支持本地区的安全防卫；(2) 考虑为有限度的日本武装力量提供适当的武器装备；(3) 增强并装备日本的警察和海岸巡逻队，为实现有限度的再军备，应制定一个包括修改宪法在内的计划。②

上述表明，美国国防部从冷战的军事战略出发，认为如果要想在远东地区与苏联进行对抗，就必须重新武装处于对苏战略前沿的日本。而且，此时的美国实际上已经把日本纳入了西太平洋沿岸岛屿链型防御线，特别是随着中国革命的迅速发展，美国已经感到将失去在中国大陆的立足之地，因而开始越发重视日本的战略地位。

同年 6 月 14 日美国三军联合参谋总部提出了题为《日本在美国安

① 从理论意义上说，对日媾和应该取决于所有的同盟国，特别是远东委员会的意见。但是，由于对日占领主要是由美国实施的，加之美国是战后超级大国，在军事与经济上占有绝对优势，因而对日媾和的主导权掌握在美国手中。

② 美国国家档案馆：RG59，General Records of the Department of State，Records of the Policy Planning Staff，1947—1953，第 48 箱。见冯昭奎等：《战后日本外交》，第 75 页；室山义正：《日美安保体制》(上)，第 62 页。

全保障条件中的战略评价》的文件。该文件从对苏全球性战争的角度出发,认为日本列岛的地缘战略价值、日本的人口资源、潜在的工业生产能力,具有极为重要的战略价值。如果日本倒向苏联,美国在远东军事战略上的损失将是决定意义的。[①] 因此,主张推迟对日媾和,继续将日本置于美国的军事占领之下,使日本成为美军突前军事基地。此外,该文件还主张应该着手日本的重新武装。

当时,美国国务院与国防部的观点有所不同,而是更多地从政治上考虑对日政策,认为对日政策的最大目标,是把日本留在西方阵营中。同年6月15日美国国务院在题为《国务院针对NSC—49的评论》的文件中认为,比军事上利用日本更为重要的,是让日本主动地倾向于西方,必须尽量减少反美情绪。为此,该文件主张:应尽早实现对日媾和,以使日本主动成为西方一员,媾和后美军从日本本土撤出,日本实行重新武装。[②]

也就是说,美国国务院与国防部在对日政策上是存在着一定的分歧。前者主张早日媾和,重视政治上利用日本,并对日本实行重新武装,而后者主张推迟媾和,努力使日本成为美军军事基地。但是,双方在对日媾和的目标上却是一致的,那就是要充分利用日本,将日本拉入反对苏联的西方阵营,使之成为重新武装的西方的一员。这与美国对日占领初期的削弱日本,对日推行非军事化、民主化的政策相比,已出现了明显的差别。

1949年10月中国革命取得了彻底胜利,美国期望在亚洲依靠蒋介石的设想彻底破灭。此时的美国感到再也不能失去日本了,必须将日本留在西方阵营,因此对日政策出现了实质性的转变。同年12月23日美国国家安全委员会编制了美国亚洲政策文件(编号为NSC—48—1)。该文件认为,中国革命后的亚洲,可能连续出现一系列的共产主义革命,而

① 室山义正:《日美安保体制》(上),第65页。

② 室山义正:《日美安保体制》(上),第65页。

日本是遏制亚洲革命的最后王牌，是东亚的“超级多米诺”。该文件写道：“中国共产主义政权的扩大，对我们来说是政治上的严重失败”，“如果共产主义进而席卷东南亚，我们就必然遭受政治上的大溃退，其影响将扩及到世界其他地区，尤其是中近东以及那时暴露于危险边缘的澳大利亚将受到影响”。[①] 为此，该文件提出了新的政策建议：

一、日本是在远东引起战争的复杂因素中的主要因素，日本如果参加苏联集团，苏联在亚洲的基地将成为足以使世界的势力均衡转化为对美不利的力量的源泉。

二、日本勤劳的人口与潜在的工业力量在亚洲潜在能力中起着最重要的作用。

三、日本在军事上与琉球以及菲律宾一起，作为“亚洲沿岸岛屿链条”，其地位处于构成美国“战略防卫线”的第一线。为了阻止苏联的侵略，美国必须在亚洲维持最低限度的地位，因此也必须维持亚洲沿岸岛屿链条的现状。这个战略防卫线是美国无须投入多大规模兵力而与共产主义者对抗的第一线。

四、为了把日本固定在防卫的第一线上，必须利用日本潜在的工业力量，引导日本走上经济自立的道路。为了自立，对于日本来说，中国大陆的传统市场是必要的。“日本经济若不与中国进行相当数量的贸易，就不能恢复自立的基础”。

……

六、在政治上，“保持这种改革计划精神的中道政权”，“作为合众国的同盟者来说，终将证明较之极右主义政府更为可靠”。这种中道政权“毫无疑问会希望与共产主义集团维持正常的政治经济关系”，虽然将抗拒“与美苏任何一方利害完全同一化”，但是正是这种中道政权的持续存在，将提供可能使日美之间维持友好关系，并使日本对内外共产主义压

① 多米诺是欧美的一种骨牌游戏。将棋子一个个间隔一定距离地直立摆开，然后捅倒第一个棋子，让棋子一个接一个地连续倒下。美国威斯康星大学日本学教授约翰·道尔(Dower，J. W)认为日本是东亚最后的王牌，并把日本形容为东亚的“超级多米诺”。

力保持抵抗能力。

七、正因为如此，美国在日本的非军事目标，是在媾和前后帮助民主势力的发展和经济上的稳定。因此美国必须一方面把对日本统治过程中的干涉压缩到最小限度。另一方面则应提出劝告和援助，以保护对日占领的基本成果并使之永远存在，因而必须促使日本成为各国国民共同社会中的和平而独立的成员。①

从上述建议内容可以看出，美国 NSC—48—1 国家安全政策文件，不仅证实了美国对日政策的转变，而且要把日本作为太平洋沿岸岛屿链条防卫线中的重要环节，使之成为美国全球战略的亚洲基地。

1950 年 1 月 18 日美国助理国务卿（远东问题顾问）巴特福斯，在综合了国务院与国防部的观点后，提出了两个选择性方案：一、实现日本在政治经济上的独立，与在军事上实施继续占领；二、实现日本在形式上的完全独立，与缔结基地使用协定。

经过讨论，美国国务院和国防部更加倾向实施第一方案。但是，该方案中存在着军事占领何时结束的潜在问题。于是，美国又提出了让日本加入一个类似于北大西洋公约组织的太平洋地区安全保障组织的构想即《美国国务院对日媾和及安全保障措施的基本立场》的文件。这一文件主张，该组织的参加国为美国、加拿大、菲律宾、日本、澳大利亚和新西兰等六国，任何针对该组织成员国的军事进攻，都被认为是针对所有成员国的进攻，因而要招致该组织的集体反攻。这种设想实际是建成一个与北大西洋公约组织类似的地区性集体安全机构，一方面可以将日本拉入西方阵营，强化日本反共的立场，同时也可以通过该组织，限制日本军国主义的新复活。这可以说也是美国在 1950 年初的新设想。

美国政府内部之所以存在不同的对日政策，除了各自角度的差异之外，更主要的一点是在能否真正获得日本的合作，使之主动加入西方阵营上存在分歧。然而使美国政府内部的这种分歧得到消解的却是日本，

① 信夫清三郎：《日本外交史》下册，第 761—762 页。

也即前述吉田派遣池田在向美方传达了日本为了尽早缔结和约，愿意以日本主动的方式请求美军驻扎日本的意向后，美国围绕着“基地使用”、使日本成为“西方一员”等问题的争论也就全部化解了。

1950 年 3 月 10 日时任美国国务院顾问的杜勒斯在芝加哥的一次公开演讲中言称：“我们所面临的最大危险，是苏维埃与共产主义对我们的包围计划。这将成为自由社会制度彻底颠覆的序幕……”。3 月 14 日杜勒斯在纽约发表演讲时又称：冷战比二战期间的法西斯轴心国还要危险。他说：“人们几乎没有意识到冷战对我们美国自由社会的威胁，已经超过黑暗的 1942 年的轴心国”。同年 4 月 6 日杜鲁门政府任命杜勒斯为国务院顾问，由他负责对日媾和问题。杜勒斯出任后立即向国务卿艾奇逊再次确认了他的政治立场：“合众国现在应该开始冷战。苏维埃领导人正在现实中一步步实际推行对合众国的包围、绞杀的长期计划，并且已取得了多项成功”。①

实际上，杜勒斯的言论只是此时美国冷战政治风云的一端，他担任对日媾和的操盘手表明，冷战已经成为对日媾和的战略焦点。最能说明这一国际政治的内幕的，就是 1950 年初美国制定的 NSC—68 国家安全政策文件。这份文件长期以来被视为绝密，具体内容鲜有研究，直至近年这份文件才被解密。

美国 NSC—68 文件是在冷战态势明显增强的情况下出台的。1949 年苏联爆炸了第一枚原子弹，以出乎美国预料的速度打破了美国的核垄断。随后 10 月 1 日中华人民共和国宣告成立。美国一贯支持的蒋家王朝彻底崩溃。这两个事件在很大程度上改变了全球战略态势，对美国的战略优势形成了强烈的冲击。NSC—68 文件认为：“苏联……受到反对我们的一种狂热信念的驱使，力求把它的绝对权威强加给外部世界。因此，在苏联方面冲突事件已经是传染性的，无论是暴力的或是非暴力的冲突总是随时发生。随着可怕的大规模杀伤性武器的发展，如果冲突进

---

① 细谷千博：《走向旧金山媾和之路》，中央公论社 1984 年版，第 109 页。

入全面战争阶段,那么人人都将濒临全面毁灭的危险","消灭来自自由的挑战是奴役成性的国家不可改变的目标,从而使美苏两个大国处于针锋相对的境地。正是这一事实,使得目前的两极对抗具有爆发危机的性质","克里姆林宫毫不避讳地使用暴力、颠覆和欺诈,而拒绝考虑该手段是否道德。……对于它诉诸战争手段的唯一明显的限制因素,只是这种手段是否实际可行"。"随着苏联核力量的增强,它打击我们核基地和军事设施的能力也随之增强……。据估计,在未来的四年里苏联将具有破坏美国中心城市的能力。假如苏联发动一场突然袭击,……这种袭击将严重破坏美国……。"[①]因此,美国不得不重新调整对苏战略。

基于上述的分析,美国 NSC—68 文件的核心是谋求建立长期遏制苏联的"实力地位"(situation of strength),强化西方阵营的联盟。而美国的对日構和也正是在这种环境背景下展开的。

1950 年 9 月 7 日美国提出了经总统杜鲁门批准的 NSC—60—1 文件,这成了美国对日媾和的正式政策。NSC—60—1 文件的主要内容是:一、美国可以开始对日媾和的预备性谈判。二、在谈判过程中必须考虑满足以下安全保障上的各种要求:(1) 朝鲜战争有利解决前(条约)不生效,(2) 必须排除日本的天然、工业、人力资源倒向苏联,(3) 在美国指挥下,以美国可以接受的方式在日本驻扎军队,(4) 不经美国的许可,日本列岛不允许美国不希望的外国军队驻扎,(5) 不经美国同意,美军不撤出日本;相反地,在满足可替代的措施时,美军拥有在任何时候撤军的权力,(6) 对日本的自卫权以及保持自卫的能力不加任何限制,(7) 美国在必要的时期应能够保持必要规模的军队。有关日本承担的驻扎费用以及安全保障的详细实施规定,要另外签定其他协定,(8) 不妨碍对马利阿纳、卡罗林、马绍尔诸岛的行政托管权,(9) 确保美国对琉球群岛的独立统治,(10) 美国拥有对日本出现大规模内乱的镇压权力。三、国防部、国

① 梅孜编译:《美国国家安全战略报告汇编》,时事出版社 1996 年版,第 310—341 页。

务院同意为日本拥有早期自卫力承担负担(以下从略)。[①]

上述种种表明,随着冷战对抗的不断激化,以及亚洲革命的迅速发展,特别是朝鲜战争爆发后,美国迫切要将日本拉入西方阵营,防止日本倒向苏联集团,最大限度地利用日本的人力资源、工业潜力和地缘战略优势,并在军事上利用日本,在日本建立美军军事基地,甚至促使和鼓励日本重新武装,力图把日本建成反对苏联的战略前沿和太平洋沿岸岛屿防卫链条中的重要一环。这是美国对日政策发生彻底转变的重要标志。

除此之外,美国对日政策中的另一个重要之点,是竭力保持美国在日本的战略地位,与日本在权益与义务之间讨价还价。美国正式的对日媾和政策(NSC—48—1)就是这种政策的典型。此后,日美之间展开的关于媾和的具体谈判,更说明了这一点。

1950 年末,杜鲁门总统否决了国防部反对早期媾和的提议,任命杜勒斯为对日媾和特使,并确定了媾和的主要原则与目标:一、无须等待朝鲜军事形势的有利解决,就应开始对日媾和。二、以下各点为美国的政策:美国应对以日本为其中组成部分的岛屿防卫链条承担相当的军事力量;希望日本逐渐增强本国的自卫能力;希望能够在太平洋岛屿国家之间缔结相互援助条约。三、美国方案的主要目标是将日本与西方阵营最紧密地连接在一起,让日本为阻止共产主义的进一步扩张倾注全力。[②]

1951 年 1 月 25 日杜勒斯带着上述使命第二次来到日本,就对日媾和问题进行具体谈判。1 月 29 日杜勒斯与吉田茂在三井会馆举行了首次会谈。然而,值得注意的是,美日媾和谈判最大的争议点却不是领土或者赔偿条款,而是日本的再军备问题。杜勒斯在谈判开始就向吉田茂提出:日本既然要有助于“自由世界的强化”,那么日本应该“如何作出贡献呢”?而吉田茂则称:日本的再军备不仅会对日本的经济自立造成困难,同时也可能刺激军国主义的复活,对外也将引起周边国家对日本军

① 室山义正:《日美安保体制》(上),有裴阁 1992 年版,第 82 页。

② FRUS,1951,Vol,Asia and the Pacific,pp. 188—189。见室山义正:《日美安保体制》(上),第 93 页。

国主义复活的疑虑。① 这说明美日双方在日本重整军备问题上仍然存在着较大的分歧。然而,此时的分歧已经不是日本是否应该重新武装的问题,而是日本重新武装的速度与规模。美国从全球冷战战略出发,急迫要求最大限度地利用日本在远东的优势,遏制苏联,而日本则希望尽量减少大规模重整军备对经济复兴的负面影响,让美国暂且承担日本安全防卫责任,以便把大规模重整军备的时间留待他日。这种分歧的焦点实际是日本优先发展经济、逐渐军备的吉田战略,与美国力图将日本构筑为反苏堡垒的全球冷战战略之间的矛盾,也是双方各自国家利益的区别。

在第二次谈判中日本提出了名为《我方之见解》的文件,这份文件共由 13 项构成,是日本对媾和问题的基本立场。其中,关于"安全保障"和"再军备"的内容如下:

一、关于安全保障问题,日本政府认为:(1) 一个国家的安全必须由本国自己保卫。但是不幸的是,战败后的日本已经陷入不能仅仅依靠自己的状态。(2) 日本通过自己的力量确保国内治安,关于对外安全保障,希望联合国,特别是合众国予以协作(如驻军等适当的方式)。(3) 为了实现上述目标,希望在媾和条约之外,另行签定条约,日美两国应以平等伙伴的身份签定相互安全保障协定。

二、关于再军备问题,日本政府认为:(1) 出于以下的理由,日本不能再军备。a,日本也有倡导再军备的,但是,这种议论不是建立在对问题的彻底研究之上的,此外未必能够代表大众的感情。b,日本缺少近代再军备必须的基础资源。如果被加上了再军备的负担,经济不仅不能自立且将崩溃,国民生活将陷入贫困化,这正是共产主义阵营期待酿成的社会动荡。实际上,为安全保障实行的再军备,恰恰会从内部使国家安全陷入危机之中。如今对于国家安全,比起再军备,致力于民生安定的作用更大。c,日本的近邻十分恐惧来自日本的侵略,这是一个严峻的事

① 细谷千博:《走向旧金山媾和之路》,第 167—168 页。

实。在国内也存在着对日本军国主义复活的警惕。目前，日本必须寻求在再军备之外的维护国家安全的途径。（2）如今，国际和平与国内治安已经直接连接在一起了。在这种意义上日本必须维持国内治安，为此日本决心独立承担起全部责任。必须立即增加警察以及海上保安人员以及强化其装备。（3）日本希望对自由世界的安全防卫发挥积极的作用，为此希望就日本能够发挥作用的特定问题签定协议。①

上述见解再次表明，日本政府出于种种考虑，依然不肯把“再军备”问题公然提到日程上来，日美双方的分歧尚未能消融，但双方经过多轮事务级会谈以及吉田与杜勒斯的两次高级会谈后，终于达成了妥协方案。日本同意有限度地逐渐增加军备：一、日本创立由 5 万陆海兵力组成的保安队。该保安队采用与警察预备队、海上保安厅完全不同的训练方法，装备也要比警察预备队和海上保安厅更强，以此作为再建民主化军队的出发点。二、设立相当于国防部的国家治安省，并在其中设置自卫企画本部，该部承担按照日美协定设置的合作委员会的工作，并逐渐发展成为民主军队的参谋本部。

1951 年 2 月 11 日杜勒斯带着草签的日美媾和条约、安全保障条约、行政协定等三个文件结束了日本之行。而日本政府则利用对其有利的冷战环境和各种矛盾，并以秘密的有限度的再军备计划，换得了媾和谈判的成功。尽管杜勒斯并不满意日本重新武装的速度，但日本政府还是完成了自己所需要的选择。同年 9 月 4 日对日媾和会议在美国旧金山举行，中国作为对日作战最重要的国家反而未被邀请，印度、缅甸、南斯拉夫因反对美国的媾和政策而拒绝参加。在 51 个参加国中，苏联、波兰、捷克斯洛伐克拒绝在条约上签字，最后只有 48 个国家于 9 月 8 日签署了所谓媾和条约。该条约由前言、七章二十七条内容组成。② 1952 年 4 月 28 日生效。

---

① 细谷千博：《走向旧金山媾和之路》，第 169—171 页。

② 日本外务省史料馆编：《日本外交史辞典》，附录资料，第 1009 页。

其中,第一章第一条写道:“日本国与盟国之间的战争状态,根据第23条规定,于本条约在日本国和盟国之间生效之日终了”。至此,日本结束了被占领的历史,恢复了国家的独立主权。然而,从国际法的角度来看,旧金山对日媾和实际是对日作战主要国家并未参加的片面媾和,日本并未结束与这些国家的战争状态。因而,所谓的媾和也就成了战后日本外交的重要悬案。

在旧金山媾和条约签署5个小时之后,日美之间又签定了《日本国和美利坚合众国之间的安全保障条约》。该条约的法律依据是《对日和平条约》第6条的有关规定,即:“各盟国所有占领军,应于本条约生效后尽早撤离日本,无论如何,其撤离不得超过本条约生效后的90日期限。但本款规定并不妨碍外国武装部队依照一个或一个以上的盟国与日本国缔结之双边或多边协定,而在日本领土上驻扎或驻留”。①

日美安保条约的篇幅不长,由前言和5款正文组成。其前言约定:“由于日本国被解除武装,所以和平条约生效时,日本国不拥有行使固有自卫权的有效手段”。“和平条约承认,作为主权国家的日本国,拥有缔结集体安全保障条约的权利,进而联合国宪章承认,所有国家都拥有个别及集团性自卫的固有权利”,“作为行使这些权利,日本国希望美利坚合众国在日本国内以及周边维持驻军,以作为日本国防卫和阻止针对日本国的武力攻击的临时措施”,“美利坚合众国……期待日本国……逐渐承担起防卫阻止针对本国的直接以及间接侵略的责任”。进而,该条约的第一条规定:“在和平条约及本条约生效的同时,日本国给予美利坚合众国在日本国内和附近地区配备陆军、空军以及海军的权利,美利坚合众国予以接受。该军队有助于维护远东国际和平与安全,包括依照日本政府的明确请求所给予的援助,可用于镇压因一个或两上以上的外国唆使或干涉而引发的大规模内乱和骚扰,也可用于针对外部的武力进攻而

① 日本外务省史料馆编:《日本外交史辞典》,附录资料,第234—241页。

有助于日本国的安全”。①

日美安保条约的签署标志着战后日本依靠美国的安保体制的形成。从条约的内容上看，日本安保条约并不是双边对等的，日本最初一些安全设想未能完全实现。而且，有些条款还严重侵害了日本的国家主权。如条约第一条规定，驻日美军可以用于镇压日本国内的大规模的内乱，第2条规定，不经美国事先同意，日本国不得将基地或有关基地的权利许诺给第三国等等。这实际是严重损害了日本的国家主权，从而使日本依然受到美国的制约，其独立也大打折扣。

此外，在具体条款上日本并没有获得美国对日本安全防卫的确切承诺。杜勒斯在与日方谈判时始终把日本的重新武装和相互防卫作为先决条件，也即美国对外缔结安全保障条约，只能“基于持续而有效的自助及相互援助”。这是根据1948年6月10日议会所通过的《范登堡决议案》。因而在日美谈判中日本实际是处于“被动的请求”地位，并在日本表示难于迅速而大规模地重新武装，不具备相互防卫的条件下，签定了日美安保条约。然而，日美安保条约却把日本牢牢地拴在了美国的战车上，将之纳入了美国对苏冷战的全球战略。

首先，按照条约规定：美军驻日的任务是所谓“有利于维护远东国际和平与安全”。也就是说，驻日美军可以“维护”远东的和平与安全为理由而采取行动，无论是针对苏联还是针对中国，这样一来，所谓的“远东条款”则使日本变成了美国实现全球战略的基地。

进而，由于朝鲜战争的爆发，日本同美国的战争政策构成了难以脱解的一体。在日美安保条约签订的同时，吉田茂与美国国务卿艾奇逊相互交换公文，内中“确认”了所谓“武装侵略起于朝鲜”，根据联合国安理会1950年7月7日的决议，对联合国的行动予以各种援助，并“慎重对侵略者予以任何援助”等等。② 与此同时，日本改变了“非武装”的态势，走

① 日本外务省史料馆编：《日本外交史辞典》，附录资料，第235页。

② 日本外务省史料馆编：《日本外交史辞典》，第243页。

上了“再军备”的道路。日美安保条约虽然没有明确这一内容，但该条约的前言却明确地写入了“美利坚合众国期待日本国……逐渐承担起防卫针对本国的直接以及间接侵略的责任”。此外，在安保条约的前言中，美国还以联合国宪章承认所有国家都拥有个别和集体自卫权的国际准则，否定了日本推托“重新武装”的理论依据，从而将日本拉入了重新武装的轨道。

日美安保条约的签定在战后日本国家安全发展战略上具有不可忽视的重要意义：

其一，这可以说是在战后美苏冷战的对抗中，日本战前与强者为伍战略的一种再现。而且，战后的美国比战前的英国、德国更有威力，更具有权威性，这也是吉田内阁不惜屈辱和代价而签定日美安保条约的重要原因。1954 年 6 月 16 日，吉田茂的政治亲信池田勇人，向美国驻日使馆经济参赞韦林言称，日本人在生活中的一个传统，是寻求某个富有而且有影响的庇护者的指导、帮助和支持……。日本人渴望得到某个强大国家的有意义的保证……。日本作为一个国家，谋求能够提供这种保证的安全。① 当然，所谓“有意义的保证”，是以日本的国家利益为标准的。

其二，从广义上看，日美安保条约不仅使日本由此获得了美国的军事保护，同时也获得了政治和经济利益，获得了重新回归国际社会的重要条件。美国总统杜鲁门在媾和会议的开幕词中明确表示：对日媾和条约“不是着眼于过去，而是着眼于未来”。在整个媾和过程中日本出乎意料地获得了宽大处理，战争赔偿一减再减。战后初期对日本的种种禁令相继化解。而美国为了利用日本，还采取了诸如扶植日本经济，对日大量提供援助等等。特别是在日本回归国际社会的过程中，日本几乎是由美国手牵着手地领进各种国际组织大门的。安保条约对战后日本的经济复兴，重新回归国际社会发挥了极为重要的作用。从而也就构成了战后日本放弃“非武装中立”，逐步进行再武装的又一原点。

---

① 冯昭奎等：《战后日本外交》，第 123 页。

二　中日复交与“台湾问题”①

1　中日复交的《联合声明》

1972年7月7日，田中内阁成立。田中角荣在首次内阁会议上表示，要努力实现日中邦交正常化。同日，“恢复日中邦交国民会议”在东京神田共立讲堂举行集会，纪念“卢沟桥事变”三十五周年，共商实现日中邦交正常化事宜，参加集会的各界代表700多人。同一天，日本全国42个都道府县，也同时举行“七・七”纪念集会，掀起了恢复中日邦交的新高潮。

7月14日，日本社会党前委员长佐佐木更三，带着田中首相准备废除《日台条约》的意向访问中国。周恩来总理委托佐佐木转告田中首相：欢迎田中首相访华，首相的专机可以直飞北京。

7月下旬，公明党派出以党中央执行委员长竹入义胜为团长的访华代表团。27—29日，周恩来总理、廖承志会长与竹入等连续进行了三次长谈。在最后一次会谈中，周总理把会谈的内容归纳为“八项内容”。这是中国政府关于恢复中日邦交，发表《联合声明》的原始方案。竹入记录了这“八项内容”，即后来所说的“竹入笔记”。其记录的要点内容是：

> 一、自《联合声明》公布之日起，中日两国结束战争状态；
>
> 二、日本要充分理解中国提出的“恢复中日邦交三原则”，承认中华人民共和国政府是中国唯一合法政府，两国建交，互派大使；
>
> 三、中日建交，既符合两国人民的长期愿望，也符合世界各国人民的利益；
>
> 四、双方同意以和平共处五项原则处理中日两国之间的关系，中日两国之间的争端，通过和平协商加以解决，而不以武力相威胁；

① 本节系张耀武教授原作，本书有所调整。

五、不称霸和反对霸权主义；

六、在和平共处五项原则的基础上缔结《和平友好条约》；

七、中国政府放弃战争赔偿要求；

八、双方分别签订通商、航海、航空、邮政、渔业等协定。①

以上八条，后来成为中日复交谈判的基本内容，全部写入《中日联合声明》。在这次会谈中由周恩来总理提出的三项“默契协定”，在复交谈判时也得到日方的认可(见下文)。

在此期间，新上任的田中首相决定把自民党内的“中国问题调查会”改组为总裁直属机构——“日中邦交正常化协议会”，会长是前池田内阁外相、自民党外交调查会会长小坂善太郎。8月2日，该会正副会长会议作出了两项决定：(1) 实现日中邦交正常化；(2) 田中首相为了就日中邦交正常化的基本问题与中国政府交换意见，将在适当的时候访问中国。

但是，自民党内的“亲台派”却以“台湾问题”加以阻挠。8月3日，大平外相在自民党的常任干事会上，就田中内阁成立以来为推进中日邦交正常化所作的努力及政府的基本态度，向与会者作了说明。大平表示：“在与台湾继续保持‘外交关系’的前提下，日中双方很难就邦交正常化达成一致。”对此，“亲台派”首脑贺屋兴宣极其不满地言称：“台湾问题是极为重要的问题，不应该轻易做出‘断绝外交关系’的决断。”“光是中国方面提出许多原则，而我方却没有原则，这太不可思议了。”②其他的“亲台派”干事也纷纷发言，反对日本与台湾断交。他们的意见，归纳起来主要有以下三点：

(1) 如果日本与台湾断交，台湾方面必将采取报复措施，那时，中国能制止台湾吗?

(2) 断绝“国交”，只有在对方作出有损于国际信誉的事的情况下，才能够提出。如今，台湾方面并没有做出任何非礼之举，日本却

① 张香山：《中日关系管窥与见证》，当代世界出版社，1998年版，第11页。

② 田村重信、丰岛典雄、小枝义人：《日台断交与日中关系正常化》，南窗社2000年版，第159页。

主动放弃“中华民国”，这只能说是一种(对中国的)“下跪外交”。

(3) 政府打算全面屈服于中国吗？①

这说明在中日复交问题上，日本自民党内确有一批反对派。在发展现今的中日关系上，可谓也是如此。

8月15日，田中内阁对外公布，首相将应周恩来总理的邀请访问中华人民共和国。同一天，大平外相表示，如果日本与中华人民共和国就两国关系正常化达成协议，那么，日本与台湾的“国交”自然就断绝。第二天，台湾驻日“大使”彭孟缉就大平的“发言”，向日本政府提出抗议。大平回答说：“日中关系正常化是时代的潮流，我对不能继续维持与‘中华民国’的‘外交关系’感到非常痛心。”②大平的这一讲话，引起了台湾政界的攻击。

为了尽可能平息台湾方面的“怨气”，田中内阁决定选派自民党元老、曾任佐藤内阁外相的椎名悦三郎，作为“首相特使”，与台湾方面交涉“断交”事宜。

1972年8月22日，椎名接受田中的请求，出任自民党副总裁。第二天，他与田中会面，答应出任“首相特使”。

同年8月底，田中首相去夏威夷与尼克松总统举行会谈。9月1日，田中告诉尼克松：本月下旬，自己将亲自访华，以实现日中邦交正常化。而一旦与中华人民共和国实现邦交正常化，就不得不与台湾当局断绝“外交关系”。③

从夏威夷回国后，田中和大平加紧了实现中日邦交正常化的步伐。这样一来，向台湾派遣“首相特使”，交涉日台“断交”事宜，更是到了紧要关头。然而，台湾方面则因田中内阁决定与中国复交而耿耿于怀，拒不接受日方派遣特使。为了打开僵局，9月8日，日本外务省亚洲局副局长

① 田村重信、丰岛典雄、小枝义人：《日台断交与日中关系正常化》，南窗社2000年版，第160页。

② 田村重信、丰岛典雄、小枝义人：《日台断交与日中关系正常化》，第21页。

③ 松本彧彦：《台湾海峡的桥梁》，三弥井书店1996年版，第136页。

中江要介，打电话给自民党全国组织委员会委员长助理松本彧彦，让他以椎名特使秘书的身份赴台，说服台湾方面接受特使。

松本彧彦在佐藤内阁时期，曾任“日华青年亲善协会”(1967年成立)事务局长。该会是应台湾方面要求成立的，旨在加强日台青年交流。当时自民党青年局局长海部俊树、副局长西冈武夫、青年部长小渊惠三、学生部长桥本龙太郎，后来都是日本政坛人物。由这些人从事日台间的青年交流活动，足见当时佐藤内阁对日台关系的重视。

台湾方面对这种青年的交往也极为重视，时任“国防部长”、曾任“中国青年反共救国团”主任的蒋经国亲自挂帅，后来担任台湾“行政院长”的李焕和国民党要员宋时选负责具体领导工作。

9月10日，松本彧彦到达台北，第二天拜会“中国青年反共救国团”执行主任宋时选，在宋的引荐下，台湾“总统府”秘书长张群于12日接见松本。在会见中，松本向张群表明了他本次访台的目的：

> 最近，田中内阁成立后，马上着手与北京改善关系，目前日本政府正在全力以赴为此而做着准备。自民党内支持政府这一政策的势力也逐渐抬头。我国政府决定派椎名副总裁作为首相特使访问“贵国”，但至今仍没有得到“贵国”同意接纳的回复。这使自民党内支持“贵国”的派别逐渐陷入尴尬境地。假如“贵国”连特使都不予接受，那么势必在日本与“中华民国”之间产生不良影响，这自然也会妨碍我们双方之间青年一代的交往。其实，我国政府特使将会与“贵国政府”进行怎样的交涉、说什么样的话，作为我来说当然不得而知。但是不管双方“政府”之间的关系变得如何，今后我们青年一代的交往还是要继续发展的，至少我不希望我们之间产生感情隔阂，不欢而散。为此，还请“贵国政府”能够接受椎名特使来访。①

听了松本的话，张群直接用日语对松本说：

---

① 松本彧彦：《台湾海峡的桥梁》，三弥井书店1996年版，第144页。

我完全理解你刚才的讲话。我当年去日本求学的时候，比你现在还年轻。在日本，我结识了众多的日本青年，与他们成为好朋友。我的这一经历以及蒋介石总统的同样经历，对战后台湾与日本能保持良好关系具有很大影响。愿你们青年一代的交往不断发展。你所说的有关特使的事，我将认真考虑。①

得到国民党元老、蒋介石挚友张群的支持，第二天中午，台湾“外交部”便通知日本驻台大使馆：“外交部长”沈昌焕召见日本驻台大使宇山。沈昌焕首先向宇山通报，台湾方面决定接受日本政府派遣的特使。随后，向宇山递交了对日本政府的抗议声明。据松本彧彦后来著书记载，其具体内容是：

（一）“中华民国政府”尊重国际上的惯例，同意日本政府的申请。沈“外长”于今天 11 点 30 分召见日本大使宇山，向其传达了这一决定。

（二）在这次会见中，沈“外长”向宇山大使重申，以所谓日中邦交正常化为目的的日本政府的行为，是背信弃义的。它有损于日本与“中华民国”之间的关系和两国人民的友谊。

（三）沈“外长”还反复向宇山大使申明，“中华民国政府”对日本与中共接近的动向，表示坚决反对，并向日本政府提出强烈抗议。进而，沈“外长”表示，无论在什么情况下，“中华民国政府”都不会改变这一坚定立场。②

至此，台湾方面拒不接受特使的难题解决了。这次交涉的成功，固然有松本彧彦的对台关系，但台湾当局不愿因此与日本搞僵关系，应是同意接受日本特使的主要原因。

日本政府得到台湾接受特使的回答后，9 月 14 日再次召开内阁会

① 松本彧彦：《台湾海峡的桥梁》，三弥井书店 1996 年版，第 145 页。
② 松本彧彦：《台湾海峡的桥梁》，三弥井书店 1996 年版，第 146—147 页。

议，决定将椎名悦三郎以“首相特使”的身份派往台湾，并决定了随行的顾问团及随员人选。

9月17日，椎名一行到达台北。当天，反对椎名访台的市民，高举“椎名，滚回去！”的标语牌，来到松山机场。本来台湾正处于戒严令下，是禁止集会和游行的。但是，这一天却出现了政府支持下的“官方游行”。椎名一行走下飞机准备乘车离开机场时，出口被围得水泄不通，松本乘车上的“太阳旗”被市民撕碎，坐在助手席的松本险些头破血流。在警察的保护下，椎名一行才离开机场。

台湾当局对椎名一行的接待，也一改过去热情的礼节，甚至会谈后也没有以往必不可少的午餐会和晚餐会。

9月18日上午9点，椎名会见“外长”沈昌焕，11点会见“副总统”严家淦；下午会见“日华文化经济协会”会长何应钦，接着与沈昌焕进行第二轮会谈；翌日上午与“行政院长”蒋经国会面，下午与“总统府秘书长”张群会谈，并出席“中华民国”民意代表与日本国会议员座谈会。

19日上午，椎名与台湾“行政院长”蒋经国举行了大约2个小时的会谈。在这次会谈中，椎名首先就实现日中邦交正常化之后，日本与台湾继续维持所谓“历来关系”问题作了说明。他说：

> “在日中邦交正常化协议会的决议中，‘历来关系’这一含蓄的表述当中，也包含着外交关系，这在日中邦交正常化协议会的会议记录中，有明文记载。田中首相和大平外相几天之后去北京，也是基于这一决定进行谈判。如果双方谈不拢，他们将不向对方妥协，很可能会暂时回国，带着被协议会重新认可的新方案再赴北京。——协议会的这一决议，将作为号令三军的‘令旗’，鞭策访华的田中首相，使他沿着这条路线前进。”①

对于椎名的上述表态，蒋经国当然是不相信的。他询问椎名：“田中

①《与蒋行政院长的会谈》，第457号，绝密·特急，椎名特派大使。参见田村重信、丰岛典雄、小枝义人：《日台断交与日中关系正常化》，南窗社2000年版，第60页。

首相一定会遵照协议会的决议行事吗?"

椎名回答说:"协议会总会成立时,首相和外相都曾出席成立大会,在那次大会上首相致辞说,一定遵照协议会的意见。"

蒋经国进一步问道:"大平外相曾对台湾驻日'大使'说,日中邦交正常化实现之时,《日台和平条约》将被废除,这是怎么回事?"

对于这个关键性的提问,椎名回答:"我没有听到大平外相的这段原话,不好作评论。不过,我记得在别的场合他说过'理论上不能两立'。但有关这一点,首相并没有任何表态,只是明确表示将尊重协议会的决定,并执行决定的内容。从这些情况来看,当时大平外相也许讲的只是他个人的一种看法。"

蒋经国进一步追问:"无论如何,作为外务大臣和驻日'大使'之间的会谈,其观点不能不被认为是代表各自的政府。请你回国后一定查一查会谈纪录,搞清楚日本政府的真实意图。我们认为大平外相的这个发言,是'断交前的最后通牒'。"

对此,椎名在询问了宇山大使之后回答说:"当时的会谈记录是有的。据这个会谈记录记载,大平外相的原话好像是这样的:'我想,日中实现邦交正常化之后,《日台条约》将会失去其功能。'由此看来,大平外相并不是正式向'贵国大使'表明'不得不那样做,或准备那样做,请向贵国政府报告'这样的意思。因为,当时也不是说这种话的场合。大平外相是与关系亲密的大使会谈,可能是满怀忧虑地表达了自己的感想。不管怎样,当时并不是提出严正通告的那种场合。"

其实,蒋经国也非常清楚,中日恢复邦交后,日台间的"外交关系"很难继续维持。椎名一行来台湾,只不过使之避免太尴尬而已。因此,蒋经国在会谈的最后,只能以《我的意见》的形式,表明了以下观点:

(1) 日中正常化,不仅对当事者"中华民国"和日本造成混乱,也打乱了亚洲和世界的平衡。

(2)(我方的)大原则与宇山大使临时回国时我请他转达给贵国

政府的内容没有变化。

(3) 与日苏建交不同,中共是亚洲国家,处理不好,不仅对整个亚洲是个威胁,若“中共”的势力扩展到台湾海峡和马六甲海峡,对日本的经济活动也将构成威胁。

(4)《日华和平条约》是日本军阀失败后日华(指日台——引者注)友好的新的出发点。今后愿在此基础上发展友好关系。

(5) 日本曾经侵略过中国大陆,使7亿同胞受尽了苦难。现在若实现日中正常化,必将使这些同胞陷入长期受苦的境地,这是对他们的第二次犯罪。我们决不能坐视不管。

(6) 如果日中实现正常化,那就是继《日华条约》后的第二次投降。我们一定会“光复”大陆,到那时日本就成了第三次投降了。

(7) 在此,我代表“政府”严正声明:万一《日华条约》被废除,由此引起的一切责任应由日本方面承担。我们的立场是:无论出现什么样的困难,都会义无返顾地为了亚洲的和平走自己的路。为了维护这个权利,我们会采取一切措施。①

蒋经国的上述“意见”,对日本决定与中国实现邦交正常化表示强烈不满,这是意料中的。但所谓中国将会威胁亚洲、威胁台湾海峡,却恰好与日本某些人“台湾海峡是日本的生命线”的论调不谋而合。

进而,椎名在与台湾方面“民意代表”的座谈会上,再次就中日实现邦交正常化后,日台之间保持“历来关系”作了说明。他说:

众所周知,去年,联合国正式承认“中共”为中国的代表。基于这种情况,我国政府正在想方设法与“中共”恢复外交关系。这样一来,毫无疑问就会涉及到如何处理与“贵国”的关系——这一最为重要的问题。关于这个问题,在当今日本政府的执政党——自民党内已经讨论过多次,但党内意见很难统一。经过很长一段时间的激烈

---

①《与蒋行政院长的会谈》,第457号,绝密·特急,椎名特派大使。参见田村重信、丰岛典雄、小枝义人:《日台断交与日中关系正常化》,南窗社2000年版,第60—63页。

> 争论，终于在一周前就这一问题作出了决议。根据这一决议，日本政府考虑到与“贵国——中华民国”历来的亲密关系，决定与“贵国”继续发展各方面的历来关系，在此基础上进行邦交正常化的谈判。
>
> 所谓“维持历来关系”，是一个非常含蓄的表述。对于这一表述，在日中邦交正常化协议会上，各位委员也曾进行过激烈的争论，争论的结果是，所谓“历来关系”，即包括外交关系在内的其他所有关系，都维持历来的状态，在这一前提下，进行两国间的交涉。①

椎名的发言，得到了与会“民意代表”的掌声。然而，他的这个发言，却引起了中国政府的重视。当天晚上，周恩来总理从广播中得到这一消息后，连夜召见正在北京访问的日本自民党日中邦交正常化协议会会长小坂善太郎，指出椎名的发言，表明日本政府仍然坚持“两个中国”的立场。如果这样，中日邦交正常化就无从谈起。

9 月 19 日下午，椎名一行从台北飞回日本。在羽田机场未下飞机时，外务省亚洲局局长吉田健三就进入机舱，向椎名通报了北京方面的反应。他对椎名说，由于他在台北的上述发言，今后会惹出许多麻烦。而椎名却一反常态地对吉田说：“谁要你来多嘴？”②

在椎名看来，自己有关日本与台湾保持“历来关系”的发言，基本上是没有错的。因为自民党在日中邦交协议会上作出的决议是这样的：“政府特别考虑到与‘中华民国’的密切关系，认为应当在充分考虑继续维持‘历来关系’的前提下，进行日中邦交正常化的交涉”。在这项决议中，并没有写明“‘历来关系’中不包括外交关系”。

据日本学界研究，椎名在接受“赴台特使”重任之后，曾与大平外相见过一面。他询问大平：有没有一个既不与台湾“断交”又能与大陆复交的两全其美之策。大平对椎名说：“既然选择一方，就不得不与另一方绝

---

①《与蒋行政院长的会谈》，第 457 号，绝密·特急，椎名特派大使。参见田村重信、丰岛典雄、小枝义人：《日台断交与日中关系正常化》，南窗社 2000 年版，第 64—65 页。

② 田村重信、丰岛典雄、小枝义人：《日台断交与日中关系正常化》，南窗社 2000 年版，第75 页。

交。朝鲜半岛是这样，德国和越南也是这样。与处于分裂状态的国家交往，除此之外，别无他法。”①

也就是说，大平已向椎名明确表示，日中邦交正常化谈判的关键是对台湾问题的态度，在这个时候，如果日本政府表明试图要维护与台湾的实质性关系，那么，日中邦交正常化就难以实现。如此看来，椎名完全知道日本政府“既与中国复交，必与台湾‘断交’”的这一态度。

椎名在台湾作出维持包括“外交关系”的发言，这有两种可能性。一是椎名的一贯立场，使之在这个问题上，利用了自民党日中邦交协议会决议的含糊；二是作为政治家的外交手腕，如果椎名在台湾也像大平那样，向台湾方面表明中日实现邦交正常化时，日本必须与台湾断绝“外交关系”，势必引起更大的麻烦，进而刺激国内的亲台派势力。

台湾“亚东关系协会”会长林金茎在《战后史开封》一书中写道：

> 尽管我们抱有危机感，但没有想到会“断交”。我们原以为，只要日本与台湾保持着“外交关系”，“中共”就不会同意与日本实现关系正常化。这样一来，日中复交谈判就会破裂。没想到竟陷入“中共”的圈套。假如当时我们把通过台湾海峡的日本运输船，哪怕拦截一、二次的话，田中就去不成北京了。这种对日强硬措施，当时是完全可以实施的，而且在“政府”内部和“立法院”也都讨论过这样的问题。但是，总务会的决定和椎名先生的发言，使我们失去了以强硬手段阻止田中访华的机会。②

1972 年 9 月 25 日，日本首相田中角荣一行登上飞往北京的专机。当田中首相、大平外相和二阶堂官房长官及其 52 名随行人员离开羽田机场时，不仅受到日本政府及自民党干部的欢送，而且各在野党的干部

① 公文俊平等监修：《大平正芳其人与思想》，1990 年版。参见田村重信、丰岛典雄、小枝义人：《日台断交与日中关系正常化》，南窗社 2000 年版，第 165—166 页。

② 日本产经新闻社编：《战后史开封》，见田村重信、丰岛典雄、小枝义人：《日台断交与日中关系正常化》，第 168 页。

也来送行，这种场面是1956年鸠山一郎访苏以来的第一次。

同日上午11点半（北京时间），田中首相一行抵达北京机场，受到以周恩来总理为首的50多名政府官员的热烈欢迎。当日的北京秋高气爽、阳光明媚。然而，在田中和大平踏上中华人民共和国土地之前，他们所走的路却并不是一片阳光。因为在日本国内，围绕日中邦交正常化问题，左右两翼势力一直在进行着激烈的交锋，其焦点就是“台湾问题”。

自田中担任首相、宣布为了实现日中邦交正常化将赴北京访问之后，日本的“亲台派”和右翼团体就加紧了威胁和抗议活动。右翼团体的宣传车每天都在田中官邸和事务所周围，打着写有“国贼，田中角荣”字样的标语进行示威。在自民党内田中遇到的阻力也不小。岸信介、滩尾弘吉和椎名悦三郎等，对日中邦交正常化均持反对意见，福田赳夫则认为时候尚早，以驻美大使牛场信彦为首的外务省官员也不听田中指挥，最后，田中不得不罢免了牛场的职务。即便这样，在田中一行访华的当天早晨，外务省的官员仍驱车来到羽田机场，恳求“这次访华与对方交换交换意见即可，千万不要做最终的决定。”①

大平正芳担任田中内阁的外相以来，也不时地受到“亲台派”右翼势力的威胁。大平在离开羽田机场时，把一位秘书叫到身边说：“万一这次谈判失败，我可能再也回不到日本来了。另外，我也有可能因这次谈判而遇到不测，家里的事就拜托你了。”②《大平正芳其人与思想》一书的作者指出：“大凡致力于关乎国家命运的重大事件的政治家都会这样做，大平也不例外，他是拿自己的生命作赌注来进行这次谈判的。”③

在日本国内，恢复中日邦交斗争的焦点是台湾问题；在北京的谈判

---

① 田村重信、丰岛典雄、小枝义人：《日台断交与日中关系正常化》，第168—169页。

② 田村重信、丰岛典雄、小枝义人：《日台断交与日中关系正常化》，第169—170页。

③ 公文俊平等监修：《大平正芳其人与思想》，见田村重信、丰岛典雄、小枝义人：《日台断交与日中关系正常化》，第170页。

桌上,交涉的核心也是台湾问题。

9月25日下午2点55分,中日两国首脑在人民大会堂安徽厅开始举行第一次会谈。田中首先发言说:

“日中邦交正常化的时机成熟了。我们衷心希望这次访华能够获得成功,使日中两国实现邦交正常化。日中邦交正常化问题之所以一直拖到今天,就是因为日本与台湾的关系。日中邦交正常化的结果,将自动解除日台之间的“外交关系”。但是对一些现实问题,还必须认真对待。如果处理不好这些问题,在(日本)国内就会引起麻烦。实现日中邦交正常化之时,必须充分考虑对台湾的影响。”①

大平接着说:

“希望日中邦交正常化能够有利于我国国内局势的安定。为此,有两个问题需要解决。其一是《日台和平条约》的问题。中国方面认为它是非法的和无效的,我们充分理解中方的这一立场。但是,这个条约是经国会表决、由政府批准的。如果日本政府赞同中国方面的见解,那么,日本政府必须承担过去20年来一直在欺骗日本国民和国会的责任。因此日本方面认为,《日台和平条约》是在日中邦交正常化实现之时完成了其历史使命,这一点还希望得到中国方面的理解。其二是与第三国的关系问题。即日中国邦交正常化的实现,不应影响日本与美国的关系。”②

周恩来总理在发言中没有对田中和大平的发言作具体回答,而是宏观阐述了中国政府对实现中日邦交正常化的态度。他说:

“正如田中首相所言,中国政府也希望中日邦交正常化一气呵

① 日本外务省亚洲局中国课解密文件:《日中邦交正常化交涉纪录—田中总理、周恩来总理会谈纪录(1972年9月25日—28日)》(以下简称《日中邦交正常化交涉纪录》),第1页。

② 日本外务省亚洲局中国课解密文件:《日中邦交正常化交涉纪录》,第1—2页。

成。中日两国应在邦交正常化的基础上，世世代代和平、友好地相处。中日复交不仅有利于两国人民，而且对缓和亚洲的紧张局势、维护世界和平都有积极的意义。同时，中日关系的改善，不应该是排他的。（中日邦交正常化）不涉及日美关系，这是日本的问题。因为台湾海峡的事态正在发生变化，条约（《日美安保条约》《美台共同防卫条约》）本身的作用也在发生变化。台湾问题不允许苏联介入，这一点，中、美、日三国是有共同点的。中国方面希望，今天的会谈不涉及《日美安保条约》和《美台共同防卫条约》，日美关系是你们的事，中国不干涉内政。"①

9月25日晚6点半，周总理在人民大会堂举行宴会，欢迎田中首相及其一行访华。周总理在祝酒辞中说：

"田中首相来我国访问，揭开了中日关系史上新的一页。在我们两国的历史上，有着2000年的友好往来和文化交流，两国人民结成了深厚的友谊，值得我们珍视。"

"田中首相就任以后，毅然提出新的对华政策，声明要加紧实现同中华人民共和国的邦交正常化，表示能够充分理解中国方面提出的复交三原则，并且为此采取了实际步骤。中国政府本着一贯立场，作出了积极的响应。实现两国邦交正常化已经有了良好的基础。促进中日友好，恢复中日邦交，是中日两国人民的共同愿望。现在是我们完成这一历史性任务的时候了。"

"首相阁下，你来华之前说，两国会谈能够达成协议，也必须达成协议。我深信，经过我们双方的共同努力，充分协商，求大同、存小异，中日邦交正常化一定能够实现。"②

接着，田中首相致答辞：

---

① 日本外务省亚洲局中国课解密文件：《日中邦交正常化交涉纪录》，第2—4页。

② 田桓主编：《战后中日关系文献集1971—1995》，中国社会科学出版社1997年版，第103—104页。

"这次,我能够应周恩来总理阁下的邀请,以日本国总理大臣的身份,踏上我国邻邦中国的土地,感到非常高兴。这次访问,我是由东京直飞北京的,我再一次深深感到日中两国是一衣带水的近邻。两国不仅在地理上如此相近,而且有着长达2000年丰富多彩的交往的历史。"

"然而,遗憾的是,过去几十年之间,日中关系经历了不幸的过程。其间,我国给中国国民添了很大的麻烦,我对此再次表示深切的反省之意。第二次大战后,日中关系仍继续处于不正常、不自然的状态,我们不得不坦率地承认这个历史事实。"

"但是,我们不能永远沉沦在过去的暗淡的死胡同里。我认为,现在日中两国的领导人为了明天进行会谈是重要的。为了明天进行会谈,也就是为了亚洲乃至世界和平和繁荣这一共同的目标,进行坦率而有诚意的会谈。我这次前来此地,正是为了这一目的。我们愿意同伟大的中国及其国民之间能够建立起友好睦邻关系,两国能够一面互相尊重对方同其友好国家的关系,一面为亚洲乃至世界和平和繁荣作出贡献。"①

当时,与会者礼貌地倾听田中首相的致辞,但当听到田中首相讲到"我国给中国国民添了很大的麻烦"时,却使与会者表示了不满和遗憾。

9月26日上午10点20分,两国外长在人大会堂举行会谈。在这次会谈中,日本外务省条约局局长高岛益郎就日方对中方提出的"复交三原则"的立场作了说明。他说:

"对于第一条'中华人民共和国是代表中国的唯一合法政府',日本方面没有异议;对于第二条'台湾是中华人民共和国领土不可分割的一部分',由于日本在旧金山媾和时已经放弃了对台湾的领有权,所以日本政府对此无从表态;对第三条'《日台条约》是非法

① 田桓主编:《战后中日关系文献集1971—1995》,中国社会科学出版社,1997年版,第105页。

的、无效的,应予废除',日本政府不能承认。日本曾于昭和27年〔1952年〕4月缔结过《日台条约》,若抹杀这一事实,日本外交将失去连续性。这个时候,《日台条约》应当只是'自然消失'"。①

进而,高岛表示,日本政府认为,中日之间的战争状态已经因《日台条约》的缔结而终结,赔偿问题也已经得到解决。②

从高岛的上述发言中可以看出,日本政府在与中国进行邦交正常化谈判时,仍然存在"两个中国"或"一中一台"的立场问题。

9月26日下午,中日两国总理举行第二次会谈,周恩来代表中国政府,针对田中首相"添了麻烦"的说法指出:"由于战争的原因,几百万中国人失去了生命,日本所受的损失也是很大的。田中首相所讲'对过去的不幸事件进行反省',这种观点我们是可以接受的。但是,田中首相所讲的'给中国国民添了麻烦'这句话,引起了中国人民的反感。因为在中国,'添了麻烦'只用于很小的事情。"③

对于《日台条约》,周总理说:"如果在中日建交问题中掺入《日台条约》和《旧金山条约》,问题就变得难以解决了。因为如果承认这两个条约,那么,蒋介石就成了正统政府,而我们就变成非法的了。所以,(中日复交谈判)应在充分理解中国政府提出的'复交三原则'的基础上,也要考虑到日本政府所面临的困难。"④

针对高岛益郎所谓"赔偿问题已经得到解决"的说法,周总理指出:"日本外务省说,因为蒋介石放弃了赔偿,所以中国就没有必要再提出放弃了。听到这话,我们非常震惊。蒋介石是在逃到台湾后,而且是在《旧金山和约》签订之后,对日本提出放弃赔偿的。这是慷他人之慨,因为受到战争损害的是大陆。我们知道赔偿所带来的痛苦,我们不想把这个痛苦转嫁给日本人民。我们是考虑到田中首相提出愿意访华,并决心解决

① 田村重信、丰岛典雄、小枝义人:《日台断交与日中关系正常化》,南窗社2000年版,第173页。

② 田村重信、丰岛典雄、小枝义人:《日台断交与日中关系正常化》,南窗社2000年版,第173页。

③ 日本外务省解密文件:《日中邦交正常化交涉纪录》,第5页。

④ 日本外务省解密文件:《日中邦交正常化交涉纪录》,第5页。

中日邦交正常化问题，为了中日两国人民的友好，才考虑放弃赔偿的。如果认为蒋介石已经放弃了，我们就没有必要放弃了，这是对我们的污辱，我们决不能接受。”①

对此，田中首相说：“非常感谢周恩来总理有关放弃赔偿的发言。我对中国政府不计前怨的立场深表钦佩，对中国方面的态度表示感谢。不过，日本方面还面临着国会和执政党内部的一些问题。但无论如何，我们都决心克服一切困难，实现邦交正常化。”②

周总理说：“在我国，也有少数人反对中日邦交正常化。他们也曾反对过中美关系正常化，林彪就是这样的人。另外，我们也需要向人民解释，不教育人民，就难以说服深受‘三光政策’之害的大众。”③

9 月 27 日下午 4 点 20 分，周总理和田中首相开始进行第三次首脑会谈。这次会谈的主题是国际问题，最后也谈到了台湾问题。

9 月 28 日下午，周总理与田中首相举行第四次，也是本次田中访华最后一次首脑会谈。一开始，周总理就说：“今天想谈谈台湾问题。”他说：“关于台湾问题，想听听日本方面的意见。我在 1924 年就认识了蒋介石，与国民党也有过两次合作，还打过两次。50 岁以上的国民党要人我都认识。今天是秘密会谈，请随便谈谈。”④

接着，大平外相拿出日方拟就的《日中邦交正常化之后的日台关系》，一字一顿地宣读开来。现将部分内容摘录如下：

> 日中邦交正常化实现之后，现在统治着台湾的“政府”与我国政府之间的外交关系将自然解除。但是，日本政府不能无视日台之间业已存在的多方面的交流这一事实，以及日本国民对台湾所抱有的同情。日本政府今后将不坚持“两个中国”立场，也不考虑支持“台

① 日本外务省解密文件:《日中邦交正常化交涉纪录》，第 5—6 页。
② 日本外务省解密文件:《日中邦交正常化交涉纪录》，第 8 页。
③ 日本外务省解密文件:《日中邦交正常化交涉纪录》，第 12 页。
④ 日本外务省解密文件:《日中邦交正常化交涉纪录》，第 26 页。

湾独立运动”。对台湾不抱任何野心。这一点请相信日本政府。①

周总理说：

据说明天(29日)签字仪式后，大平外相将在记者招待会上宣布断绝日台“外交关系”，对此，我们表示欢迎。我们感谢田中、大平两位遵守信义，中国方面也一定说到做到。中国有句话叫做“言必信，行必果”。希望今后中日之间能够树立一种新的关系。②

田中首相说：

我们是下了巨大的决心来中国访问的，明天大平大臣在记者招待会上，将把台湾问题作一个明确的了断。明天大平大臣的记者招待会，自民党内可能会有人认为这是违反党的决议。但我是政府总理，同时也是党的总裁，我有权最后拍板。③

当周总理谈了对台湾政界现状的看法之后，田中再次强调了日本国内的困难。他说：“在台湾问题上，日本国内、特别是自民党内问题最多。我在来华访问之前，向佐藤前总理通报了我的想法，他非常理解我。有关日本与台湾的关系，是考验我和大平政治能力的问题。但为了日中两国长远的利益，对这点困难还是有思想准备的。”④

周总理说：“但凡干一点事情，必然会有人反对。”⑤

田中首相一行在中国期间，除了上述政府首脑会谈外，两国外长还举行过三次正式会谈和一次非正式会谈。

9月27日晚，毛泽东主席在中南海会见了田中首相、大平外相和二阶堂官房长官等日本客人。

9月29日上午，两国领导人在人民大会堂签署了《中日联合声

① 日本外务省解密文件：《日中邦交正常化交涉纪录》，第27页。

② 日本外务省解密文件：《日中邦交正常化交涉纪录》，第30页。

③ 日本外务省解密文件：《日中邦交正常化交涉纪录》，第30—31页。

④ 日本外务省解密文件：《日中邦交正常化交涉纪录》，第33页。

⑤ 日本外务省解密文件：《日中邦交正常化交涉纪录》，第33页。

明》。其中记载了“日本方面痛感日本国过去由于战争给中国人民造成的重大损害的责任，表示深刻的反省。日本方面重申站在充分理解中华人民共和国政府提出的‘复交三原则’的立场上，谋求实现日中邦交正常化这一见解。中国方面表示欢迎”等，并记载了以下九条内容：

(一) 自本声明公布之日起，中华人民共和国和日本国之间迄今为止的不正常状态宣告结束。

(二) 日本国政府承认中华人民共和国政府是中国的唯一合法政府。

(三) 中华人民共和国政府重申：台湾是中华人民共和国领土不可分割的一部分。日本国政府充分理解和尊重中国政府的这一立场，并坚持遵循《波茨坦公告》第八条的立场。

(四) 中华人民共和国政府和日本国政府决定自 1972 年 9 月 29 日起建立外交关系。两国政府决定，按照国际法和国际惯例，在各自的首都为对方大使馆的建立和履行职务采取一切必要的措施，并尽快互换大使。

(五) 中华人民共和国政府宣布，为了中日两国人民的友好，放弃对日本国的战争赔偿要求。

(六) 中华人民共和国政府和日本国政府同意在互相尊重主权和领土完整、互不侵犯、互不干涉内政、平等互利、和平共处各项原则的基础上，建立两国间持久的和平友好关系。

根据上述原则和联合国宪章的原则，两国政府确认，在相互关系中，用和平手段解决一切争端，而不诉诸武力和武力威胁。

(七) 中日邦交正常化，不是针对第三国的。两国任何一方都不应在亚洲和太平洋地区谋求霸权，每一方都反对任何其他国家或国家集团建立这种霸权的努力。

(八) 中华人民共和国政府和日本国政府为了巩固和发展两

国间的和平友好关系，同意进行以缔结和平友好条约为目的的谈判。

（九）中华人民共和国政府和日本国政府为进一步发展两国间的关系和扩大人员往来，根据需要并考虑到已有的民间协定，同意进行以缔结贸易、航海、航空、渔业等协定为目的的谈判。①

《中日联合声明》对有关结束两国的战争状态，使用了结束"不正常状态"的表述，并在开始部分写明："两国人民切望结束迄今存在于两国间的不正常状态。战争状态的结束，中日邦交的正常化，两国人民这种愿望的实现，将揭开两国关系史上新的一页。"

对过去战争的反省，由于中国方面的坚持，日本方面放弃了"添麻烦"一词，改为"造成损害"。

关于"复交三原则"，在中国政府向日本政府提出的《中日联合声明草案大纲》中，将其写入了"正文"第二条，具体表述为："日本政府充分理解中华人民共和国政府提出的'中日复交三原则'，承认中华人民共和国政府是代表中国的唯一合法政府。"②但日本方面对此提出异议，认为没有必要在叙述了日本政府对包括承认问题在内的"复交三原则"的立场之后，再具体言及承认问题。日本方面认为，在这一条中，只叙述承认问题就足够了。③

日本方面对中方草案的这一修正，把"复交三原则"内容删掉两项，在中国方面据理力争下，增加了《声明》中的第三条。至于对《日台条约》的处置，中方照顾日方的实际困难，决定不在《中日联合声明》中表示，而是在《中日联合声明》签署之后，由日本外务大臣大平正芳在记者招待会上宣布：日本与台湾断绝"外交关系"，《日台条约》宣告结束。

此外，考虑到日本方面的实际情况，没有把有关台湾问题的事项全

---

① 见田桓主编：《战后中日关系文献集》(1971—1995)，第111页。

② 日本外务省亚洲局中国课解密文件：《日中共同声明文案大纲》P. A。

③ 日本外务省亚洲局中国课解密文件：《日中共同声明日本方面草案的说明》，第1页。

部写入《中日联合声明》中，中日双方对此达成"默契协定"，其内容如下：

一、台湾是中华人民共和国的领土，解放台湾是中国的内政问题；

二、《中日联合声明》发表之后，日本政府将从台湾撤出其使领馆，同时，采取有效措施，关闭蒋介石集团（或称台湾）的使领馆；

三、对战后日本的团体和个人在台湾投资和经营的企业，当台湾解放时应给予适当的照顾。（当然是指中国方面给予适当的照顾）。①

《中日联合声明》签署之后，日本外相大平正芳在北京中央民族文化宫举行了记者招待会。他向中外记者介绍了刚刚签署的《中日联合声明》，并回答了记者提出的问题。在谈到台湾问题时，大平说：

"日本政府对于台湾问题的立场，已经在第三条中作了明确表述。《开罗宣言》规定将台湾归还中国，而日本接受了继承上述《宣言》的《波茨坦公告》，其中第八条有'《开罗宣言》之条件必将实施'的明文规定，按照我国承诺了《波茨坦公告》这一原委，日本政府坚持遵循《波茨坦公告》的立场是理所当然的。"②

对于《日台条约》和今后的日台关系，大平外相也作了说明：

"在《联合声明》中虽然没有触及，日本政府的见解是，作为日中邦交正常化的结果，《日华和平条约》(即《日台条约》—本书注)已失去了存在的意义，并宣告结束。""作为日中邦交正常化的结果，台湾和日本将不能继续维持'外交关系'。因此，处理善后事务所需要的时间一旦结束，就将不得不关闭在台湾的日本大使馆。"③

当天上午9点，日本外务省事务次官法眼晋作通知台湾驻日本"大

① 日本外务省亚洲局中国课解密文件：《日中共同声明文案大纲》P. D.

② 田桓主编：《战后中日关系文献集 1971—1995》，第112页。

③ 田桓主编：《战后中日关系文献集 1971—1995》，第113页。

使"彭孟缉：上午11点，中日两国政府将发表《中日联合声明》，宣布结束日中之间的不正常状态。同时，日本与中华人民共和国建立外交关系，并互换大使。他说：

"由于'国民政府'和北京政府都坚持'一个中国'的立场，在这种情况下，日中邦交正常化之后，日华（指日本与台湾——本书注）间的'外交关系'就不能维持了。但是，作为日本政府来说，只要'国民政府'不持异议，愿意在可能的情况下，与台湾继续维持诸如民间范围内的贸易和经济关系这样的实务关系。为此，希望'国民政府'能充分保护在台日本国民的生命财产的安全。另外，日本政府重申，我们将对滞留在我国的台湾方面的中国人予以充分保护。"①

同一天，台湾"外交部"发表声明，宣布与日本政府断绝"外交关系"。声明说："鉴于日本政府无视条约义务的背信弃义行为，'中华民国政府'在此宣布，断绝与日本政府的'外交关系'。对于这一事态的发生，日本政府应负完全责任。"②

9月30日上午，田中首相一行从上海回到东京，实现了中日邦交正常化的目的。

客观地说，中日复交谈判是成功的。这是两国领导人本着着眼大局、求同存异的精神，相互理解、共同协商的结果。然而，在中日复交谈判过程中，也留下了一些遗憾，甚至可以说是隐患。如，中国政府提出的"中日复交三原则"，是完整的复交原则。但日本方面却不愿明确表示同意，或以"难向国会交代"为由，拒绝承认《日台条约》是非法的、无效的；即便"台湾是中华人民共和国领土不可分割的一部分"，写入了《中日联合声明》的第三条，但日本政府也只是对中国政府这一立场表示"充分理解和尊重"，并没有明确表示"承认"。这无疑为后来的中日关系留下了阴影。

---

① 田村重信、丰岛典雄、小枝义人：《日台断交与日中关系正常化》，南窗社2000年版，第179页。
② 田村重信、丰岛典雄、小枝义人：《日台断交与日中关系正常化》，第180页。

当然,从中日两国政府达成的“默契协定”来看,对台湾问题的处理,应当说接近“圆满”。特别是第一条:“台湾是中华人民共和国的领土,解放台湾是中国的内政问题”,这与中国政府的立场完全一致。但“默契协定”毕竟是“默契协定”,它所承担的国际义务及得到国际认同的程度,与两国政府正式签署、公开发表的《联合声明》不能同日而语。事实证明,《中日联合声明》发表之后,台湾问题乃是两国关系中的敏感问题和“麻烦”。这说明日本政府没有把中日复交时达成的“默契协定”,当作约束行为的准则。

2 中日关系的发展与“台湾问题”

中日邦交正常化之后,根据《联合声明》的精神,开始着手签订《联合声明》中所规定的各种条约和协定。

1974 年,随着中日两国《贸易协定》《航空协定》和《海运协定》的签订,两国政府开始酝酿缔结《中日和平友好条约》。

1974 年 9 月 26 日,中国外交部副部长乔冠华,正式向日本外相木村俊夫提出尽早缔结《中日和平友好条约》的提案。11 月 13 日,外交部副部长韩念龙与日本外务次官东乡文彦就缔结《中日和平友好条约》问题,在东京举行第一次预备会议。从此,拉开了中日缔约和平友好条约的谈判序幕。

1974 年 12 月 9 日,三木武夫组阁,接替 11 月 26 日辞职的田中角荣,担任日本第 66 届内阁首相。这样,中日缔约的任务就落在了三木内阁的肩上。

与中日复交时一样,对于中日签订《和平友好条约》,台湾当局也千方百计地进行阻挠。1973 年中日两国进行《航空协定》谈判时,台湾当局就发表声明称,如果日本在空运方面不与台湾合作,那么当日本飞机经过台湾上空时,将被视为不明飞行物处理。1974 年 4 月,《中日航空协定》签订时,台湾当局再一次发表声明,抗议日本与台湾断航。1975 年,在台湾当局的多方压力下,日本“交流协会”与台湾“亚东关系协会”在台北签订《民航协定》,日本与台湾复航。①

战后,日本与台湾当局建立了多方面的密切联系。中日复交之后,日台之间虽然断绝了"外交关系",但实际上,日台的政治交往并没有完全停止而经济关系则在"政经分离"的幌子下,较之过去更有发展。维系日台这种"实质关系"的,是日台"断交"后行使"大使馆"职能的"亚东关系协会"和"交流协会"。

与此同时,日本国内的亲台势力也与台湾当局一唱一和,极力反对中日进行缔约谈判。"日华(台)关系议员恳谈会"和"青岚会"成员与民间右翼势力串通一气,多次发动遏制缔约谈判活动,并向积极从事日中友好事业的人士施加压力,甚至扬言如果大平正芳不改变对华政策,便将对其提出不信任案等等。②

在阻挠中日缔约谈判的活动中,亲台的极右组织"青岚会"起到了"急先锋"作用。它不仅联络自民党内及社会上的亲台势力,进行各种抵制中日缔约的活动,甚至提出日本政府缔约谈判的四个条件,扬言如果得不到满足,就不承认缔约谈判是外交谈判。"青岚会"提出的四个条件是:

(一) 谋求保全台湾的地位;

(二) 在"反霸条款"问题上,要确立日本的立场;

(三) 要确认尖阁列岛(即我钓鱼岛群岛)是日本领土;

(四) 要确认《中苏友好互助同盟条约》在形式上和实质上都已经消失。③

除了日本"亲台派"和台湾当局的阻挠外,在是否应将"反霸条款"写入条约的问题上,中日两国也存在着严重分歧。中方认为,既然"反霸条款"已经写入《中日联合声明》,而且今后两国仍需照此执行,那么将它写

① 田桓主编:《战后中日关系史》(1945—1995),中国社会科学出版社 2002 年版,第 306 页。

② 田桓主编:《战后中日关系史》(1945—1995),第 307 页。

③ 田桓主编:《战后中日关系史》(1945—1995),第 307 页。

入《中日和平友好条约》也就是顺理成章的事。但日方却起初表示"霸权"这个词语是"生疏"的、"不习惯"、不能用；继而又说条约是关于两国关系的，不能涉及和针对第三国。这是 1975 年 1—5 月，中日两国政府进行了 20 轮谈判，均无果而终的一大原因。

日方所以在缔结和平条约谈判中态度如此消极，一方面是自民党内"亲台派"拖后腿，另一方面也是三木首相优柔寡断的性格所至。此外，还有一个重要原因就是受到苏联方面的严重干扰。

1975 年 2 月 3 日，苏联驻日大使特罗扬诺夫斯基拜会椎名悦三郎，对日本政府与中国商谈签订条约表示强烈不满，并"希望《日中和平友好条约》不要对苏联产生不良影响。"随后，苏联外长葛罗米柯约见日本驻苏大使，声称条约写入"反霸条款"就是反苏。①

2 月 14 日，特罗扬诺夫斯基拜会三木首相，递交了苏联领导人勃列日涅夫写给三木首相的亲笔信，意在阻止日本与中国缔结和平条约，并督促日本与苏联签署《睦邻合作条约》。与此同时，苏联政府不断派出军舰、飞机侵犯日本领海、领空，在日苏有争议的北方领土举行大规模登陆演习，以行牵制。

在苏联的干预和威胁之下，日本政府对缔结中日和平条约的态度更加暧昧，并对"反霸条款"写入和平友好条约表现抵触。时任外务大臣的宫泽喜一在回忆录中写道：

> "日本最为担心的是，如果接受中国的主张，则会刺激与中国对立的苏联。"②

针对日方的消极态度，中国政府通过各种方式向日方表明立场。1975 年 4 月 16 日，邓小平在会见日本创价学会会长池田大作时说：

> 搞霸权就是要侵略、奴役、控制、欺辱别的国家。中国人民和日

① 张香山：《中日关系管窥与见证》，当代世界出版社 1998 年版，第 76 页。

② 冯昭奎：《对话：北京和东京》，新华出版社 1999 年版，第 85 页。

本人民接受反对霸权问题不应当存在困难。条约中写入反对霸权无非有两个含义:一是中日两国都不在亚太地区称霸。我们愿意用这一条来限制我们自己;至于日本,由于有历史渊源,写上这一条,对日本改善同亚太地区国家的关系是有益的、必要的;二是反对任何国家或国家集团在这个地区谋求霸权。现在的事实是,确有超级大国在这样做。

谈到日方的顾虑时,邓小平指出:日方反对在条约中写入“反霸条款”,是因为怕得罪美苏两个超级大国。其实“反霸条款”是美国人写进《中美上海公报》的。所以,说的清楚一点,是怕得罪苏联。难道中国人民、日本人民还愿意苏联在亚太地区谋求霸权吗?写了这一条,至少对你们解决北方领土问题有好处。①

1975年9月,中国外长乔冠华出席联合国大会时,宫泽喜一约见乔冠华,就“反霸条款”提出四条意见,这四条意见后来被称为“宫泽四原则”:

(1) 不仅在亚洲而且在全世界都要反对霸权;

(2) 反霸权不针对第三国;

(3) 反霸权不意味日中联合行动;

(4) 不接受与联合国宪章有矛盾的内容。②

针对“宫泽四原则”,乔冠华外长指出:反霸的含义是人所共知的,没有必要进行解释。如果对“反霸条款”附加许多说明和解释,就会失去“反霸条款”的精神实质,使其变得支离破碎。由于1972年的《中日联合声明》已写明不称霸和反霸的内容,日方不肯将反霸内容以条约的形式从法律上确定下来的做法,没有体现《中日联合声明》的精神,是从《联合声明》的一种倒退。进而,乔冠华表示,反霸应是中日双方的共同点,各

---

① 张香山:《中日关系管窥与见证》,第77页。

② 古泽健一:《昭和秘史:日中和平友好条约》,讲谈社1988年版,第22页。

自解释就不能成其为共同点了。而日方则说：中国方面好像还未理解日本关于条约的思路，在这种情况下日中恢复谈判是困难的，双方外长目前不可能互访，显示了日方不打算立即恢复谈判的态度。

鉴于这种情况，10月3日，中国领导人邓小平在会见来华的小坂善太郎时，严肃地指出：

"我们和许许多多日本朋友都希望早日缔约，但日本现政府却不大那么热心，像你一样，三木首相也是我们的老朋友，就我个人来说，难以理解三木首相实际上连《中日联合声明》的立场都不能坚持。""我不只一次地对日本朋友说过，中日关系要从政治角度考虑，不要从外交辞令、外交手法考虑。宫泽外相的话好像是从外交手法考虑，把球踢到中国方面来了。因为三木首相是我们的老朋友，我愿坦率地进言：希望他从政治角度考虑问题，看远一些。"①

小坂说，三木首相要他向中国领导人转达三点想法：

(1) 日本对中国的亲近感是很大的，同对苏联的是无法相比的；(2) 他希望签订《日中和平友好条约》，不要留下隔阂；(3) 双方对"反霸条款"的理解如果能够一致，那么就能找到在条约中如何处理这一问题的途径。

邓小平说：

"这次在纽约，宫泽外相向乔外长讲了类似的话，乔外长已正式答复了。现在双方的立场都很清楚，就是个决断问题。日本某些外交家说，条约还要由政府来搞，现在看来，还是需要民间的推动。比如阁下就可以做很多工作。"②

同年11月中旬，中国政府收到三木首相和宫泽外相共同商议的条约草案，日方表示同意重开谈判。但是，进入1976年以后，周恩来总理、

① 张香山：《中日关系管窥与见证》，第78—79页。

② 张香山：《中日关系管窥与见证》，第79页。

毛泽东主席相继去世，邓小平又一次被剥夺了工作权利。

1976 年 10 月，“四人帮”被打倒，中国政局出现动荡；三木内阁也利用“洛克希德事件”，同田中派系进行权力斗争。这样，两国缔结和平条约问题被搁置下来了。同年 12 月，三木首相在大选中败北，三木内阁最终没有完成缔结《中日和平友好条约》的使命。

邓小平在谈到这个问题时指出：

“谈判拖延的原因，不是由于我国，也不是由于日本人民。至于田中首相和大平外相所作出的努力，我们予以积极的评价。困难是由一小撮人造成的。他们是岸信介、佐藤荣作、椎名悦三郎以及青岚会等这些鹰派和‘台湾帮’，他们从台湾得到好处，死抱住台湾不放。此外还有那些仍然抱着军国主义思想的人。”①

1976 年 12 月 24 日，福田赳夫接替三木武夫当选为日本首相。福田首相自称是“扫除大臣”，意思是说要把田中、三木内阁遗留下来的许多悬案扫除干净。其中包括缔结《中日和平友好条约》。

福田赳夫在战时曾任汪精卫伪政府的“经济顾问”，20 世纪 60 年代任佐藤内阁的外相，曾协助佐藤荣作推行亲台反共政策，是一个被视为“亲台派”的鹰派政治家。1972 年，福田派的 80 名“亲台派”议员，在田中角荣访华前夕，还对中日复交进行阻挠。不过，福田赳夫上台伊始，却对缔结《中日和平友好条约》表现出积极的姿态。他多次表示要遵照《中日联合声明》的精神，尽快进行缔结《和平友好条约》的谈判。

然而，福田首相在缔约问题上却迟迟拿不出具体行动来，与其“表态”很不相符。这种姿态激起了致力于日中友好事业的各界人士的不满。于是，开始发动要求福田内阁迅速缔约的国民运动。

1977 年 3 月 11 日，日本各界友好人士成立“《日中和平友好条约》推进委员会”；3 月 21 日，日中友好议员联盟召开全体会议，并通过决议要

① 张香山：《中日关系管窥与见证》，第 73 页。

求政府迅速缔结《日中和平友好条约》。6月6日，日本社会党向众议院提出了促进缔约的决议案。

同年7月中旬，邓小平恢复原来担任的党政军领导职务。9月，邓小平在会见新上任的日中友好议员联盟会长滨野清吾时指出：

> "福田先生过去的立场我们是了解的，既然他声明要搞这件事(指缔结《中日和平友好条约》)，我们期待他在这方面作出贡献。当然他工作繁忙，此事也牵涉多方面。其实，这样的事只要一秒钟就能解决，所谓一秒钟，只是两个字：签订。"①

这一谈话传到日本后，进一步激发了日中友好人士的热情，9月29日，日中协会、日中友好议员联盟、总评等43个团体在东京日比谷公园会堂举行"促进条约国民大会"。在这次集会上，滨野清吾根据邓小平谈话的精神指出：拥有和平宪法的日本拒绝霸权，是理所当然的，政府应该立即决断。日本社会党委员长成田知已等许多政治家也在会上作了发言。最后，这次大会通过决议，认为缔结《日中和平友好条约》已经取得了国民的同意，问题在于福田首相的决断，政府应该迅速作出决断，立即缔结条约。②

随后，日中协会主办日中邦交正常化5周年纪念大会，在众参两院议长保利茂、安井谦、社会党委员长成田知已、公明党委员长竹入义胜、民社党委员长春田一幸等人的督促下，出席集会的福田首相不得不当场表态：中日之间还留有最大的悬案，我一刻也没有忘记，希望尽快在两国人民庆贺的状态下来缔结，这不仅是我的想法，也是政府的想法。

11月28日，福田内阁改组，其中最重要的人事调整是任命原官房长官园田直为外务大臣。这是为缔结条约采取的组织措施。之后，福田首相为重新开始缔约谈判而进行了以下工作。诸如说服党内、派内反对缔约的鹰派以及"台湾帮"和"青岚会"的成员，停止阻挠缔约谈判的行动；

① 张香山：《中日关系管窥与见证》，第81页。
② 张香山：《中日关系管窥与见证》，第81页。

训令驻中国大使佐藤正二，设法同中国外交部有关官员进行非正式的接触和磋商，以便为恢复正式谈判确定时间、方法和步骤；为打开谈判大门，把自己对缔约谈判的想法告诉中国。

1978年3月，邓小平会见矢野绚也率领的公明党代表团。在听了矢野转达的福田首相对缔约的意见后，邓小平说：

“请把我们的真意告诉福田首相，本来《中日和平友好条约》包括‘反霸条款’是可以顺势解决的，很遗憾的是，三木首相执政以后没能借这个东风顺势发展下去。三木首相单单把这个问题挑出来，使得不成为问题的东西成了问题。拿出本来不必引起争论的枝节问题，反而使它变成了必须解决的原则问题了。（中日缔约）本来苏联是说不出话来的，一看到三木首相这样的态度，就利用这个来施加压力。本来右翼也是说不出什么话的，可后来这反倒成了他们的一张牌。既然这个问题挑到这样的程度，在签订条约时就必须把它弄清楚。现在我们提出的‘反霸条款’方案，差不多是照抄《中日联合声明》的反霸条文。”①

当时，矢野向邓小平提问：是否可以认为中国对日本提出的同任何国家都要和平相处的基本立场予以理解时，邓小平说：

“同任何国家都和平友好，我们可以理解，我国也是这样做的。‘反霸条款’本身并不带来另一种性质：不可以同另一个国家和平友好；问题是，如果苏联在横行霸道，推行霸权，难道也能同它发展和平友好吗？如果中国在东南亚或亚洲搞霸权，能相信人家会跟我们搞友好关系吗？”②

邓小平在解释要求福田首相早作决断的含义时说：

“就是不要从《联合声明》的立场后退，应该有所前进。如果福

① 张香山：《中日关系管窥与见证》，第84页。
② 张香山：《中日关系管窥与见证》，第84—85页。

田首相从《联合声明》的立场有所前进，我看在中日友好关系史上，会写下他的光荣的名字，日本的后代也会替他写上这一笔。福田首相不算是我们的老朋友，他过去同中国的关系，我们彼此都清楚。见到福田首相，请你转告，这些我们并不介意，我们是衷心希望福田首相、园田外相，同田中首相、大平外相一样，成为我们的朋友。"①

邓小平的谈话，对福田首相的决断起了推动作用。

1978年4月，福田首相和园田外相访美期间，美国总统卡特"预祝日本和中国缔约成功。"②在会谈中，美国国务卿万斯表示，"中苏铁板一块对世界是威胁"，"美日欧要一起帮助中国"。卡特总统也对福田首相说："希望更积极地推进与中国缔约。"进而，同年5月，卡特政府的国家安全事务助理布热津斯基访华后顺访东京时，干脆对福田首相挑明："美国不反对在条约中加进'反霸条款'，并希望迅速缔约。"③按照战后以来日美关系的惯例，这对福田内阁下定决心，又是一种推动。

5月下旬，福田首相终于下决心同中国进行缔约谈判。尔后，中日双方共进行了15次代表谈判，谈判的焦点仍集中在"反霸条款"上。日方坚持要在"反霸条款"中写入"不针对第三国"或"不针对特定国家"，中方提出了"条约不针对不谋求霸权的第三国"的表述，结果，双方都不同意采纳对方的提案。

8月5日，日方代表团的外务省亚洲局局长中江要介回国汇报，福田首相认为代表团一级的谈判已经完成了使命，下一步决定派遣园田直外相到北京进行外长级谈判。园田自就任外相以来一直盼望着亲自到北京解决缔约谈判问题，当福田首相把这个任务交给他时，园田外相竟激动得流出了眼泪。园田外相来中国之前，福田首相召集园田和内阁官方长官安倍晋太郎，以及外务省有关官员共同商定了缔约谈判的最后方

---

① 张香山：《中日关系管窥与见证》，第85页。

② 古泽健一：《昭和秘史：日中和平友好条约》，讲谈社1988年版，第163页。

③ 冯昭奎：《对话：北京和东京》，新华出版社1999年版，第87页。

案。该方案分为两种:第一方案是同意将“反霸条款”写入条约,但同时写明“本条约不影响缔约各方同第三国关系的立场”;第二方案是条约在列入“反霸条款”的同时,指明“两缔约国无意损害第三国利益的意图”。①

园田外相虽然被委以缔约谈判全权代表的重任,但对于中日缔约谈判,日本自民党内的阻力仍然不小。8 月 7 日,在与日本各政党及各界人士的通气会上,自民党“台湾帮”的代表人物滩尾弘吉则说:“如果谈判的结果不能令人满意,就必须批判。”②而出人意料的是,滩尾的发难,恰恰是受了首相福田赳夫的指使。福田首相知道园田与中国关系比较密切,他担心如果不对园田进行某种牵制,缔约谈判会完全按照中国方面的意图进行,因而才让滩尾发难,目的是不让园田外相过于“自作主张”。③

园田外相深知此次中国之行既有完成历史使命的光荣感,同时也伴随着极大的风险。他在离家前对夫人说:“如果签不成条约,就暂不回日本。”甚至当夫人为他送行时,俩人竟喝了永别酒。④

8 月 8 日,园田外相率领日本代表团抵达北京,开始了缔结《中日和平友好条约》的会谈。然而,正当园田外相准备施展才干的时候,日本驻华大使佐藤正二却告诉他:已把外务省告知的两种新方案提交给中方。这让园田外相大为光火,因为这使他失去了在谈判中回旋的余地。⑤ 好在中方在谈判中表现出极大的宽容和让步,同意日方的第一方案。于是双方达成一致意见:在将“反霸条款”写入条约的同时,写明“本条约不影响同第三国的关系”,从而使谈判取得突破性进展。

然而,日本国内的右翼势力和“亲台派”并没有停止对缔约谈判的干扰,园田直的夫人回忆:就在签约的前一天,又出现了节外生枝的事。“据说日本首相提出首先要谈清尖阁群岛(即钓鱼岛——引者注)问题,

① 张香山:《中日关系管窥与见证》,第 88 页。
② 古泽健一:《昭和秘史:日中和平友好条约》,讲谈社 1988 年版,第 210 页。
③ 古泽健一:《昭和秘史:日中和平友好条约》,第 210 页。
④ 冯昭奎:《对话:北京和东京》,新华出版社 1999 年版,第 88 页。
⑤ 张香山:《中日关系管窥与见证》,第 88—89 页。

并发了电报。我当时感到这下完了,看来我丈夫回不来了”。① 为此,园田外相推迟了回国日程,与邓小平谈了有关情况。当时,邓小平表示,中方的立场是,中日签约不应受钓鱼岛领土争议的影响,双方可搁置争议,将来考虑共同开发。

邓小平“搁置争议,共同开发”的创意,使长达4年之久的中日缔约谈判跨越了最后的难关。

1978年8月12日下午,《中日和平友好条约》的签字仪式在人民大会堂隆重举行。中国政府总理华国锋、副总理邓小平出席了签字仪式。中日两国外长黄华和园田直分别代表本国政府在条约上签字。两国总理相互致电表示祝贺。

《中日和平友好条约》自1978年10月23日起生效,有效期为10年。《条约》确认了《中日联合声明》的各项原则应严格遵守,表示中日两国将在《联合声明》的基础上进一步发展睦邻友好关系,而且第三条写有“缔约双方表明:任何一方都不应在亚洲和太平洋地区或其他任何地区谋求霸权,并反对任何国家或国家集团建立这种霸权的努力”。②

《中日和平友好条约》的签订,在日本经历了田中、三木和福田三任内阁,从1974年开始在东京第一次预备性谈判至签订条约,耗时近四年的时间。促使福田首相作出决断的,除了中国方面的推动和日本友好人士的促进之外,还有如下原因:

一是福田首相从1976年12月上台到1978年5月决定重开谈判,已经过去了一年零五个月的时光,再过半年,自民党便进行总裁选举。福田首相在其擅长的经济财政方面没有建树,若在缔结《中日和平友好条约》方面仍无进展,这将不利于即将到来的总裁选举。

二是中国粉碎“四人帮”以后,开始积极推进四个现代化建设,日本财经界希望同中国发展友好关系,加强经济交流。1978年2月,中日两

① 冯昭奎:《对话:北京和东京》,第88页。

② 新华月报编辑部编:《新中国五十年大事记》(上),人民出版社1999年版,第562页。

国缔结了长期贸易协定，并打算进一步缔结更高指标的长期贸易协定。在这种情况下，日本财经界领导人对缔结《中日和平友好条约》的态度是积极的。日本经团联会长土光敏夫曾表示，他不同意日本搞等距离外交。对财经界巨头的意见，福田首相不能置若罔闻。

三是中日开始缔约谈判以来，苏联一直进行干扰和破坏。起初，日本不愿意因中日缔结《和平条约》而得罪苏联，为的是在归还北方领土上能得到苏联的让步，但日本方面的这一希望，很快地被勃列日涅夫的信件打破了。勃列日涅夫在信中提出，苏日双方必须在不讨论北方领土的前提下缔结《睦邻合作条约》。这迫使福田首相认识到“日中是日中”，“日苏是日苏”，在处理日中关系时必须单独处理，不能把日中关系与日苏关系搅在一起。

四是美国对日中缔结《和平条约》表示支持。美国国务卿万斯和总统国家安全顾问布热津斯基等高级官员，都说过日本要尽快与中国签署条约；福田首相访美时，卡特总统曾问为什么《日中和平友好条约》还未签署？当福田首相谈到“反霸条款”时，卡特表示把它写进条约又有什么问题呢？美国的态度对福田首相作出决断至关重要。

五是岸信介的斡旋。福田赳夫本与岸信介同属“亲台派”议员，是岸的心腹之一。岸信介在胞弟佐藤荣作下台时，有意让福田接替总理职务，无奈在“三角大福”之争中，田中角荣胜出，田中之后，三木又被“指名裁定”出任自民党总裁，直到三木首相下台，福田才得以担任自民党总裁和政府总理。对于福田登上总理宝座，岸信介予以支持。① 在自民党内围绕日中缔约问题争得不可开交时，岸信介意识到“日中缔约谈判再拖下去，对福田内阁并无好处”。② 于是，利用他在自民党内的资历和威望，说服反对缔约的“亲台派”，并于 1977 年 10 月访问台湾，向严家淦和蒋经国说明缔结《日中和平友好条约》对稳定自民党内局势、巩固福田内阁

---

① 古泽健一：《昭和秘史：日中和平友好条约》，第 84 页。

② 古泽健一：《昭和秘史：日中和平友好条约》，第 86 页。

的重要性，希望台湾方面能够理解。[①] 这使福田减少了来自“亲台派”的压力。但必须说明的是，岸信介说服“亲台派”和台湾方面的阻挠，并非其固有的亲台、反共立场有所改变，而是为了保住福田内阁，希望亲台政策可以继续。

上述种种是中日签订和平条约的背景，是日本政府拖延谈判的原因。同时也预示了中日和平条约签订后，两国的关系依然会有“不和谐”的一面。

《中日和平友好条约》签订后，中日关系出现了高层互访的局面：

1979 年 4 月，中国全国人大常委会副委员长邓颖超率领人大代表团访日，拉开了中日两国领导人互访的序幕。接着，为纪念《中日和平友好条约》缔结一周年，中日友协会长廖承志率领由 600 人组成的“中日友好之船”代表团访日，与日本各界人士进行了广泛交流。

同年 12 月，日本首相大平正芳访华，决定开始向中国政府提供日元贷款，并签订了《中日文化交流协定》，同时，日本政府还决定在北京建立一座现代化的中日友好医院。

1980 年 5 月，中国总理华国锋作为政府首脑第一次访问日本，中日双方决定设立中日两国部长级会议机制，并签订了中日政府间的《科学技术合作协定》。

1981 年 3 月，日本共同社报道，有记者问：“据说美国的里根政府极有可能采取一种接近台湾的政策，对此有何评论？”日本首相铃木善幸说：“日本同中国维持良好关系，对亚洲的和平与稳定来说是重要的。从这个意义上来说，里根政权的台湾政策使中国感到不安是不明智的。”[②]

同年 9 月 30 日，日本首相铃木善幸对叶剑英委员长发表的关于和平统一台湾的谈话表示欢迎。他说：“这是件好事”，同时希望台湾方面响应这一呼吁，使双方的对话得以进展。此外，内阁官房长官宫泽喜一

---

① 古泽健一：《昭和秘史：日中和平友好条约》，第 85 页。

② 中国社会科学院台湾研究所编：《台湾问题重要文献资料汇编（1978.12—1996.12）》，第 1265 页。

在当晚会见记者时说："这基本上是第三国的问题，但是（中国的统一问题）是日本近邻地区的问题，当然我们是关心的。""我们希望这一问题通过和平谈判来解决。这一呼吁不是进一步明确了（和平谈判的）路线吗？"①

1982年，为纪念中日邦交正常化十周年，中国总理赵紫阳访日，和日本首相铃木善幸进行会谈，赵紫阳在这次访日中提出了"和平友好、平等互利、长期稳定"的发展中日关系三原则。

1983年11月，中共中央总书记胡耀邦访问日本，在与日本首相中曾根康弘的会谈中，由中曾根首相提议，在原有的"和平友好、平等互利、长期稳定"的基础上，增加了一条"相互信赖"，变成了发展中日关系的"四原则"。在这次访问中，双方还决定为了21世纪更好地发展中日友好关系，成立"中日友好21世纪委员会"。

1984年3月，日本首相中曾根康弘访华，宣布日本政府向中国政府提供4700亿日元的第二次日元贷款。在这次访问中，中曾根首相在北京大学作了演讲，他说："我作为日本政府的最高负责人在这里郑重宣布，我国政府绝不允许再次复活军国主义！"②中曾根的讲话赢得了在场听众的热烈掌声。对此，《日本经济新闻》发表社论指出："应当说，当前的日中关系在漫长的日中关系史中也是值得大书特书的，是一个成熟的时代。"③

然而，事物的发展是曲折的。单从上述两国领导人频繁互访、双方达成内容广泛的各项协议，以及升温的友好气氛来看，都是以往中日关系中所没有的。但若称为"成熟的时代"还为时过早。就在这个"值得大书特书"的时代，仍然有不正常、不和谐的事情。

如1979年4月，美国政府出台了《与台湾关系法》，表示要与台湾继

① 中国社会科学院台湾研究所编：《台湾问题重要文献资料汇编（1978.12—1996.12）》，第1267页。

② 岛田政雄、田家农：《战后日中关系五十年》，东方书店1997年版，第353页。

③《日本经济新闻》，1984年3月22日。

续维持"非官方"的关系。而同年日本政府的《防卫白皮书》,在谈到台湾地区局势时写道:"这一地区与我国很接近,又是主要的海上交通线。为此,我国对这一地区抱有很大的关心。"①

此时,由于历史原因及日本国家利益的需要,日本政府在对华政策上,采取的是"双轨"政策。一方面,承认中华人民共和国政府是代表中国的唯一合法政府,另一方面,与台湾方面藕断丝连,在不断加强经贸和文化关系的同时,政治关系也一直未断。

如 1984 年 11 月 2 日,在日本自民党"大和俱乐部"举行的记者招待会上,自民党政务调查会长藤尾正行在谈到日台经济关系时,便两次使用了"中华民国"的称谓。当中国记者指出:"在今天的会上出现了'中华民国'的称呼,是令人遗憾的。"话音未落,藤尾马上接着说:"历史的事实是日本先同'中华民国'签订和约,尔后又同中华人民共和国签订和平友好条约,今天在发展同中华人民共和国关系的同时,正在平行地发展同'中华民国'的关系,让双方都高兴。"②藤尾的观点在日本政界有一定的代表性,这说明中日关系距真正的"成熟期"尚有一段距离。

与此同时,更令人不解的是,日本政府对战前侵略历史的认识问题。

1982 年,恰逢中日邦交正常化十周年。6 月 26 日,日本各大报纸同时报道了文部省对中学历史教科书的审定结果。其中故意淡化战前日本的侵略行为,如将日军侵略华北,改为日军"进入"华北;把对中国的全面侵略改为"全面进攻";把日军残酷杀害 30 万中国人的"南京大屠杀",归咎于"中国军队的激烈抵抗,日军蒙受重大损失";把日军在中国实行的"三光政策",改成"抗日运动的展开,迫使日本保证治安"等等。③

7 月 20 日,《人民日报》针对日本文部省这种违背《中日联合声明》原

---

① 《1979 年度日本防卫白皮书》,见中国社会科学院台湾研究所编:《台湾问题重要文献资料汇编(1978. 12—1996. 12)》,红旗出版社 1997 年版,第 1265 页。

② 中国社会科学院台湾研究所编:《台湾问题重要文献资料汇编(1978. 12—1996. 12)》,第 1267 页。

③ 田桓主编:《战后中日关系史》(1945—1995),中国社会科学出版社 2002 年版,第 398 页。

则、破坏中日友好的行为，发表文章评论：《日本侵略中国的历史不容篡改》。7月26日，中国外交部亚洲司司长肖向前约见日本驻华公使渡边幸治，代表中国政府正式向日本提出纠正文部省篡改侵华历史的要求。7月29日，日本文部省初等中等教育局局长铃木勋，约见中国驻日公使王晓云，为文部省的错误进行辩解，并把责任推给民间。与此同时，日本科技厅长官中川一郎和国土厅长官松野幸泰等阁僚，也先后发表言论，指责中国方面的批判是“干涉内政”，并在国会答辩中要求文部省不要按照中国方面的意愿修改教科书。①

8月5日，中国外交部副部长吴学谦约见日本驻华大使鹿取泰卫，就日本文部省篡改侵华历史一事重申了中国政府的立场，再次要求日方采取必要的措施，纠正文部省在审定教科书时的错误。是时，日本许多政党、群众组织和友好团体的著名人士也纷纷发表文章和声明，抨击文部省篡改历史的行径，并组成“思考教科书问题市民会”，向内阁官房长官宫泽喜一递交《请愿书》，要求政府订正歪曲历史的记述。

在中日两国人民及亚洲其他国家一致反对和谴责下，日本政府不得不表示下决心解决教科书问题。8月26日，宫泽喜一发表谈话表示：

> “日本政府在《日中联合声明》中写入‘痛感日本国过去由于战争给中国人民造成的重大损害与责任，表示深刻的反省’，这一认识迄今没有丝毫变化。《日中联合声明》的这一精神，在日本的学校教育和审定教科书时，理应受到尊重。日本将充分倾听中国等国对我国教科书中有关此类问题的批判，并由政府负责纠正。”②

8月28日，吴学谦副外长再次约见鹿取泰卫，表示宫泽喜一的谈话没有提出纠正错误的具体措施，中国政府不能同意宫泽的谈话。8月30日，《人民日报》发表题为《日本政府应当切实纠正错误》的评论员文章；31日，日本国会冈田春夫、河野洋平、土井多贺子等162名议员联名上书

---

① 岛田政雄、田家农：《战后日中关系五十年》，东方书店1997年版，第346页。

② 《朝日新闻》，1982年8月26日。

政府，要求纠正教科书错误；9 月 6 日，鹿取泰卫约见中国副外长吴学谦，转述了铃木首相对早日解决教科书问题的指示，表示日本政府将负责纠正教科书中存在的问题，通过修改教科书的审定标准，可望从本年度起纠正教科书中关于中方提出的有关问题的表述。对于已经审定的教科书，将发表文部大臣见解，刊登在《文部公报》上，以便在实际教学中达到中方的要求。吴学谦副外长表示赞赏日本政府的态度。至此，教科书问题告一段落。

然而，中日之间的教科书问题并没有得到彻底解决。四年之后，又出现了“第二次教科书问题”。

1986 年 5 月，日本文部省居然将严重歪曲历史事实、意在为日本军国主义翻案的《新编日本史》审定为“合格”。《新编日本史》是由极右组织“保卫日本国民会议”组织编写的。书中把日本侵略者一手炮制伪“满洲国”，描述成提倡日、汉、满、蒙、朝“五族协和”的“王道乐土”，把伪“满洲国”说成是日本领导下成立的“新国家”；书中不仅有意不提“南京大屠杀”，反而声称日本国民战后才知此事，正在调查真相；还把日本挑起的“太平洋战争”，称作“目的是从欧美列强的统治下解放亚洲，并在日本领导下建设大东亚共荣圈”等等。①

这种严重歪曲历史事实的教科书，再次引起了亚洲各国及日本各界进步人士的批判。

6 月 7 日，中国外交部亚洲司司长杨振亚约见日本驻华临时代办，就日本文部省审定的历史教科书严重歪曲史实的问题，强烈要求日本政府认真贯彻《中日联合声明》的精神。在这种情况下，为了避免事态的进一步扩大，日本文部省敦促该书作者对有关部分进行修改并重新审定。对此，中国外交部新闻发言人表示：“我们注意到日本政府所做的努力，对书中明显的错误记述作了多处删改，但此书基调不好，有意掩盖日本军方向邻国发动侵略战争这一基本事实，对一些历史事件的记述，回避日

① 田桓主编：《战后中日关系史》(1945—1995)，中国社会科学出版社 2002 年版，第 400 页。

本军方应负的责任，因此难以令人满意。教科书问题的实质，是能否正确对待过去那段历史，这历来是中日关系中的重大原则问题，但令人遗憾的是，日本有关方面在这次教科书问题上始终未能认真对待这个问题。”①

同年7月，中曾根内阁的文部大臣藤尾正行，就教科书问题言称：“请那些对教科书问题说三道四的人想一想，在世界史中不是也有过类似的情况吗？我们认错可以，但对方也得认错。”② 9月上旬，藤尾正行在《文艺春秋》(10月号)上发表文章，谈到教科书和靖国神社问题时又写道：

> “我们必须认识到，最关键的问题是，发生教科书问题和靖国神社问题的根源在东京审判。南京事件被说成是我们干的，它与〔美国〕向广岛和长崎投放原子弹，究竟哪个是有意的，而且更接近于事实？我们进攻南京时敌人进行了抵抗，我们只是为了尽量消除抵抗，做了该做的事。”
>
> “日本占领的目的，是为了不使日本成为一个有能力再次发动战争的国家，所有的政策都集中在这一点上。其中最关键的就是东京审判。如果不从这里看问题，就不应该轻易议论侵略与否的问题。目前的教科书问题也一样，别的国家都热衷于议论此事，从这个意义上来说不是很可笑的吗？”③

藤尾正行的表述，充分显示了为日本军国主义侵略行径辩护的立场。因而，自然引发了亚洲各国的一致批判，并使中曾根首相陷于被动，最终不得不以罢免其文部大臣的职务来平息这次教科书事件。不过，藤尾的发言并不是孤立的，它是自民党内极右势力军国主义思想的反映。只要这些人仍然占据自民党及日本政府的要职，类似的事件就有可能继续发生，内阁大臣美化侵略战争的发言也难以杜绝。

---

① 吴学文：《日本外交轨迹》，时事出版社1990年版，第147页。

② 岛田政雄、田家农：《战后日中关系五十年》，东方书店1997年版，第367页。

③ 岛田政雄、田家农：《战后日中关系五十年》，第367—368页。

在历史教科书的问题之外，还有一个“光华寮事件”。

光华寮是位于日本京都市的一座五层楼房，始建于 1931 年，占地面积 992.58 平方米。它原为洛东公司所有。二战后期，日本的“大东亚省”为了对中国留学生施行“集中教育”，委托京都大学租用这座楼房作为留学生宿舍。日本投降后，“大东亚省”被撤销，京都大学也失去了对该宿舍的管理权。中国留学生遂将该楼取名为“光华寮”，并组织自治委员会，对该楼进行自主管理。

1947 年，当时的国民党政府驻日代表团，将侵华日军从中国大陆掠夺来的大量财产就地变卖，获公款约 20 万美元。1950 年，驻日代表团用其中的一部分公款(250 万日元)从房主手中买下光华寮，继续用作中国留学生宿舍。1961 年，台湾当局的驻日“大使馆”以“中华民国”的名义，办理了该房产的产权登记手续。但光华寮一直由自治委员会管理，台湾当局从未具体参与管理工作。

1967 年 9 月 6 日，台湾当局“驻日大使”向日本京都地方法院提起诉讼，要求法院责令光华寮自治会成员于炳寰等 8 人退出光华寮。1977 年 9 月 16 日，京都地方法院下达判决书，认定光华寮“从其资金来源和使用目的看，系中国为在日中国留学生继续作为宿舍设施使用而买下的共有、公用财产”。该法院认为，“既然我国承认中华人民共和国政府为中国的唯一合法政府，则属于中国公有之本寮财产的所有权和支配权，已转移至中华人民共和国政府”。[①] 京都地方法院驳回台湾“驻日大使”的原诉。

台湾当局对此不服，1977 年 10 月，以“中华民国”的名义，由台湾“财政部国有财产局长”作为代表，上诉至大阪高等法院。而大阪高等法院竟无视《中日联合声明》的精神及国际法准则，受理了台湾当局的上诉，于 1982 年 4 月 14 日宣布撤销原判，发回京都地方法院重审。

大阪高等法院的解释是：“‘中华民国’在国家性质的体制下现实地统治、支配着台湾及其周围岛屿”；“中华民国”仍是“没有被承认的事实

① 田桓主编：《战后中日关系史 1945—1995》，第 405 页。

上的政府”;中华人民共和国政府即使被日本承认为合法政府之后,对于第三国领域内的前政府所有的财产,“不能援用它的继承权利”。1986 年 2 月 4 日,京都地方法院根据上述理由,将光华寮改判为台湾当局所有。尽管住在光华寮的留学生随即向大阪高等法院提出上诉,但 1987 年 2 月 26 日,大阪高等法院仍然维持原判。①

中国政府认为,光华寮案件不是一个普通的民事案件,而是一个涉及到中国国家主权的政治案件,日本政府理应根据《中日联合声明》精神,本着“一个中国”的原则妥善处理该案件;而日本政府则强调,该案件只是一个普通的民事案件,以“三权分立”为借口,拒绝纠正大阪高等法院有损中国国家主权和利益的判决。

1987 年 6 月 4 日,邓小平在会见访华的日本公明党总书记矢野绚也时,就当前的中日关系发表了看法。谈到光华寮问题,邓小平认为,日本存在着军国主义复活的倾向。这一谈话被日本随行记者传到国内,日本外务省官员对邓小平发表人身攻击。6 月 15 日,日本外务省事务次官柳谷谦介会见日本记者,承认前不久发表的攻击中国领导人的言论是失礼的,对此表示遗憾,并转达了中曾根首相的指示——“日本的国家意志是主张‘一个中国’”。② 但是,日本法院对光华寮案件的判决,仍以“三权分立”为由,回避了日本政府的责任。

总之,“见微知著”。光华寮事件的判决,检验着日本政府是否坚持“一个中国”的原则和承诺。20 世纪的 80 年代,除了上述“教科书事件”和“光华寮事件”外,还有修复日台关系事件、参拜靖国神社事件、蒋介石遗德显彰会事件等。

所谓“修复日台关系事件”,是 1982 年 7 月,日本自民党派出国际经济对策特别调查会会长江崎真澄为团长的代表团访问台湾,在同台湾当局达成的协议中,竟使用了“两国”的表述。日本《产经新闻》在该代表团

---

①《人民日报》,1987 年 3 月 16 日。

② 田桓主编:《战后中日关系文献集 1971—1995》,第 645 页。

访台前发表评论，对日本未能放手同台湾当局发展非民间的关系大发牢骚，声称现在“不是到了应当正视‘现实’，修复日台关系的时候了吗?”8月6日，《人民日报》发表评论员文章指出，所谓“修复日台关系”，就是“要改变日本和台湾省之间只能有民间往来关系的现状，就是要恢复中日邦交正常化以前日本与台湾的官方关系”。

“参拜靖国神社事件”，是1985年8月15日，日本首相中曾根康弘以公职身份，正式参拜供奉有东条英机等甲级战犯牌位的靖国神社。中曾根的做法，激起了中国和亚洲其他国家人民的愤慨，也引起日本朝野有识之士的反对。8月16日，新华社发表评论:《侵略战争的性质不容模糊》，指出日本政府成员的参拜意味着美化侵略战争。在中国人民的强烈反对下，日本政府不得不表示，取消政府官员对秋季靖国神社大祭奠的公式参拜，并宣布从第二年起，每年8月15日的公式参拜将“不作为惯例”。中曾根首相也在随后的任期内没有再次参拜靖国神社。但是，参拜靖国神社问题却至今没有得到彻底解决。

“蒋介石遗德显彰会事件”，是1986年9月4日，日本前首相岸信介和众议院议长滩尾弘吉等人发起“蒋介石遗德显彰会”。他们在会上把“中华民国国旗”和日本国旗并列悬挂，并公然宣称要为蒋介石建立“遗德显彰碑”。9月20日，在日本政界200多人参加的东京集会上，甚至有人公开要求恢复与台湾的“外交关系”。“日华问题恳谈会”的头目还呼吁搞一个“与台湾关系法”，尽早实现与台湾的关系正常化。

这些事件说明，中日两国签订《中日和平友好条约》之后的“成熟时期”，台湾问题仍是影响中日关系的主要问题，同时也进一步凸现了战后中日关系的复杂性。

三　冷战后日本国家的走向

1　谋求主导世界的地位

1990年1月9日，日本首相海部俊树在致美国总统布什的信中宣称：

“必须以美、日、欧三极为主导形成世界新秩序”。①

公开地表露了日本外交的新追求。

同年3月2日，海部首相在国会发表施政演说时，又对国际构想及日本应扮演的角色，作了具体阐述。他说：

“国际关系在政治、经济上都在发生巨大的变化。东欧各国以超越预想的速度，推进以自由、民主主义及市场经济为目标的改革，甚至苏联也放弃一党独裁，开始走向导入市场经济之路……。

在这种形势下迎来的90年代，是新时代的开端，但其前进方向的蓝图还没有完成，是一个希望与不安相混同的时代。正是在这样的时代，为了形成充满希望的国际社会，我们必须参与国际秩序的构筑，并开展‘有志外交’。

我们谋求的国际新秩序的目标必须是：第一、保障和平与安全；第二、尊重自由与民主；第三、在开放的市场经济体制下确保世界经济的繁荣；第四、确保人类能够生存的环境；第五、确立以对话与协调为基调的稳定的关系。”

进而，他明确地言称：

“在以构筑新的国际秩序为目标时，必须以确实巩固的日美合作关系为基轴。日美的合作关系，不仅是我国的和平与繁荣，而且是亚洲太平洋地区乃至地球范围内的国际关系稳定不可缺少的。今后仍要坚持成为这种合作关系要点的日美安全保障体制。”②

同年5月，日本外务次官栗山尚一在《外交论坛》上发表文章，题为《动荡的90年代与日本外交的新展开——为构筑新的国际秩序作出积极的贡献》。就其题目而言，显然是与海部首相的施政演说相呼应的。

① 林晓光：《试析日本的国际新秩序构想》，《日本学刊》，1992年，第4期。
② 日本外务省编：《外交蓝皮书》（第34号），1990年版，第290—291页。

该文声称：

“1988 年世界国民生产总值已经达到 20 万亿美元的规模。其中，美国和欧共体分别为 5 万亿美元，日本为 3 万亿美元，加在一起几乎占据世界经济的三分之二。而且，占据五∶五∶三的三者共同拥有自由主义、民主主义和人权等基本价值观念，并且是以认为有效地利用市场机制的经济运营才是丰富国民生活的最佳道路这一信条相联结的。这三者同时共有的政治价值和经济信条，正是产生当今世界潮流朝着民主化和自由化方向发展的巨大力量。因此，建立 90 年代国际新秩序的责任，必须由日美欧等先进的民主国家共同承担。美国依靠自己的力量支撑世界政治和经济秩序的时代，已经完全成为过去的历史，日美欧的协调体制掌握着今后世界和平与繁荣的关键。”

进而，栗山又称：

“五∶五∶三这组数字，在战前也曾象征着维持国际秩序责任的比例。1922 年华盛顿限制海军军备条约中规定的美、英、日三国拥有的主力舰的比例是五∶五∶三。当时，日本是世界的三大海军国之一，处于与美国、英国共同分担维护国际责任的地位。但是，日本过于相信海军的力量，……半个世纪以后，日本依靠经济力量再度作为五∶五∶三的一员，处于构筑和维护国际秩序的地位。日本能否按照正确的方向充分发挥新的实力，一边与美欧协调，一边担负起国际责任，这是赋予当今日本外交的基本课题”。

“对于中小国家来说，国际秩序基本上是大国赋予的。如何很好地适应现存秩序，维护本国的安全并确保经济利益，这是其外交的使命。……通常，中小国家的外交在国际秩序中不得不处于被动地位。战后的日本外交完全是这样一种被动外交”。日本最大限度地利用了美国支撑的国际秩序，一直享受了和平与繁荣。可以说，作为中小国家的外交来说，日本外交是最为成功的范例之一。“但是，五：五：三中的三，今天已经成为先进民主国家的主要一员。日本的外交已经不能在世界上继续推行过去那样的、以国际秩序为条件的被动外交了。今后，日本必须通过积极地努力，参加构筑国际秩序来确保本国的安全与繁荣。从某种意义上来说，日本必须尽快地从中小国家的外交转变为大国外交。"①

栗山尚一的外交政策论，可以说是非常坦率的表露。也即，已经拥有了巨大经济力量的日本，应当按照五：五：三的比例，再度执掌战后的国际权力，成为国际新秩序的缔造者和运营者。

1991 年 8 月 5 日，日本首相海部俊树在 121 届国会发表施政演说，表明了新的外交姿态。海部首相言称：

"上个月，我出席了在伦敦举行的首脑会议，与对世界和平与繁荣负有重大责任的先进民主国家的首脑，以强化面向 21 世纪的国际秩序和构筑世界伙伴关系为目标，进行了坦率而活跃的交换意见。我作为亚洲地区唯一的参加者，积极地提出了亚洲区域的观点，并使这次首脑会议注意到了全球性的问题。

另外，在此之前，我和布什总统在肯尼邦克港的别墅举行会谈，再次相互确认，日美的合作关系不仅是对于两国而且对于整个世界也是极其重要的，两国对世界性课题的共同对应和处理，是世界和平与繁荣必不可少的。

以国际社会团结在联合国之下克服海湾危机为背景，本次首脑会议就构筑新的国际秩序问题，表明了要重视以联合国为中心的多国合作的态势。这对克服了冷战格局的世界，予以了健全的方向，也是沿着以往我国一贯提倡的联合国中心主义的立场"。②

显然，这是一派大国气势，而且提高到了日美并立的程度。

① 栗山尚一：《动荡的 90 年与日本外交的新展开——为构筑新的国际秩序作出积极的贡献》，日本《外交论坛》，1990 年第 5 期。

② 日本外务省编：《外交蓝皮书——我国外交近况》(第 35 号)，1991 年版，第 389 页。

1992年1月7日，美国总统布什与日本首相宫泽喜一会谈后公布的《关于日美全球伙伴关系的东京宣言》写道：

“经过五十年前的悲惨的战争，日本和美国在政治、安全保障、经济、科学及文化方面，发展了高度生产性的、带来相互利益的密切的合作关系。两国在现今社会的各个水准上，都具有高度的相互依存关系。两国的合作是建立在政治经济自由、民主、法制和尊重人权等共有的诸项原则基础之上的。两国的合作克服了冷战期间的困难，在促进世界四十年间的稳定及繁荣上，作出了重要的贡献”。

“日美两国认识到战后两国所保持的密切合作给两国社会所带来的利益，并决心在此基础上构筑更加密切的伙伴关系……作为拥有世界第一位和第二位的市场指向型经济的民主国家，日本和美国是肩负形成新时代的特殊责任的国家。”①

“日美两国政府决心在基于这些永恒的价值而建立的全球伙伴关系之下携手并肩，共同帮助建立公正、和平、繁荣的世界，并将此作为21世纪的课题。”②

这一宣言表明：冷战时期的日本，在美国的核保护伞下着重发展经济，所寻求的只是一般的、具体的、局部的权力和利益。但冷战结束后，日本业已开始把对外目标扩展到了更为广泛的国际舞台上，正在追求左右或控制国际政治、经济和安全体制的最高权力，以期建立日美联合主导世界的国际体系，从追随美国变成与其携手并肩的伙伴。因此，在联合国谋求拥有“支配性的地位”（见下文），则成为日本政府从政策构想到具体实践的外交重点。

1992年1月，日本首相宫泽喜一在联合国安理会首脑会议上，进一步提出：

① 畑田重夫：《自动参战·列岛总动员的新指针》资料部分，学习之友社1997年版，第101页。

② 米庆余监修、肖伟著：《战后日本国家安全战略》附录8，第264页。

"为适应新的时代,应对安理会的机能、构成进行改革"。①

此后,宫泽首相又多次公开表示:

"在新的国际形势下,联合国的作用日见增大,但是联合国的机构却是自第二次世界大战以来一直没有任何变化,日本准备在联合国发挥更大的作用。"②

也就是说,宫泽首相向外界所传递的真实意向,就是日本应该成为联合国安理会的常任理事国。

同年,日本前任首相中曾根康弘等人发表署名文章,内称:

"取代冷战时期'美国治下的和平'模式的国际秩序正在形成……海湾战争就是这种模式的最初尝试,而且今后这种模式会逐步固定下来。"③

另一署名文章认为:

"以海湾危机为契机,冷战后的联合国在为维持稳定的秩序,以多国间协调为目标而进行的国际努力方面,作为一个被赋予法律、政治权威,实现多国协调的唯一的普遍的论坛正在发挥作用……。但是,经过半个世纪冷战的美、俄和其他常任理事国,却显示出重视国家经济利益的内向型倾向,联合国的活动在人力与资源方面的合作很不充分……而拥有潜力为国际合作提供帮助的国家(如日本、德国以及其他地区强国)却不能参与重要决定,也无法提供合作反映自己的意愿……。冷战后的新的联合国中心主义是具有实现以联合国为中心的多国协调的手段之一,对我国而言,具有实质性的意义,它有可能加强我国在联合国中的发言权,更大限度地实现国

① 星野俊也:《日本的联合国外交与日美关系》,见《现代日本外交分析》,第23页。
② 山田勉:《走向常任理事国》,见日本《世界》杂志1993年第1期。
③ 中曾根康弘等:《冷战以后》,见《文艺春秋》,1992年,第197—198页。

家利益。”①

同样，日本驻联合国大使野多波敬雄也直接了当地提出：

“日本负担了联合国资金的12.45%，比英国、法国、中国的总和还要多，仅次于美国居第二位，完全有资格成为常任理事国。”②

“日本不想仅仅充当一个按时付钱的角色，希望能够就联合国作出的重要决定，发表我们的意见”。③

“日本如果不能确保在安理会的发言权，就无法展开真正有效的联合国外交”。④

此外，他还宣称：日本要“争取在五年之内成为安理会常任理事国。”⑤

对此，日本外务省也明确地提出：

“为了在冷战后的国际社会中，〔日本〕作为一个真正的大国而得到承认，就必须超越‘战后’这一概念……成为联合国安理会常任理事国，在半个世纪前打败日本的联合国中取得一席支配性的地位，名符其实地彻底摆脱‘战后’这一概念。”⑥

换句话说，不仅要“彻底摆脱‘战后’”，而且要在曾经打败过日本的联合国中，取得“支配性的地位”。这正是日本政府孜孜以求的，也是八十年代以来日本政治家一再宣称的：要“扮演与自己强大经济实力相适应的角色”的含义。

事实表明，日本争当联合国常任理事国已是一种战略性的要求，并

---

① 神余隆博：《日本的外交机构与对联合国的策略》，日本国际问题研究会编：《国际问题》1994年第3期。

② 山田勉：《走向常任理事国》，见日本《世界》杂志1993年第1期。

③ 吴寄南：《目标：安理会常任理事国》，《国际展望》1992年第4期。

④ 野多波敬雄、诸井虔谈话录“怎样看待日本加入常任理事国”，见日本《外交论坛》1994年第9期。

⑤ 刘江永编：《跨世纪的日本政治——政治、经济、外交新趋势》，第346页。

⑥ 山田勉：《走向常任理事国》，见日本《世界》杂志1993年第1期，第229页。

为此而采取了一系列的实际行动：

1992年，日本在47届联大会议上，联合其他23个国家提出了一项联合国改革方案，要求将扩大安理会成员问题列入下届联大会议的议事日程，这一提案获得了联合国大会的通过。

1993年7月，日本政府向联合国秘书处提出了改组安理会的意见书，再次表达了日本改组安理会的原则及其争当常任理事国的意图。内称：

> "为了强化联合国及安理会，安理会的改组最为重要的，就是要充分发挥为世界和平与稳定愿意作出，并且有能力作出贡献的国家的作用"，"我国准备在安理会尽自己最大的责任。"①

进而，细川联合政权提出："如果由别国推选，日本成为常任理事国也可以。"②

1994年6月，日本驻联合国代表小和田恒表示：日本要"尽常任理事国的责任。"③

同年，日本外相市泽弘治在《外交蓝皮书》中声称：

> "如今的世界正处于重大的转折时期。冷战结构意义上的单纯坐标已经消失，国际社会正处在流动的不透明的状态，人类正在探索更加安全的社会和更加和平安定的国际构造。……当今，〔日本〕对国际社会的基本问题已经具有重要的影响力，并期待着日本能够为构筑更加美好的世界发挥巨大作用。为了不辜负这种期待，日本有责任成为世界和平与安定的负责人。"④

姑且不论国际社会有多少国家"期待着日本……发挥巨大作用"，或发挥怎样的作用，仅就以上的发言和表述而言，也充分反映了日本政府

---

① 星野俊也：《日本的联合国外交与日美关系》，第23页。
② 桥本龙太郎：《政权夺回论》，讲谈社1994年版，第101页。
③ 星野俊也：《日本的联合国外交与日美关系》，第23页。
④ 日本外务省编：《外交蓝皮书》，第37号，大藏省印书局1994年版，扉页。

争当常任理事国的急切愿望。

1995年，日本新任外相河野洋平言称：

> “毫无疑问，外交的目的是根据国际政治的现实寻求国民的利益。在相互依存不断加深的国家关系中，日本的安全与繁荣只有在国际社会的共同和平与繁荣中才能实现，这是非常清楚的。正是基于这种认识，对于国际社会应该超越的共同问题，日本必须应该作出积极的贡献，为世界和平与繁荣发挥创造性的作用。”①

也就是说，日本外交战略调整的核心或最大的规划点，已经不完全是具体的经济或安全利益，而是以争当安理会常任理事国为标志的国际权力。这与日本国家在冷战期间的战略追求相比较，已经具备了质的区别，并在政策上形成了一条清晰的分界线。

出现这种转变的根源，首先是对国际形势的判断和思想意识上的变化。例如，冷战体制终结之前，中曾根内阁曾提出过大幅度扩展国际权力的“国际国家”论，甚至提出了日、美、欧三极主导世界的初步构想。但是，当时日本所强调的，是对美国霸权体制的支持，是在日美体制内的“责任分担”。而冷战体制终结后，日本的某些政治家和学者认为，国际秩序已经从“美国治下的和平”走向了以联合国为中心的多极协调时期，日本必须抓住这一重要历史契机，彻底摆脱战后体制的约束，通过强化日本的国际权力，谋求在联合国中的决策作用，扩大日本的国家利益。

对此，日本学者神余隆博可谓做出了更加明确的表述。他认为：

“以海湾危机为契机，冷战后的联合国在为维持稳定的秩序，以多国间协调为目标而进行的国际努力方面，作为一个被赋予法律、政治权威，实现多国协调的唯一的普遍的论坛正在发挥作用……。

但是，经过半个世纪冷战的美、俄和其他常任理事国却显示出重视

---

① 日本外务省编：《外交蓝皮书》，第38号，大藏省印书局1995年版，扉页。

国家经济利益的内向型倾向，联合国的活动在人力与资源方面的合作很不充分……而拥有潜力为国际合作提供帮助的国家(如日本、德国以及其他地区强国)却不能参与重要决定，也无法提供合作反映自己的意愿……。

冷战后的新的联合国中心主义，是具有实现以联合国为中心的多国协调的手段之一，对我国而言，具有实质性的意义，它有可能加强我国在联合国中的发言权，更大限度地实现国家利益。”①

此外，日本国家利益的全球化，也是日本外交目标膨胀的根本性原因。早在八十年代初，日本就提出过综合安全保障战略。当年，日本首相大平正芳在综合安全保障战略的首次研讨会上提出：

“当今我们居住的地球社会，作为一个共同体相互依存度业已提高，并越发形成了相互的敏感反应。在这种地球社会时代，地球上出现的任何问题，如果不以地球社会是一个整体来考虑，则不能进行有效地对应。特别是在资源与市场诸多方面必须依赖海外的我国，世界上任何地区出现的任何纷争都将影响到我国的生存。确切地说，没有世界的和平稳定，我国就不能生存。……在这种情况下，为了确保我国具有有名誉地生存，我国在切实起到国际社会所期待的作用和责任的同时，为了自身的安全保障，有必要付出全面而综合的努力。也即我国必须整备以和平战略为基础的综合安全保障体制。”②

1988 年 6 月，日本政府发表了综合战略研究报告，题为《日本的选择》。内中再次强调：

“交通、通信、信息技术的飞速发展，正在带来企业活动的国际

① 神余隆博：《日本的外交机构与对联合国的政策》，日本国际问题研究编：《国际问题》1994 年第 3 期。

② 日本综合安全保障战略小组：《综合安全保障战略——大平总理的政策研究会报告书 5》，大藏省印书局 1980 年，第 21 页。

化和经济上相互依存关系的深化。……日本企业将积极开展这种超越国界的全球经营，其结果是，国界所具有的意义将急剧地发生质变，……使经济发展已经不可能仅仅局限于拥有国界的国家的这个范围内了。”

“日本的安全保障应以保卫日本国土和确保作为日本社会基础的自由与民主体制为目标，在力求充实日本自身防卫力的同时，将直接的防卫力与经济力等其他国力结合起来，并通过扩大国际贡献和同各外国之间相互依赖的关系等手段，增强日本在国际社会中的作用，建立一个综合性的连环系统安全保障。”①

显然，“增强日本在国际社会中作用”，已经成为日本国家战略性发展的代名词。但是，美苏冷战期间的日本囿于冷战与两极体制的制约，尚不能克服全球战略目标与“专守防卫”之间的矛盾，只能通过强化日美安保体制的间接方式，来实现目标的追求。而美苏冷战体制结束后，随着苏联军事压力的迅速下降和国际政治多极化的进程，日本则开始把关注的目标转向了国际政治权力。

总之，日本要求在世界上拥有“支配性的地位”，争当安理会常任理事国，意味着战后日本国家发展目标的演变，正在迈向一种新的阶段。

2001年3月，日本首相森喜朗在与美国总统乔治·布什共同发表的公报中，除了再次确信两国关系的重要性之外，还特别表明了“两国关于以提高效率为目的的、推进联合国安理会改革的承诺”，并一致为日本加入常任理事国“继续合作”。②

时至2004年9月21日，日本首相小泉纯一郎和外相川口顺子出席第59届联大会议。小泉首相在演说中，特意表明了日本成为安理会常任理事国的决心。他谈道：

“为了对应和处理现今国际社会所面临的种种课题，以联合国

① 见中国社会科学学院日本研究所编：《日本问题资料》1989年7月。

② 见日本外务省编：《外交蓝皮书》2002年版，第284页。

为中心的国际协调是必要的。再者，联合国本身也有适应和面对处理新的现实的必要，应该进行反映21世纪之世界的改革”。“日本以往为了国际和平与安全所做出的贡献，是与成为安理会常任理事国相应的坚实基础。”①

进而，小泉和川口则与联合国秘书长安南、此次联合国大会议长以及美国总统布什等主要国家的首脑和外相，进行双边或多边会谈，广泛陈述争当常任理事国的心愿。另外，则是与德国、印度和巴西举行四国首脑会谈，达成相互支持联合国改革与成为常任理事国的协议等。按照日本外务省的说法是，由于日本的活动，已有53个国家表示支持日本成为安理会常任理事国。

同年，日本外务省在《外交蓝皮书》中写道，日本政府将安理会常任理事国作为目标的理由如下：

一是“从日本的角度来说，以往日本在安理会也经常议论日本积极关注的中东、伊拉克、阿富汗和非洲的形势等问题。然而，15个安理会以外的国家，为了知道会谈所采取的内容，只能在会谈之后，听取出席的理事国说明梗概，而且所获得的情报也不充分。再者，理事国以外的国家没有投票权，很难将安理会的决定导向本国所希望的方向。日本若成为常任理事国，则可以在与日本自身的国家利益直接相关的国际和平与安全问题上，在安理会做出最终决定之前，深入而经常地参与安理会的议论过程。日本可以更加有效地通过联合国的合作，进一步提高日本的国际贡献。”

二是“从国际社会的角度来说，日本若是成为常任理事国，例如，(1) 不仅可以进一步强化拥有世界第二位经济规模的日本对国际社会的贡献。(2) 现在亚洲地区除了中国之外没有常任理事国，则可以改正不能充分反映亚洲声音的缺欠。进而，(3) 与其他常任

① 见日本外务省编：《外交蓝皮书》2005年版，第173页。

理事国不同，作为没有核武器的国家，在裁减军备、核不扩散等领域，可以将以往积极开展外交努力的日本的意图、能力和智慧，更加活跃在安理会的活动之中。这将提高安理会的可信性和实效性的价值。”①

因此，同年11月，日本新任外相町村信孝出席在埃及举行的有关伊拉克问题的周边八国会议期间，依然与联合国秘书长安南议论联合国的改革问题。

然而，2005年3月20日，韩国《东亚日报》发表评论文章。内中指出：

“我们认为，日本还不具备成为联合国安理会常任理事国的条件和资格。首先，日本加入安理会常任理事国的目的何在？日本确实对联合国给予了很多经济上的支援。但我们难以相信，日本成为联合国的核心后会立足于联合国精神为国际社会做出贡献。

“为国际社会做贡献，绝对不能自私地以本国为中心，应时刻为世界以及邻国着想。但我们在最近韩日之间出现的独岛问题和歪曲历史问题中看到，日本在领土主权问题上仍未摆脱帝国时期思想，在历史问题上不但不对过去的侵略行为反省，反而企图美化丑恶的历史。

“日本首相小泉纯一郎还公开参拜靖国神社，对战犯和牺牲人士一视同仁，引起韩中两国强烈的不满。就因为日本首相的这种态度，朝日关系以及中日关系严重恶化，中日两国之间的首脑互访也连续中断了几年。

“国际社会并不是个人的舞台。日本宪法也在前文中写道：‘任何一个国家都不能只顾本国利益，而无视他国利益。’尽管如此，日本仍然表现出了违背国际常识和违反本国法律的姿态。

① 见日本外务省编：《外交蓝皮书》2005年版，第174页。

"如果日本成为联合国安理会常任理事国，不仅不会为国际社会做出贡献，反而还会加剧国际间的矛盾。这是反对日本成为联合国常任理事国的主要原因。世界上，既有'富而不善'的邻居，也有金钱难以买到的东西。"①

这一评论文章，反映了国际社会对日本争当常任理事国的动机怀有疑虑。这和日本政府的自我感觉相差甚远。

2006年，日本政府联合德国、印度和巴西共同争取成为安理会常任理事国。对此，美国政府虽然表示支持日本，但是反对一举扩大安理会常任理事国。以致日本政府奔走多年，成为安理会常任理事国的意图受到挫折。

2　修改"和平"宪法的风潮

二战结束后，日本的新宪法规定：

"我们相信，任何国家都不应只顾本国而不顾他国，政治道德的法则是普遍的法则。遵守这一法则是维护本国主权并与他国建立对等关系的各国的责任"（前言）。"日本国……永远放弃以国家权利发动的战争、武力威胁或使用武力作为解决国际争端的手段"（第九条）。

这是日本重返国际社会的重要条件，也是战后日本区别于战前的标志。

这一宪法的第九条虽然被加入了"芦田修改"，变成了可以左右逢源的成分，但毕竟是恢复战前日本军国主义的障碍。因此，战后以来某些团体和政治家一直企图加以修改，特别是随着美、苏冷战体制的终结，历来被视为"禁戒"的宪法第九条，则成了某些政治家决心加以修改的对象。也即，力图通过修改宪法来改变日本国家发展战略的法律依据，改

① 见天津社会科学院东北亚研究所编：《日本问题论点选编》，第49期，2005年3月31日。

变被称为“一国和平主义”的政治基础。

海湾战争以后，美国舆论出现了日本“只出钱不流血”的批判，而日本的某些政治家则把这种国际舆论迅速地转化成一股改宪的推动力量。

1992年6月15日，日本国会强行通过《关于联合国维持国际和平合作法》(“PKO法”)和《关于派遣国际紧急援助队法修正案》。“PKO法”的实施，实际上是在不修改宪法的条件下，突破了日本向海外派兵的政治禁忌，完成了以参加“维和行动”的名义向海外派遣自卫队的立法，使日本迈出了军事力量重新走向海外的第一步。

进而，1993年日本出版的《防卫白皮书》又开始专门讨论自卫队的国际贡献问题，宣称自卫队参加联合国维持和平行动，是日本理应履行的国际责任。

同年5月，日本讲谈社出版了一部轰动性的政治畅销书，即小泽一郎撰写的《日本改造计划》。小泽一郎是“新国家主义”的政治领袖，其《日本改造计划》提出的中心口号，则是日本应该迅速放弃“商人国家”的构想，大力推动日本向着“普通国家”过渡。其所谓的“普通国家”主要有两大要点，一是日本应该面向开放的世界，拥有大国的国际权利，再一个就是日本应该打破战后体制的制约和政治上的“禁忌”，拥有向海外派兵的权利。

小泽一郎在书中写道：“国家本来都是利己的”，“冷战后必须早日建立世界新秩序。为此，日本必须比任何国家都要发挥积极作用。日本只能作为真正意义上的国际国家才有出路”。①

1994年6月，日本《经理》杂志发表了政治评论家田原总一郎的文章。文中指出：

> “‘普通国家’这句话表明了小泽理想中最富特征的部分”，其双重意义之一，则是“外向型的意义，也即日本在国际社会中应该采取什么样的态势。在面向海外的情况下，其基本的概念是指彻底地开

① 小泽一郎：《日本改造计划》，讲谈社1993年版，第102—105页。

放门户。所谓的开放门户，当然并不仅限于作为标榜自由主义的经济大国，必须向世界开放日本市场这一经济方面，其中也包含着过去日本一直作为禁忌的安全保障问题”。“第二次世界大战后，一直仅仅依赖于经济的日本对于世界的安全保障没有发挥什么作用。然而，如今的日本已经不是专心致志地发展经济的时代了。小泽指出：‘在世界的任何地方国际秩序被打乱，和平遭到破坏时，为了恢复秩序与和平，日本也应该作出贡献，日本理应成为能够这样做的‘普通国家’”。

田原认为：“有很多人根据这种观点，认为小泽是主张修改宪法的人。但是他未必是主张以修改宪法为前提而对国际社会作出贡献的。小泽始终是极为现实地追求在现行宪法的框架内，什么事情都能够做到的。他由此引出一个结论，就是自卫队可以参加联合国军”，“为了创造自卫队可以参加联合国军的环境，小泽提倡对联合国进行改革，……这样就可以组织联合国军，日本按照联合国的要求参加联合国军”，“小泽还说，他认为日本对国际社会作出贡献和自卫队参加联合国军，乃是日本应尽的义务。小泽为了把日本建成这样一个‘普通国家’正在奋勇前进”。①

田原的上述评论，可谓透析了《日本改造计划》的核心。也就是说，小泽一郎的“普通国家”论，实际是要求打破战后日本的军事“禁忌”，彻底改变日本国家发展战略的基本方式。因此，小泽在著书中明确表示：

“……吉田首相成功地确立了经济优先的政治，但是有些人因此认为不应该改变这个方针。这种看法是不适当的。……吉田首相只是将经济优先的政治作为冷战下的一种战略选择。经济优先不是吉田首相的政治哲学所规定的、一成不变的政治原则。……在冷战结束后的今天，〔日本〕应该尽早地从对吉田主义的误解中摆脱

① 题目为《小泽一郎潜藏在“普通国家”日本改造计划中的本质是什么》。见新华社：《参考资料》，1994年6月15日。

出来，确立新的战略。”①

换句话说，小泽一郎的“普通国家”论，是要把日本从“商人国家”拉入到既做“生意”又“端枪”的“普通国家”中来。这实际是一种使宪法陷入空洞化的改宪方式，也是为了回避政治风险而采取的政治策略。

在这里，应该指出的是：从吉田茂内阁战后初期的“商人国家”，到中曾根内阁提出的“国际国家”，以至“新国家主义”政治领袖小泽主张的“普通国家”论，可谓勾画了日本从“内”到“外”、从“柔”到“刚”的战略演变过程。而值得注意的是，力图修改宪法，动摇“和平主义”理念的，并不是少数政治家的行为。

1994 年 8 月，细川内阁后期有一研究报告，题为《日本防卫力量应有的状态》。按照该报告的执笔人渡边昭夫的说法是：

> “……不能因为有了宪法第九条，日本就可以采取与其他国家不同的立场。不用说，这里所指的是所谓的自卫权问题，再一个就是以联合国为舞台，国际社会采取协调行动时，日本应该采取怎样的方式参加的问题。特别是后者，……不能因为有了宪法第九条，日本就采取与其他国家不同的立场”，“为了国防目的而创建军事力量——请允许我使用军事力量这样的词句，将这种力量运用到国防以外的目的，是一种新的时代。”②

也就是说，多党联合执政的细川内阁虽然没有公开提出改宪，但却抛弃了“一国和平主义”的精神，摒弃了宪法对日本的制约。这实际是属于改宪范畴的。而较之更甚的，则是现今的日本国内已经形成了彻底修改宪法、摒弃“一国和平主义”的政治势力。用韩国政治评论家的说法是，九十年代日本的政治时钟，已经从“拥护宪法”走向了“修改宪法”。现以如下事实为例：

① 小泽一郎：《日本改造计划》，第 105 页。

② 渡边昭夫：《今后日本的安全保障政策与防卫力量——围绕着防卫问题恳谈会的报告》，防卫学研究会编：《防卫学研究》第 13 号，第 23、27 页。

1992年秋天，日本前首相中曾根康弘发表谈话，言称“政界的重新调整不仅是选举制度的改革，而应把重新审查宪法作为一个基轴”。此后，中曾根又向周围透露：“为了与小泽君等人对抗，应当把修改宪法这一重大的政治课题作为争论的焦点”。①

1992年12月25日，自民党政调会长三冢博提出：“是不是可以在国会内设置执政党与在野党就宪法问题进行磋商的机构呢？第二次世界大战已经过去了47年，宪法有些地方已经不符合现实了。”②

1993年1月5日，日本外相渡边美智雄提出：

“加强联合国维持和平的活动，作为世界的一员继续发挥作用，这是很重要的。奢谈什么向海外派遣自卫队违反宪法，或者只讲自己想说的话，这在世界上是通不过的。”③

同年1月6日，自民党干事长尾山静六也就修改宪法问题发表谈话。他说：

“目前国际社会要求日本以联合国为中心作出贡献，必须把宪法同联合国宪章统一起来。社会的进步如此之快，因此，在50年当中必须对宪法进行一次修改。”④

前大藏相羽田孜也公然表示：

“不只是对宪法第九条，就是对整个宪法也不要把它视为禁区，而应广泛地加以讨论。”⑤

显然，修改战后宪法，已经成为日本政界不可忽视的思潮。

1994年11月3日，日本发行量最大的《读卖新闻》推出特集，公布了

①《自民党内主张改宪的言论甚嚣尘上》，见《东京新闻》，1993年1月14日。
②《自民党内主张改宪的言论甚嚣尘上》，见《东京新闻》，1993年1月14日。
③《自民党内主张改宪的言论甚嚣尘上》，见《东京新闻》，1993年1月14日。
④《自民党内主张改宪的言论甚嚣尘上》，见《东京新闻》，1993年1月14日。
⑤《自民党内主张改宪的言论甚嚣尘上》，见《东京新闻》，1993年1月14日。

该报业集团研究完成的“宪法修正草案”。姑且不论具体内容如何，仅就如此重大的政治课题，竟然由一个新闻机构加以草拟而言，则已经表明，此时的日本业已完全打破了改宪的种种禁忌，改宪已经发展到可以在任何场合、随意公开讨论的社会话题。

韩国的政治分析家认为：目前日本保守派政治家、知识分子和新闻媒体正在联合起来极力说服国民同意改宪。以致自民党宪法调查委员会的舆论调查显示：1996 年 3 月，日本国民赞同修改宪法的占 47%，8 月为 57%，1997 年 3 月为 60%，1997 年 9 月竟达到 75.9% 。[①]

如此种种，说明战后以来日本国内多次掀起的改宪风潮，在美苏冷战体制终结后已经再度升温，已经从保守势力孤立的政治宣传，转变为一种强劲的社会政治潮流，日本已经走向了改宪的政治边缘。而令人忧虑的是，以往主张拥护和平宪法的牵制作用却日见衰微。

如，一向以护宪著称的社会党，进入 90 年代以后，围绕着宪法问题已经分裂成为改宪和护宪两大派别。其中，以青年议员为核心的“新民主行动会”，则是积极主张改宪的。

1997 年 5 月，日本成立了由多名参众议员组成的以改宪为宗旨的《推进设置宪法调查委员会议员联盟》。该联盟在成立宗旨中言称：

> “日本国宪法实施已经五十年了”，“在这期间我国内外都发生了巨大的变化。从国内看，我国从终战的战争废墟中站立起来，发展成为经济大国，对外国际地位飞速提高，如今在国际社会中发挥着重要作用。……特别是近年来，随着冷战构造的崩溃，国际关系出现了变化、地球环境问题日益严重、价值观念的多样化……并出现了许多与现行法制悖离的现象。因此，鉴于这种现实而议论宪法已经成为紧要课题。恰逢宪法实施五十周年之际，思考我国面向 21

---

① 《日本向何处去?》，见韩国《东亚日报》1997 年 8 月 14 日— 16 日。

世纪的应有态势，乃是就新时代的宪法问题进行议论的绝好时机。”①

同年5月30日，日本还成立了由日本守卫会和守卫日本国民会议组成的改宪组织——“日本会议”。其成立宣言中写道：

“我们期待继承悠久的历史所孕育的传统与文化，振奋健全的国民精神。我们的目标是保持国家的光荣与独立自主，建设国民能够获得富裕生活的有秩序的社会。我国……自明治维新开始的最先在亚洲的国家近代化，就是这种国风的精神光华。

另外，我国在有史以来未曾有过的战败之际，把天皇作为统一国民的中心而景仰的国体，也未曾有过丝毫的动摇，从战争的废墟和虚脱中重新站立起来的国民，凭借着兢兢业业的努力，已将我国建设成为经济大国”。

“但是，在这令人惊异的经济繁荣的背后，却是轻视先人培育和传承的传统文化，忘却和玷污具有光辉的历史，失去了保卫国家献身于公共社会的气概，唯求自保和贪图安逸的风潮正在向社会蔓延，并溶解着现今的国家……如此碌碌无为的话，亡国的危机将近在眼前难以避免”。②

如此等等，进一步暴露了日本改宪风潮的深层动机。

进而，该会在成立宗旨中言称：

“我们日本守卫会和守卫日本国民会议自成立以来，历经二十余年，为了恢复战后正在失去的健全的国民精神，为了基于美好的历史和传统而建立国家，相互合作而开展了广泛的国民运动。其中，以和全国有志者共同开展的实现元号法制化为开端，进行过祝贺天皇在位60年和皇位继承等皇室敬慕运动，进行过

① 畑田重夫：《自动参战・列岛总动员的新指针》资料部分，第82页。

② 畑田重夫：《自动参战・列岛总动员的新指针》资料部分，第83页。

历史教科书的编纂事业、终战五十年之际悼念战死者事业和昭和史的检证事业，进而提倡过制定基于传统的国家理念构想的新宪法等等，这些都是我们为了重建战后日本而展开的国民运动的结晶”。

“但是，战后五十年的今天，国内外形势日益严峻……，冷战终结后，世界爆发了众多的地区冲突和民族纷争，环绕日本的东亚形势也愈发紧张。南北经济差距进一步扩大，地球环境恶化已经成为及于人类生存的大事”。“另一方面，东京裁判史观蔓延，招致了对外国卑躬屈膝的谢罪外交，致使承担新时代的青年丧失了对国家的自豪感与自信感。”

随后，该组织就改宪方针问题写道：

“现行宪法已经实施了五十年。我国的宪法具有占领者当局用一周的时间加以制定并强加给〔我国〕的经纬，与此同时也带来了种种弊端。诸如将本国的防卫委托给他国而丧失了独立心、权利与义务不均衡、轻视家族制度、国家与宗教的过度分离等等……。我们在平成五年〔1993 年〕发表了《新宪法大纲》，目标是制定基于我国的历史和传统的理念、符合新时代的宪法，而不是外国造的宪法……。我们想通过日本人自己的手来创造可以自豪的新宪法。”①

由此可见，日本的改宪风潮业已不仅仅是解除军事上的禁忌，而且具有通过改宪，恢复传统的国家观、战前的国家主义、极端民族主义倾向。其危险性也在这里。

最能够洞察日本这种极为隐晦，但又极为可怕的趋向的，应该说莫过于日本人自己了。日本外务省官房长官藤井宏昭言称：

“面对即将来临的二十一世纪，我国已经面临着最大的考验，这就是曾经有过失败教训的日本，作为世界主要国家如何适应国际社

① 畑田重夫：《自动参战・列岛总动员的新指针》资料部分，第 83—84 页。

会，这是日本在一百二十余年的历史进程中面临的第二次挑战。”①

藤井宏昭提出的问题是深刻的，他似乎在提醒人们：日本处于小国地位可以与世界相安共处，而一旦作大就可能变得不能自已。美苏冷战体制终结后，日本鼓动修改宪法的风潮，将直接涉及日本国家的对外关系，人们担心日本会不会再次以军事强权挑战国际社会，并不是没有缘由的。

时至2005年，日本执政的自民党终于公布了新宪法草案。

2007年4月25日，日本《产经新闻》报道：

> “政府24日决定，准备修改宪法有关集体自卫权内容的解释……。政府准备允许在下列四种情况下可以行使集体自卫权：运用导弹防御系统拦截射向美国的弹道导弹；当美国舰船在公海遇袭时，同行的海上自卫队舰船可以还击；当与日本共同行动的多国部队遇袭时，日本可以还击；参与联合国维和行动时，为排除妨碍可以使用武力。”

该新闻还报道说：

> “安倍晋三首相在23日的内阁记者招待会上，针对政府的宪法解释问题表示：‘时代在变，如何才能使宪法适应时代，我们想就此讨论。’他强烈暗示了解释性修改宪法的必要性。防卫大臣久间章生在24日内阁会议后会见记者时也说：‘战后60年宪法的解释都没有变，这有点不对头。强行把集体自卫权与个别自卫权分开是不合理的。’……政府允许行使集体自卫权无疑是安倍首相要‘摆脱战后体制’、重视修宪意志的体现。”

同日，日本《读卖新闻》报道，4月24日，日本自民党在东京都内的九段会馆，召开了“新宪法制定推进大会”。安倍首相（党总裁）强调：

---

① 藤井宏昭：《相互依存的世界与日本的外交》，见日本《外交论坛》第100期纪念特刊。

“只有用我们的双手书写出一部新宪法，才能开创一个新时代。作为自民党总裁，既然承诺了，就必须把修宪列入政治议程。”

中川干事长说：“自主制定宪法是立党以来的基本方针，必须开展一场大规模的国民运动。今天就是开始。”

由此可见，日本政府修改战后宪法已是势在必行。而值得注意的是，日本政府的上述决定，恰在安倍首相就任后准备访美的前夕。

四　面向21世纪的日美同盟[①]

在上述形势下，1994年初，日本细川内阁组织了一个防卫问题恳谈会，对冷战后的国家安全战略进行深入探讨。该会以朝日啤酒会长樋口广太郎为座长，秩父水泥会长诸井虔为代理座长，委员包括上智大学教授猪口邦子、经团连特别顾问大河原良雄、东京银行会长行天丰雄、NTT特别参与佐久间一、东京海上火灾顾问西广整辉、神户制钢副会长福川伸次和青山大学教授渡边昭夫等。

同年8月12日，由于内阁的更迭，该会向村山内阁提交了题为《日本的安全保障与防卫力量的应有状态——面向21世纪的展望》的报告。这一报告书也被称为“樋口报告”，实际的执笔者为渡边昭夫。

该报告引人注目地提出了“多边安全保障结构”的概念，主张应“将冷战性质的防卫战略转向多边安全战略”，建立起在联合国等国际制度下的以美国为中心的主要国家合作集体处理冲突的保障体制。[②] 这一报告证实了日本政府在寻求新的发展战略，但其中所谓的“多边安全战略”却被认为具有严重的离美倾向，引起了美国政府的严重关注。

同年11月，上述报告书的执笔者渡边昭夫在防卫大学特别演讲中，对防卫恳谈会报告书中的“多边安全保障”作了如下解释。他说：

---

① 本节与肖伟教授合作。

② 刘江永：《跨世纪的日本——政治、经济、外交新趋势》，时事出版社1996年版，第38页。

“多边安全保障结构”并不是在战略上脱离美国，“实际上，这是该报告在整理阶段争论最多的一点”，“尽管产生了上述悬念，但这只是理解问题，因为只有从多边的国际安全保障合作这样一个大的框架展开话题，进而也才会有与之相关连的日美安全保障条约，或是以日美安全保障条约为代表的日美之间的种种合作之类的话题，最后才能在这个框架中推进日本自身应该具有怎样一种防卫力量的议论”。“因此，我想首先谈一个与之相关的问题，当初我曾考虑过的一件事，就是在该作业过程中逐渐更加明确的问题是什么，或许应该是消除美国与联合国，U. S.（United States）与 U. N.（United Nations）之间是一种二律悖反的这样一种观念”。“我认为如果不强调从更加广阔的视野审视日美关系，日美关系或者是日美之间的安全保障合作今后将逐渐难以为继。”①

也就是说，报告的执笔人否认了在战略上脱离美国或放弃日美同盟的意图，但是防卫问题恳谈会所提出的“多边安全保障结构”，又确实把日美同盟置于了一个相对的政策框架中。也即，在日本的自主防卫与日美安保“两条腿走路”的安全防卫中，增添了“多边安全合作”的新设计，形成了日美联合、自主防卫与多边合作的新构想。

同年 11 月，美国国防大学的可罗尼・古林撰文指出：

日美同盟已经进入到一个危险的水域，“从表面上看，貌似紧密的日美关系，实际上不过是冷战政策轨迹的表面延续，所依靠的基础远比人们想象的危险”，“日本社会党会不会把同盟违反宪法作为一个问题，美国的贸易谈判者一定注意不要让贸易摩擦损害日美安全保障关系……”。现在的问题是，“日本的执政者对于美国从该地区撤退以及对该地区感到疲劳所作出的反应，是出现了对联合国、

① 渡边昭夫：《今后日本的安全保障政策与防卫力量——围绕着防卫问题恳谈会的报告》，在日本防卫大学特别演讲稿摘录（1994 年 11 月 16 日），防卫大学・防卫学研究会编：《防卫学研究》第 13 号，第 15—16 页。

地区多角主义、更强的独立性表示了关注的趋向”。

进而该文认为，防卫问题恳谈会提出的“多边主义”实际上是一个警告，“该报告书提倡以美国为中心的多角主义，但是并没有说明如何处理日美同盟的使命、作用与日本新的多角主义的关系”。“多角主义是减少对美国同盟依赖作出的反应，进而将从两国防卫合作中逸离”，防卫恳谈会报告书草案比最后报告更加具有离美倾向。①

上述情况表明，冷战后的日美关系确实出现了某种波动，而对之进行修补的则是前哈佛大学国际政治学教授约瑟夫·奈。约瑟夫·奈是个学者型的政治家，他精通国际政治理论，卡特政府期间曾在国务院工作过，熟悉美国外交政策的决策过程，在外交政策上拥有独特的见解和长期的战略眼光。

1994 年 9 月 5 日，约瑟夫·奈出任负责国际安全事务的助理国防部长。由此，日美关系出现了一种重新接近、重新结盟的态势。早在 1990 年初，日美经济关系紧张之时，约瑟夫·奈就非常鲜明地提出：“在进入 21 世纪时，美国的任务是重温并加固与强大的工业民主国家已经成功结成的联盟。”②

如果说，人们对冷战后的日美关系突然出现约瑟夫·奈的“主导”作用感到迷惑不解的话，那么奈的上述战略主张便是最好的回答。实际上，把奈推向日美政治舞台中心的，并不是他的政治地位，而是他对美国国家利益与战略结盟之间的奥妙深谙无误的洞察力，而把西方战略大联盟从冷战中遏制苏联移植到冷战后扩张美国的国家利益，又正是所谓约瑟夫·奈“主导”的真实含义，这也是形成了约瑟夫·奈“主导”的深层次推动力量。

1992 年，约瑟夫·奈撰写了题为“笼络日本”的文章，认为随着日本的大国化，美国应该调整对日政策，面对日本的“大国化”(在经济、金融、

① 船桥洋一：《日美安保再定义的全解剖》，见日本《世界》杂志 1996 年 5 月号。
② 约瑟夫·奈：《美国定能领导世界吗?》，军事译文出版社 1992 年版，第 55 页。

高技术体系中已经成为美国的挑战国),美国"封锁日本"的主张是错误的,"应该封锁的不是日本,而是由经济纷争引起的摩擦"。他主张美国应建立"超越一般利益具有增进美国长期国家利益的战略"。①

那么,约瑟夫·奈所主张的超越一般利益和具有长期利益的美国战略是什么呢?也就是说冷战后美国所追求的核心目标是什么呢?这是美国冷战后同盟战略的核心,也是日美重新靠拢、调整结盟关系的原动力。

冷战后,美国一度削减前沿展开的军事力量,但是这种军事收缩只是一种军事力量的规模调整与结构变动,只是针对苏联解体后的军事预算的缩减。美国采取这种做法的目的是节能,而不是霸权战略目标的收缩。

1991年,布什政府在《国家安全战略报告》中宣称:

> "我们已经抓住了几代人几乎没有经历过的非同寻常的机遇——由于我们周围旧的模式和稳定性已经崩溃,我们可以按照我们自己的价值观和理想建立一种新的国际体系了。"
>
> "在这个新世界中,我们的基本价值观念不仅要长期保持下去,而且还要发扬光大。我们必须同其他国家共同努力,但我们必须是领导者。"②

进而,上述《战略报告》写道:

> "我们对外政策的第一优先点,仍然是同盟国和友邦加强团结。我们安全的稳定基础,将是继续同与我们有共同的基本道义观和政治价值观以及安全利益的民族作出共同努力。这些通过联盟而同我们有密切关系的国家,将继续是我们建立世界新秩序的伙伴";
>
> "正如海湾危机中那样,我们可能在一种混合的同盟中采取行

---

① 船桥洋一:《日美安保再定义的全解剖》,《世界》,1996年5月号。

② 梅孜编译:《美国国家安全战略报告汇编》,第188、189页。

动，在这个联盟中，不仅包括我们传统的盟国，而且还包括了过去我们没有成熟的外交和军事合作的国家，或者甚至没有共同的政治和道德观的国家。”①

“我们的安全战略是建立在扩大市场、民主国家大家庭的基础上的，同时也是建立在阻止和遏制对我们国家、我们的盟友和我们的利益的一系列威胁的基础上的。这种民主以及政治和经济自由化在世界上越牢固地扎下根——尤其在对美国具有地理战略意义的国家，我们国家就能越安全，我们的人民就可能越富裕。”②

1994年，克林顿政府在《国家安全战略报告》中，进一步提出了替代冷战遏制战略的“扩展和参与战略”。其中谈道：

“美国的领导作用从来没有像现在这样重要——在世界各种新险境中导航并利用其产生的各种机遇。美国的资产是举世无双的：我们的军事力量、我们充满活力的经济、我们强大的理想，尤其是我们的人民，通过我们的参与，我们能够并且必须产生重大的影响，但是我们参与国外事务必须经过谨慎选择，这是有利于我们的利益和首要任务”；

“我国是世界上最强大的国家，我们在全球拥有利益，而且负有责任”；

“倘若我们在国外发挥我们的领导作用，遏制侵略，促进和平，解决危险的冲突，开辟国外市场，帮助民主政权和解决全球性问题，美国将会更加安全和更加繁荣。”③

也即，克林顿政府提出的“扩展与参与”战略，实际上只是表面上弱化了冷战对抗色彩，而深层隐含的却是进一步的扩张与对外干预，是一种通过对外干预来获取霸权的新构想。它表明美国的霸权意识，在冷战

① 梅孜编译：《美国国家安全战略报告汇编》，第208页。
② 梅孜编译：《美国国家安全战略报告汇编》，第248页。
③ 梅孜编译：《美国国家安全战略报告汇编》，第243—247页。

后已经发展到一个空前的水平，已经出现了不仅要以美国的军事、经济控制世界，同时还要以美国的政治标准、社会制度，来同化或统治整个人类世界。这种霸权主义实际已经从强权走向了极权主义。

我国学者一谔指出："极权主义并不一定只有一种表现形式。……我们要注意的，首先应当是它的核心精神：单一思想的统治，即思想上的极度单一化、极度不宽容性——将自己的信念看成是世界上的绝对真理；从而以真理的独裁者、裁判者自居，要求别人无条件地皈依，否则的话便加以武力制裁。从这个意义上讲，中世纪的十字军东征，美国的意识形态外交，都是极权主义政治国际化的一种尝试。"①

正是从这种霸权意识出发，冷战后的美国仍然奉行结盟战略，仍把结盟作为霸权扩张的主要工具。而值得注意的是，美国的结盟战略不仅是强调力量联合，同时要通过结盟来达到影响或控制另一方的目的，形成美国主导下的"联合股份公司"。这也是冷战后的美国竭力扩大西方结盟的规模，力图把冷战中遏制苏联的同盟关系，演变为主导整个世界的霸权同盟的根源。

冷战后，美国虽然一度想大幅度地削减驻扎在亚洲的军事力量，但是很快就停止了这种削减计划，因为美国深知其全球霸权是离不开日本的，日本是美国亚太战略中不可或缺的战略支点。美国通过保持和强化对日结盟，既可以长期保持在亚洲的前沿军事展开，藉此达到在军事上控制日本的战略目标，另一方面也可以利用前沿展开的军事力量和对日本的同盟关系，来达到遏制、平衡或离散亚太地区大国的目的。这正是美国与日本就同盟关系进行所谓的"重新定义"的根本原因。

对此，美国防部高级官员卡特·乔佩鲁承认：

> "如众周知，日美同盟对于日本在亚太地区发挥更大的作用起到了杠杆作用。但实际上还有一种理解，正是因为有了这种同盟，美国才能再次更深地介入亚太地区。换一种说法，正是因为有了这

① 一谔：《从强权政治到极权政治——国际政治中的新危机》，《南方周末》1999年5月10日。

种同盟，美国才提高了在亚洲的活动能力，才能作为亚洲国家顺畅地行动。”“没有日美安保体制就不会有美国的全球霸权。”①

同样，美国众议院议员焦·马凯因也说：

> 冷战之后，“在美国议会中几乎再没人提及日本白乘安全车”，“原因就是日本政府和国民支持美国的前沿展开……，对美国的军事存在，承担了很大的责任。”②

也就是说，冷战后美国充分意识到日本对于美国全球战略所具有的重要意义，认识到无论是在地缘上，还是在经济力量上，美国都需要与日本联合。

这里，应该提到的是，美日同盟的“再定义”还有针对中国的战略目的。美国国防部日本部长吉阿拉认为：美国必须制定接受中国挑战的太平洋战略，“美国必须让中国明白：美国不会从该地区撤退，为了让中国明白这一点，就必须保持美国的承诺，发挥领导力量，在该地区和全世界保持政治的凝聚力。我们希望认真处理中国问题，也必须把中国问题作为一个现实问题。”③

同样，约瑟夫·奈认为：“不要把让美日之间开展竞争的机会给中国，日本与美国协调笼络中国，这是最好的；换一种说法，就是中国今后更加强大时，当然，我们希望看到那种情况的出现，当中国让日美展开竞争时，日美之间的摩擦不仅会激化，而且也意味着中国不能成为负责任的大国。为了避免这种情况的出现，把一个更有责任和权利的中国纳入到东亚体系中，日美之间的协作是最理想的。”④

由此不难看出，美国对日结盟完全是为了推进其亚太霸权的战略工具。因此，美国力图把对日结盟作为一个插入亚洲和中日之间的楔子，一方面可以笼络日本、控制日本，防止日本独立于美国、发展大规模的军

① 船桥洋一：《日美安保再定义的全解剖》，《世界》，1996年5月号。
② 田久保忠卫：《推进日本的战略外交》，第14页。
③ 船桥洋一：《日美安保再定义的全解剖》，《世界》，1996年5月号。
④ 船桥洋一：《日美安保再定义的全解剖》，《世界》，1996年5月号。

事力量，同时又可以通过日美同盟来保持美国在亚太地区前沿展开的军事力量，起到抑制中国乃至控制整个亚太地区的作用。

当然，冷战体制终结后，日本对构筑面向21世纪的日美同盟，也是有所追求的。而决定性的原因，则是日本在全球范围内的国家利益，再一个就是日本对国际政治权力的要求。

1990年5月，日本外务省提出了一份题为《日美安全条约今日之意义》的文件，对日美同盟的意义作了如下认定：

> 一、苏联潜在威胁未变，美国的抑制力量对于日本来说仍有必要；二、日本可利用美国，增强与苏联讨价还价的能力；三、通过充当美军的前沿基地，日本可以确保美国在亚洲的军事存在；四、保证日本不走军事大国道路；五、没有日美安保条约就没有今日密切的日美关系。①

据称，这一文件的内容在日本外相安倍晋太郎随后赴美参加日美安保条约修改30年纪念活动时，向美方作了披露。

1994年6月，日本外务省又在《外交蓝皮书》（第37号）中，对冷战后的日美安保体制作了更为深入的思考。其中谈道：

> "尽管东西方冷战已经结束，但国际社会仍然存在许多不坚实的因素。在这种情况下，如果日本坚持非核三原则、保持最小限度的防卫能力的政策，那么美国基于日美安保体制下的抑制力量，对于今后日本享受和平与繁荣就是必需的。日美安保体制作为确保亚太地区稳定的美国的存在具有重要意义。日美安保体制还会对日本产生不会成为对他国构成威胁的军事大国这种基本立场的信任效果。"②

---

① 新华社1990年4月22日电文；1990年6月14日《每日新闻》；日本《外交论坛》1990年5月号。

② 日本外务省编：《外交蓝皮书》，第37号，大藏省印书局，1994年，第58页。

上述两个文件有含糊不明之嫌，日本是否“坚持非核三原则、保持最小限度的防卫能力”也属疑问。但其中所说的“利用美国，增强与苏联讨价还价的能力”，以及所谓“日美安保体制还会对日本产生不会成为对他国构成威胁的军事大国这种基本立场的信任效果”，却是冷战后的日本所希求的。因此，1994 年 8 月日本公布的《日本的安全保障与防卫力量的应有状态——面向 21 世纪的展望》的报告，虽然把日美安保体制置于了“多边安全保障”的框架中，但同时也把日美同盟推向了全球的范围。

起草这一《展望》的渡边昭夫在防卫大学的特别演讲中言称：

> “我们的基本判断是，发生通过国家组织发动针对日本本土的武装攻击的可能已经极小了。……当然，有时也会出现难得发生的事情……，在那种情况下，日美安保条约本身是最有力的手段。虽然不能否定那种事态，但是实际上那是几乎不可能发生的，因此应该把那种事态认为是一种极其特殊的”。“这样，就会出现看来和日本的防卫、自卫毫无关系的日美安保条约到底应该如何应用的问题。或许应该说，并没有必要拘泥于安保条约条文本身。是不是应该超越安保条约的条文，日本与美国从更广泛的国际政治关系上就国际安全保障问题开展对话，并对能够合作的部分，两国就共同协调采取行动呢？”①

也就是说，日本所需求日美安保条约，已不是冷战条件下的本土防卫，而是更广泛的国际问题了。正如渡边昭夫所说的：“在冷战后的世界中，我们对于安全保障问题必须投以更多的关注，必须更多地关注能源问题”，“冷战时代，用稍微过激的话说，我国基本上是一种被动的，……今后的时代则不是那样了，对于安全保障问题，必须是按照自己的方式

① 渡边昭夫：《今后日本的安全保障政策与防卫力量——围绕着防卫问题恳谈会的报告》，见防卫学研究会编：《防卫学研究》第 13 号，第 24—25 页。

采取行动的这样一种思考方式”。①

同样，右翼学者中西辉正也认为：“为了确保核保护伞和在世界范围扩散的日本海上航线，仍然需要美国的保障。也就是说，日美安保体制的机能对于日本仍是不可或缺的国家利益”。“另外，为了解决世界货币体系、能源、粮食等全球性问题，也非常有必要维持特别的日美合作关系。”②

上述情况表明，冷战后的日美关系虽然存在着矛盾，但也存在着许多战略利益的重合点。冷战后的美国力图通过组建以美国为首的西方联合的“股份公司”，实现美国称霸世界的目的，向世界输出美国的政治文化观念、权力意志，乃至社会制度。这种构想虽然不免有“单极世界”之嫌，与日本企图构建的“三极体制”之间具有一定距离和矛盾，但是日美两国在力图控制亚太地区，进而主宰世界的战略上，却有着惊人的亲和力。

前已提及的约瑟夫·奈，可以说正是清醒地意识到美日之间所共有的战略利益，看到了“重温并加固与强大的工业民主国家已经成功结成的联盟”对美国霸权战略的重大战略价值，因而竭力主张封锁美日之间的经济冲突，迅速扭转双边关系的紧张状态。所以，在其出任国防部长助理后，立即着手改善日美关系。

1995 年 1 月，为了积极推动美日之间的防卫对话（US. Japan Security dialogue）和安全政策协调，约瑟夫·奈访问了日本，并与日本协商成立了由美国国务院、国防部和日本外务省、防卫厅高层官员组成的安全保障协议会（SCC），从而在美日之间建立了安全保障政策高层对话的渠道，为日美重新结盟铺平了道路。

1995 年 2 月，美国国防部正式公布了《美国东亚·太平洋地区的安全保障战略》（EASR），内中阐述了维持坚固的日美安保体制和美国在亚

① 渡边昭夫：《今后日本的安全保障政策与防卫力量——围绕着防卫问题恳谈会的报告》，防卫学研究会编：《防卫学研究》第 13 号，第 18 页。

② 中西辉正：《洞察 21 世纪世界形势的日美安保体制关键在于“日美协商”》。

太地区的军事存在的意义。该报告与先前的EASI不同,改变了基于冷战后的形势变化、美军兵力重新编组的观点,阐述了尽管冷战后的形势发生变化,但美国依然关注亚太地区的安全保障及维持美军存在的必要性。

另外,该战略强调,日美安保体制不仅是应对朝鲜半岛,而且是应对整个亚太地区存在的不稳定因素的"关键"。该战略认为,美军在亚太地区的存在,"曾有助于该地区经济的异常发展,美军的撤出将破坏该地区经济繁荣的基础,增加地区纠纷的危险,并可能对美国经济造成重大的打击"。与此同时,该战略表明:美军在该地区的兵力,将从1990年的13万5千人削减到1994年的10万,不再进行进一步的削减。①

也就是说,美国国防部制定的《东亚·太平洋地区的安全保障战略》,全面终止了亚洲军事力量削减计划,并把日美安保体制存在的意义从东亚扩大到了整个亚太地区,进而为日美再结盟奠定了政策基础。

美国的新战略得到了日本的回应。1995年11月28日,日本安全保障会议和内阁会议通过了新《防卫计划大纲(NDPO)》。该大纲明确了日本的长期防卫战略,另一方面重新确认了日美安保体制,对美国东亚战略进行了回应。内称:

> "我国将在宪法的引导下,遵循这一方针,通过努力继续提高日美安保体制的可靠性,并适当发展、维护和运用防卫力量,完成保卫我国安全的任务,同时尽力为国际社会的和平与稳定作出贡献。"②

值得注意的是,关于日美安保体制,日本1976年制定的旧大纲中只提到4次,新大纲却提出了13次之多,而且在日美安保体制实际的功能认定上出现了质的差别。旧大纲主要着眼于日本的防卫,即"我国的防卫,应通过保持自身适当的规模的防卫力量、构筑这种防卫力量的最有

① 见日本防卫研究所编:《东亚战略概观1996—1997》,非卖品,第149页。

② 军事科学院外军部:《日本军事基本情况·1997年版·资料》,军事科学出版社,1998年,第371页。

效利用的态势，以及维持和确保与美国的安全保障体制的信赖程度和有效运用态势，形成能够应对任何侵略的防卫体制，并以此防止侵略于未然”，“对于核威胁依赖于美国的核威慑力”，“对于局部的小规模侵略原则上应予以独立排除，由于侵略规模和态势而难以排除，则应尽一切努力持续抵抗并期待美国合作予以排除”。①

然而，新大纲则把日美安保体制的作用定位于地区安全与国际合作上，言称：“我们认为日美安保体制对于确保我国的安全来说，是必要而不可或缺的。同时它将继续为确保我国周边地区的和平与稳定，建立更稳定的安全保障环境发挥重要作用。”“日美两国这种以安全保障体制为基础的密切合作关系，有助于我国为国际社会，如推动地区多边安全保障对话与合作，协助联合国的各种活动。”②

此外，新大纲还提出了密切日美军事合作的四大措施：

> “一、加强情报交换和政策磋商；二、在运用方面建立有效的合作态势，包括加强共同研究、联合演习、共同训练以及与此相关的相互合作等；三、在装备和技术方面，加强广泛的相互交流；四、采取各种措施，顺利、有效地保障美军在日本的驻留。”③

也就是说，新大纲把这些旧大纲中没有写入的内容明文化了。这表明新大纲已经把日美同盟在冷战后的调整和重新定义作为了重要内容。

日本新《防卫计划大纲》不仅重新确认了日美安保体制，而且把该体制的主体作用从日本防卫推向了双边的地区与广泛的国际防务上，为冷战后日美同盟的“重新定义”找到了新的支点。

1996 年 4 月 17 日，日美举行首脑会谈，日本首相桥本龙太郎与美国总统克林顿共同签署《日美安全保障共同宣言——面向 21 世纪的同盟》，也即所谓日美同盟的“再定义”。同日，桥本与克林顿还发表了《致

---

① 日本防卫厅：《防卫白皮书·昭和 62 年版》，大藏省印书局 1987 年版，第 227—228 页。
② 前引军事科学院外军部：《日本军事基本情况·1997 年版·资料》，第 373 页。
③ 前引军事科学院外军部：《日本军事基本情况·1997 年版·资料》，第 373 页。

日美两国国民书——面向21世纪的挑战》。

日美《共同宣言》向世界宣称：

"今天，总理大臣和总统祝贺历史上最为成功的双边关系之一的日美关系。两国首脑为这一关系对世界和平和地区稳定与繁荣所作出的深远而积极的努力贡献感到骄傲。……总理大臣和总统再次确认了对决定两国政策的方向具有深远意义的共同价值，即维护自由、追求民主主义及尊重人权所承担的义务。双方一致认为，日美之间的合作基础仍然是很牢固的，在21世纪保持这种伙伴关系，是十分重要的。"①

日美安保共同宣言，标志着日美两国的同盟关系经历了冷战后的波动和一年多的政策协调之后，已经达成了最后协议，两国已经决定把冷战期间结成的战略同盟带入冷战后的世界，并将以新的含义带入未来的21世纪。

其一，《日美安全保障共同宣言——面向21世纪的同盟》，扩大了日美安全保障的战略范围。

人们知道，1951年日美签定《安保条约》时，在权利与义务的规定上并不十分明确，日本不过是主动地向美国提供军事基地和被动地接受美国的某种保护。1960年重新修订《安保条约》时，该条约虽然把日美防卫合作的范围扩大到了"远东地区"（第六条），但日本为了避免卷入军事冲突，当时曾明确表示：远东不包括中国和朝鲜半岛。然而，苏美冷战体制结束后，1995年日本在重新修订《防卫计划大纲》时，却悄悄地把"远东"换成了"周边地区"，而"再定义"后的安保条约，则出现了亚洲太平洋地区这种更加扩展的地理范围。

《日美安全保障共同宣言——面向21世纪的同盟》中明确表示：

"在冷战期间，日本与美国之间的牢固的同盟关系，对确保亚太

① 见畑田重夫：《自动参战·列岛总动员的新指针》资料部分，第50页。

> 地区的和平与安全发挥了重要作用。我们的同盟关系乃是这一地区经济发展的坚实基础。两国首脑一致认为：日美两国未来的安全与繁荣同亚太地区的未来息息相关”。

该宣言认为：

> “冷战终结以后，发生世界性规模战争的可能性正在减少……但是亚太地区依然缺乏稳定性和可靠性。朝鲜半岛的紧张正在继续，包括核武器在内的军事力量依然在大量地集中，未解决的领土问题、潜在的地区纠纷、毁灭性武器及其运载手段的扩散，是造成整个地区不稳定的重要因素”。为此，两国首脑“强调了日美两国〔共同〕对付所面临的安全保障课题的重要性”，“再次确认了日美之间的同盟关系具有重要的价值”。

随后，两国政府首脑认为：

> “日美两国密切的防卫合作，是建立在〔日本〕自卫队适当的防卫能力和日美安全保障体制的配合之上的”，为了进一步强化日美两国间的信赖关系，“两国政府要进一步加强交换有关国际形势、特别是有关亚太地区的情报和意见。同时要继续就有关对应国际安全保障形势可能发生的变化，及包括最充分地满足两国政府所必需的防卫政策及在日美军兵力构成的军事态势进行密切的协商”；两国政府首脑一致同意“开始修改1978年的《日美防卫合作指针》”；“欢迎1996年4月15日缔结的《日本国政府和美利坚合众国政府间有关日本国自卫队和美利坚合众国军队之间的后方援助、相互提供物资和劳务的协定》，并表明了期待这一协定进一步促进日美间的合作关系”等等。

与此同时，日本政府确认了“在冷战后的安全保障的形势下，强调日本防卫能力应该发挥适当作用的1995年11月策定的新防卫大纲中所明确记载的日本的基本防卫政策”，以及“为了维持在日美军，日本将继续通过提供基于日美安保条约的设施、区域和支援接受国〔美国〕而发挥适当的作用”等等。①

进而,《致日美两国国民书——面向21世纪的挑战》中,再次重申:

“日美两国具有共同的价值观、共同的关心和共同的希望,并作为同盟国与伙伴而迈向21世纪”,“我们两国的同盟关系,对于亚太地区的和平、稳定及繁荣具有核心的重要性,日美安全保障体制对日美两国极其重要”,“再次确认以《日本国和美利坚合众国间的相互合作及安全保障条约》为基础的两国在安全保障方面的关系,在实现共同的安全保障目标的同时,将继续成为面向21世纪的维持亚太地区稳定和繁荣形势的基础。”

与此同时,则是日美两国要通过与大韩民国的合作来推进朝鲜半岛的和平与稳定:

要共同努力实现联合国的改革(第3项);

“两国政府要在一切人都能享有自由及有效的法制利益的普及民主主义、实行法制和保障基本人权方面进行合作”(第4项);

两国要为实现联合国的改革而合作,“美国强烈支持日本作为常任理事国而加入安全理事会”(第5项);

“要在为了强化国际经济体制,包括确保世界贸易组织、世界银行、国际通货基金组织的实效而进行的工作中合作”(第10项)等等。②

一言以蔽之,日美同盟的“再定义”还把日美安全保障范围扩大到了各个领域,而且具有面向21世纪的战略意义。

其二,日美安保条约的“再定义”标志着日美两国军事合作正在朝着

① 《日美安全保障共同宣言——面向21世纪的同盟》,见畑田重夫:《自动参战·列岛总动员的新指针》资料部分,第50—52页。

② 畑田重夫:《自动参战·列岛总动员的新指针》资料部分,第53—54页。

“无制约”的方向发展，在运作方式上正在超越联合国和地区合作的制约。

冷战期间的日美《安保条约》，清楚地规定了这一条约与联合国宪章之间的关系。诸如，“缔约国约定，按照联合国宪章的规定，用和平方法并以不致危及国际和平、安全和正义的方式，解决涉及各自关系的国际争端，而且在各自的国际关系方面，对任何国家的领土完整和政治独立，慎重通过武力威胁或使用武力或采取任何同联合国的目的不符合的其他方式”；“缔约国将同爱好和平的其他国家共同加强联合国，以便联合国可以更有效地履行维持国际和平和安全的任务”（第一条），以及对于作为受到武力攻击及其结果而采取的一切措施，“都必须按照联合国宪章第五十一条的规定，立刻向联合国安全理事会报告。安理会在采取为了恢复和维持国际和平与安全所必需的措施时，上述措施必须停止”（第五条）等等。①

但是，《日美安全保障共同宣言——面向21世纪的同盟》中，却只是轻描淡写地在提到了联合国，措辞是两国首脑一致同意，“两国政府要加强合作，通过维持和平行动和人道主义的国际救援活动，以支援联合国及其国际组织”（第八项）。② 而且，反复强调的则是两国的安全保障关系，“对世界的和平与地区的稳定和繁荣作出了极其深刻的积极的贡献”，“将继续是维持亚太地区稳定和繁荣形势的基础”等等。③ 这实际是把双边利益凌驾于国际利益之上，是把日美关系和同盟权利凌驾于联合国和地区组织之上的倾向。

其三，日美安保条约的“再定义”，使日本在军事上完全纳入了美国的全球战略和地区战略之中，日本的自卫队已经实现了“国际化”的

① 《日本国和美利坚合众国之间的相互合作及安全保障条约》（1960年1月19日签订、6月23日生效），见畑田重夫，前揭书资料部分，第86页。

② 《日美安全保障共同宣言——面向21世纪的同盟》，见畑田重夫：《自动参战·列岛总动员的新指针》资料部分，第52页。

③ 见同上书，资料部分，第50页。

转变。

《日美安全保障共同宣言——面向21世纪的同盟》中，明确地规定了日美之间在三个层面上的合作：

一是"基于日美安全保障关系的双边合作"，内含"两国政府认识到，两国间密切的防卫合作是日美同盟关系的核心要素，因而一致认为，继续进行密切的协商是不可缺少的……"；两国首脑一致同意"因日本周边地区可能发生的事态而对日本的和平与安全予以重要影响时，就日美间的合作问题进行研究，并就促进日美间政策调整的必要性取得了一致意见"；"两国政府要注意自卫队和美军在一切合作方面的相互运用的重要性，要在以共同开发研究新一代支援战斗机(F—2)等装备为主的技术和装备领域内相互充实交流"；"两国政府……要在已经进行的弹道导弹防卫研究方面继续合作"；"两国首脑一致同意两国政府为了对应有关美军的存在及其地位等问题而进行各种努力"等等。①

二是"地区性的合作"，内含日美以双边共同体的姿态提出同中国、俄罗斯之间的关系问题，东盟地区论坛、东北亚安全保障对话等地区多边安全保障机制建设等问题。与此同时，则是两国首脑"还注意到朝鲜半岛的稳定，对于日美两国是极为重要的，因此两国将与韩国继续密切合作，继续予以各种努力"等等。

三是"全球规模的合作"，内称："首相和总统认识到，日美安全保障条约是日美同盟关系的核心，正在成为日美就全球规模问题进行合作基础的相互信赖关系的根基。……两国政府将就包括促进全面禁止核实验条约的交涉、防止毁灭性武器及其运载手段的扩散，以及军备管理和裁军等问题，进行政策调整和合作。两国首脑一致认为，两国在联合国及亚太经合组织内的合作，在北朝鲜核开发问题、中东和平进程以及在执行前南斯拉夫的和平进程中的合作，将有助于建立更加确保两国共有

---

①《日美安全保障共同宣言——面向21世纪的同盟》，见畑田重夫前揭书，第51页。

的利益和基本价值的世界。”①

显而易见，日美之间这种全球性规模的合作，是冷战期间的日美安全保障同盟条约中从未出现过的。

以上种种说明：日美安保关系的“再定义”，不仅扩大了日美同盟的地区范围，而且完全超越了自卫的最大限度。

进而，1997 年 9 月 23 日，日美两国政府重新修订的新《日美防卫合作指针》中，进一步明确了以下一些内容：

> “〔日美〕日常进行的合作”——其中包括日美两国交换情报及政策协商，在安全保障方面的种种合作，日美双方的共同配合（第三项）；
>
> “日本受到武力攻击时的对付行动”——其中包括两国政府进行“必要的准备”和通过外交的努力，以抑制事态的扩大，以及日美双方的作战构想和有关作战的各种行动及必要的事项等（第四项）；
>
> “日本周边地区的事态对日本的和平与安全构成重要影响时的合作”——其中包括对“周边事态”的对应，日美两国政府在各自主体活动中的合作，以及日本对美军的支援等等（第五项）；
>
> “为了……有效防卫合作的日美配合”——其中包括共同研究作战计划，确立共同的标准及实施要领等等。②

为了实现上述合作，新指针还明确地规定了所谓“后方支援”体制，诸如相互救援、战区搜索、监视和警戒、提供情报、海空物资输送、运送武器弹药、海上扫雷、现场检查不明船舶、营救非战斗人员等等。

表面上看，这些活动属于战争后方勤务保障与军需保障，但实际上也是战争行为的直接组成部分。恰如日本原防卫次官西元所说的：“战斗行为的广泛含义，不仅包括了战斗部队也应包括所有后方活动。从这种意义上看，运输、通信比在前线作战的士兵更加重要，医疗也不能看作

---

①《日美安全保障共同宣言——面向 21 世纪的同盟》，见畑田重夫前揭书，第 52 页。

②《日美安全保障共同宣言——面向 21 世纪的同盟》，见畑田重夫前揭书，第 34—41 页。

是战争以外的行动”。[①]

此外，新指针还提出了“周边事态”问题。内称：“周边事态是指对日本的和平与安全构成重要影响的事态。周边事态的概念不是地理性的概念，而是着眼于事态的性质”。[②] 后来，日本政府对于“周边事态”的解释，总是云山雾罩、含含糊糊，回避作出正面答复。

日本《赤旗报》评论说：“政府就‘周边事态’只是反反复复地强调说‘在周边地区给日本的和平与安全以重大影响的事态’，高村外相认为‘周边’的范围和‘事态’的内容丝毫没有限定”。[③] 但日本防卫厅长官野吕田芳成言称：“周边事态”就是“日本没有受到武力攻击的事态”，[④]而内阁官房长官尾山静六则称：“理所当然地包括台湾海峡”。[⑤]

也就是说，《日美防卫合作新指针》完整而明确地形成了日美的联合作战体制。

诸如：“在日本遭到武力攻击时……日本要立即对武力攻击作出主体行动，尽力早期排除。是时，美国要对日本进行适当的合作。……在自卫队与美军实施共同作战时，双方要确保一致，并适时地以适当的形式运用各自的防卫能力。是时，双方要有效地统一运用各自的陆海空军部队。自卫队主要是在日本领域及周边海空领域实施防御作战，美军支援自卫队所进行的作战。此外，美军还要实施弥补自卫队能力不足的作战。……为了应付对日本的航空侵犯……自卫队和美军要……共同实施作战。自卫队为了防空要实施主体作战。美军在支援自卫队进行作战的同时，包括使用打击力量的作战在内，要实施补充自卫队能力的作战”，“自卫队和美军要共同实施为了防卫日本周边海域的作战及为了保护海上交通的共同作战”，“自卫队和美军要实施对付对日本登陆侵犯的

① 见《中央公论》，1990 年 10 月号。
② 见《中央公论》，1990 年 10 月号。
③ 日本《赤旗报》，1999 年 4 月 26 日。
④ 日本《赤旗报》，1999 年 4 月 26 日。
⑤ 香港：《广角镜月刊》，7 月号。

共同作战”等等。

上述情况表明，在冷战后的“和平与安全”的名义，日美安保条约的“再定义”，以及所谓的新指针，实际已经不是冷战期间的共同防卫，而是通过拓展同盟体制的范围，通过军事、政治、经济、技术的密切合作，寻求建立起更为强大的、超越或挤压联合国、强烈排他性的控制体制，一个控制地区主导权的、与北约遥相呼应的亚太地区的超级战略平台，冷战后的日本军事防卫政策已经出现了重大的方向性的转变。

1998年5月13日，日本内阁安全保障·危机管理室长、外务省北美局长、防卫厅防卫局长联合向日本各都道府县知事发出通知，内称：“政府在4月28日的阁议中，决定将《关于在发生周边事态之际，为了确保我国和平与安全的措施法案》《部分修改自卫队法法案》及《再次改正日本国和美利坚合众国之间的关于日本国自卫队和美利坚合众国之间的后方援助、相互提供物资和劳务协定的协定案》提交国会。这些法案今后虽然要在国会中进行审议，但是，其中特别是《关于在发生周边事态之际，为了确保我国和平与安全的措施法案》中，也规定了与地方公共团体之间的关系，我们知道地方公共团体对此异常关心。基于这一点，政府考虑在寄送有关资料的同时，今后保持密切的联系……。如果对法案有什么疑问，请与下列地址联系”。①

1998年8月25日，日本政府正式通过实施《周边事态法》。这究竟意味着什么？本书认为，最能体味其中含义的当是日本国民。此前的6月2日，吴市公共团体的请愿书认为：

> “所谓周边事态是‘日本周围地区对日本和平与安全造成重要影响的事态’，这一定义虽然还是不明确的，但显然是意味着战斗或战争……”。“这个法律是美国在世界任何地方发动战争之际，日本都要举国一致，在财力、物力、人力等一切方面予以支援和支撑的法

① 日本网上资料：《新指针与自治体》，1998年第2页。

律，这个法律等于宣布日本是战争的当事者”。“政府最终是想在‘周边不是地理概念’的前提下，把日美安保条约在世界范围内展开……。我们认为，日本对下一个时代正在作出最坏的选择。事实上，是把日美安保条约作了最坏的修改，是把两国的军事同盟扩张到了亚洲太平洋的规模，是想推向战争国家的道路”。

因此，该请愿书明确表示“作为和平产业港湾城市的吴市是绝对不能容忍的”。①

实际上，分析或猜测“周边事态”的具体地理范围，已经没有任何意义和价值。因为日美双方明确提出，周边事态“不是地理性概念，而是着眼于事态的性质”。也就是说，只有日美双方认定所发生的事态对日本有影响，日美军事合作即可启动，日本与美国即可共同采取先发制人的军事行动，而且它的地理位置完全没有限定。

由此我们可以清楚地看出，冷战后日美安全防卫合作，已经超越了防卫的需要，日美两国追求的，实际是建立联合干预的、外向型的战略平台，是力图确立联合控制亚洲太平洋地区的霸权地位。

不过，应该指出的是，日美力图谋求亚太地区的霸权地位、出任地区警察，是没有他国授权的，也是没有民主或“契约”等法理依据的，当然更谈不到合法性和公正性。

此外，美国是当今世界上唯一的超级大国，日本则是世界上的经济大国；美国拥有世界上最庞大的、可以将整个地球摧毁数次的核武器库，日本拥有世界上最强大反潜作战能力和亚洲最强的海空作战能力；美国拥有最强大的全球投送、精确打击、全维防护和聚焦后勤能力，日本拥有军事力量发展的巨大潜力；美国的军费开支是世界第一，日本的军费为世界第二，1994年为468亿美元，1998年约为500亿美元；美日两国的国民生产总值占据世界总量的40%以上。日美重新结盟后，两国将以军事防卫合作为中心，开展广泛的地区与全球合作，两国将开展相互交流情报、协调防务政策、开展联合

① 日本网上资料：《新指针与自治体》，1998年第88—90页。

作战,联合研制下一代支援战斗机(F—2),并在部署战区弹道导弹(TMD)上开展合作……。这两者的同盟是一种强强联合,一种力量的联合。

1998 年 11 月 23 日,美国国防部公布《1998 年东亚战略报告》。其中明确表示:

> “国防部分别在 1990 年和 1992 年公布了第一和第二份《东亚战略报告》,概括了在冷战结束以后将对我们的战略和部队结构作什么样的调整。……但 1995 年的报告重申,在可以预见的将来,我们在该地区的驻军将保持在约 10 万人,同时将进一步采取行动,与我们的朋友和盟国共同承担安全责任,扩大双边和多边接触。基于这种态度,我们三年来采取了一系列战略措施……。例如,我们在 1996 年 3 月的危机中派出‘尼米兹’和‘独立’号航空母舰,这一行动向亚太国家重申了美国对该地区和平与稳定的承诺。美国与亚洲的接触符合我们的全球安全战略,使我们有机会决定该地区的未来发展方向,防止冲突,并保持稳定、提供机会,使我们得以从事每年约 5 000 亿美元的跨太平洋贸易。”
>
> “美日联盟仍然是我们亚洲安全战略的关键。……美国和日本认识到美日联盟……具有极为重要的作用,而且这种作用仍在继续。”①

这一战略报告表明,美国的东亚战略不仅在于“决定该地区的未来发展方向”,而且要“得以从事每年约 5000 亿美元的跨太平洋贸易。”显而易见,这是以我为中心的、极端利己的。冷战后的日美同盟,实际是一种强权战略体制。

2000 年 12 月 24 日,日本内阁批准了 2001 年度财政预算,从 2001 年 4 月 1 日开始的新财政年度中,日本政府财政预算总额为 82.65 万亿日元,其中防卫费占 4.955 万亿日元。这是前所未有的。与此同时,在 2001—2005 年的新一期日本防卫整备计划中,将花费 25.16 万亿日元,

① 见新华社编:《参考资料》1998 年 12 月 15 日,第 16—19 页。

更新自卫队的军事装备。①

2001年4月,小泉纯一郎当选日本首相。在其就任自民党总裁后,则要求自民党内的三个主要干部,即就任干事长的山崎拓、总务长堀内光雄和政调查会长麻生太郎,脱离各自所属的派系,为制定和实施21世纪的国家战略,在自民党内将设立以小泉为首的"国家战略总部"。②

这是一个新的意向。

同年,发生"9·11"事件后,日本政府迅速采取行动。9月19日,小泉首相在会见记者时,就今后日本政府的基本方针和"当前措施"发表谈话。其基本方针有如下三点:

> (一)将对恐怖主义的斗争,视为确保日本自身的安全问题,采取自主性对应。
>
> (二)强力支持同盟国美国,要和以美国为主的世界各国团结一致对应。
>
> (三)要采取能够向内外表明日本断然决心的具体而有效的措施,并迅速而综合展开措施。③

小泉首相所说的"具体而有效的措施",包括同年10月29日通过的《恐怖对策特别措施法》(11月2日公布、实施)。其具体内容是,为了防止及根绝恐怖主义,日本自卫队将对外国军队的活动展开输送、补给等合作支援;搜救参加战斗的遇难者;以及对恐怖受害者实施救援。

进而,11月20日,日本防卫厅长官在总理大臣的认可下,命令海上自卫队开始向印度洋北部的美国海军舰艇和英国海军舰艇输送补给燃料,并从12月3日开始,使用C130H型运输机,从美军在日基地向关岛

---

① 张焕利:《悄然涌动的暗流——日本谋求成为21世纪军事强国》,见参考消息2001年1月18日第14版。

② 日本产经新闻4月26日报道。

③ 见日本外务省编:《外交蓝皮书》,2002年版,第14—15页。

等方面输送美军。①

此外，则是通过并实施《自卫队法修改案》和《海上保安厅法修改案》，扩大向海外派兵的范围，放宽自卫队携带和使用武器的限制。

据2002年4月22日出版的日本《赤旗报》报道，小泉内阁又向国会提交了有事立法法案。这是继1995年11月出台新防卫计划大纲，1996年4月发表日美安保联合宣言，1997年9月通过新日美防卫合作指针，1999年制定周边事态法，2001年11月通过恐怖对策特别措施法（报道称作反恐对策特权法）之后的新举措。

该报道指出，促使日本政府从研究有事立法到变成法案的，是2000年10月美国助理国务卿阿米蒂奇等人，在美国国防大学国家战略研究所做出的特别报告。其内容是：要将日美同盟发展为美英那样的关系；日本不能行使集体自卫权是最大的障碍；切实进行有事立法，履行包括机密保护法在内的日美防卫合作指针。因此，在上述报告出台3个月后，时任首相的森喜朗便在施政方针演说中，明确表示要讨论有事立法问题，而小泉首相则是继承了这项工作。

2005年2月19日，日美安全保障协议委员会在华盛顿举行“2＋2”会议，进一步深化日美同盟关系。同年4月，小泉上任以来不顾东亚各国的反对，第五次参拜供奉甲级战犯的靖国神社，严重地破坏了日本与中国及东亚国家的关系。

2005—2006年冬季号美国《世界政策杂志》发布题为《日本如何想象中国和看待自己的》（作者为日本国际问题研究所网上刊物《JIIA评论》编辑玉元胜）的文章。其中写道：

> “正是在小泉执政时期，日本同中国的外交关系急剧恶化。争议最大的问题是小泉坚持每年参拜靖国神社，那里供奉着250万战争亡灵，包括14名被同盟国列为甲级战犯者的灵位。为此，北京取消了中日之间的首脑访问。”

① 见日本外务省编：《外交蓝皮书》，2002年版，第16页。

此外，上述文章还提出了许多耐人寻味的见解。诸如：

"中日外交关系处于20世纪70年代以来的最低谷。……越来越多的日本问题观察人士把中日关系恶化归咎于日本，称其对华政策愚笨而富有挑衅性、自以为是且毫无依据。"

"'中国是个威胁，因为它是中国。'这似乎是日本国家安全圈子里盛行的潜在论断。""日本对华关系一波三折的根源，在于它自古以来不能容忍与中国或其他亚洲国家平起平坐。"

"自从在第二次世界大战中战败以来，日本正首次重新考虑把武力威胁当作一种外交手段。外交政策机构的主导势力觉得日本受到摧残，如今需要再度变得'正常'。从本质上讲，他们所说的正常国家，就是要拥有一支合理合法的军队。争议的焦点是修改约60年前由美国占领军强加给日本的宪法，这部宪法宣布日本人民永不拥有军队。"

"只要靖国神社问题依然是一个外交疮疤，只要日本纠缠不清1945年的意义所在，日本的任何政治理念在国外都不大可能得到接受。"①

这一文章可谓指出了现今日本国家及其外交上的要害。

2006年9月20日，日本自民党举行总裁选举，内阁官方长官安倍晋三接替小泉纯一郎就任总裁。9月18日，日本《东京新闻》发表文章，题为《典型的"亲美疏华"外交》，对小泉2001年4月就任政府首相以来的日本外交，作了总结性的概述。其中写道：

"自2001年4月就任日本首相以来，小泉共出访51次，足迹遍布81个国家和地区。其中，访问次数最多的当然是美国。2001年6月，小泉……把第一个出访目的地选在了美国。从此以后，小泉首相每年都要前往美国访问，任期内共访美8次。……与布什总统举

① 见新华社编：《参考消息》2006年3月29日第16版。

行的会谈更是多达13次。"

"与日美关系形成鲜明对比的是……除了参加国际会议以外，小泉首相只在2001年10月前往北京与中国领导人举行了一次会谈。当时，小泉首相只在北京逗留了6个小时。"

"与对美外交相比，小泉首相的亚洲外交实在过于冷清。"

"对于与日本关系比较疏远的非洲和中南美洲国家，小泉首相之前，似乎一直提不起什么兴趣，几乎没怎么去过。但自从日本谋求成为安理会常任理事国以来，为了获得这些地区国家的支持，小泉首相便把内阁成员分派到这些地区访问，展开了积极的'战略外交'，企图与这些疏远了的国家拉近关系。但未免给人以为时已晚的感觉。"①

日本《东京新闻》的这一文章，可谓如实地总结和概述了小泉任职期间日本外交的基本情况。显而易见，评价不高、乏绩可谈。

至于后继首相安倍晋三能否改变思维方式，引导日本走出外交(除了对美外交之外)窘况，似仍有待观察。

附件：战后日本与东亚关系点评

一 中日美三国关系与东亚的安全保障

随着苏联的解体、美苏冷战体制的终结，影响东亚国际关系和安全保障问题的主要因素是中、日、美三国关系。当然，其他因素，如中俄关系、日俄关系等等，也会对东亚的国际关系和安全保障问题产生影响。但是，中、日、美、三国关系的改善和稳定，对东亚的国际关系和安全保障问题具有至关重要的作用。因此，着重研究中、日、美三国关系，是研究当前东亚国际安全保障问题的关键。

① 日本《东京新闻》2006年9月18日。见新华社编：《参考消息》2006年9月20日第1版。

（一）东亚地区缺少和平与发展的共同机制 美国对东亚的国际关系应负主要责任

本文所说的东亚地区泛指亚洲东部，是涵盖东北亚与东南亚的地理概念。

现今，东亚各国的社会制度并不相同，思想意识和经济发展也有差异，战后 50 余年，东亚地区并没有形成和平与发展的共同机制，但却存在过或依然存在着以美国为主体的各种条约关系和同盟关系。例如，1951 年形成的《美日安全保障条约》；同年签署的《美菲共同防御条约》；1953 年缔结的《美韩共同防御条约》；1954 年形成的《东南亚集体防务条约》以及同年美国与中国台湾当局签署的《共同防御条约》等等。

上述条约所形成的国家或地区关系，尽管后来有所变化，但基本上没有改变。战后以来，以美国为主体而形成的东亚国际关系或地区关系，具有以下几个值得注意的特征：

其一，以美国为主体而形成的上述条约或同盟，从其产生或形成的宗旨而言，是以战后开始的美苏冷战对峙或反共、反社会主义为背景的。1948 年 1 月，美国陆军部长罗雅尔在一次讲话中，便公开表示要把日本作为对付共产主义的“防波堤”。1954 年 4 月，美国总统艾森豪威尔在一次记者招待会上进一步言称：“在东南亚，如果有一个国家落入共产党手中，那么这个地区的其他国家就会像多米诺骨牌那样，一个接一个地倒下去。”①这些说法正是战后美国插手东亚地区，并连续结成各种条约或同盟关系的背景。

其二，上述条约或同盟所形成的国家或地区关系，是以美国在东亚保持军事力量为前提的，而且具有军事同盟或冷战对峙的性质。如《美菲共同防御条约》中明确规定：“为了更有效地达到本条约的目标，缔约国将分别或共同地以自助和互助的方式来保持并发展他们抵抗武装进

① 杨生茂、陆镜生：《美国史新编》，中国人民大学出版社 1990 年版，第 462 页。

攻的个别的和集体的能力。"[①] 1951 年签订的《美澳新安全条约》也是如此。[②] 而同年签署的《美日安全保障条约》,则是以美国在日本保留驻军,日本向美国提供军事基地为主要内容的。美国国务卿杜勒斯公开承认:"有些人说我们被带到了战争的边缘。当然,我们是被带到了战争的边缘……但是如果你不能掌握它……如果被吓得不敢到达边缘,你就输了。"[③]

其三,上述条约或同盟所形成的国家或地区关系,实际是美国推行对外政策的工具。例如 1950 年朝鲜战争爆发后,美国利用美日条约使日本变成了美国侵朝战争的后方基地。同样,1963 年美国卷入越南战争以后,《东南亚集体防务条约》的成员国——菲律宾和泰国也曾追随美国,其间美国对越南进行狂轰滥炸的军用飞机,也是从美国在日本冲绳的军事基地起飞的。

由此可见,上述条约或同盟所形成的国家或地区关系,并不是东亚地区和平与发展的共同机制。但是,上述条约或同盟关系的形成,说明美国在东亚地区的地位和作用是举足轻重的。美国的对外政策对东亚地区关系的形成,负有主要责任。

当然,时代在发展,东亚地区的国家关系也在变化。如 1976 年 2 月,东盟国家举行第一次首脑会议,共同签署了《东南亚友好合作条约》, 1977 年《东南亚集体防务条约》宣布终止;1978 年中美建交后美国宣布终止实施对台湾的《共同防御条约》等。但是,时至今日,美国介入东亚并影响东亚安全保障关系的地位并没有变,特别是美苏冷战体制终结后,美日两国的同盟关系反而通过"重新定义"而扩大了合作的内容与范围。

1996 年 4 月 17 日,美日两国首脑共同发表《美日安全保障联合宣

① 法学教材编辑部审订:《国际关系史资料选编》(下册),武汉大学出版社 1983 年版,第 291 页。

② 法学教材编辑部审订:《国际关系史资料选编》(下册),第 292 页。

③ 杨生茂、陆镜生:《美国史新编》,第 463 页。

言——面向21世纪的同盟》。其中写道:“冷战终结后,发生世界性规模战争的可能性正在减小……但是亚太地区依然缺乏稳定性和可靠性。朝鲜半岛的紧张正在继续,包括核武器在内的军事力量依然在大量地集中,未解决的领土问题、潜在的地区纠纷、毁灭性武器及其运载手段的扩散,是造成整个地区不稳定的重要因素”。因此,两国首脑“强调了日美两国对付所面临的安全保障课题的重要性”,“再次确认了日美之间的同盟关系具有重要的价值”。

进而,两国首脑宣布,“日美两国密切的防卫合作,是建立在自卫队适当的防卫能力和日美安全保障体制的配合之上的”,为了进一步强化日美两国间的信赖关系,“两国政府要进一步加强交换有关国际形势、特别是有关亚太地区的情报和意见。同时要继续就有关对应国际安全保障形势可能发生的变化,包括最充分地满足两国政府所必需的防卫政策,以及美军在日兵力构成的军事态势,进行密切协商”。①

也就是说,美苏冷战体制终结后,美日之间所确立的“面向21世纪的同盟”依然是建立在冷战思维之上的军事同盟,而不是基于冷战体制的终结,寻求东亚国家和地区的相互合作与理解。1997年9月重新修订的《美日防卫合作指针》(新防卫指针),可谓更加明确地说明了这一点。②

美日新防卫指针的内容,不仅包括两国“日常进行的合作”,而且包括所谓“日本周边地区的事态对日本的和平与安全构成重要影响时的合作”。进而,则是具体规定:“在自卫队与美军实施共同作战时,双方要确保一致,并适时地以适当的形式运用各自的防卫能力。是时,双方要有效地统一运用各自的陆海空军部队……”,“自卫队和美军要共同实施为了防卫日本周边海域的作战,以及为了保护海上交通的共同作战”等等。③

---

①《日美安全保障共同宣言——面向21世纪的同盟》,见畑田重夫:《自动参战·列岛总动员的新指针》资料部分,学习之友社1997年版,第50—52页。

② 1978年的美日防卫合作指针被称为“旧指针”。

③ 畑田重夫:《自动参战·列岛总动员的新指针》资料部分,第53—54页。

进而，则是建立双方的“后方支援”体制，内含相互救援、战区搜索、监视和警戒、提供情报、海空输送物资和武器弹药、海上扫雷、现场检查不明船舶、营救非战斗人员等等。日本前防卫次官西元承认：“战争行为的广泛含义，不仅包括战斗部队也应包括所有的后方活动。从这种意义上看，运输、通信比在前线作战的士兵更加重要，医疗也不能看作是战争以外的行动。”①换句话说，美日安保条约的“重新定义”，实际是构筑了冷战后的美日东亚政策的基本态势，并通过军事、政治、经济和技术的密切合作，建立强有力的、与欧洲北约组织遥相呼应的外向型的战略同盟。

现今，有人煽动“中国威胁论”，并将“台湾问题”视为影响美日两国或东亚国际安全的因素。本文认为，这是应该辩论清楚的问题。

其一，早在 1947 年，美国总统特使魏德迈在写给杜鲁门总统的报告中，尽管充满了对中国共产党的敌对和偏见，但依然承认：“中国历史充满了外国的侵战、横行、特权、剥削和侵夺领土的例子。外国不断的渗入与侵略，或在中国包括满洲与台湾谋取势力范围，这只能解释为是对中国主权直接的侵害与破坏，并与联合国宪章的原则相违背。”②这是符合历史事实的，中国一直是被侵略、被压迫的国家，现今的“台湾问题”也离不开这个历史背景。

其二，现今的中国，依然是个发展中的国家。1998 年 12 月，中国国家主席江泽民在一次讲话中再次明确谈道：“我们对外工作的首要任务，就是争取和平，为社会主义现代化建设服务。”“要坚持独立自主的和平外交政策……坚持在和平共处五项原则的基础上建立和发展同所有国家的友好合作关系。”“进一步改善和发展同大国的关系，彼此相互尊重，求同存异，平等相待，互利合作。通过对话，协商解决国与国之间存在的分歧和争端。”“我们一贯认为，世界是丰富多彩的，各种文化的并存和互补，是促进世界发展和进步的重要条件。历史文化和经济社会制度的差

① 《中央公论》1990 年 10 月号。

② 法学教材编辑部审订：《国际关系史资料选编》(下册)，第 196 页。

异，不应成为相互疏远和对抗的理由，而应成为相互合作、共同发展的动力。”①中国在国际关系上所要求的，是在和平共处等五项原则基础上的公正、合理的国际秩序。

其三，斯德哥尔摩和平研究所的研究报告表明：1998 年，美国的军费开支高达 2561 亿美元(1999 年 2599 亿美元)，日本高达 513 亿美元(1999 年 512 亿美元)，②而同年中国的军事预算不过 110 亿美元。③ 这个数目只有美国军费开支的 1/23，只有日本军费开支的 1/4 或 1/5 。但是，中国需要自卫的国土却是日本的 26 倍。这是一个非常明白的事理。此外，中国政府公开宣布：不搞霸权主义，绝不首先使用核武器，更不想以之作为讹诈的手段。

其四，近代以来，中国被侵略、被压迫的历史，使中国人民形成了一种坚定的信念，那就是中国人民不能忍受外来的侵略和压迫，也从来不想欺负别的国家和人民。这可以说也是中国对外政策的总根源。邓小平同志说过：世间的事情是大道理管着小道理。煽动“中国威胁论”是没有根据的，这只能是人为的制造矛盾，并掩盖自身的意图。台湾与大陆的统一，无论从何种角度而言，皆属于中国的内政问题。把“台湾问题”视为影响美、日两国和东亚安全因素的说法和做法，援用魏德迈的话说，它“只能解释为是对中国主权直接的侵害与破坏，并与联合国宪章的原则相违背”。

(二) 美日安保条约的重新定义应该反思
东盟国家组织的发展方向值得重视

1996 年美日安保条约的“重新定义”，不符合人类社会发展的主流，与大多数东亚国家要求和平与发展的愿望也是相去甚远的。因此，为寻求和确立东亚和平与发展的共同机制，对美日安保条约的“重新定义”应

① 新华社北京 12 月 18 日电，见《新周刊》1998 年年终特辑。

② 《光明日报》2000 年 7 月 19 日，B4 版。

③ 日本外务省编：《外交蓝皮书》，1999 年第二部，第 22 页。

该进行反思。

其一，美日安保条约的"重新定义"，是以美日两国的国家利益为基础的。1996 年 4 月 17 日，美、日在《日美安全保障联合宣言——面向 21 世纪的同盟》中宣布："首相和总统一致认为，日美关系的三个支柱——安全保障、政治和经济，都是建立在两国共有的价值观与利益之上的，而且是建立在日美安保条约所体现的相互信赖的基础之上的。"①同日，美日两国首脑在《致日美两国国民书 ——面向 21 世纪的挑战》中再次重申："日美两国具有共同的价值观、共同的关心和共同的愿望，并作为同盟国与伙伴而迈向 21 世纪。"②

也就是说，美日安保条约的"重新定义"，不仅扩大了美日两国军事合作的范围，而且是以谋求美日两国的国家利益为目的的。而客观的事实是，东亚各国也应该拥有各自的国家利益，而且东亚各国的社会制度、意识形态并不相同，经济发展水平也不相同，美日两国的价值观及关心和愿望，不能替代东亚各国的价值观，也不能代表东亚各国的国家利益和愿望。

其二，美日安保条约的"重新定义"，使美日两国在军事同盟与合作的方式上出现了超越或挤压联合国的倾向。冷战期间的美日安保条约中，清楚地规定了与联合国宪章之间的关系。如 1960 年 1 月 19 日签订、6 月 23 日生效的《日本国和美利坚合众国之间的相互合作及安全保障条约》中规定："缔约国约定，按照联合国宪章的规定，用和平方法并以不致危及国际和平、安全和正义的方式，解决涉及各自关系的国际争端，而且在各自的国际关系方面，对任何国家的领土完整和政治独立，慎重使用武力或通过武力威胁、采取任何同联合国的目的不符合的其他方式"；"缔约国将同爱好和平的其他国家共同加强联合国，以便联合国可以更有效地履行维持国际和平和安全的任务"（第一条）。此外，还明文规定，

① 畑田重夫：《自动参战·列岛总动员的新指针》资料部分，第 53—54 页。
② 畑田重夫：《自动参战·列岛总动员的新指针》资料部分，第 52 页。

作为受到武力攻击及其结果而采取的一切措施,“都必须按照联合国宪章第五十一条的规定,立刻向联合国安全理事会报告。安理会在采取为了恢复和维持国际和平与安全所必需的措施时,上述措施必须停止”(第五条)。①

但是,《美日安全保障联合宣言》中,却只是轻描淡写地提到了联合国,而且两国首脑一致同意:“两国政府要加强合作,通过维持和平行动和人道主义的国际救援活动,以支援联合国及其国际组织”(第八项)。②这实际是颠倒了美日同盟与联合国的位置,把联合国置于次要的位置上,更不要说采取一切措施时,立刻向联合国安全理事会报告了。进而,1997 年 9 月美日重新修订的《防卫合作指针》进一步强调:“这个指针的目的,在于从平时开始就构筑对付武装进攻日本及其周边事态的更加有效的和更加可信赖的日美合作的牢固基础。”此外,则是宣称:“日美为了在安全保障方面促进地区及全球范围的各项活动而进行的合作,将有助于构筑更加稳定的国际安全保障环境”;“日美两国政府根据形势的变化,在加强收集情报及警戒监视的同时,还要准备对付可能发展为武力攻击日本的行为……”;以及所谓“在对付周边事态时,日美两国政府要采取包括抑制事态扩大在内的适当措施。这些措施,应根据上述第二项所载的基本的前提和想法,并基于各自的判断而采取措施”等等。③ 即把双边同盟凌驾在国际协调上,出现了不受联合国制约的倾向。

其三,美日安保条约的“重新定义”,使美日的军事同盟与合作完全纳入了美国的全球战略和地区战略,不利于东亚地区的和平与发展,也不利于建立东亚地区和平与发展的共同机制。人们知道,1951 年的美日两国安保条约,在权利与义务的规定上并不十分明确,日本不过是主动地向美国提供军事基地和被动地接受美国的某种保护。1960 年重新修订《安保条约》时,虽然把美日防卫合作范围扩大到“远东地

① 畑田重夫:《自动参战・列岛总动员的新指针》资料部分,第 86 页。

② 畑田重夫:《自动参战・列岛总动员的新指针》资料部分,第 52 页。

③ 畑田重夫:《自动参战・列岛总动员的新指针》资料部分,第 34—42 页。

区”(第六条),但为了避免卷入军事冲突,当时的日本政府曾明确表示:远东不包括中国和朝鲜半岛。然而,苏美冷战体制终结后,1995 年日本在重新修订《防卫计划大纲》时,却把“远东”换成了“周边地区”,而美日安保条约的“重新定义”,则覆盖了亚太地区乃至更加广泛的地理范围。

前述《美日安全保障联合宣言》所规定的合作范围有三个层面。一是两国安全方面的合作;二是地区方面的合作;三是全球范围的合作。该宣言中写道:“两国政府认识到,两国间密切的防卫合作是日美同盟关系的核心要素……”;“两国政府注意到,自卫队和美军的合作在一切方面相互运用的重要性,要在以共同研究开发下一代支援战斗机(F —2)等装备为主的技术和装备领域内,加强相互交流”;“两国政府认识到,大规模杀伤武器及其运载手段的扩散,对两国共同的安全保障具有重要的意义。两国政府在采取共同行动以防止其扩散的同时,将在已经进行的弹道导弹防卫研究方面继续合作”等等。此时,“两国首脑一致认为,两国在联合国及亚太经合组织内的合作,在北朝鲜核开发问题上的合作,在中东和平进程推行前南斯拉夫的和平进程等问题上的合作,将有助于建立更加确保两国共同利益和基本价值的世界。”①

强调美日两国的“共同利益和基本价值”,以及反复强调美日两国在“一切方面”的军事合作,是美苏冷战期间的美日安保条约所没有的。特别是美日防卫合作新指针所确定的“周边事态”,更是前所未有的。因此,作为战前深受日本军国主义之害的亚洲各国人民,不能不想到战前日本所主张的“利益线”和“生命线”。

1890 年 12 月日本总理大臣山县有朋在《施政方针》中言称:“国家独立自卫之道有二:第一为保卫主权线;第二为保护利益线。所谓主权线者,即国家之疆域也;所谓利益线者,即与主权线之安危有密切关系之区域也。一般而言,国家不保护主权线及利益线,则无以为国。

① 畑田重夫:《自动参战・列岛总动员的新指针》资料部分,第 51—52 页。

而今介于列国之间，要维持一国之独立，只保卫主权线，已经决不充分，必需也要保护利益线 ……”①山县所说的“利益线”，实际就是朝鲜。也就是说，日本要维持本国的独立，就必需把朝鲜作为“利益线”。这就是当年日本政府的逻辑。结果，这种政策导致日本发动了侵朝、侵华战争。

由此可见，所谓“利益线”和“生命线”的主张，绝不是“自卫之道”，而是对外侵略、扩张之道。同样，美日安保条约的“重新定义”，把所谓的“周边事态”作为美日“安全合作”的范围，也不是什么“安全之道”。这是值得并应该引起反思的。1997 年 10 月 1 日，朝鲜中央通讯社发表声明，反对美日把朝鲜半岛纳入防卫合作的范围，并认为“这是美日侵略朝鲜和统战亚洲的战略计划，其首要目标是朝鲜”。美国日本政策研究所所长查默斯·约翰逊，在同年撰文指出：“新的美日安全同盟的目标显然是针对中国的”。② 换句话说，“周边事态”不仅超过了美日两国领土防卫的范围，而且与历史有惊人的相似之处。

现今，在评价美日安保条约的“重新定义”时，有的学者也往往强调外部因素，诸如所谓北朝鲜的“导弹试验”(1993 年)与核原料的疑惑，以及中国增加军事费用、发射导弹和军事演习(1996 年)等。这种把美日两国政府缔结新的军事同盟的原因完全转嫁到他国身上的主张是完全错误的。

在这里，本文应该谈到的是，为了寻求东亚的和平与发展，有必要考察一下东南亚国家联盟(以下简称“东盟”)的发展历程。1967 年 8 月，由印度尼西亚、马来西亚、菲律宾、新加坡和泰国共同组成的东盟，是以经济、社会与文化方面的合作为宗旨的，经过一段时间的调整与磨合，1971 年上述五国外长会议通过了《吉隆坡宣言》(亦即《东盟中立化宣言》)，明确地提出了“反对任何形式的外来干涉”，要将东南亚变成“和平、自由与

---

① 大山梓编：《山县有朋意见书》，原书房 1966 年版，第 203 页。

② 朝鲜《劳动新闻》1997 年 10 月 1 日，见林晓光 2000 年 9 月向南开大学国际学术研讨会提交的论文。

中立地区”的目标。

1976年2月东盟国家举行第一次首脑会议，共同签署了《东南亚友好合作条约》。其宗旨和原则是：“促进缔约国人民之间的永恒和平和持久的友好与合作”；“相互尊重彼此的独立、主权、平等、领土完整和民族特征”；“每个国家都有权保持其民族生存，不受外来干涉、颠覆或压力”；“彼此不干涉内政”；“用和平手段解决分歧或争端”；“放弃使用武力或以武力相威胁”等等。其中还特别谈道：“每一个缔约国都决不能以任何方式或形式参与能对另一缔约国的政治与经济的稳定、主权或领土完整构成威胁的任何活动。”①

现今的东盟，已经发展为包括东南亚10个国家在内的“大东盟”，其总面积达450.9万平方公里，总人口约为5亿，国民生产总值达到7300多亿美元。当然，目前对东盟的评价并非众口一词，东盟组织内部也难免存在种种矛盾，但是1976年所确认的原则，取代了1954年的集体防务条约，却是值得重视的，也是引人深思的。②

（三）正确总结历史经验是和平发展的需要 中国与日美确认的原则具有战略价值

正确地总结历史经验，特别是正确地认识战前日本所发动的侵略战争给东亚各国造成的巨大灾难，不仅是东亚国家友好相处的基础，而且是世界和平与发展的基础。然而，在这个问题上，坦率地讲，战后以来的日本内阁还没有做到认真对待。所以，战后以来，否认战前对外发动侵略战争的思潮得不到遏制，而且与亚洲各国人民包括日本人民的意愿相反，日本战后以来的教科书，对于战前军国主义的罪行却是反复掩饰，以致战后出生的年轻的一代人几乎不知道战前的日本军国主义为何物，也不知道战前的日本给东亚国家造成了多么巨大的灾难！

① 全文见法学教材编辑部审订：《国际关系史资料选编》（下册），第597—602页。

② 1984年文莱、1995年越南、1997年老挝与缅甸、1999年柬埔寨相继加入东盟。行文参阅北京大学梁志明教授论文：《东盟的扩展和区域意识的增强》。

近年来,日本有人把反省战前的侵略战争视为“自虐史观”,也有人主张超越“谢罪外交”。其实,这正是不能正确地总结历史经验。战前日本军国主义对外发动的侵略战争,不是“超越”或者否定便可以改变的。思想上的错误,往往导致行动上的错误。“自虐史观”或“超越”论,只能给日本国家和民族带来新的错误。在这个大是大非的问题上,不能陷入“难以自拔”的误区。日本的某些政治家(包括一些研究者),总是力图寻求某些“理由”,为当年日本军国主义的侵略政策进行辩解,或者不能承认受害国家对当年日本军国主义的批判,这无益于解除历史矛盾,也不利于日本同亚洲国家关系的正常发展。

在美苏冷战体制终结后的现在,为了寻求东亚地区的和平与发展,在认真总结历史经验的基础上,中日美三国还应重温和恪守 1972 年中美《联合公报》;1972 年中日《联合声明》和 1978 年中日《和平友好条约》;以及 1982 年中美《联合公报》所确认的各项原则;并充分体现这些原则在处理国际问题上的普遍意义和战略价值。

人们知道,1972 年 2 月 21—28 日,美国总统理查德·尼克松来华访问期间,代表美国政府和中国政府共同发表了《联合公报》,①从而揭开了战后中美两国关系的新篇章。中美《联合公报》中明确谈道:“中美两国的社会制度和对外政策有着本质的区别。但是,双方同意,各国不论社会制度如何,都应根据尊重各国主权和领土完整、不侵犯别国、不干涉别国内政、平等互利、和平共处的原则来处理国与国之间的关系。”双方同意“国际争端应在此基础上予以解决。而不诉诸武力威胁。美国和中华人民共和国准备在他们的相互关系中实行这些原则”。这是中、美两国政府在承认双方存在本质区别的前提下,向全世界庄严宣布的处理两国以及国际关系的基本原则,也是解决国际争端和安全问题的根本原则。

同样,1972 年 9 月中、日两国政府在《联合声明》中,也明确地宣布:

“中华人民共和国和日本国政府同意在互相尊重各国主权和领

① 全文见法学教材编辑部审订:《国际关系史资料选编》(下册),第 570—573 页。

土完整、互不侵犯、互不干涉内政、平等互利、和平共处各项原则的基础上,建立两国的和平友好关系。”

“根据上述原则和联合国宪章的原则,两国政府确认,在相互关系中,用和平手段解决一切争端,而不诉诸武力和武力威胁。”

“中日邦交正常化,不是针对第三国的。两国任何一方都不应在亚洲和太平洋地区谋求霸权,每一方都反对任何其他国家或集团建立这种霸权的努力。”①

1978 年的中日《和平友好条约》和 1982 年的中美《联合公报》,又分别再次确认了上述原则。这些原则符合中、日、美三国和世界各国人民的根本利益,这些原则不仅具有世界性的普遍意义,而且具有极其重要的战略价值和战略意义。

当前,中、日、美三国关系,实际是处于三对两国关系的状态。中美、中日之间分别确认的上述原则,并没有与美日两国所确认的同盟关系发生必然的联系。应该说,这是一种矛盾现象。对于这种矛盾现象,本文认为:要求一个国家遵守另一个国家所提出的原则是困难的,但是一个国家对业已认同和确认的原则,就应该恪守不二。原则问题是不能倒退的,尤其是已经确认的原则。

最后,本文想就冷战后中、日、美三国关系与东亚的安全保障问题作以下几点总结:

(一) 冷战结束后,美国在东亚的国际关系中依然具有举足轻重的作用。这在短期内难以改变。美日安保条约的“重新定义”,过分强调外部因素,是不符合客观实际的;美日安保条约不肯放弃冷战思维与军事对抗,有引发新的矛盾的危险性。

(二) 冷战结束后,东亚国际关系中原本并不突出的矛盾有所显现,但是并未形成新的冷战对峙。中国的首要任务是“把自己的事情办好”。中国和东亚所有的发展中国家并不是危及美日两国国家安全的因素。

---

① 全文见法学教材编辑部审订:《国际关系史资料选编》(下册),第 587—589 页。

（三）冷战结束后，放弃冷战思维，加强对话与交流，坚持与恪守中美、中日分别确认的原则，具有重要的战略价值。东亚的和平与发展有赖于正确地对待历史，有赖于在互相尊重各国主权和领土完整、互不侵犯、互不干涉内政、平等互利、和平共处各项原则的基础上，建立相互信赖的国家关系。

二　读日本《应与美中两国合作》一文有感

2005年2月9日，日本神户大学五百旗头真教授在《日本经济新闻》上，发表了题为《应与美中两国合作》的文章。文中指出："日本趋向与中国对抗是极大的错误……如果依靠与美国的同盟对中国等国家采取粗暴态度，就会给日本在亚洲地区的活动造成困难，并随时会招致被美中双方疏远的事态。"

这是非常理智而又清醒的判断。

就日本社会的传统思维而言，五百旗头真教授的见解，又是一种不同凡响的逆向思维。所以称作"逆向思维"，是由于五百旗头真教授冷静地意识到：近代日本"未能认同与日本一样也希望独立和发展的近邻国家的民族主义。相反地，日本却认为是对日本正当的既得权益的挑战。日本走上了战争之路，这是一条通过武力粉碎周边国家爱国之心的道路……结果使仇恨在战后很长一段时间仍挥之不去"。

战后60年的事实表明，是否具有这种"逆向思维"，也即是否具有通常所说的"反省"或"反思"，其结果是大不相同的。同样是战前的法西斯国家，同样是给世界各国人民造成深重灾难的德国，却因战后的德国政府诚心实意地反省和道歉，表明了对侵略战争和种族大屠杀的深恶痛绝，从而赢得了被害国家的信任和谅解。战后德国政府的态度是，绝不回避而且敢于面对历史，并且教育德国子孙后代永远牢记战前法西斯的罪行。这与现今的日本政府形成了一种极大的反差。

对此，人们注意到了日本右翼势力的作用。其人数不多，能量不小，而且有相当一部分人身居要职。然而，归根结底是战后以来多数的日本内阁成员和政治家，还没有这种“逆向思维”，不肯进行认真而彻底的“反省”或“反思”。因此，不仅“失言大臣”连续不断。进而，2005 年 4 月 5 日日本文部科学省检定“合格”的中学教科书，也依然严重歪曲和掩盖战前日本的侵略历史，实可谓“我行我素”。这种态度、这种行为，怎能得到亚洲被害国家和人民的信任和谅解？

在近代以来的日本对外关系史上，并不是中国、朝鲜和其他亚洲国家威胁了日本，而是日本政府基于明治初年“大力充实兵备，布国威于海外”的国策方针，不断地向周边国家侵略扩张。

如 1876 年，日本政府迫使朝鲜签订的第一个不平等条约《日朝修好条规》，便含有日本可以随意测量朝鲜沿海岛屿、海湾、绘制图志的特权。其名义是所谓“避免危险”。①

1890 年 3 月，当时作为日本总理大臣的山县有朋，在其《外交政论略》中写道：“我邦利益线之焦点，实在朝鲜。”“国家独立自卫之道有二：一曰守卫主权线，不容他人侵犯；二曰保护利益线，不失自己有利之地位。何谓主权线？疆土是也。何谓利益线？与邻国接触之势，与我主权线之安危密切相关之区域是也。大凡为国，不可没有主权线，也不可没有利益线，而外交及兵备之要诀，则专以此两线为基础也。方今立于列国之际，要维持国家之独立，仅是守卫主权线业已不足矣，必须进而保护利益线，经常立于有利之地位。而如何保护利益线呢，即各国之所为，苟有对我不利时，我当有责任加以排除，不得已时，则以强力达到我国意志。”②

这种“保护利益线”的政策，特别是把拥有独立主权的朝鲜，作为需要日本政府“保护”的所在，无论从国际法，还是从邻国关系上说，都不是什么“自卫之道”，而是侵略之道。

1894 年，日本政府又迫使朝鲜承认“将来有关巩固朝鲜国独立自主

① 日本外务省编：《日本外交年表并主要文书》(上)，原书房 1972 年，文书部分，第 66 页。
② 大山梓编：《山县有朋意见书》，原书房 1966 年，第 196—197 页。

之事宜，当由两国政府派员会同协商议定”等等。①

1904年2月23日，日本政府进一步通过驻朝公使林权助，与朝鲜兼理外部大臣李址镕缔结所谓《日韩议定书》，其核心内容是：迫使朝鲜政府“确实相信大日本帝国政府，并采纳其有关改善施政的忠告”（第一条）；“大日本帝国政府确实保证大韩帝国的独立及领土完整”（第三条）；以及所谓“由于第三国的侵害或内乱，大韩帝国皇室的安宁或领土完整处于危险时，大日本帝国政府可迅速采取临机必要措施”，“为了达到前项目的，大日本帝国政府可临机收用军事战略上的必要地点”（第四条）等等，②加速蚕食朝鲜的国家主权。

时至1910年，日本政府则公然“合并韩国”，变朝鲜为日本的殖民地。

同样，对中国也是如此。具有典型意义的，则是1887年日本参谋本部制定的《征讨清国策案》，其中明确提出：“欲维护我帝国之独立，伸张国威，进而巍然立于万国之间，以保持安宁，则不可不攻击支那，不可不将现今之清国，分割为若干小邦。”

日本要维持国家独立，这无可非议。但是，企图把本国的独立建立在攻击乃至分割邻近国家之上，则全然是战争政策和侵略政策。而令人震惊的是，该《策案》的“善后处置”，则是“缔结条约的话，应将自山海关至西长城以南之直隶山西两省、河南黄河北岸、山东全省、江苏省黄河故道宝应湖、镇江府大湖、浙江省杭州府、绍兴府、宁波府东北之地，以及第三项所列地区，划归为本邦版图，将东三省及内兴安岭以东、长城以北之地，分与清朝，使满洲独立，在支那本部迎明代后裔，建立王国，割与扬子江以南之地，以为我之保护国……更以扬子江以北、黄河以南之地，另立一王国，以为我属”等等。③

---

① 日本外务省编：《日本外交年表并主要文书》（上），文书部分，第155页。

② 同上，第223—224页。

③ 该文件现存于前日本陆军中将、宫中顾问官、驻韩公使三浦梧楼（1846—1926）的家藏文书之中。

这实际是欲置当时的中国于死地而后快。它不仅是“甲午战争”后日本政府向中国要求割地、赔款的蓝图，也是九一八事变后，日本政府扶植傀儡政权的蓝图。

进而，1896 年 7 月 21 日，日本政府得寸进尺，又迫使中国签订《日清航海通商条约》，实现了多年力图“均沾”列强侵华权益的欲望，获得了种种特权，诸如“清国官吏或臣民对身在清国的日本国臣民或有关财产进行民事诉讼时，应由日本国官吏审理判决”，“在清国犯罪而成为被告的日本国臣民，由日本国官吏审理，在认为其有罪时，按照日本国法律处罚”（第二十一、第二十二条）；以及“日本国政府及其臣民享有根据日清之间现行条约各款所获得的一切特权、豁免及利益……日本国政府及其臣民享有大清国皇帝陛下给予他国政府或臣民及将来赋予的一切特权、豁免及利益”（第二十五条）等等。①

同年 9 月 27 日，又有《杭州日本居留地协定》，内含划定范围，日本商民可以随意“借用土地”，“借用”地券以三十年为期，期满后可以换券续借，当借地人转让“借用之地”时，只要日本领事官照会中国地方官，便可以更换地券等等，②企图长期霸占中国领土。

历史证明，近代以来的中日关系之所以愈来愈恶化，其根源就在于战前的日本政府把剥夺近邻国家的主权和利益，作为日本国家的“正当权益”或所谓“条约上的权利”。战前日本政府给被害国人民造成的仇恨，“在战后很长一段时间仍挥之不去”的根源也在这里。

历史是无法改变的见证。它虽然翻过了一页。但是，教训不能忘记。

1994 年日本自民党“历史研究委员会”会长山中贞则（众议院议员），针对当时细川首相所说的“上次战争是侵略战争”的讲话，公然表示要将所谓“正确的历史观和正确的国体论，传授给……已经到了成为政治家

① 日本外务省编：《日本外交年表并主要文书》（上），文书部分，第 180 页。

②《日本外交年表并主要文书》（上），文书部分，第 181—183 页。

年龄的人们”。[①] 这实际是看世界上的一切都是黑的，惟独不知道自己是黑的。

世上没有无缘无故的爱，也没有无缘无故的恨。山中议员所说的“正确的历史观和正确的国体论”，是对战前日本侵略战争和罪行的否认，是对战前日本国家的政治体制和思维方式的肯定，同时也是对自己参加过不义战争行为的掩盖。如果山中议员真正觉得对不起死去的战友，倒是应该利用现有在世的机会和条件，让已经到了成为政治家年龄的人们，知道战前的日本政府究竟做出过什么决策，那些死亡的士兵又是为什么而死的。否则，山中议员所说的“正确的历史观和正确的国体论”，将会贻害于人，而且永远不能获得灵魂上的洁净。

战后以来的中日关系，有过吉田茂内阁的反华时期，也有过田中角荣内阁时期的中日邦交正常化。相较而言，田中角荣内阁为中日两国人民做了好事，而吉田茂内阁却没有为中日关系做好事。作为政治家切莫以为干了坏事下了台就没有责任了。好与坏都将在历史上留下记载。

中国是负责任的大国。1954 年中国和印度政府联合提出的“互相尊重主权和领土完整、互不侵犯、互不干涉内政、平等互利、和平共处”等五项原则，一直是中国对外政策的基石。中日关系正常化后，作为两国共同遵守的原则，写入了 1972 年的《联合声明》和 1978 年的两国《和平友好条约》中。也就是说，现在的中日关系是有基本原则可循的，应该珍惜，应该恪守。而当务之急，则在于日本政府应该对战前的历史进行明确而诚实的反省。山中议员所代表的错误思潮，绝不是日本社会的福音。

五百旗头真教授所倡导的“应与美中两国合作”，是符合中日两国人民根本利益的。就实际情况而言，1979 年大平正芳内阁对华实施 ODA 以来，对中国的基本建设、技术合作和利民工程，起了有益的作用，而中国和亚洲国家的经济发展，也对日本的经济发展起到了推动作用。这是

---

① 历史研究委员会编、东英译：《大东亚战争的总结》，新平出版社 1997 年，序言。

相互有利的。再如，有关钓鱼岛的领土问题和东海大陆架的资源开发问题，如果按照日本政府现今视为己有的主张，势必成为中日矛盾的焦点，如果进行“逆向思维”，尊重和承认别国的主权和利益，则完全可能成为中日两国友好合作的范例。

一个国家的政府或政治领导人，如果没有平等互利、尊重别国主权和利益的真诚意识，将永远不能处理好与世界各国的关系。

三　反省是日本改善对华关系的关键

近代以来的日本政治家，在中日关系问题上，往往笼罩在一片阴影之下。其具体表现：既想从中国获得利益，但又不想平等、和睦相处。这实际是“与人为敌”的心态所致。这种心态使多数日本政治家难以作出明智的决策和选择。昭昭史事，可以为鉴。

1871 年，中日两国首次议立《大清国大日本国修好条规》，这是近代中日关系史上唯一的对等条约。日本政府为了立约，1870 年派遣使节柳原前光来华，柳原在天津会见清政府的北洋大臣、直隶总督李鸿章，其递交的国书中言称：

> 方今文明之化大开，交际之道日盛……况邻近如贵国，宜最先通情好，结和亲。而唯有商舶往来，未偿修交际之礼，不亦一大阙典也乎。……兹经奏准，特遣从四位外务权大丞柳原前光……，预先商议通信事宜，以为他日我公使与贵国订立和亲条约之地。①

进而，柳原前光声称：

> 英法美诸国，强逼我国通商，我心不甘，而力难独抗……惟念我国与中国最为邻近，宜先通好，以冀同心协力……。②

随后，柳原又会见前任直隶总督（时任两江总督）曾国藩，言称“当今

① 《同治朝筹办夷务始末》卷 77、82。
② 《李文忠公全书》卷 17。

欧洲诸国势力，方以压力加诸中日两国之际，两国迫于形势，实有迅速同心协力之必要”等等。①

清政府在柳原前光的游说之下，同年10月，同意与日本政府议定条约。1871年9月13日，中日双方签订了《大清国大日本国修好条规》及《通商章程》。

《大清国大日本国修好条规》共计18条，其中规定：

嗣后大清国、大日本国弥敦和谊，与天壤共无穷。两国所属邦土，亦各以礼相待，不可稍有侵越，俾获永久安全。

两国既已通好，自必互相关切。若有他国不公及轻藐之事，一经知照，应彼此相助，或从中善为调处，以敦友谊。

《通商章程》共计33条，其中规定：

两国互开通商口岸……；

中国商船货物进日本通商各口，应照日本海关税则完纳；日本商船货物进中国通商各口，应照中国海关税则完纳；

中国商货进日本国通商各口，在海关完清税项后，中国人不准运入日本国内地。其日本国商货进中国通商各口，在海关完清税项后，任凭中国人转运内地各处售卖，逢关纳税，遇卡抽厘，日本人不准运入中国内地。违者，货均入官，并将该商交理事官惩办。②

上述条文，彼此对等，有利于两国的友好相处和经贸关系的发展。但是，在立约谈判中，日本钦命全权伊达宗城和柳原前光却要求清政府“准予西人成例，一体定约”，所提出的条约方案，“仿效普鲁士和美国的立约方案，事事援照西例”，③企图均沾列强侵华权益。

随后，在批准交换条约之前，日本政府更在条约中写明：“若有他国

① [日]东亚同文会编《对华回忆录》，商务印书馆1959年版，第29页

② 条约文本载入《日本外交文书》，本文参照王芸生：《六十年来中国与日本》第1卷，三联书店1979年版，第44—49页。

③《同治朝筹办夷务始末》卷77、82。

不公及轻藐之事，一经知照，应彼此相助”，以及《通商章程》中规定日本人来华通商不得携带刀剑而要求改订。前者，是因为西方列强认为中日结盟，后者是强调日本人的传统，所以做出了被李鸿章视为“旋订旋改”的决定。姑且不论其理由是否充分，但日本政府的此举，实际已经为近代伊始的中日关系投下了阴影。

这段历史给人们留下了三点思考：

一是日本政府国书中所说的“方今文明之化大开，交际之道日盛……况邻近如贵国，宜最先通情好，结和亲”，以及柳原前光所说的“惟念我国与中国最为邻近，宜先通好，以冀同心协力……”，本是好事。如果表里如一，恪守不移，那么近代的中日关系，则不可能出现重大问题和重大矛盾。而遗憾的是，近代日本政府没有做到这一点。1874 年，日本政府以琉球国漂流船民在台湾被杀害为由出兵台湾，剿杀当地土著居民，从而拉开了此后 70 余年中日交恶的历史序幕。

二是《大清国大日本国修好条规》中规定：“嗣后大清国、大日本国弥敦和谊，与天壤共无穷。两国所属邦土，亦各以礼相待，不可稍有侵越，俾获永久安全”，并没有错。“两国既已通好，自必互相关切。若有他国不公及轻藐之事，一经知照，应彼此相助，或从中善为调处，以敦友谊”，也没有错。然而，当年的日本政府屈从于西方的压力，加上本身的错误动机，从而动摇了独立而合理的规定。这是近代中日关系走向悲剧的种子。

三是日本人携带刀剑，这在封建社会是日本武士阶层的传统习惯，它意味着武士阶层拥有对普通百姓“格杀勿论”的特权。因而它绝不是每个日本人的传统习惯。而且，1868 年日本开始“明治维新”之际，日本政府主张“四民平等”，已经颁布了《废刀令》。这是对封建特权的否定，是社会的进步。然而，在异国他乡却又坚持日本人携带刀剑，显然是企图对华保持特权，因而成为近代中日关系的隐患。

及至 19 世纪 80 年代，日本极端国家主义思潮强劲，政府要人主张针对中国扩张军备，认为当时清政府进行兵制改革，是对日本构成“直接威胁"的言论，可谓俯拾即是，①并终于导致了1894年的日清战争（中国历史称作"甲午战争"）。"甲午战争"结束后，近代日本政府投井下石，不仅要求割占辽东半岛，而且要求中国赔偿2.3亿两库平银，中国政府不得不对外大举借债，以致1938年尚未还清。

进而，日本政府得寸进尺，1896年7月21日，又迫使中国签订《日清航海通商条约》，实现了日本政府多年力图"均沾"列强侵华权益的欲望，获得了种种特权，诸如"清国官吏或臣民对身在清国的日本国臣民或有关财产进行民事诉讼时，应由日本国官吏审理判决"，"在清国犯罪而成为被告的日本国臣民，由日本国官吏审理，在认为其有罪时，按照日本国法律处罚"（第21、22条）；以及"日本国政府及其臣民享有根据日清之间现行条约各款所获得的一切特权、辖免及利益……日本国政府及其臣民享有大清国皇帝陛下给予他国政府或臣民及将来附予的一切特权、豁免及利益"（第25条）等等。②

随后，同年9月27日，又有《杭州日本居留地协定》，内含划定范围，日本商民可以随意"借用土地"，"借用"地券以30年为期，期满后可以换券续借，换券事例永远实施；当借地人转让"借用之地"时，只要日本领事官照会中国地方官，便可以更换地券等等。③ 实际是企图长期霸占中国领土。

上述事实，恰恰发生在日本本身也没有摆脱西方不平等条约的压迫之际。然而，日本政府却认为：这些破坏中国主权的条款和协定，是日本国家的"正当的权益"。

步入近代的日本，也曾为了恢复国家主权而努力。1872年3月，当日本政府派遣的"美欧使节团"在华盛顿要求修改不平等条约而遭到拒

① 可参阅大山梓编《山县有朋意见书》（原书房1966年版）；芝原拓自、猪饲隆明、池田正博编《日本近代思想大系十二：对外观》，（岩波书店1988年版）；日本外务省编《日本外交年表并主要文书》（原书房1972年版）等历史资料。

② 参见日本外务省编《日本外交年表并主要文书》（上），原书房1972年版，第180、181—183页。

③ 参见日本外务省编《日本外交年表并主要文书》（上），原书房1972年版，第180、181—183页。

绝时，特命全权副使木户孝允在《日记》写道："彼之所欲尽予之，我之所欲一而未得，此间苦心竟成遗憾，唯有饮泣而已。"①

人心都是肉长的。将心比心，没有任何一个国家不因为丧失主权而痛心疾首，也没有任何一个国家不为捍卫主权和尊严而奋斗。然而，在近代的中日关系中，日本政府却认为中国人恢复国家主权和尊严的努力，是进行"反日"或"排日"，完全颠倒了是非观念，心目中唯有日本的权益至上，无视甚至蔑视中国的主权和利益。

此后，思想和决策上的错误，使近代日本变成了东亚的战争策源地，日本的百万"皇军"在东亚大陆上横冲直闯、攻城掠地、杀人放火，犯下了种种罪行。以致中国和亚洲被害国家的人民生灵涂炭、白骨累累，而当年日本的老兵，在恢复良知以后，至今还受到良心的谴责。但是，日本政府却至今没有彻底自问：这究竟是什么行为？

历史是无法改变的见证。它虽然翻过了一页。但是，教训不能忘记。

前不久，神户大学教授五百旗头真在《日本经济新闻》(2005 年 2 月 9 日)上撰文指出：

> 近代日本认真学习了西方文明的秘密……实施自我变革……这是好事。问题是已成为世界列强之一的日本误入了歧途，未能成为优秀的带头人。
>
> 一言以蔽之，日本未能认同与日本一样也希望独立和发展的近邻国家的民族主义。相反，日本却认为这是对日本正当的既得权益的挑战。日本走上了战争之路，这是一条通过武力粉碎周边国家爱国之心的道路。它把日本引向没完没了的战争和灭亡，结果使仇恨在战后很长一段时间仍挥之不去。

五百旗头真教授的上述分析，揭示了近代中日关系的症结和真谛。

① 木户孝允：《木户孝允日记》(明治五年二月十八日)，东京大学出版会 1978—1980 年版。

他主张日本应与美中两国合作。并且指出：现今“在日本，要求政府毅然采取对抗中国的态度的呼声日益高涨。但是，日本趋向与中国对抗是极大的错误。……如果依靠与美国的同盟对中国等国家采取粗暴态度，就会给日本在亚洲地区的活动造成困难……。”这是对中日关系的真知灼见，是符合两国人民的根本利益的。作为日本历史的研究者，我表示赞同。

中国是负责任的大国。中国政府早在1954年与印度政府共同提出的“和平共处”等五项原则，是中国对外政策的基石。中国政府明确宣布：我们强大了，也不称霸。这是中国人民的共同心声。用“中国威胁论”来煽动日本国民的情绪，是蓄意破坏中日关系。

最近，中国政府和人民批判日本文部科学省检定“合格”的历史教科书，这是日本文部科学省引起的。这不是揪住历史问题不放，也不是日本某些人所说的“反日”和“干涉日本内政”，而是不能容许日本某些人对中国的诬蔑，不能容许对历史的歪曲和篡改。

在认识和反省战前的历史问题上，德国政府比日本政府做得好、做得彻底、做得诚实。因此，得到了世界各国人民的谅解。

所谓做得彻底、做得诚实，是指深刻认识、彻底反省历史上的错误思潮、历史上的错误决策、历史上的侵略罪行，并做出“改弦易辙”的实际行动，不能延续历史的错误思潮和决策。

总之，彻底反省，从历史的阴影中走出来，是日本政治家改善对华关系的关键。

第八编　日本的神国观念与东亚[①]

21世纪之初，日本前首相森喜朗依然公开宣称“日本是神的国家”。此事令世界舆论哗然。现任的小泉首相三番五次以国家领导人的身份参拜靖国神社，声称这是日本的文化传统。世界各国人们难以理解的同时，不得不思考这是怎样的意识形态，这种思想意识及其支配下的种种行为究竟意味着什么？日本著名学者丸山真男写道：“基于日本国家体制特性的神国观念乃至民族性自恃，建国以来一直一脉相承地在国民的胸膛中回荡着。”[②]这有助于人们进一步认识近代以来（战前）日本的东亚战略和政策。

一　日本的神国观念与大国意识

日本的神国观念源于上古时代的神话传说，后经统治者的加工整理，集中地表现在《古事记》和《日本书纪》中。

《古事记》成书于712年，是奉天武天皇之命撰写的，由上中下三卷

① 本编为刘志强讲师原作，本书有补充、修整。

② 丸山真男著、王中江译：《日本政治思想史研究》，生活·读书·新知三联书店2001年版，第270页。

组成。上卷是神代,从天地初开至神武天皇诞生;中卷由神武天皇东征写到应神天皇;下卷是仁德天皇至推古天皇。上卷约占全书的40%左右,其中包括国土生成、天照大神的出现,以及大国主命奉献国土和天孙降临治世等神话。粗略统计,大约1400字的上卷,“神”字反复出现635次。这些故事所体现的思想是:天皇是天照大神的子孙,天皇的权威高于一切,“皇统”即“神统”,反抗“皇统”就是反抗“神统”,这不仅是逆天行事,而且是天威所不容的。这也是日本古代国家政治的基本原则。

《古事记》的宗旨在于昭显“邦家之经纬,王化之鸿基”。① 而其真正的意义,则是在展开神话世界的同时,为日本制造了神国观念。后世的许多思想都是基于神国观念而来的。如本居宣长(1730—1801)著述的《古事记传》,则将神国观念发挥到了“神国主义”的高度。他认为“世界上有许多国家,但由神祖直接生出的,只有我日本国。”他把日本说成是天照大神(太阳神)的国家,因而是世界万国的本源,是最优秀的,天皇是天照大神的子孙,“世中万物皆变,惟我天皇的皇统永远不变”。②

《日本书纪》成书于720年,它是继《古事记》之后的第一部“国史”。据称是由天武天皇皇子舍人亲王为总编而完成的,实际可能是《古事记》的编者安万侣(也被记作太安万侣)。

《日本书纪》有别于《古事记》,关于神代的描述只有第一和第二卷,也是古代神话的传承,称为“神代卷”。从第三卷开始到最后的第三十卷讲的是神武天皇到持统天皇的历史事件,称为“人皇卷”。在这些传说与历史的叙述中,尤以对朝鲜诸国的记载为多。如记载朝鲜半岛各国因慕“圣朝圣化”而经常“朝贡”,其口吻和中国史书描写的“朝贡”如出一辙,这说明当时日本的神国观念已经派生了对外的大国意识。如:

《日本书纪》神功皇后9年条,借新罗王之口说:“吾闻东有神国,谓

① 太安万侣编撰、周作人译:《古事记》,中国对外翻译出版公司2001年版,第16页。

②《玉茅百首》,见朱谦之著:《日本哲学史》,人民出版社2002年版,第107页。

日本;亦有圣王,谓天皇。”①

神功皇后46年条,借卓淳(即任那)王末锦旱歧之口,转述百济人的话说:“百济王闻东方有日本贵国,而遣臣等,令朝其贵国。”②

神功皇后51年条记载,派遣使节千熊长彦等赴百济,谓之曰:“朕从神所验,使开道路。平定海西,以赐百济。今复厚结好,永宠赏之”,百济王父子一起叩地说:“贵国鸿恩,重于天地,何日何时敢有忘哉。圣王在上,明如日月,今臣在下,固如山岳,永为西蕃,终无贰心。”③

应神天皇3年条记载,由于“百济辰斯王立之失礼于贵天皇”,日本遣使“责让其无礼状”,于是“百济国杀辰斯王以谢之”,日使“另立阿花为王而归”。④

应神天皇28年条记载,“高丽王遣使朝贡”,其上表中有一句“高丽王致日本国也。”当时的太子菟道稚郎子读表“怒之,责高丽之使,以表状无礼,则破其表”。⑤

仁德天皇17年条记载,“新罗不朝贡。九月,日本遣使往新罗询问为何不朝贡。于是,新罗人惧之乃贡献。调绢一千四百六十匹,及种种杂物,并八十艘。”⑥

上述记载在很大程度上是编纂者对于交往事件的渲染和夸张,但却说明了日本的大国意识。

除以上列举之外,《日本书纪》中还有许多关于朝鲜各国“朝贡献物”,以及“归化日本”的记载。就历史事实而言,兴起于公元3世纪末的大和国,于4世纪末至5世纪初基本统一日本。4世纪中叶,大和国曾向朝鲜南部扩张势力。当时朝鲜半岛正值高句丽、百济和新罗的三足鼎立

① 坂本太郎、家永三郎等校注:《日本古典文学大系67 日本书纪上》,岩波书店1978年版,第351页。
② 同上书,第353页。
③ 坂本太郎、家永三郎等校注:《日本古典文学大系67 日本书纪上》,第359页。
④ 同上书,第365页。
⑤ 同上书,第377页。
⑥ 同上书,第397页。

时期，日本利用百济借助外力对抗高句丽和新罗的心态，于4世纪60年代入侵新罗。随后于391年破百济和新罗，并将两国视为自己的“臣民”。此后，朝鲜半岛处于日本的军事压力之下。但古代的朝鲜半岛各国并未从属于日本。日本和朝鲜半岛各国之间，并没有任何证据表明存在过主从关系，而是日本统治者企图统治朝鲜半岛的神国意识在作祟。它表明《日本书纪》已经在描述一个以日本为核心的国际秩序。

进入5世纪以后，大和国的统治者先后有赞、珍、济、兴、武等五人。《宋书》称之为“倭五王”。“倭五王”在对外交往方面采取“远交近攻”的政策，即积极与中国的东晋、刘宋、齐、梁各朝建立密切的外交关系。特别值得注意的是，倭王多次主动向中国皇帝要求封号。

如，438年倭王珍遣使刘宋，自称“使持节、都督倭、百济、新罗、任那、秦韩、慕韩六国诸军事、安东大将军、倭国王”，要求宋文帝刘义隆予以正式认同。但文帝只承认其为“安东将军、倭国王”。① 在此之前的420年，宋武帝刘裕曾册封百济王为镇东大将军，其位高于倭王，因此倭王珍提出这样的称号是要与百济一比高低，由此也可以看出倭王珍的不满。

451年倭王济遣使朝贡，从宋文帝那里得到了“使持节、都督倭、新罗、任那、加罗、秦韩、慕韩六国诸军事、安东将军”的封号，这一封号与倭王珍渴望的如出一辙。②

478年倭王武(学界认为是雄略天皇)遣使上表，自称“使持节、都督倭、百济、新罗、任那、加罗、秦韩、慕韩七国诸军事、安东大将军、倭国王”。③ 此时大和国已经统一日本，倭王武在国书中使用“自昔祖祢，躬擐甲胄，跋涉山川，不遑宁处。东征毛人五十五国，西服众夷六十六国，渡平海北九十五国”等较为夸张的词句加以炫耀，④并希望借助刘宋的“帝德覆载”来支持他称霸朝鲜。从这个意义上说，与其说倭五王向中国朝

① 见汪向荣、夏应元编：《中日关系史资料汇编》，中华书局1984年版，第31页。

② 同上书，第31页。

③ 同上书，第31页。

④ 同上书，第32—34页。

贡称臣，不如说是假借中国的影响，使朝鲜半岛诸国向日本称臣。但是宋顺帝还是从其自称中去掉了“百济”一项。

“倭五王”时代之后，中日国交中断，直到推古天皇与圣德太子摄政时代，才同隋朝恢复交往。《隋书·倭国传》记载：

> 开皇二十年〔600年〕，倭王姓阿每，字多利思比弧，号阿辈鸡弥，遣使诣阙。上令所司访其风俗。使者言：倭王以天为兄，以日为弟，天未明时出听政，跏趺座，日出便停理务，云委我弟。高祖〔隋文帝〕曰：此太无义理。于是训令改之。①

隋大业三年（607年）日本圣德太子以小野妹子为使节出使中国。《隋书·倭国传》记载：

> 大业三年，其王多利思比孤遣使朝贡。使者曰：“闻海西菩萨天子重兴佛法，故遣朝拜，兼沙门数十人来学习佛法。其国书曰：日出处天子致书日没处天子，无恙云云。帝〔隋炀帝〕览之不悦，谓鸿胪卿曰：蛮夷书有无礼者，勿复以闻。②

上述两则记载，说明日本同隋朝恢复交往之际，其大国意识已经非常明显。一则自称“倭王以天为兄，以日为弟”；二则自称“日出处天子致书日没处天子”。这说明随着日本的统一和君权的强化，日本已经有了区别于中国的“天下”观念。木宫泰彦认为“圣德太子要和隋朝缔结对等的国交，这不能不说是外交上一个新纪元”。③

608年，隋使裴世清同小野妹子一起赴日，据《日本书纪》所载，裴世清向日皇递交的国书如下：

> 皇帝问倭皇：使人长吏大礼苏因高〔小野妹子〕等，至具怀。朕钦承宝命，临仰区宇，思弘德化，覃被含灵，爱育之情，无隔遐迩。知

① 见汪向荣、夏应元编：《中日关系史资料汇编》，中华书局1984年版，第44页。

② 同上书，第46页。

③ 木宫泰彦著、胡锡年译：《日中文化交流史》，商务印书馆1980年版，第53页。

> 皇居海表，抚宁民庶，境内安乐，风俗融合，深气至诚，远修朝贡，丹款之美，朕有嘉焉，稍暄比如常也。故遣鸿胪寺掌客裴世清等，稍宣往意，并送物如别。①

据说，圣德太子对此感到不快。《经籍后传记》记载：“其书曰：皇帝问倭皇。圣德太子甚恶其黜天子之号为倭皇，而不赏其使。”②在裴世清回国时，圣德太子再派小野妹子同往，并携国书一封。《日本书纪》推古天皇16年(608年)条记载：

> 爰天皇聘唐〔指隋朝〕帝，其辞曰：“东天皇敬白西皇帝。使人鸿胪寺掌客裴世清等至，久忆方解。季秋薄冷，尊何如。想清悆，此即如常。今遣大礼苏因高、大礼乎那利等往，谨白不具。”③

这次国书的开头换成了“东天皇敬白西皇帝”，分别以“天皇”和“皇帝”称呼双方的君主。这也是日本历史上第一次使用“天皇”一词。本居宣长在《驭戎慨言》中写道：“在后一次的诏书中，改日出处天子为东天皇，日没处天子为西皇帝，盖因闻首次诏书为彼王所不悦，故略加改动，并表敬意。然犹不只称彼王为皇帝，对东而称西。我方既不称倭，亦不称王，独称天皇，盖憎恶彼王国书中称倭王之无礼，不从之也。”④

上述情况表明，圣德太子与隋交往，已经不同于“倭五王”的请封时代，“不赏其使”也是对隋炀帝“无礼”的一种反应。当时的推古朝与“倭五王”时代相比，王权得到了很大的加强，在对外交往上自然会有更高的追求。另外，当时新罗和百济已经接受了隋朝的册封，而日本一直视朝鲜半岛的国家为自己的朝贡国，所以在同隋朝的关系上当然不能和他们一样。但隋朝国书中的“皇帝问倭王”却保留着两者的上下之别。

---

① 坂本太郎、家永三郎等校注：《日本古典文学大系 68 日本书纪下》，岩波书店1978年版，第191页。

② 见李寅生：《论唐文化对日本文化的影响》，巴蜀书社2001年版，第71页。

③ 坂本太郎、家永三郎等校注：《日本古典文学大系 68 日本书纪下》，岩波书店1978年版，第193页。

④ 木宫泰彦著、胡锡年译：《日中文化交流史》，商务印书馆1980年版，第55页。

总体来说，在推古朝与隋朝的外交活动中，一方面是向往中国文化，积极吸收利用；另一面又力图保持大国地位，显示了与“倭五王”时代的不同。这中间已经潜在着日本与东亚“华夷秩序”的矛盾。

现今，关于日本遣隋使的目的，学界观点尚难统一。日本学者森克己认为是“兴隆国内的佛教”。[①] 木宫泰彦认为“并不单是为求佛法，而是为了广泛地输入大陆文化。”[②]近年来，日本学界的主流意见是，真正目的是从外交、军事两方面来牵制朝鲜半岛，学习佛法只是一种表面现象。中国学界最有代表性的看法是：“对推古王朝来说，尽快掌握佛教，不仅可以跻身先进国家行列，还能使国内臣民俯首听命，可谓政治、外交、文化、宗教等多重目的兼有。”[③]这种意见应是贴近实际的。

日本经过大化改新之后，进入封建社会，在与唐朝的交往中，继承了圣德太子建立起来的对外态势。例如：

《日本书纪》孝德天皇白雉二年(651)条记载，“新罗贡调使知万沙食等，着唐国服，泊于筑紫”，遭到日本朝廷的谴责并被驱回。[④]

齐明天皇五年(659)条记载：“秋七月丙子朔戊寅，遣小锦下坂合部连石布，大仙下津守连吉祥，使于大唐。仍以道奥虾夷男女二人，示唐天子。”[⑤]日本方面特意将“虾夷男女二人”展示给唐朝天子，实际是意味着自己同中国一样，是使夷狄臣服的“大国”。

进而，660年百济为新罗和唐朝军队所灭，于是大和朝廷又以应百济遗臣之请为由，迅速插手半岛事务，欲与唐朝一争上下。663年日军与唐、新罗联军激战于白村江(亦称白江)。

日本为什么敢于和唐朝发生正面冲突呢？日本学者八木村认为，其实质完全是为了册立百济王，“在这个意义上，可以很清楚地看出倭国的

---

① 森克己：《遣唐使》，至文堂1990年版，第6页。

② 木宫泰彦著、胡锡年译：《日中文化交流史》，商务印书馆1980年版，第53页。

③ 王勇：《日本文化》，高等教育出版社2001年版，第158页。

④ 坂本太郎、家永三郎等校注：《日本古典文学大系68 日本书纪下》，岩波书店1978年版，第317页。

⑤ 同上书，第339页。

统治者试图在以唐朝为中心的东亚国际秩序框架内，对百济王室建立其宗主关系。”①这说明此时的日本，为了维护自己在朝鲜半岛的利益，开始冲击以中国为主体的“华夷秩序”，这也是中日两国间第一次正面冲突。但是，白村江一战，使之丧失了在朝鲜半岛的据点，4世纪末以来朝鲜被视为“从属”于日本的历史宣告终结。

“白村江战役”后，日本继续向中国派出“遣唐使”，时至9世纪末中止。在这种交往中，有一个是否携带国书的问题，长期争议不断。由于日本方面没有相关记载，所以“不携国书”论在日本学界成为主流。如木宫泰彦认为：“每次遣唐使都不携带国书，就是为了避免到达唐朝后引起礼仪上争执的麻烦。又如唐帝虽有时赠给日本书函，而在日本史中一概略去不录，这也是由于不愿意破坏由圣德太子建立起来的外交范例。”②森克己认为，遣唐不携国书是为了避免像遣隋使国书那样引起麻烦，惹唐帝不快。③ 他们认为，日本遣使是为了宣扬国威，敢与隋唐平辈论交，日本既要保持自主、平等的态度，又要维持和平的国交，不携带国书正好证明了遣唐使不属于“朝贡使”。然而，也有否定不带国书的说法。如东野治之在其著作中指出：“遣唐使时代的天皇，对外奉大唐为宗主而遣使纳贡，对内逞神国之威风而隐瞒真相，这便是正史不录两国往来国书之原因所在”。④ 这种说法可能接近事实。日本正史不录两国往来国书，从另一侧面反映了日本虽然不断派出“遣唐使”，但却不甘屈尊唐朝之下的心态。

二　神国观念与华夷秩序的碰撞

元世祖忽必烈于1274年（日本文永十一年）、1281年（日本弘安四年）两度进犯日本，均因遇到台风而失败。这一方面使得中日关系中断，

① 八木充：《日本古代政治组织研究》，塙书房1986年版，第101—102页。

② 木宫泰彦著、胡锡年译：《日中文化交流史》，商务印书馆1980年版，第99—100页。

③ 森克己：《遣唐使》，至文堂1990年版，第76页。

④ 王勇：《日本文化》，高等教育出版社2001年版，第200页。

另一方面，也激发了日本的神国意识，认为是“神明显威，现形防之”，“神明之灵威，非人力之所及”。[①] 这种意识的延续，进一步导致了日本与东亚华夷秩序的碰撞和冲突。

日本镰仓幕府（1192—1333）垮台后，国内出现了两个对立的政权：一是足利尊氏拥立光明天皇（1336—1348 在位）的北朝政权；另一个是后醍醐天皇（1318—1339 在位）于 1336 年在吉野地方建立的南朝政权。在南朝前后两位天皇的政治实践中，北畠亲房（1293—1354）及其家族起到了举足轻重的作用。

1318 年（日本文保二年）后醍醐天皇即位，召北畠亲房还任权中纳言一职（之前因祖父去世服丧居散位），并受命负责培养皇子世良亲王。1330 年（日本元德二年）世良亲王逝世，时年 38 岁的北畠亲房按其家风出家，法号宗玄。1333 年后醍醐天皇推翻镰仓幕府，建立建武“中兴”政权后，重新重用北畠亲房。1335 年足利尊氏反对“中兴”政权，进攻京都。1336 年建武新政崩溃，北畠亲房随后醍醐天皇另立南朝。随后，南北两朝对立越发激化。

后醍醐天皇在其建立南朝的第三年（1339）病逝，时年 12 岁的义良亲王（即后村上天皇）继承皇位。作为南朝的重臣，北畠亲房受到特别嘱托，全力辅佐年幼的后村上天皇。在失主丧子的情况下，他于 1339 年秋完成了《神皇正统记》，将其献给新帝后村上天皇。《神皇正统记》开卷的序论中写道：“大日本者，神国也。天祖始创基，日神永传统。唯我国有此事，异朝无此类，故曰神国。”[②]

北畠亲房强调日本国体与震旦（中国）、天竺（印度）不同，神国是超越诸国万邦的。他认为天竺虽与日本类似，是由天神子孙成立的，但随后发生了变化，有势力的下劣之人也能成为国主，震旦更是混乱的国度，天子始终在变，依靠武力夺取国家，有出自民间居天子位者，有起自戎狄

① 汪向荣、汪皓：《中世纪的中日关系》，中国青年出版社 2001 年版，第 54 页。

② 岩佐正、时枝诚记等校注：《日本古典文学大系 87 神皇正统记增镜》，岩波书店 1978 年版，第 41 页。

夺取国家者,更有累世臣子凌驾其君、使其让位者,自伏羲氏后,天子的氏姓更改了36次,唯有日本自天地之初至今世今日,秉承日嗣,是真正意义上的万世一系。①

他在书中还通过"神器授受"说,来论述皇统继承,为南朝提供正统依据。② 所谓"神器授受",也即日本皇位的传承要依照三种神器的授受。按北畠亲房的说法是,"传世的三种神器,宛如日月星在天空之中。镜者,日之体;玉者,月之精;剑者,星之气。""镜没有私心,照出世间万象,鉴别是非善恶,以按其本貌的感应为德,是正直的本源;玉以柔和善顺为德,是慈悲的本源;剑以刚利决断为德,是智慧的本源。"天照大神命群臣平定下土之后,让天孙降生在苇原中国而为主,并向皇孙敕曰:"苇原千五百秋之瑞穗国是吾子孙可主之地也。宜尔皇孙就而治焉……。宝祚之隆,当与天壤无穷。"③按北畠亲房的推算,后醍醐天皇和其后继者后村上天皇分别是第95代49世和96代50世的正统,而后村上天皇即位的1340年为神武纪元二千年。

北畠亲房所著《神皇正统记》不仅为南朝正统提供了理论依据,而且对日本原有的神国观念有了跨越性的发展,在南朝的政治实践中发挥了重要作用,并对后继者产生了深远的影响。内藤湖南在其《日本文化的独立》中写到:北畠亲房的"日本乃世界至尊的思想是当时新思想",与日本文化的独立有着重大关系。④

14世纪中期,怀良亲王奉后醍醐天皇之命,前往位于南朝西部的九州,后辗转进驻博多大宰府,基本统一北九州。经过他的一番苦心经营,九州的实力不断增强,成为南朝统一大业的主要力量,而北畠亲房的神国思想,也就愈发地表现在怀良亲王的身上。

---

① 岩佐正、时枝诚记等校注:《日本古典文学大系 87 神皇正统记增镜》,第48页。

② 参阅吴廷璆主编:《日本史》,南开大学出版社1994年版,第170页。

③ 岩佐正、时枝诚记等校注:《日本古典文学大系 87 神皇正统记增镜》,第59—61页。

④ 2003年7月17日取自 http://www.aozora.gr.jp/cards/000284/files/3036_5540.html,原载于《内藤湖南全集》第九卷,筑摩书房1969年版。

1368年，明太祖朱元璋在金陵登基。同年冬遣使诏谕安南、占城、高丽、日本等国，欲恢复元蒙政权所破坏的华夷秩序。据陈建《皇明资治通纪》卷2洪武元年十一月条记载，其诏书内容如下：

> 昔帝王之治天下，凡日月所照，无有远迩，一视同仁，故中国奠安，四夷得所，非有意于臣服之也。自元政失纲，天下兵争者十有七年，四方遐裔，信好不通。朕肇基江左，扫群雄，定华夏。臣民推戴，已主中国。建国号曰大明，建元洪武。顷者克平元都，疆宇大同，已承正统。方与远迩相安于无事，以共享太平之福。惟尔四夷君长酋帅等，遐迩未闻，故兹昭示，想宜知悉。①

这一诏书表明了朱元璋"希望重组以册封关系为骨干的国际社会，并恢复如唐宋以前那种以中华世界帝国为中心的华夷世界原有的国际秩序之企图"。② 但是，日本方面似乎没有任何回应，反而出现了倭寇犯边事件。据《明实录》记载："是年（指洪武二年），倭人入寇山东海滨郡县，掠民男女而去。"③这对刚刚建立新政权的朱元璋来说是不能容忍的，他认为是日本国王在为海盗撑腰。于是，洪武二年（1369年）二月派遣杨载等人，出使日本国，并带去写给日本国王的诏谕一封，对倭寇入侵表示抗议和愤懑：

> 上帝好生，恶不仁者，向者我中国，自赵宋失驭，北夷入而据之，播胡俗以腥膻中土。华风不竞，凡百有心，孰不与愤？自辛卯以来，中原扰扰。彼倭来寇山东，不过乘胡元之衰耳。朕本中国之旧家，耻前王之辱，兴师振旅，扫荡胡番，宵衣肝（旰）食，垂二十年。自去岁以来，殄绝北夷，以主中国，惟四夷未报。间者山东来奏，倭兵数寇海边，生离人妻子，损伤物命，故修书特报正统之事，兼谕倭兵越

① 见郑樑生：《明代中日关系研究》，（台湾）文史哲出版社1985年版，第139页。

② 同上书，第140页。

③ （台北）历史语言研究所编：《明实录·太祖实录》卷39，上海古籍出版社1983年影印版，第781页。

海之由。诏书到日，如臣则奉表来庭，不臣则修兵自固，永安境土，以应天休。如必为寇盗，朕当命舟师，扬帆诸岛，捕绝其徒，直抵其国，缚其王，岂不代天伐不仁者哉，惟王图之。①

朱元璋的上述诏谕在表明自己业已建立新王朝的同时，对中日关系提出了两种选择：一是“臣则奉表来庭”；二是“不臣则修兵自固，永安境土”，得以相安无事。但是，对于倭寇犯边劫掠生杀之事的态度是严厉的，而且示意准备“扬帆诸岛，捕绝其徒，直抵其国，缚其王”等等。这也就成了尔后中日交涉的要点问题。

然而，杨载一行赴日交涉的对象，既不是南朝的天皇也不是北朝的幕府，而是位于博多大宰府一带的怀良亲王。大宰府原本是日本负责接待外国使节的地方，因久无外交，所以失去了接待外国使节的功能。自元军入侵日本以后，中国与日本也无邦交往来，明朝不了解情形，于是仍然把诏书送到了怀良亲王那里。据《明史·日本传》记载：“日本王良怀②不奉命，复寇山东，转掠温、台、明州旁海民，遂寇福建沿海郡”。③另据日本《修史为徵》记载：“已差杨载等七人，钦赍诏书往，彼此开谕，使者舟至本国，适被杀死五人，杨载、吴文华羁留三月，才方得回，开谕一节，略不见答”。④

也就是说，明使到达日本，非但没有得到想象中的礼遇，反而受到了侮辱。怀良亲王所驻的大宰府正是当年元军入侵时登陆及全军覆灭所在地博多、鹰岛一带。对元军入侵及其因“神风”而败退，怀良自然会记忆犹新，所以对明使非常傲慢，甚至效仿镰仓幕府对待元朝使者的做法，斩杀了明使5人。⑤

---

①《明实录·太祖实录》，卷39，第787页。

② 良怀即怀良亲王，当时明朝廷不了解日本实情，错将怀良亲王误以为是日本国王，把“怀良”写作“良怀”。

③ 汪向荣：《〈明史·日本传〉笺证》，巴蜀书社1987年版，第10页。

④ 见汤谷稔编：《日明勘和贸易史料》，国书刊行会1983年版，第28页。

⑤ 汪向荣、汪皓：《中世纪的中日关系》，中国青年出版社2001年版，第105页。

怀良亲王为什么对明朝采取如此强硬的态度呢？从当时南朝的形势来看，怀良亲王基本统一北九州地区，实力大增，曾经一度进军北上，此时是他势力最强盛的时候。因此看到杨载带来的国书中要求其奉表称臣，自然感到不快。此外，倭寇与怀良亲王并无直接联系，是由日本国内动荡的形势所引起的，所以对明朝国书中所说的"缚其王""代天伐不仁者"，就更不能接受了。但是，怀良亲王不奉命，而且斩杀明使，加上其后倭寇日益猖獗，从中国山东南下侵掠温州、台州、明州等地，这意味着明太祖朱元璋对日外交失利，同时也说明以中国为主体的"华夷秩序"，已经与日本的神国观念发生了冲突。日本的后世学者认为这是"千古之快事"。①

明太祖于洪武三年(1370)三月，再次派遣杨载出使日本，在送还擒获的15名日本海盗和僧侣的同时，还携有国书一封。这次国书仍然送到了怀良亲王手中。其文如下：

> (前略)开谕一节，略不见答。又况使者未因之时，海内人船，仍前出没劫掠，及有僧人潜为奸细，俱已擒获，切详日本去我国遥远，各天一方，隔涉大海，正宜守已保民，安汝境土。何乃不自揣分，纵令奸宄流劫扰民，恐积恶贯盈，天必降祸欲汝，我国家必奉天讨，用兴问罪之师。且所获之人，情犯深重，揆诸法律，罪在不容。缘系日本所部，故不欲便加杀戮；如不施之以刑，又无以示其惩戒，是用刑其肢体，遣人送还。王妄不知其劫杀之用，而送还之人亦可为王国之戒，若其故纵而来，即宜改过自新，以体天道，毋贻后悔。②

这次国书的语气较上次"抵其国，缚其王"的强硬语气已经缓和很多，但是仍然对放纵倭寇侵扰有所责备，希望日本能够"守己保民"，否则便"必奉天讨"，"兴问罪之师"。国书中虽提到杨载前次出使人员被杀、被拘押一事，但是并未进一步深究，反而将捕获的15人送还日本。这说

① 田中健夫：《中世对外关系史》，东京大学出版会1975年版，第54页。

② 见汤谷捻编：《日明勘和贸易史料》，国书刊行会1983年版，第28页。

明朱元璋的对日政策并非强求日本臣服，而是宽大处理倭寇，希望日本引以为戒，改过自新，“以体天道”。

随后，朱元璋于洪武四年[①](1371)又派遣赵秩等人再次前往日本诏谕怀良亲王：

> 朕闻顺天者昌，逆天者亡，此古今不易之定理也。粤自古昔，帝王居中国而治四夷，历代相承，咸由斯道。惟彼元君，本漠北胡夷，窃主中国，今已百年，污坏彝伦，纲常失序。由是英俊起兵，与胡相较几二十年。朕荷上天祖宗之佑，百神效灵，诸将用命。收海内之群雄，复前代之疆宇，即皇帝位，已三年矣。比尝遣使持书，飞谕四夷，高丽、安南、占城、爪哇、西洋、琐里，即能顺天奉命，称臣入贡。既而西域诸种番王，各献良马来朝，俯伏听命。北夷远遁沙漠，将及万里。特遣征虏大将军，率马步八十万，出塞追获，歼厥渠魁，大统已定。蠢尔倭夷，出没海滨为寇，已尝遣人往问，久而不答。朕疑王使之故挠我民。今中国奠安，猛将无用武之地，智士无所施其谋。二十年鏖战精锐，饱食终日，投石超距，方将整饬巨舟，致罚于尔邦。俄闻被寇者来归，始知前日之寇，非王之意，乃命有司暂停造舟之役。呜呼，朕为中国主，此皆天造地设，华夷之分。朕若效前王，恃甲兵之众，谋士之多，远涉江海，以祸远夷安靖之民，非上帝之所托，亦人事之不然。或乃外夷小邦，故逆天道，不自安分，时来寇扰，此必神人共怒，天理难容。征讨之师，控弦以待。果能革心顺命，共保承平，不亦美乎？呜呼，钦若昊天，王道之常，抚顺伐逆，古今彝宪，王其戒之，以延而嗣。[②]

这次诏谕在陈述华夷秩序乃是“天造地设”的同时，再次提到了倭寇

---

① 《明史》《明史稿》《太祖实录》均作洪武三年，经考证为洪武四年。参照汪向荣：《〈明史·日本传〉笺证》和《中日关系史资料汇编》。

② (台北)历史语言研究所编：《明实录·太祖实录》卷50，上海古籍出版社1983年影印版，第987页。

扰边的问题。但值得注意的是，内中坦言承认：先是怀疑是日本国王的指使，欲造船举兵讨伐，然后又从被倭寇所掠归来之人口中得知“前日之倭”并非日本国王的意图，所以就停了造船攻日的计划。并且表明自己有别于蒙元之君，不会恃仗武力，无端降祸于“远夷”，希望“共保承平”，但前提是要对方“革心顺命”。全文可谓情理并重，而且侧重安抚。

赵秩一行到达日本后，怀良亲王做何反应，日本方面欠缺相关史料，据《明史・日本传》记载：

> 三年三月〔实为洪武四年〕又遣莱州府同知赵秩责让之，泛海至析木崖，入其境，守关者拒弗纳。秩以书抵良怀，良怀延秩入。谕以中国威德，而诏书有责其不臣语。良怀曰：吾国虽处扶桑东，未尝不慕中国。惟蒙古与我等夷，乃欲臣妾我。我先王不服，乃使其臣赵姓者，訹我以好语；语未既，水军十万列海岸矣。以天之灵，雷霆波涛，一时军尽覆。今新天子帝中夏，天使亦赵姓，岂蒙古裔耶？亦将訹我以好语而袭我也。目左右将兵之。秩不为动，徐曰：我大明天子神圣文武，非蒙古比，我亦非蒙古使者后。能兵，兵我。良怀气沮，下堂延秩，礼遇甚优。①

也就是说，赵秩等人辗转见到怀良亲王后，怀良一方面表示“未尝不慕中国”，但接着便对元朝视日本为“夷”，列兵十万的行为进行抨击。此外，则是怀疑赵秩乃元使赵良弼之后裔，担心重演元军袭日，企图再次斩杀明使。然而，赵秩的大义凛然，又使怀良亲王不得不“礼遇甚优”。

但是，怀良亲王并没有放弃他一直坚持的神国意识（见下文）。其态度转变也和当时南朝的处境有关。1369 年，南朝的重要支柱之一楠木正仪投降北朝，南朝形势日趋恶化，尤其是北九州地区在北朝势力的压迫下，已呈现出风前残烛之势。对怀良亲王来说，如何扭转当前这一劣势至关重要。如果同明朝交通，取得强大帝国的承认和支持，对其挽回大

① 汪向荣、夏应元编：《中日关系史资料汇编》，中华书局 1984 年版，第 271 页。

局来说是有帮助的。另外，利用“朝贡贸易”还可以解决其财政困难。加上明太祖国书的情理并重，劝诱有加的安抚。于是便出现了“遣其僧祖来奉表称臣，贡马及方物，且送还明、台二郡被掠人口七十余”。[①] 这可以说是出于现实利益的考虑而做出的选择。对此，明太祖也做出了积极的回应，“宴赉其使者”并赐给《大统历》及文绮、纱罗。

然而，此时倭寇对中国的侵扰从未间断，甚至愈演愈烈，成为明朝最为头痛的问题之一，再加上怀良两次三番对明使无礼，于是朱元璋责令中书省“移文责之”。洪武九年(1376 年)怀良奉表谢罪。明太祖因其“表词不诚”，又“降诏戒谕”，谓其“意深机奥，略露其微，不有天命，恃险负固”。[②] 但怀良出于实际的政治需要，又先后于洪武十二年(1379 年)、十三年遣使明朝。但因“无表”或“不诚”而被拒绝。

洪武十二年十二月，再次诏谕日本国王：

> 曩宋失驭，中土受殃。金元入主二百余年，移风易俗，华夏腥膻。有志君子，孰不与愤。及元运将终，英雄鼎峙，声数纷然，时朕控弦三十万，砺刃以观，未几命大将军律九伐之征，不逾五载，勘定中原。蠢尔东夷，君臣非道，四扰邻邦。前年浮辞生衅，今年人来匪诚。问其所以，果然欲较胜负。于戏，渺居沧溟，罔知帝赐，傲慢不恭，纵民为非，将必自殃乎！[③]

这是明太祖对倭寇犯边不见收敛，加上日本方面“不诚”和“辞意倨慢”的回应。从“蠢尔东夷，君臣非道，四扰邻邦”，以及“傲慢不恭，纵民为非，将必自殃乎”的强烈语气中可以看出，明太祖对日本“频入寇掠”已经提出警告。洪武十四年(1381 年)，朱元璋再令礼部致书怀良，同时致书指责征夷大将军足利义满。[④] 其国书曰：

---

① 汪向荣、夏应元编：《中日关系史资料汇编》，中华书局 1984 年版，第 271 页。

② (台北)历史语言研究所编：《明实录·太祖实录》卷 105，上海古籍出版社 1983 年影印版，第 1755 页。

③ 同上书，卷 138，第 2135 页。

④ 详见(台北)历史语言研究所编：《明实录·太祖实录》卷 138。

大明礼部尚书致意日本国王：王居沧溟之中，传世长民（久），今不奉上帝之命，不守己分。但知环海为险，限山为固，妄自尊大，肆侮邻邦，纵民为盗。上帝将假手于人，祸有日矣。吾奉至尊之命，移文与王，王若不审巨微，效井底蛙，仰观镜天，自以为大，无乃构隙之源乎？王涉猎古书，不能详细。始号曰倭，后恶其名，遂改日本。自汉历魏、晋、宋、梁、隋、唐、宋之朝，皆遣使奉表，贡方物、生口。当时帝王，或授之以职，或爵以王，或睦之亲。由归慕意诚，故报礼厚也。若叛服不常，构隙中国，则必受祸……。①

由于缺乏史料记载，这一国书是否送到足利义满手中，以及反应如何，不得而知。但怀良亲王的反应是强烈的。《明史·日本传》记载，怀良亲王言称：

臣闻三皇立极，五帝禅宗，惟中华之有主，岂夷狄而无君。乾坤浩荡，非一主之独权，宇宙宽洪，作诸邦以分守。盖天下者，乃天下之天下，非一人之天下也。臣居远弱之倭，褊小之国，城池不满六十，封疆不足三千，尚存知足之心。陛下作中华之主，为万乘之君，城池数千余，封疆百万里，犹有不足之心，常起灭绝之意。夫天发杀机，移星换宿，地发杀机，龙蛇走陆，人发杀机，天地反覆……。

臣闻天朝有兴战之策，小邦亦有御敌之图。论文有孔、孟道德之文章，论武有孙、吴韬略之兵法。又闻陛下选股肱之将，起精锐之师，来侵臣境。水泽之地，山海之洲，自有其备，岂肯跪途而奉之乎？顺之未必其生，逆之未必其死。相逢贺兰山前，聊以博戏，臣何惧哉！倘君胜臣负，且满上国之意。设臣胜君负，反作小邦之羞。自古讲和为上，罢战为强，免生灵之涂炭，拯黎庶之艰辛。特遣使臣，敬叩丹陛，惟上国图之。②

---

① （台北）历史语言研究所编：《明实录·太祖实录》卷138，第2173—1274页。
② 汪向荣、夏应元编：《中日关系史资料汇编》，中华书局1984年版，第274页。

这封回书的矛头直指明太祖的华夷思想。一句“惟中华之有主，岂夷狄而无君”，无疑是对中国华夷秩序观的驳斥，而“乾坤浩荡”“宇宙宽洪”“天下者，乃天下之天下，非一人之天下也”，也是对以中国为主体的“华夷秩序”的否定。至于“相逢贺兰山前，聊以博戏，臣何惧哉”，可谓更是针锋相对，具有挑战意识。

日本后世学者对怀良亲王的这篇回文多褒扬之词。木宫泰彦认为，其“气魄雄伟，文字明快，可谓大放异彩”。① 内藤湖南更将怀良的做法与镰仓幕府的行动做了比较，认为此时日本的态度，比起蒙古来袭时更为激烈，蒙古来袭时并未有引发纠纷的回书，只因元使屡屡来扰而斩杀使者，然而仅统治九州、居守土地城池的怀良亲王却发出了这样令人一惊的“伟大”回文。内藤湖南认为，怀良亲王继承了元军袭日以来对中国藐视的风气，“这是日本的根本文化独立出来的结果”。②

怀良亲王的激烈反应，与明太祖国书语气强硬有关，同时也是对当时南朝大势已去的失望和无奈。明廷遣使赴日的 1381 年之前，南朝特别是九州的形势已经发生很大变化，怀良亲王在北朝的攻击下节节败退，已由大宰府退至肥后，他将“征西将军”的封号让给后村上天皇之子良成亲王来挽回败势，但不见起色。对内的政治失利加上对外得不到明朝承认的双重打击，使怀良亲王内心压抑很久的神国思想走向极端，同明太祖的华夷思想发生正面冲撞。

据《明史・日本传》记载，明太祖看过此篇回文后“愠甚”，但是鉴于“蒙古之辙，不加兵也”。③ 也即，虽然恼怒但不想重蹈元军覆辙，只得作罢。

明洪武十九年(1386 年)，日本又以怀良亲王的名义，④派遣嗣亮人

---

① 木宫泰彦著、胡锡年译：《日中文化交流史》，商务印书馆 1980 年版，第 515 页。

② 2003 年 7 月 17 日取自 http://www.aozora.gr.jp/cards/000284/files/3036_5540.html，原载于《内藤湖南全集》第九卷，筑摩书房 1969 年版。

③ 汪向荣：《〈明史・日本传〉笺证》，巴蜀书社 1987 年版，第 28 页。

④ 怀良亲王于 1383 年去世，此次遣使当为别人假托怀良之名。

贡明朝，仍然遭到明太祖的拒绝。从这以后，直到明建文三年（1401年），室町幕府将军足利义满主动遣使通贡称臣这段时间，日本不再派遣使节，中日官方往来就此断绝近15年。

然而，这期间中日两国并非相安无事，除了倭寇依然不绝之外，还发生了一件让明太祖朱元璋更为恼火的事情，即胡惟庸谋逆事件的败露。在此之前，左丞相胡惟庸勾结宁波卫指挥林贤暗通日本，想借助日本之力篡国。洪武十四年（1381年）怀良亲王“遣僧如瑶率兵四百余人，诈称入贡，且献巨烛，藏火药刀剑其中”。[①] 然而日使到达中国后，胡惟庸已经在洪武十三年（1380年）被明太祖以擅权枉法罪所杀，计不得施且被却贡之后，此事未被察觉。但洪武二十年（1387年），这件事情终于暴露。明太祖大怒，诛杀林贤满门，“而怒日本特甚，决意绝之，专以防海为务”，“后著祖训，列不征之国十五，日本与焉。自是朝贡不至，海上之警亦渐息”。[②]

明太祖的“祖训”起草于洪武二年，完成于洪武六年，后经修订，于洪武二十八年正式定名为《皇明祖训》。据日本学者石原道博考证，日本被列入“不征之国”是为洪武十四到十六年之间，即日本的神国思想与华夷思想再次冲突时期。[③]《皇明祖训·箴戒》中写道：

> 四方诸夷，皆限山隔海，僻在一隅，得其地不足以供给，得其民不足以使令。若其自不揣量，来挠我边，则彼为不祥。彼既不为中国患，而我兴兵轻犯，亦不祥也。吾恐后世子孙倚中国富强，贪一时战功，无故兴兵，杀伤人命，切记不可。但胡戎与中国边境密迩，累世战争，必选将练兵，时谨备之。今将不征诸国名列于后：东北　朝鲜国。正东偏北　日本国（虽朝实诈，暗通奸臣胡惟庸谋为不轨，故绝之）。正南偏东　大琉球国　小琉球国。西南　安南国　真腊国

---

① 参阅汪向荣、夏应元编：《中日关系史资料汇编》，中华书局，1984年版，第275页。

② 同上书，第275页

③ 请参阅石原道博：《不征国日本》，载于《史学杂志》第61编12号。

暹罗国　占城国　苏门答剌国　西洋国　爪哇国　湓亨国　白花国　三佛齐国　渤泥国。①

从上述行文可以看出，所谓“不征之国”，当有两种含义，一是不予往来、不予征讨；二是不予征收赋税。日本被列为“不征之国”的理由是，“虽朝实诈，暗通奸臣胡惟庸谋为不轨，故绝之”。这种特意列出的理由，意味着日本不仅是不予交往、不予征伐，而且还意味着日本被排除在“华夷秩序”之外了。

朱元璋去世后，足利义满以日本国王的名义称臣入贡，接受明朝《大统历》、奉为正朔。此前，他还欣然接受明惠帝对其“日本国王源道义”的称呼，并在 1403 年致书明成祖，以国臣自称。中国学者指出：“日本在明初，曾一度恐怕也是日本历史上唯一的一次，主动、明确地加盟‘华夷秩序’”。② 因此，他的这种做法无论在当时还是在后世，都遭到了日本国内最为强烈的责难，被认为是“屈辱外交”，在日本外交史上留下了未曾有过的污点。③ 但是，以神国思想为主导的、足利幕府瑞溪周凤所编撰的《善邻国宝记》，却对足利义满向明称臣入贡一事有所辩解。谓之“彼国以吾国将相为王，盖推尊之义，不必厌之。今表中自称王，则此用彼国之封也，无乃不可乎。又用臣字非也不得已，则日本国之下如常当官位，其下氏与讳之间，书朝臣二字可乎。盖此方公卿恒例，则臣字属于吾皇而已，可以避臣于外国之嫌也。”④

其实，足利义满称臣入贡也是出于实用主义的灵活性，也即利用朝贡的名义，与中国进行不等价贸易，从中博取巨利。中国学者认为，足利义满“尽管在国书中称臣，但并没有赋予明帝以任何政治权力或承担何种政治义务，相反，却在经济领域中获得最大的实惠。”⑤

① 见汪向荣：《〈明史・日本传〉笺证》，巴蜀书社 1987 年版，第 31 页。
② 何芳川：《“华夷秩序”论》，载于《北京大学学报(哲社版)》1998 年第 6 期。
③ 木宫泰彦著、胡锡年译：《日中文化交流史》，商务印书馆 1980 年版，第 518 页。
④《善邻国宝记》，见汪向荣：《〈明史・日本传〉笺证》，第 196 页。
⑤ 张声振：《中日关系史》卷一，吉林文史出版社 1986 年版，第 220 页。

足利义满去世后，其子足利义持拒绝向明朝贡，《善邻国宝记》记载：

本国开辟以来，百皆听诸神，神所不许，虽云细事而不敢自施行也。顷年，我先君惑于左右，不详肥富口辩之愆，猥通外国船信之问。自后，神人不和，雨阳失序，先君寻亦殂落。其易箦之际，以册书誓诸神，永绝外国之通向。孰辜先君告命，而犯诸神宪章哉……。先君之得病也，卜云诸神为祟，故以奔走精祷。当是也，灵神托人谓曰，我国自古不向外邦称臣；比者，变前圣王之为，受历受印而不却之，是乃所以招病也。于是，先君大惧，誓乎明神，今后无受外国使命。……余之所以不接使臣，兼不遣一介者，非敢恃险阻不服也；以行事耳。昔元兵再来，舟师百万，皆无功溺于海。所以者何，非唯人力，实神兵阴助以防御也。远闻是事，必为怪诞；古来吾国神灵验赫，可不恐乎，事详国史……。①

也就是说，足利义持将拒绝明使、断绝中日关系的理由，归结为“神明之意”和“先君之命”，并以神的名义，宣布“我国自古不向外邦称臣”，全然是传统意识的表白。此外，足利义持还特别强调元军入侵，以示日本的“神灵验赫”。把元军失败的历史，作为断绝同明朝的往来的理由，显然也是对以中国为主体的“华夷秩序”的否定。这可以视为洪武年间神国思想同华夷思想冲突的余波。

足利义持之后的足利义教及其后继者，一度恢复了对明的外交及贸易关系，但是宁波“争贡事件”致使明廷重提海禁政策，加上日本国内战乱，使得中日官方往来终于再次断绝。

三　丰臣秀吉的“大日本”构想

室町幕府末期，足利氏无力控制整个局势，日本再次陷入割据战乱的局面。在这种动乱中，地方豪强织田信长（1534—1582）逐步消灭对

① 《善邻国宝记》，见汪向荣：《〈明史·日本传〉笺证》，第208—209页。

手，于永禄十一年(1568年)攻下京都，使得动荡数十年的日本出现统一之势。1582年，织田信长死于"本能寺之变"，其部下丰臣秀吉迅速崛起，并在日本天正十八年(1590年)实现全国统一，随后则在其对外关系的实践中，展开了蓄谋已久的"大日本"的国家构想。

丰臣秀吉不同于以往的统治者，他不仅妄图以武力执天下之牛耳，而且要建立一个以日本为中心的"天朝大国"。他所构想的"新秩序"是首先要征服朝鲜，然后渡海占领中国，进而征服东南亚以及天竺(印度)。早在追随织田信长进行统一全国的战争之时，丰臣秀吉于日本天正五年(1577年)便对织田信长说："君欲赏功臣，愿以朝鲜为请。臣乃用朝鲜之兵，以入于明，庶几倚君灵威，席卷明国，合三国为一，是臣之宿志也"。① 天正十四年(1586年)，丰臣秀吉在与西方传教士的交往中，也透露过他的侵略计划，言称"如果实现统治日本，则将日本让予〔其〕弟秀长，自己专注征服朝鲜与中国。"②天正十五年丰臣秀吉亲征九州，在给爱妾的信中更加明确地写道："在我生存之年，誓将唐〔明〕国之领土纳入我之版图。"③

丰臣秀吉统一日本后，其"大日本"的欲望更为强烈。据伴信友《中外经纬传》的记载，日本文禄元年(1592)五月十八日(第一次侵朝期间)，丰臣秀吉在给其子丰臣秀次和亲信山中橘内的信中都提到其侵略计划。其主要内容如下：

1. 由宫部中务卿法师(继润)留守高丽(指朝鲜)，应令其准备，候命前往。

2. 宜准备恭请天皇于后年行幸唐(明)都，呈献都城(北京)附近十国(州)与皇室。诸公卿亦将予采邑。在下众人给十倍于其在日

① 赖山阳：《校刻日本外史》，见吴廷璆主编《日本史》，南开大学出版社1994年版，第214页。

②《耶稣会日本年报》，见水野明：《日中关系史概说》，中部日本教育文化会发行1993年印刷版，第75页。

③ 日本参谋本部编：《日本战史》，见张声振：《中日关系史》卷一，吉林文史出版社1986年版，第291页。

本所有之土地；其在上众人则各按身份分配。

3. 大唐国（明）之关白，让与秀次，并与都城附近之百国（州）。日本之关白则由大和中纳言（羽柴秀保）、备前宰相（宇喜田秀家）二人中择一委任。

4. 日本之天皇可由良仁亲王（后阳成天皇之子）或八条（后阳成天皇之弟）担任。

5. 高丽国由岐阜府宰相（羽柴秀胜）或备前宰相统治。若然，则由丹波中纳言（丰臣秀秋）治理九州。

6. 天皇行震旦国途次，其仪式援往例；此次出阵途次之住处亦然。其人手、马匹，应按"国"别征集。

上述是写给丰臣秀次信中的主要内容。同样在写给山中橘内的信中也称：

1. 拟恭请日本帝王迁徙唐都，请予准备。并拟呈献都城附近十国为其食邑，诸公卿则给予十倍于往日之采邑。

2. 岐阜宰相、备前宰相二人中，择其一使居高丽。朝鲜首都之瓦顶房屋，应使它倍于日本户数。

3. 天皇居北京，秀吉日本船来泊之宁波。

4. 移萨摩、丰后等之根据地于明，二十倍于其在日本之土地。（毛利）辉元则给予十倍之采邑，太阁将予彻底履行。①

这些内容表明：丰臣秀吉确有称霸东亚、构筑大日本帝国的计划，而且安排得井井有条。所以，在其征讨九州萨摩藩的时候，就曾命令对马藩主转告朝鲜，要求朝鲜奉表朝贡。日本天正十八年（1590 年），朝鲜以祝贺丰臣秀吉统一日本的名义，派遣通信使赴日。而丰臣秀吉却将之视为"臣服使节"，并在通信使黄允吉回国之时，致书朝鲜国王李昖，露骨地表示：

① 郑樑生：《明日关系史研究》，雄山阁出版 1985 年版，第 533 页。

吾邦久属分离，秀吉起于微细，讨逆除暴，曾不数载，定六十余国。夫人世不满百，予亦安能郁之久居此乎？吾欲假道贵国，超越山海直入于明，使四百州尽化我俗、以施王政于亿万斯年。凡海外诸蕃后至者，皆在所不释。贵国先修使币，帝甚嘉焉。秀吉入明之日，王其率士卒，会军营，为我前导。①

也就是说，他不仅要求朝鲜臣服于日本，还要假道入侵中国。其最终的目标，是“使四百州尽化我俗，以施王政于亿万斯年”。对此，朝鲜方面予以拒绝，并通报中国明朝。

此后，丰臣秀吉便积极进行侵略朝鲜的准备。据《明史·日本传》记载：“初，秀吉广征诸镇兵，储三岁粮，欲自将以犯中国。”②天正十九年(1591)冬，丰臣秀吉组成了征朝部队。他将“关白”一职委与养子丰臣秀次，自称“太阁”统率全军。

日本文禄元年(1592)四月，第一批侵略军于朝鲜釜山附近登陆，发动进攻。日本史称“文禄之役”。当时朝鲜守军抵抗不利，节节败退，日军在两个月内就攻占了京城、开城和平壤。前述所谓“准备恭请天皇于后年行幸唐(明)都，呈献都城(北京)附近十国(州)与皇室。诸公卿亦将予采邑”等等，适在此时。

在朝鲜国王的请求下，明朝于同年七月派援兵陆续抵达朝鲜。于是，这场战争实际上变成了维护传统的“华夷秩序”与试图破坏这种秩序、建立“大日本”之间的战争。在援朝明军的帮助下，1593 年 1 月中朝军队在平壤一战取得胜利，收复了平壤至开城的失地。此后，日军厌战情绪上升，丰臣秀吉不得不从朝鲜京城撤退，作出巩固沿海根据地的决定。同时许其部下同明朝谈判，进行议和交涉。

文禄二年(1593)五月，明朝谈判使节杨方亨、沈惟敬等人，赴名护屋

① 见黄枝连：《亚洲的华夏秩序——中国与亚洲国家关系形态论》，中国人民大学出版社 1992 年版，第 359 页。

② 汪向荣：《〈明史·日本传〉笺证》，第 157 页。

(今大阪)与丰臣秀吉进行和谈。此时的丰臣秀吉仍以战胜者自居,并向明使提出了七项条件,内含"迎大明皇帝之贤女,可备日本之后妃","朝鲜王子并大臣一两员为〔人〕质",恢复日明勘合贸易,割占朝鲜南部四道之地等。①

这些条件意味着朝鲜受制于日本,承认日本在朝鲜的地位,而且还需搭上一名随嫁公主。这是明朝不会接受的。但是副使沈惟敬却同日使小西如安相勾结,谎称丰臣秀吉"愿顺天命",对上述条件只字未提,并假造丰臣秀吉"降表",内称"丰臣、〔小西〕行长等输诚向化,而界限不逾"等等。②

明朝对此信以为真,明神宗于1595年正月末,颁发诏谕和敕谕各一道,册封丰臣秀吉为日本国王,诏谕称:

> 奉天承运 皇帝制曰:圣仁广运,凡天覆地载,莫不尊亲帝命溥将……。昔我皇祖诞育多方,龟纽龙章,远赐扶桑之域,贞珉大篆,荣施镇国之山。嗣以海波之扬,偶致风占之隔。当兹盛际,宜缵彝章。咨尔丰臣平秀吉,崛起海邦,知尊中国,西驰一介之使,欣慕来同,北叩万里之关,恳求内附。情既坚于恭顺,恩可靳于柔怀。兹特封尔为日本国王。……尔其念臣职之当修,恪循要束,感皇恩之已渥无替,款诚祇服纶言,永遵声教。钦哉。
>
> 万历二十三年正月二十一日(礼)字壹百肆拾号③

明朝的诏谕和敕谕是第二年九月才转到丰臣秀吉手中的。诏谕的内容自然与之提出的七条要求相去甚远,他是如何反映呢?据黄遵宪《日本国志》记载:

> (前略)秋,(方亨、惟敬、黄慎等)抵伏水,秀吉乃责朝鲜不献三

---

① 参阅水野明:《日中关系史概说》,平成五年第三版,第75页,郑樑生:《明日关系史研究》,雄山阁出版1985年版,第533页。

② 全文见《李朝宣宗实录》卷51。

③ 见汪向荣、汪皓:《中世纪的中日关系》,中国青年出版社2001年版,第338页。

> 道，不使王子来谢为欺辱，拒朝鲜使，不许见；独恭迓（迎接）方亨等。翌日，宴飨，秀吉戴冕，披蟒服，使德川家康等七将皆著其所赐章服。既罢，使者出。召人读册文，至“封尔为日本国王”，秀吉色变，立脱冕服抛之地，取册书裂之。① 骂曰：“吾掌日本，欲王则王，何待髯虏之封？且吾而为王，若王室何？”即夜命驱明使，并告朝鲜使曰：“若归告而（尔）君，我将再遣兵屠而（尔）国也。”遂下令西南四道，发兵十四万人，以明年二月再会于名护屋。②

也就是说，丰臣秀吉知道明朝皇帝的诏谕之后，不仅感到所提出的条件没有得到满足，而且与其“大日本”的构想极其矛盾。因此脸色大变，不仅“立脱冕服抛之地”而且怒骂“吾掌日本，欲王则王，何待髯虏之封”。至此，明朝与日本的和谈以“册封闹剧”而收场。

日本庆长二年（1597 年）一月，丰臣秀吉再次发兵 14 万登陆釜山，重犯朝鲜。日本史称“庆长之役”。但此时中国和朝鲜军队的实力增强，日本参战的各地大名因第一次入侵损失惨重，不仅未获补偿，而且厌战情绪颇高，加上天寒地冻、缺乏粮食，致使士气消沉，历经近八个月的时间，才得以到达朝鲜京城附近，但很快被援朝明军击退，只能在南部地区负隅顽抗。庆长三年（1598）八月十六日，丰臣秀吉病死。在明军的攻击之下，日军开始陆续从半岛撤退，日本两次历时七年的侵朝战争宣告结束。

在此期间，丰臣秀吉还企图通过各种方式来实现其“大日本”的构想。例如：

日本天正十五年（1587 年）六月十九日，丰臣秀吉突然发布天主教禁令，强令传教士 20 天内离开日本。其主要的理由则是“日本乃神国之处，不许天主教国家传播邪教”。③

天正十六年（1588 年）八月通过萨摩藩岛津义久向琉球王尚永修书，

---

① “取书裂之”一说不确，该册书现完好保存于日本。

② 汪向荣、夏应元编：《中日关系史资料汇编》，中华书局 1984 年版，第 510 页。

③ 据《松浦文书》记载，见岩生成一监修、箭内健次、沼田次郎编：《海外交涉史的视点 2 近世》，日本书籍 1975 年版，第 45 页。

内称：

方今天下一统，海内相风，而独琉球不供职。关白方命水军，将屠汝国。及今之时，宜其遣使谢罪，输贡修职，则固永宁矣①

尚永接到这封修书后不久去世。1589 年，新主尚宁继位，派遣天龙寺僧人桃庵出使日本，并致书献物。桃庵等人在萨摩藩岛津义久的带领下，赴京都谒见了丰臣秀吉，秀吉颇为满意。随后又多次命岛津氏致书尚宁，要其为侵略朝鲜准备所用之粮食。但琉球以贫困为由加以拒绝。

天正十九年（1591 年）丰臣秀吉又亲自修书致琉球王尚宁。其文如下：

我自卑贱膺运兴，以威武定日。六十余州既入掌中，至远近无不朝贺。然尔琉球国，自雍丸之地，恃险途，未聘贡。故今特告尔，我将明春先伐朝鲜，尔宜率兵来会。若不用命，先屠乃国，玉石俱焚。②

这俨然是一副居高临下的“主人”口气。琉球国王尚宁看到该书后大惊，暗自派人携带丰臣秀吉的书信通报明朝。

天正十九年（1591 年）九月，丰臣秀吉派遣原田孙七郎携带国书赴吕宋，促其赴日朝贡。其内容是：

夫吾国百有余年，群国争雄，车书不同轨文。予也，诞生之时，可治天下之奇瑞。自壮岁领国家，不历十年而不遗弹丸黑子之地，域中悉统一也。徭之三韩、琉球，远邦异域，款塞来享。今也，欲征大明国，盖非吾所为，天所授也。如其国者，未通聘礼，故先虽欲使群卒讨其地，原田孙七郎以商船之便，时来往此，故介绍近臣曰，某早早到其国，而备可说本朝发船之趋，然则可解辨献筐云云。不出帷幄，而决胜千里者，古人至言也。故听褐夫言，而暂不命将士，来

① 见郑樑生：《明日关系史研究》，日本雄山阁出版 1985 年版，第 455 页。

② 同上书，第 457 页。

春可营九州肥前。不移时日,可偃幡而来服。若匍匐膝行于迟延者,速可加征伐者必矣。勿悔,不宣。天正十九年(1591 年)季秋十九日　日本国 关白 小琉球 ①

1792 年夏,西班牙驻吕宋当局回书,但内容暧昧含糊。于是,丰臣秀吉于元禄元年(1592 年)五月再度遣使催促其入贡,声称"予天生乃主宰东西方主君之人,诸国应服从于我,前来俯首拜在我的门下,若有不从,应征讨之,一并诛杀。"②这说明当年的丰臣秀吉不仅要主宰东亚大陆,而且垂涎南海岛国。

同年九月,丰臣秀吉还致书葡萄牙驻巴达维亚(雅加达)总督,强调其 1587 年禁教令的主旨,并威胁其早日朝贡。③ 该国书宣称:"我已平定日本国内之形势,长期战乱之世归于太平。我自幼立志安定国家,遂一统天下,外国之人亦来朝贡。今欲征伐明国,不日将抵其地……若至卧亚之地也非难事,并无远近异同之隔。"④

然后则称:"吾朝者神国也。神者心也,森罗万象,不出一心。非神其灵不生,非神其道不成。增劫时,此神不增;减劫时,此神不减。阴阳不测之谓神,故以神为万物根源矣。此神在竺土唤之谓佛法,在震旦以之为儒道,在日域,谓诸神道。知神道则知佛法,又知儒道。凡人处世也,以仁为本。非仁义,则君不君,臣不臣;施仁义,则君臣父子夫妇之大纲,其道成立矣。若是欲知神佛深理,随恳求而可解说之也。如尔国土以教理专专门,而不知仁义之道,此故不敬神佛,不隔君臣,只以邪法欲破正法也。从今以往,不辨邪正,莫为胡说乱说。彼伴天连之徒〔指传教士〕,前年治此土,欲魔魅道俗男女,其时且加刑罚,重又来于此界,欲作化导,则不遗种类,可族灭之,勿噬脐,只有欲修好于此地之心,则海上已

① 郑樑生:《明日关系史研究》,第 462 页。

② 见张玉祥:《织丰政权与东亚》,日本六兴出版 1989 年版,第 207 页。

③ 小林良正:《德川锁国——幕藩封建体制的结构》,三和书房 1954 年版,第 52 页。

④ 见郑樑生:《明日关系史研究》,日本雄山阁出版 1985 年版,第 460 页。

无盗贼艰难，域中幸许商贾往还，思之。（后略）①

在此，丰臣秀吉不仅强调日本是神国，而且把神道提高到等同于中国儒道和印度佛法的程度，以示日本为神之大国，西方天主教只不过是“不敬神佛，不隔君臣”的邪教。由此可见，后来日本的极端国家主义，在前近代已经始见端倪。

此外，丰臣秀吉还拟入侵台湾。在侵略朝鲜、明日和谈的文禄二年（1593年），他遣使致书台湾高山国，促其归降：

夫日轮所照临，至海岳、山川、草木、禽虫，悉莫不爱他恩光也。予际欲处慈母胞胎之时没，有瑞梦，其夜已日光满室，室中如画，诸人不胜惊惧。相士相聚，占筮之日，及壮年，辉德色于四海，发威光于万方之奇异也。故不出十年之中，而诛不义，立有功，平定海内，异方遐陬，响风者，忽出乡国，远泛沧海，冠盖相望。结辙于道，争先而服从矣。朝鲜者，自往代于本朝，有牛耳盟，久背其约，况又予欲征大明之日，有反谋，此故命诸将伐之。国王出奔，贼付一炬也。闻事已急，大明出数十万援兵，虽及战斗，终依不得其利。来敕使本帮肥之前州而乞降，徭之筑数十个城营，收兵于朝鲜城〔域〕中庆尚道，而屡决真伪也。如南蛮、琉球者，年年献上土宜，海陆通舟车，而仰我德光。其国未如幕中，不庭之罪弥天。虽然，不知四方成享，则非其地疏志，故原田氏奉使命而发船。若是不来朝，可令诸将攻伐之。生长万物者日也，杜渴万物者亦日也。思不具。

文禄二岁（1593年）星集癸巳　十一月初五日　日本国前关白②

也就是说，丰臣秀吉不仅自诩“辉德色于四海”，而且要光照万物，统治世界。中国学者黄枝连写道：“丰臣秀吉这个人，可以被视为日本帝国

① 见郑樑生：《明代中日关系研究》，（台湾）文史哲出版社1985年版，第539页，参照藤原（王）文亮：《圣人与日中文化》下，社会科学文献出版社1999年版，第2302页。

② 见郑樑生：《明日关系史研究》，雄山阁出版1985年版，第463页。

主义的祖师爷——或者说，第一代日本帝国主义、军国主义分子中之佼佼者。”[①]他继承了日本的神国思想，把“大日本”的国家构想，推向了一个顶峰。他不仅试图建立以日本为中心的“华夷秩序”，促使周围的小国和地区向其称臣纳贡，而且还要统治中国、取代中国在亚洲的国际地位。

四　德川时代“统治宇内”的思想

丰臣秀吉去世后，其手下五大老之一的德川家康，成为主要继承者。1600 年德川家康通过“关原之战”，确定了自身的霸主地位。1603 年在江户（今东京）开设幕府，并取得“征夷大将军”的封号，史称德川时代。

1599 年，德川家康曾通过对马藩藩主宗义智，传达同朝鲜恢复和平的意向。1601—1604 年，德川家康通过对马藩主，送还了一部分在侵朝战争中强掳的朝鲜人。其中有原本任重要职务的姜士俊、金光等儒士，以示他与丰臣秀吉不同。但是，丰臣秀吉侵略朝鲜时，总共俘有大约六万朝鲜士兵和平民，而送还的只有 7600 人左右。[②] 这是因为被俘者中有很多工匠，对发展手工业有很大帮助。

1606 年，朝鲜致书对马藩主宗义智，提出恢复朝日邻交的两个条件：一、日本方面必须首先采取主动，由德川家康正式向朝鲜提出国书，赔礼道歉；二、日本方面要交出丰臣秀吉侵朝战争期间毁坏朝鲜王陵（成宗贞显王妃和中宗之墓）的罪犯。[③] 对马藩不敢向一直藐视朝鲜的幕府报告这一实情，但由于经济上的利益，于是该藩家老柳川调信便伪造国书，称德川家康为“日本国王”，将对马藩内的囚犯，当作毁坏朝鲜王陵的罪犯送到了朝鲜。

朝鲜政府不知国书为假，1607 年派遣吕祐吉为正使，5 月到达江户，使者的名称为“回答兼刷还史”，使命是回答前述伪造的德川家康的国书

① 黄枝连：《亚洲的华夏秩序——中国与亚洲国家关系形态论》，中国人民大学出版社 1992 年版，第 352 页。

② 沈仁安：《德川时代史论》，河北人民出版社 2003 年版，第 95 页。

③ 见纸屋敦之：《大君外交与东亚》，吉川弘文馆 1997 年版，第 267 页。

和带回被虏朝鲜人。于是对马藩故伎重演，将书中的“奉复”改为“奉书”，造成朝鲜方面首先主动奉书的假象。①

1609 年，对马藩与朝鲜订立了《己酉条约》，朝鲜开放釜山港，约定每年可有 20 只“岁遣船”，去朝鲜进行贸易，朝鲜允许对马藩在釜山存放货物和设置倭馆。当时，朝鲜将对日贸易分成三种，一是向国王进呈方物及相应的回礼，谓为“进上”；二是朝鲜政府收购的“公贸易”；三是对马与朝鲜商人的“私贸易”。其中的“进上”，在朝鲜看来具有进贡的含义。因为对马使者入住釜山倭馆后，要参拜刻有朝鲜国王名字的殿牌，所以对马藩主成了朝鲜的“外臣”。1635 年，对马藩伪造窜改国书一事暴露，柳川氏受到处罚，德川幕府专门派遣京都的五山僧人监视对马对外事务。随后，日朝两国达成协议，日本国书使用日本年号，署名为“大君”，而朝鲜则继续使用明朝年号。1636 年，朝鲜正式向日本派遣“通信使”，两国关系恢复到丰臣秀吉侵朝战争前的状态。

德川幕府积极展开与朝鲜的复交活动是有其目的的。一是想通过与朝鲜复交，改善其形象，二是借朝鲜为中介与明朝复交，以获得对明贸易上的利益，这实际是另一种“假道入明”的策略。这有利于提高幕府的权威，有利于幕府在国内的政治统治。但是，日朝复交并没有对日明复交起到什么作用。

在此期间，德川幕府所做的另一件事情，则是在庆长十一年（1606 年）通过萨摩藩主致书琉球王尚宁，对其表示：“中华与日本不通商舶者，三十余年于今矣。我将军忧虑之余，欲使家久与贵国相谈，让大明商舶年年到琉球，且与日本商贾互通财货之有无。”②但是琉球没有回应。于是，此事和当年丰臣秀吉侵略朝鲜之时，琉球“有违尊命”、绝不纳粮等事连接起来，构成了日本征讨琉球的理由。

日本庆长十四年（1609 年），萨摩藩主岛津义久奉德川家康之命，出

① 见纸屋敦之：《大君外交与东亚》，吉川弘文馆 1997 年版，第 267 页。

②《异国日记》四，见木宫泰彦著、胡锡年译：《日中文化交流史》，第 624 页。参阅宫城荣昌：《琉球的历史》，吉川弘文馆 1977 年版，第 102 页。

兵征服琉球。在一场浩劫之后，割占了琉球的北方五岛，并迫使其向萨摩藩纳贡。与此同时，岛津义久还将俘虏的琉球王尚宁，带至骏府谒见隐居的德川家康，后至江户参见第二代将军德川秀忠。此后，琉球王袭位之时，除向中国皇帝称臣请封之外，则向日本派遣"谢恩使"，日本新任将军继任之时，则派出"庆贺使"赴日，史称"上江户"。此外，琉球王子被送往鹿儿岛作为人质，萨摩藩派人监督琉球。这种情况虽然没有改变中国与琉球的宗属关系，但在日本则成为炫耀"外国纷纷来贡"的资本。

然而，鉴于琉球是中国藩属国的事实，日本未敢完全吞并琉球，而是采取种种方法尽力掩盖其与琉球的关系。如"萨摩藩在琉球一概禁止使用日语、日本发型和日本服装，禁止琉球人取日本姓名，除少数人外禁止日本人进入琉球，禁止非官吏在那里居住。当外国人航行来到琉球时，日本人必须全部躲避起来。"①萨摩藩不让琉球断绝同明朝的藩属关系，反而鼓励琉球向明朝朝贡，以利用琉球对明朝的朝贡贸易，从中获取巨利。但是，萨摩入侵琉球以及迫使琉球派遣使节"上江户"等，却是日本自身构筑"华夷秩序"的反映。

因此，德川幕府在试图与中国明朝修复关系的过程中，也流露出这种心态。1600 年 8 月，萨摩藩受命将丰臣秀吉侵朝时作为人质的明将茅国科等人送回福建省，同时带有一封德川家康致大明总理军务都指挥茅国器（茅国科之兄）的书函，内称丰臣秀吉已死，由德川家康辅佐丰臣秀赖处理政务，进而则称：

> 本邦朝鲜作和平，则到皇朝一如前规，以金印勘合可作往返，犹予而及壬寅年〔1602 年〕，诸将可超沧溟，加之浮兵船于福建、浙江，可却县邑也。②

也就是说，德川家康要求与明朝恢复勘合贸易，但又威胁说，如果迟迟不应，则将再次出兵朝鲜，且入侵中国福建、浙江，攻城夺县。

---

① 信夫清三郎著、周启乾译：《日本政治史》第一卷，上海译文出版社 1982 年版，第 14 页。

② 见纸屋敦之：《大君外交与东亚》，吉川弘文馆 1997 年版，第 264 页。

1610年（日本庆长十五年）福建商人周性如出航至肥前国的五岛（今长崎）。德川家康在骏府接见了周性如，给予从事贸易的朱印状。周性如回国时，带给福建总督陈子贞书简一封，内称：

日本国臣本多上野介藤原正纯　奉旨呈书

福建道都总督军务督察院都御所

夫吾邦之聘问于商贸于中华者，杂于汉隋唐宋元明之史及我国记家乘者昭昭矣。然前世当朝鲜纷扰之时，虽有中华之贵价来我邦，而译者枉旨，执事牴牾，而其情意彼此不相通，比来海波扬而风舶绝，可谓遗憾。方今吾日本国主源家康一统阖国，抚育诸岛，左右文武，经纬纲常。遵往古之遗法，鉴旧事之炯戒，邦富民殷，而积九年之蓄，风移俗易，而追三代之迹。其教化所及，朝鲜入贡，琉球称臣，安南、交趾、占城、暹罗、吕宋、西洋、柬埔寨等蛮夷之君长酋帅，各无不上书输贡。由是益慕中华而求和平之意，无忘于怀。今兹应天府周性如者，适来于五岛，乃诣上国，因及此事，不亦幸乎，明岁福建商舶来我邦，期以长崎港为凑泊之处，随彼商主之意，交易有无，开大閧市岂非两国之利乎。所期在是耳，比其来也。亦承大明天子之旨，以赐勘合之符，则必我邦遣使船，以来秋之番风，而西其帆者何疑哉。及符来，而我只遣大使船一只，而已明其信也，若余船之无我印书而到者，非我所遣也，乃是寇贼奸宄，伏窜岛屿，而猾中华之地境之类，必须有刑法。若又我商船之往还诸蛮者，因风浪之难，有系缆于中华之海面，则薪水之惠，何赐加之。今将继前时之绝，而兴比年之废，欲修遣使之交，而索勘合之符，复古之功，不在于斯乎。我邦虽海隅日出，亦谚所谓蕞尔国也，中华以大事小之意，想其不废乎。然则来岁所为请，颁符使来则海东之幸，而黎庶之所仰望也。中华设虽贵重，而其不动遐迩博爱之意哉。感激之至在于言外。命旨件件，请宜领诺。

岁舍庚戌季冬十六日　御印①

① 见纸屋敦之：《大君外交与东亚》，第14页。

据称,这是幕府大学者林罗山草拟的。当时的德川幕府企图与中国恢复贸易关系,这是事实。但是,信中所谓"日本国主源家康……其教化所及之处,朝鲜入贡,琉球称臣,安南、交趾、占城、暹罗、吕宋、西洋、柬埔寨等蛮夷之君长酉帅,无不分别上书输贡"等等,却不是事实。1601 年到 1610 年间,日本与东南亚各国确是有所往来,但各国并没有真正向日本称臣纳贡,即便是琉球王国,也依然处于以中国为主体的"华夷秩序"之内。林罗山将上述国家和地区说成是"无不……上书输贡",再次显示了日本长期以来的以自己为中心的华夷秩序观,以及所要追求的国际秩序。

然而,由于西方基督教的传入,影响了日本的神国观念,也危及了日本的封建统治。因此从 1612 年开始,便发布禁教令。特别是 1637 年(日本宽永十四年)以基督教徒为主的农民起义(史称"岛原之乱"),震撼了幕府政权。于是,幕府在进一步取缔基督教的同时,于 1639 年从长崎驱除葡萄牙商人,完成了所说的"锁国政策"。也即禁止"奉书船"之外的船只出国;在国外拥有住宅的日本人归国时,应被判处死刑;以及对外贸易只限于非传教的荷兰和中国,并限定在长崎一地,在幕府派遣官员的直接监督之下。但是,"锁国政策"并没有锁住以日本为中心的华夷秩序观。日本学者指出:"当时朝鲜来的通信使、琉球来的谢恩使与庆贺使、阿伊奴族的幕府巡见使,以及荷兰商馆馆长的江户参府,都是基于华夷思想的政治性演出。"①于是,德川幕府的中后期,以日本为中心的"国际秩序"的构想基本确定下来。

如日本的国学者本居宣长(1730—1801),在极力宣传日本神国观念的同时,则主张以"大和心"(日本精神)取代"唐心"(中国儒家思想)和"佛心"(印度佛教精神)。又如林子平(1738—1793)著书《海国兵谈》《三国通览图说》。他在书中谈到日朝关系时认为:"神功皇后使三韩臣服,

① 荒野泰典等编:《亚洲史中的日本史》地域与民族,第 59—60 页。

丰臣秀吉征伐朝鲜，使之至今仍服从本邦，此皆武德之光辉也。”①而其著述《三国通览图说》的意图则是“日本勇士率雄兵入此三国（指朝鲜、琉球、虾夷）时，谙查情况而随机应变”。② 同样，大体与林子平同一时期的本多利明（1744—1821），也主张对外开发与殖民，并和林子平一样，把俄国叶卡捷琳娜二世作为理想的帝王形象。他认为，鞑靼之地、美洲大陆皆应作为“扶植日本国力之地”，应将大日本之国号，“迁至东虾夷之堪察加之上”，设置郡县、派遣官吏以治之。此外，还有名为土生熊五郎者，其人也持同类思想主张，他不仅要求在库页岛设置“领西府”，施展日本“国威”，而且要求吞并欧、亚，使“五洲一帝”，皆在日本的统治之下。

到了德川幕府后期，日本中心主义有了进一步的发展和膨胀，宣扬“神国”至上、天皇至尊的观念，已经形成了日本理应统治世界的追求。其典型的代表的思想则是会泽正志斋提出的“神国论”和经世家佐藤信渊的“宇内混同”论。

1825年，日本水户藩士会泽正志斋（1774—1863）著述《新论》，开宗明义便称：“神州者（日本）太阳之所出，元气之所始。天日之嗣，世御宸极，终古不易，固大地之元首，而万国之纲纪也。诚宜照临宇内，皇化所及，无有远迩矣。而今，西荒蛮夷，以胫足之贱，奔走四海，蹂躏诸国，渺视跛履，敢欲凌驾上国，何其骄也……臣是以慷慨悲愤，不能自已，敢陈国家所宜恃者，一曰国体，以论神圣以忠孝建国，而遂及其尚武、重民命之说，二曰形势，以论四海万国之大势，三曰虏情，以论戎狄觊觎之情实，四曰守御，以论富国强兵之要务，五曰长计，以论化民成俗之远图。”

于是，会泽正志斋则以全书大约一半的篇幅，讲述了日本的国体，亦即所谓“昔者天祖肇建鸿基，位即天位，德即天德，以经纶天业。细大之事，无一非天者。比德于玉，比明于镜，比威于剑。体天之仁，则天之明，奋天之威，以照临万邦。追以天下传于皇孙，而手授三器，以为天位之

① 信夫清三郎著、周启乾译：《日本政治史》第一卷，上海译文出版社1982年版，第73页。
② 同上书，第73页

信，以象天德，而代天工治天职，然后传之千万世。天胤之尊，严乎不可犯，君臣之分定，而大义以明矣”等等。① 这种日本乃是神国，“诚宜照临宇内，皇化所及，无有远迩”的思想，实际则是大日本帝国的构想。

日本文政五年(1822年)，“经世家”秋田藩士佐藤信渊(1769—1850)著述《天柱记》，内称“我家世修天文地理物产经济之学。……予生甚晚，十六岁丧先考，受教甚少……其后游学于四方，审问慎思四十余年，而至于知见渐开……然奈天造草昧，事实不详，而无由于讲明所以作其运动之基原矣。因而欲穷其理，搜索支那印度诸子百家载籍，迄西洋蟹行之书，而其所纪，悉皆荒唐虚诞，无有足取者也，……及近来读皇国神代诸纪，始知旋转天地发育万物而为造化之首者，皆系于我皇祖产灵神搅回之神机矣。乃掩卷而叹曰：道者在近，而求于远，吾误矣，吾误矣。盖皇国成于大地之最初者也，则天地开辟事实，无论乎，当传于皇国矣。其后，又读本居氏《古事记传》、服部氏《三大考》、平田氏《灵(能)真柱》等书而及精益……，恍然知天地生生之理，悉为产灵之元运焉。”为此，他要著书立说，“以示同志”并“醒觉俗儒牢习之妄梦，一新宇内含灵之耳目，使苍生欣戴皇祖皇妣熔造天地、发生万物，以养育人类之洪恩，而修道炼圣”。②

上述文字，实际是佐藤信渊对自己“经世”思想的总结。所谓“产灵之元运”，实际就是《古事记》所说的日本乃是“神国”。也就是说，中国和印度的诸子百家，乃至西洋的“蟹行”文字，归根结底，都不能替代日本的神国意识。这从一个侧面反映了日本自古以来吸收外来文化的真实情况。

继《天柱记》之后，佐藤信渊在《混同秘策》中，进一步言称：“皇大御国，乃大地最初生成之国，世界万国之根本。故而若能以此根本为经纬，则全世界可悉郡县，万国之君长皆可为臣仆。”“察我日本全国之形势，自赤道以北30度至45度，气候温和、土壤肥沃，万种物产无不满盈，四边

① 见《日本的思想家36 会泽正志斋藤田东湖》，明德出版社昭和56年版，第158—159页。

② 见《日本思想大系45 安藤昌益佐藤信渊》，岩波书店1977年版，第364—365页。

皆临大洋海，舶运便利，万国无双，地灵人杰，勇决殊于他邦。其优越之势堂堂八表，充分具备可天然鞭打宇内之实证。若以神州之雄威，征伐蠢尔之蛮夷，则混同世界、统一万国有何难哉。"进而则称："皇国征伐支那之际，若节制得当，不过五七年耳，彼国必定土崩瓦解。因皇国出兵之军费甚少，而彼国散财极大，不堪于此。而且，其国人不堪疲劳奔命。故而，皇国若是开拓他邦，必当以吞并支那国为肇始。有如上述，以支那国之强大尚且无敌于皇国，更何况其他夷狄？是乃皇国具有天然混同世界之优势耳。故此，本书拟首先详细论说可取支那国之方略。"

其具体论说的"方略"，则是"当今，在世界万国之中，皇国易于攻取之地，莫如支那国之满洲。因满洲之地与我日本山阴、北陆、奥羽、松前等地，海水相隔、相对，凡八百余里，可知其为易扰者。骚扰此地，也当从无备之处始。若是西边有备，则乱其东边，若是东边有备，则骚扰其西边，彼必奔走相救。在其奔走之间，可知其强弱虚实。而后避其实，侵其虚。避强而攻弱，无需调用大军，可暂以轻兵骚扰。满洲人急躁少谋，支那人怯懦易惧，小警必然以大众救之。大众屡动，人力必定疲惫，财用必定匮乏。何况，从支那王都北京往返满洲海岸，沙漠辽远、山谷极其艰难。而皇国征伐此地，仅海上一百六七十里，顺风举帆，一日一夜可达彼之南岸，可西可东，舟行甚为自在。若支那人不以大众防守，则各处皆为空虚，故而我之军士可乘虚取之。诚如是，则黑龙江地方将为我所有。既得黑龙江诸地……若利用彼之夷狄，用皇国之法善加抚驭统辖，逐渐向西，则混同江(即松花江—本书注)地方亦可易取也。既得吉林城，则支那鞑靼诸部必然望风归服，若有不稽首者，可移兵讨伐，此亦便利。鞑靼既定，则盛京之势亦危，进而可震动支那全国。故而，皇国征伐满洲，得此地之早晚虽然尚不可知，但终将为皇国所有，此乃必定无疑。不仅取得满洲，支那全国之衰败也将由此而始，既得鞑靼，朝鲜、支那也次第可图也。"①

① 见《日本思想大系 45 安藤昌益佐藤信渊》，岩波书店 1977 年版，第 426—431 页。该文落款为日本文政六年(1823 年)。日本学者考证，认为是天保三年(1832 年)以后成书。

此外，他还主张日本天皇亲征，“取南京应天府，定为假皇宫……明定‘产灵法教’(即神道)……处处营造神社，以祭皇祖大神”。[①]“攻取吕宋、巴剌卧亚(今雅另达)”，然后“以此二国作为图南之基，进而出舶，经营爪哇、渤泥以南诸岛。或结和亲以收互市之利，或遣舟师以兼其弱。于要害之地，设置兵卒，更张武威”。

特别值得注意的是，幕末日本对外扩张膨胀的思想，不仅不是孤立的，而且具有相当的普遍性。如水户学派的藤田幽谷(1774—1826)和藤田东湖(1806—1855)父子，前者主张“宇内至尊天日嗣，须令万国仰皇朝”，[②]后者更是强调日本固有之道：“恭维上古神圣”，“宝祚之隆，当与天壤无穷”，“天位之尊，犹日月之不可逾”。[③]

在这方面，吉田松阴可谓又是一介代表。就其思想体系而言，尽管他明确地主张“尊王贱霸”，并把社会改革的希望寄托在“草莽”身上，但其依然没有脱却视日本为“神国”的观念。他坚信“自国常立尊，经各代诸神，至伊邪诺尊、伊邪冉尊，育出大八洲(日本)国及山川草木人民，育出天下之主皇祖天照皇大神”，并以“凡生皇国宜知吾所以尊宇内”的主张作为处身立世的哲学。因此，他不仅主张“开拓虾夷，封建诸侯”而且主张“趁势夺取堪察加，告谕琉球，使之会同朝觐，一如内地诸侯，且令朝鲜，纳人质进朝贡，有如古盛之时，割北满之地，收南台、吕宋诸岛，以示渐进之势”，甚至主张“压制中国、君临印度，使神功〔天皇〕未遂者得遂，丰国(丰臣秀吉)未果者得果”。而这，正是吉田松阴向其门下人所传授的“善保国”之策。[④]

如果说，会泽正志斋的《新论》在于“使武士作为志士而奋起”，“幕府末期几乎无人不读《新论》”，那么吉田松阴则是以其言传身教直接影响了他的门下人。据统计，受吉田松阴的影响，为明治维新立下汗马功劳

---

① 见《日本思想大系 45 安藤昌益佐藤信渊》，第 426 页。

② 井野边茂雄：《幕末史研究》，雄山阁 1972 年版，第 500 页。

③ 见米庆余：《日本近代外交史》，南开大学出版社 1989 年版，第 24 页。

④ 见渡边几治郎：《日本战时外交史话》，千仓书房 1937 年版，第 7—8 页。

的，仅是被授爵、赠位者，便多达 37 人。因此，后来担任首届内阁总理大臣的伊藤博文，作诗言称："道德文章叙彝伦，精忠大节感明神。如今廊庙栋梁器，多是松门受教人。"由此可见，吉田松阴的思想主张对日本社会的影响是极为深刻。

此外，还可以列举若干代表人物。其中如越前藩士桥本左内(1834—1859)，虽系策划倒幕维新、变革日本社会的又一先驱，但在对外关系上，也是主张"现今列国对峙，特别是在英俄之间，若要保全日本的独立，则必须兼并山丹、满洲及朝鲜国，在美洲或印度境内保持领地"，同样失去了他在国内试想摧腐拉朽的进步性，而和他的前辈一样，延袭了征服海外的思想衣钵。又如，曾举兵倒幕的真木和泉(1813—1864)，也是极力主张占有朝鲜、中国，且使整个宇内尽受日本"正朔"。与之合谋倒幕的平野国臣(1828—1864)更是声称"先讨三韩，重建任那府"，"令天之所覆，地之所载，殊方绝域，普浴皇化"等等。①

上述"统治宇内"思想的基本特征，则是尽一切可能提高日本的自身地位，同时以居高临下的姿态，对待朝鲜半岛乃至亚洲其他地区，力图把自己置于对方之上。

简而言之，日本的神国观念是非理性的历史沉积，是统治者束缚和麻痹日本国民的"鸦片"。它妨碍着日本民族正确地自我认识；它使日本国家难以同周边地区建立平等的相互关系；它是近代日本东亚战略和政策精神支柱。

---

① 见渡边几治郎，同上书，第 9 页，并烟山专太郎：《征韩论实相》中译本，第 124 页。

第九编　钓鱼岛及其附属岛屿是中国固有领土的历史记载

一　钓鱼岛——《隋书·流求传》记载的高华屿

古代琉球"俗无文字、国无典籍"，有关记事始见于唐代贞观十年(636年)成书的《隋书·流求传》中。内含地理位置、风俗民情、物产农耕以及王者和社会政治等，全传达1300余字。① 这是有关古代琉球最早的详细记录。唐代以后，有关古代琉球的记事，也多有引录。亲临其境者的引述，可分为两种：一是传承、诠释，如清代周煌的《琉球国志略》；二是据情考订、增补，如明代陈侃的《使琉球录》，皆可谓信史。

《隋书·流求传》所记，实乃后谓之琉球。

《隋书》记称，"流求国，居海岛之中，当建安郡东，水行五日而至"。这段记述有双重含义。其一讲的是琉球的地理方位和环境。从琉球的实际情况而言，确是岛屿相间，从东北向西南倾斜。尤其是琉球本岛也即其政治中心所在地的西部，更是由大小30个岛屿首尾相随，构成一条外环状，名为庆良间群岛。而庆良间群岛恰是从中国大陆进入琉球本岛

① 全文见中华书局刊本《隋书》第八一卷，以下引文不另作注。

的必经之地。因而谓之“居海岛之中”，实乃恰如其情。

另外，从中国古代的地方建制而言，三国时期的东吴，曾在建安（今福建建瓯）设郡，辖区相当于今日福建省，后废除。隋大业至唐代天宝、至德年间（相当于7世纪初至8世纪中），又在建安设郡。由此可知，《隋书》所载“当建安郡东”，也是指远离大陆的琉球，而不是地处建安郡东南的台湾。明代陈侃在《使琉球录》中记载：“琉球国在泉州之东，自福州视之则在东北。”①这实际是对建安郡东的琉球，作了更为明确的认定。

其二，《隋书》谓之“水行五日而至”，是指中国沿海至琉球的航程。从中国古代造船航海技术而言，《隋书》所载炀帝令朱宽入海以及陈陵等率兵“浮海”进击琉球，并非难事。问题是《隋书》随后所载的“至高华屿，又东行二日至鼊鼊屿，又一日便至流求”中的两个岛屿名称，到底系指何方岛屿。

中国明清两代琉球册封使的记载，都没有提及“高华屿”和“鼊鼊屿”两个岛屿。那么，其实际位置究竟在哪里呢？本文基于以下几点，认为上述鼊鼊屿，当是明清使琉球者记述的姑（古）米山：

（一）《隋书》记载，“至高华屿，又东行二日至鼊鼊屿，又一日便至流求”。也就是说，高华屿至鼊鼊屿为二日的水路航程，鼊鼊屿至琉球本岛（那霸港）为一日的水路航程。而明清出使琉球者的记述，都已证实从姑（古）米山至那霸港，恰是一日的水路航程。

（二）从中国文字的释义和音韵来看，鼊鼊属于龟类，两字的发音为gōu bì，与姑（古）米的发音gū mǐ相近。

（三）从现今用当代摄影技术所取得的图像，也即从实际地貌来看，邻近现今冲绳本岛西部的久米岛（即历史记载中的姑米山），其东海岸的岩石结构，恰是“如同龟的盖甲一样大”，是一种“天然形成的奇石”，②明显地区别于其他岛屿。

---

① 商务印书馆1937年刊本，第53页。

② 据冲绳县产业振兴公社发行的《冲绳》第72页所载图片及说明。

根据以上情况可知,《隋书》将现今的久米岛(其发音变为“姑米”)记作鼅鼊屿,不仅形似而且音似。而后人之所以将之改称姑米山,似是因为古人航海“以山为路”,加上鼅鼊两字繁锁生僻,莫如以发音相近的姑(古)米两字代之更为方便。至于高华屿,无论从古(姑)米山的地形特征,还是从历史记载(《隋书》记称“又东行二日至鼅鼊屿”)的航海路程时间都可判定,当是中国的钓鱼岛。

冲绳旅游宣传资料中的“久米岛”龟背型地形图

二　陈侃《使琉球录》记载的中琉疆界

“知古不知今,谓之陆沉;知今不知古,谓之盲瞽”。这是东汉思想家王充的名言。在现今由于东海大陆架油田的探测,日方对我钓鱼岛主权持有异议的情况下,闻古而知今具有重要的现实意义。为此,本文拟从明代册封使陈侃在《使琉球录》中的记载谈起,从古代琉球王国的疆界范围着眼,来说明钓鱼岛自古便是中国的领土。

1. 古米山“乃属琉球者”即是疆界之谓

1534年(明嘉靖十三年),陈侃出使归来,在其进呈的《使琉球录》中,也即日本通常所说的“复命书”中,对出使琉球有一大段具体而明确的记述。后人引证较少,间有蓄意阉割者,兹转录如下:

“嘉靖丙戌(1526年)冬,琉球国中山王尚真薨。越戊子(1528年),世子尚清表请袭封……(嘉靖十一年)蒙钦差臣等克正副使赍捧诏敕,前往琉球,封尚清为中山王。臣等随即辞朝前来福建造船,船完之日过海行礼。……(嘉靖十三年五月)五日始发舟……八日出海口,方一望汪洋矣。水顺而为,波涛亦不汹涌……惟天光与水光相接耳,云物变幻无穷,日月出没可骇……虽若可乐,终不能释然于怀。九日隐隐见一小山,乃小琉球(台湾)也。十日南风甚迅,舟行如飞……过平嘉山(彭佳山),过钓鱼屿(钓鱼岛),过黄毛屿(黄尾屿),过赤屿(赤尾屿),目不暇接,一昼夜兼三日之路程……十一日夕,见古米山,乃属琉球者。夷人歌舞于舟,喜达于家。夜行彻晓,风转而东,进寻退尺,失其故处。又竟一日,始至其山(古米山)。有夷人驾船来问,夷通事与之语而去。十三日,风少助顺,即抵其国。奈何又转而北,逆不可行。欲泊山麓,险石乱伏屿下,谨避之,远不敢近,舟荡不宁。长年执舵甚坚,与风为敌,不能进亦不能退,上下于此山之侧。然风甚厉……相持至十四日夕,舟刺刺有声,若有分崩之势。……众曰不可支矣,齐呼天妃而号……于是,有倡议者曰:风逆则荡,顺则安,曷回以从顺,人心少宁,衣袽有备,上可图也。有一执舵而云:海以山为路,一失此山,将无所归,漂于他国,未可知也,漂于落漈,未可知也,守此尚可以生,失此恐无以救。夷通士从旁赞之。予等亦知其言有据。但众股慄啼号不止,姑从众以纾其惧,彼亦勉强从之。旋转之后,舟果不荡……众心遂定。翼午,风自南来,舟不可往,又从而北。始悔不少待也。计十六日旦,当见古米山,至期四望,惟水杳无所见。执舵者曰:今将何归?众始服其先见,彷徨踯躅,无如之何。予等亦忧之,亟令人上桅以觇去,远见一小巅微露,若有小山伏于其旁。询之夷人,乃曰:此热壁山也,亦本国所属,但过本国三百里,至此可以无忧,若更从东,即日本矣。申刻,果至其地泊矣。十八日,世子遣法司官一员,来具牛羊酒米瓜菜……。通事致词曰:天使远临,世子不胜忻踊,闻风伯为从者惊,世子益不自安……谨遣小臣具菜果,将问安之敬。予等爱其词雅,(聆)受之时,予之舟已过王(国)之东。欲得东风,惟顺夏日,诚不易得也。世子复遣夷众四千人,驾小船四十艘,欲以大缆引予之舟……船分左右,各维一缆……一昼一夜,亦行百余里。十九日,风逆甚,不可以人力胜,遂泊于移山之奥。……二十三日,世子复遣王亲一员,益以数舟而来……法司官左右巡督,鼓以作气,夜达旦……。予等二十五日方达泊船之所,名曰那霸港。"①

通过陈侃的上述记载,人们对于古代航海的艰难可以感同身受。与此同时,也完全可以意识到:所谓"十一日夕,见古米山,乃属琉球者",以及"又竟一日,始至其山……风少助顺,即抵其国"等等,讲的正是中琉疆界。因为中琉之间没有第三国可言。恰如琉球《万国津梁钟》铭文所称:"琉球国者,南海胜地……,以大明为辅车,以日域为唇齿,在此中间涌出之莲莱岛也。"②

然而,现今日本国士馆大学教授奥原敏雄却称:陈侃的《使琉球录》主要是关心出使航路。③ 言外之意是,否定陈侃对中琉疆界的明确记载。殊不知此说谬矣。

其一,"十一日夕,见古米山,乃属琉球者",用语肯定,无稍假借。译

① 陈侃:《使琉球录》(一),商务印书馆 1937 年刊本,第 24—30 页。个别改动者,据《中山世鉴》卷五所收。以下陈侃书引文,不另作注。

② 尚泰久王五年(1458 年)铸成,铭文见宫城荣昌:《琉球の历史》,吉川弘文馆 1977 年版,第 83 页。

③ 见高桥庄五郎:《尖阁列岛ノート》,青年出版社 1979 年版,第 201 页。

成日语应为“十一日夕，古米山をみる。乃ち琉球に属する者なり”。[①]这是任何熟知汉语的日本学者都可以明白的。奥原教授如果不带偏见，当会知晓陈侃记述的本意。

其二，陈侃随后记称“夷人歌舞于舟，喜达于家”。这是琉球人的切身实感，也即从另一侧面证实了古米山作为中琉疆界的事实。而且与“夷通事”所赞同的“一失此山（古米山）”，继续往北，“漂于他国，未可知也”等等，具有内在的、不可分割的联系。

其三，陈侃作为册封使节，其国境意识非常明确。如该书内含的《天妃灵应记》中，便再次记称：“琉球国请封，上命侃暨行人高君澄往将（其）事，飞航万里，风涛叵测……将至其国，逆水荡舟……。群乞神风，定塞衂乃得达”等等。这中间的“将至其国”，也正是前文所述“当见古米山”之时。由此可见，陈侃所记的《使琉球录》，绝非所谓主要关心航路，而是以其明确的疆土意识，肯定地记载了当时中琉两国的边界。

战前，日本有一藤田元春氏，在其著述的《日支交通の研究》（1938 年成书）中，为了把钓鱼岛列入所谓日本帝国的版图，也曾引证《使琉球录》，但却蓄意删掉了古米山“乃属琉球者”的明确记载，以及“夷人歌舞于舟，喜达于家”的明确记实。[②] 藤田氏的手法，令正直的学者耻笑，也沾污了自己的名声。数十年过去了，奥原教授可谓师承于前，但却犯了同样的错误。

2. 陈侃对琉球疆土的纪实

人们知道，自中国明代洪武五年（1372 年），行人杨载受命携带诏书出使琉球之后，琉球王便开始接受中国皇帝的册封，并向中国皇帝纳贡称臣，采用中国法定年号、正朔。时至清代光绪皇帝，长达五百年间，一直处于中国的册封体制之下，是为中国的臣属之国。如洪熙元年（1425

---

① 徐恭生著、西里喜行等译：《中国・琉球交流史》1991 年版，第 19 页。

② 见高桥庄五郎，前引书，第 130—131 页。

年）中国皇帝遣内官柴山，封尚巴志为中山王，且谕祭先王尚思绍时，其敕曰："昔我皇考太宗文皇帝，恭膺天命，统御万方，恩施一视，远迩同仁。尔父琉球中山王思绍，聪明贤达，茂笃忠诚，敬天事上，益久弗懈，朝贡有常，罔愆于职。……念尔父告终已逾再岁，非有嗣嫡之贤，曷膺传袭之重。兹特遣官柴山赍敕，命尔世子尚巴志为琉球国中山王，以继其世于戏，立忠立孝，恪守藩服"云云。① 然而，琉球王国拥有自己的疆土领地，中国政府并不干涉琉球王国的内政。1716年完成的《中山王府相卿传职年谱》序称："昔成周遣官，三公六卿，分职率属，以唱九州之牧，阜振纪纲而四海兆民自治矣。惟我中山，虽海外一撮土，治国纲纪，岂亦可不举行哉。况大明以来，世承封爵，称东南藩屏之邦，故设一相三卿，分职理政事，振纲肃纪，康成民人，其所由来者旧矣。"②也就是说，琉球王国自理其政，由来久矣，在这方面，陈侃的《使琉球录》可谓也作了最早的实际记载。内称：

> "琉球国在泉州之东，自福州视之，则在东北。……其君臣之分，虽非华夏之严，而上下之节，亦有等级之辩。王之下则王亲，尊而不与政也。次法司官、次察席官，刑名也。次那霸港官，司钱谷也。次耳目官，访问也。此皆土官而为武职者也。若大夫、长史、通事等官，则专司朝贡之事，设有定员而为之职者也。……至于赋敛，则窃古人井田之遗法，但名义未解备，王及臣民各分土，以为禄食。……山川则南有太平山，西有古米山、马齿山，北有琉黄山、热壁山、灰佳山、移山、七岛山"等等。

这些记载，进一步说明了奥原教授的前述说法毫无根据。特别是有关当时琉球王国山川疆土范围的记述，可谓更是现今考察古代琉球王国的力证：

---

① 见蔡铎本《中山世谱》，冲绳县教育委员会1973年影印本，第175—176页。

② 见《中山王府相卿传职年谱·位阶定》刊行本，日本法政大学冲绳文化研究所发行，1986年版序。

其所谓“南有太平山”。这是当时琉球王国的南疆。据琉球王尚真治世期间(1477—1522年)的首里王宫正殿栏干铭文记载:“西南有国,名曰太平山。”继而又称:“弘治庚申春,遣战船一百艘攻之,其国人竖降旗而服从。翌年,航海来献岁贡。”①其中的“弘治庚申”,是采用明孝宗的弘治年号,时为1500年。蔡铎本《中山世谱》尚真王卷内亦称:“琉球国管辖之岛,名曰宫古,次曰八重山,每岁纳贡。”②也就是说,公元1500年春季,琉球王尚真曾派遣战船远征西南诸岛,使之成为“每岁纳贡”的属地。现今冲绳出身的学者认为,当时所谓的“山”实为岛、国或村落之意,“太平山”即现今的宫古、八重山岛的总称。③ 由此可见,陈侃的“南有太平山”的记述,不仅与现今保存的铭文相符,而且与当时琉球王国实际的疆土领域是一致的。

所记“西有古米山、马齿山”,也即琉球王国的西部属地。当代学者确认,古米山即现今的久米岛,而马齿山则是现今的庆良间诸岛。④ 从两者的实际位置而言,古米山在西,马齿山在东,恰好构成现今冲绳本岛西部的外围。据琉球本土典籍记载:“英祖登位(1264—1274年在位),施仁敷志,恤民进贤,刑措不用,国人大服。西北大岛、久米岛等处,亦始来朝,而国大治矣。”⑤这中间的“西北大岛”便包括现今的伊平屋岛(也即陈侃记述的热壁山)。显而易见,陈侃所记述的琉球“西有古米山、马齿山”,也是符合实际的,并与前述的“见古米山,乃属琉球者”,具有同样的含义。

“北有硫黄山、热壁山……”。这是当时琉球王国的北方属地。琉球本土典籍《球阳》记称:“咸淳五年(1269年),久米、庆良间、伊比屋等岛皆始入贡。”“七年,大岛等处,皆如始入贡。……次后,每年入贡……。王

① 据大城立裕:《冲绳历史散步》,创元社1991年版,第45页铭文插图。

② 见前引蔡铎本《中山世谱》,第141页。

③ 见西里喜行等译:《中国・琉球交流史》,第16页,第20页。

④ 见西里喜行等译:《中国・琉球交流史》,第16页,第20页。

⑤ 见《琉球史料丛书》第四,名取书店1941年版,第24页。

命辅臣于泊村建公馆，设官吏治诸岛之事。”①这中间的“大岛等处”，系指现今喜界(奇界)、奄美大岛等岛屿。日本长门本《平家物语》(推定为十三世纪中期成书)中也称：“鬼界有十二岛，入口五岛从日本，内七岛不从我朝。”②这“内七岛”中便包括琉黄岛也即陈侃所记的硫黄山。由此可见，陈侃对当时琉球王国北方属地的记载也是真实的。所以，当年使船漂至热壁山之际，“夷人”亦谓“本国所属”。

当年与陈侃同行的副使高澄，在《使琉球录》的后序中谈道：

“天下事，履之而后知，及之而后喻，未有不身试之而知其然者。”“今夏五月，至其国土……其间得于见闻之，久询访之，真者似与诸(书)所载稍不同……因纪使事而复之诸书。”这进一步说明：陈侃的《使琉球录》之所以能够做出切合实际的记载，并非只是源于自古以来中国人对琉球及其疆界领域的了解，而且是源于陈侃等人抵达琉球之后，对琉球王国的刑典制度、山川领地有所“询访”“见闻”所致。因而，从这个意义上讲，陈侃对琉球疆界的纪实，乃是中琉两国官员以至岛民水夫的共识。

3. 后世对陈侃纪实的认同

如上所述，由于陈侃的《使琉球录》来源于实践，特别是有关当时琉球王国属地的记载，乃是基于实地见闻。因而记事准确并得到了后世的认同。现以中、日、琉三国官员学者的著述为例：

(一) 清代康熙五十八年(1719 年)，徐葆光作为册封副使与正使海宝一道前往琉球。同年六月初抵达那霸，翌年二月启程归国后，在其进呈的《中山传信录》的序言中，记述了编纂该书的具体过程。也即：

“琉球见自隋书，其传甚略。北史、唐书、宋元诸史因之。正史而外，如杜氏通典、集事渊海、星槎胜览、赢虫录等书所载山川风俗

① 桑江克英译注本：《球阳》，三一书房 1971 年版，第 17 页。

② 见《东恩纳宽惇全集》第 7 卷，第一书房 1980 年版，第 46 页。

物产，皆多舛漏……。嘉靖甲午，陈给事侃奉使，始有录，归上于朝。其疏云：访其山川风俗人物之详，且驳群书之谬，以成纪略质异二卷，末载国语国字。而今，钞本仅存二三矣。……今臣奉命，为检讨臣海宝副以往，自己亥六月朔至国，候汛逾年，至庚子二月十六日始行，计在中山凡八阅月。封宴之暇，先致语国王，求示中山世鉴及山川图籍，又时与其大夫之通文字译词者遍游山海间，远近形势皆在目中。考其制度礼仪，观风问俗，下至一物异状，必询名以得其实，见闻互证。与之往复，去疑存信。因并海行针道封宴诸仪图状并列编为六卷。"①

也就是说，徐葆光所进呈的《中山传信录》，和当年陈侃进呈的《使琉球录》一样，也是经过实地考察，久经"询访"而成。从而也就构成了两者的一致性和可信性。特别是有关琉球王国的山川属地，由于徐葆光滞在琉球的时间更长，因而较之陈侃的记述更为详尽。其中明确记载："琉球属岛三十六，水程南北三千里，东西六百里，远近环列"等等。随后，则具体地记载了三十六岛的名称，并附有地图。② 也即：

"东四岛"——姑达佳（译为久高）、津奇奴（译为津坚）、巴麻（译为滨岛）、伊计。

"正西三岛"——马齿二山（东马齿山大小五岛，西马齿山大小四岛）、姑米山。

"西北五岛"——度那奇山（译曰渡名喜岛）、安根尼山（译曰粟国岛，又为安护仁或与度那奇）、椅山（亦曰椅世麻或伊江岛）、叶壁山（土名伊平屋岛）、硫黄山（又名黑岛山，亦名鸟岛）。

"东北八岛"——由论、永良部（讹为伊阑埠）、度姑（译曰德岛）、

① 徐葆光：《中山传信录》，见《和刻本汉籍随笔集》第十五集，汲古书院1977年版，第29页。
② 见同上书，第15卷，第107—110页。后世日人也多有参准。

由吕、乌奇奴、佳奇吕麻、大岛(土名乌父世麻)、奇界。①

"南七岛"——太平山(一名麻姑山)、伊奇麻(译曰伊嘉间)、伊良保、姑李麻(译曰古里间)、达喇麻、面那、乌噶弥。

"西南九岛"——八重山(一名北木山、土名彝师加纪又名爷马)、乌巴麻二岛(译曰宇波间)、巴度麻(译曰波渡间)、由那姑呢、姑弥、达奇度奴(译为富武)、姑吕世麻(译为久里岛)、阿喇姑斯古(译曰新城)、巴梯吕麻(译曰波照间)。

徐葆光所记的三十六岛,如括号内所示,原本便有种种不同的称谓,现今也难免如是。但其中所记的"正西三岛",却与陈侃所记全然相同,无非是将马齿山详分为东西两山、各含小岛而已。这不仅是对陈侃纪实的认同,而且进一步证实了姑(古)米山正是中琉疆界之地。

此外,徐葆光在《中山传信录》中,还专门引述了琉球官员、地理学者程顺则(1663—1734)的《指南广义》。从现今和刻本的《中山传信录》中可以看到:在所谓"指南广义云,福州往琉球,由闽安镇出五虎门,东沙外开洋……用乙卯针六更,取姑米山"的行文下边,便有双排版小字,明确地记载了"琉球西南方界上镇山"的内容。② 日本历史学家井上清教授和国内同行专家经研究,认为这是徐葆光在编纂《中山传信录》时补注的。这种认定是否业已贴切完整,本文不拟急于结论。因为仅从上述明确记载而言,当是至少具有双重含义:其一,徐葆光以其亲身的采访见闻,对姑米山的地理意义,作了更为明确的认定;其二,从《中山传信录》编纂的过程来看,徐葆光在内含"计路"的卷一中谈道:"风信考以下至此,皆指南广义所载,或采禁忌方书,或出海师舵工所记,其语不尽雅驯而参考多

① 在这里,本文应该就便谈到的是,徐葆光在记述"东北八岛"的名称之后,还特意记称:"奇界亦名鬼界,去中山九百里,为琉球东北最远之界。""以上八岛,国人称之皆曰乌父世麻。此外,即为土噶喇,亦作度加喇,七岛矣。""以非琉球属岛,故不载"云云(见前引随笔集第15集,第109页)。这对研究日本庆长十四年(1609年)萨摩藩入侵琉球后的日琉疆界问题,也颇有重要意义。

② 见前引随笔集第十五集,第37页、第44页。

验，今附此以告后来者。[①] 进而，在传信录内含三十六岛的卷四中，徐葆光还谈道："今从国王所请，示地图。王命紫金大夫程顺则为图，径丈有奇，东西南北，方位略定，然但注三十六岛土名而已。"[②]从这个意义上讲，传信录中所谓姑米山是为"琉球西南方界上镇山"的明确记载，又不能排除乃是徐葆光与程顺则等琉球官员、海师等人的共识或认定。然而，不论从何种意义上说，这种明确的记载，又都是从琉球王国的角度，对陈侃所记的中琉疆界，作了毫无疑问的确认。

（二）雍正三年（1725年）时值琉球王尚敬治世期间，琉官紫金大夫加授法司品衔、国师蔡温，受命修成琉球本土第二部正史《中山世谱》。其序言记称：

> "自舜天践祚而来，国俗革变，政法寖具。迄我始祖金丸王承天命，登大位，集前王之大成，创万世之鸿业，礼乐政刑，教化之治，烂然大兴……传至质王，恭逢皇清定鼎，文明益开，卒以历代事功及祖德宗功，昭穆亲疏之非轻，特命按司向象贤始用番字，著中山世鉴一部。然前代纪籍，颇致湮没，象贤深为之叹。既而贞王嗣立，斯文大明，如日中天，仍命总宗正尚弘德等改以汉字，重修世鉴。颜曰中山世谱。时臣温之父、紫金大夫蔡铎，奉命手修世谱，亦以前代难考而叹焉。方今恭遇圣上殿下修德崇道，百度悉举，康熙已亥受封之时，臣温在册使徐公处，获琉球沿革志及使录等书，委曲读之，始知象贤所著世鑒，果有误差，兼多缺阙……臣温奉命改修是谱。盖是谱也，缵前谟，光后绪，而垂鉴于万世，诚非温朽材之所及。然而今不正焉，则前代履历之事，其何以得明之。爰以其所获之书，与夫本国记传，及隋唐宋元之史，博采旁搜，互致参考。昔之所误，今始正之，昔之所缺，今始补之，以成全部……伏愿居今稽古，综千圣之心以为心，修己治人，集百王之善以为善，而政治之美，麟趾之祥，与天地俱

① 见前引随笔集第十五集，第37页、第44页。

② 见同上随笔集第十五集，第110页。

重矣。”①

这大段自序，讲的虽说是琉球国史的形成经过，但其中也明确了所修世谱乃是参酌古今内外传记、史书，加以“互致参考”而正其误、补其缺者。这说明《中山世谱》的完成，在琉球王国的历史上，乃是一件大事。就今日而言，《中山世谱》也是以琉球自身的角度记述本国历史的重要典籍。尤其是在所属山川疆土问题上，《中山世谱》在序中便明确记称：“成化年间，我始祖王，以御锁侧官恭承天命，创业垂统，境内三府三十六岛，一视同仁，靡间遐迩。”②其所谓的“成化年间”乃是中国明宪宗时的年号，时为1465—1487年。

与此同时，《中山世谱》则在书中附加了全书唯一的图绘——《琉球舆图》。内中清楚地标出了本岛及周围三十六岛的名称，也即北起奇界（俗叫鬼界）、乌世麻（俗叫大岛）、佳奇吕麻（俗叫垣路间）、乌奇奴（俗叫冲野）、由吕（俗叫与路）、永良部、由论（俗叫与论）、度姑（俗叫德岛）、硫黄岛（俗叫鸟岛）、叶壁（俗叫伊比屋）……，南至由那姑尼（俗叫与那国）、巴度麻（俗叫鸠间）、姑吕世麻（俗叫黑岛）、巴梯吕麻（俗叫波照间）等等，而图中的西部岛屿，则正是陈侃早在《使琉球录》中认定的姑（古）米（俗叫久米）。

进而，蔡温在《中山世谱》所载的三十六岛之后，还专门作了如下说明，也即“凡管辖之岛，星罗棋布，环国如藩，皆隔海之地也，衣服容貌，自古至今，总受中山一统之制，而与他国不类。自明以来，中华人所称琉球三山六六岛者，即是也”。③ 也就是说，蔡温奉命编纂国史时，再次确认了陈侃早年记述的古米山“乃属琉球者”的事实，从而也使陈侃的记载具有了中琉双方政府认定的含义。

（三）1785年（日本天明五年），日本仙台藩士林子平（1738—1793）

① 蔡温：《中山世谱》，见《琉球史料丛书》第四，第3—4页。

② 见同上丛书第四，第3页。

③ 见同上丛书第四，第11页。

出版了《三国通览图说》，内载朝鲜、琉球和虾夷（今北海道）三国的地理情况，并附有五枚地图，也即《三国通览舆地路程全图》《朝鲜八道之图》《琉球三省并三十六岛之图》《虾夷国全图》和《无人岛大小八十余山之图》。

其中，《琉球三省并三十六岛之图》的珍藏原版，现今分别收藏在东京大学和早稻田大学的图书馆内。东大收藏本为“旧和歌山德川氏藏”，早大收藏本为“上毛桐生村长泽纯藏书”，两者皆为“天明五年秋东都须原屋市兵卫梓”的着色原版。

从该图着色上可以明确看出：临近中国大陆的花瓶屿、彭佳屿、钓鱼台、黄尾山、赤尾山，以及这些岛屿北部的里麻山、台山、鱼山、凤尾山、南杞山等，都是与中国大陆相同的浅红色。而琉球三省及三十六岛，北起奇界南至宫古、八重山诸岛，则概为浅棕色，且与日本列岛的浅灰绿色有明显的区别。

同样，在林子平所绘制的《三国通览舆地路程全图》中，图上标有“ケイロウ山”（即鸡笼山）以东的海面上，绘有五个小岛，并未标出岛名，但同为中国大陆的浅红色。而这五个岛屿，则是上述《琉球三省并三十六岛之图》中所标出的花瓶屿至赤尾山等五岛。由此可见，无论是宏观的“三国通览”图上，还是具体的“琉球图”上，花瓶屿至赤尾山等岛屿，均是中国领土。

现今，奥原敏雄教授以学者自居，认为林子平《三国通览图说》中的地图着色，决不是用来识别领土归属的。因其著书引据《中山传信录》，所以充其量只有二等价值。与此同时，他还认为林子平不过是个“信口开河”者。① 然而，恕我直言，贬低他人并不能提高奥原教授的身价。真正“信口开河”者不是林子平，而是奥原教授本人。有如高桥庄五郎先生指出的那样，林子平是个“卓越的经世家”。他从仙台游学江户（今东京），1775 年去过长崎，从荷兰人那里得悉沙俄南下扩张的消息，痛感日

① 见高桥庄五郎：《尖阁列岛ノート》，第 195 页。

本防卫的紧迫性，并认为必须将此事告诸整个日本民众，因而认真研究地理学、兵学，著述了《三国通览图说》，且出版了《海国兵谈》(1786 年)。1775 年以后，林子平再次赴长崎，并在江户与大槻玄泽、宇田川玄随、桂川甫周等兰学者交往，了解海外事情。林子平对沙俄南下扩张具有预见性的观察，得到了尔后的证实，“仅此而论，林子平也不是信口开河者，而不能不谓他确有先见之明”。①

此外，林子平的《三国通览图说》后经伊尔库茨克，于 1823 年传入德国学者手中，并在巴黎译成法语出版，也为着色图绘。及至尔后，日美有关小笠原群岛归属问题的交涉中，林子平所绘制的《无人岛大小八十余山之图》，更是起到了“有力”的作用。再者，据高桥先生研究，林子平的三十六岛图有几种刊版。其中之一，则是将花瓶屿、彭佳山、钓鱼台、黄尾山、赤尾山等岛屿，集中地绘制在鸡笼(基隆)山附近。该图也是“日本天明五年秋东都日本桥室町三丁目须原屋市兵卫”刻制的。“这可能是初版或被幕府没收的版本。”②由此可见，奥原对《三国通览图说》的评价，实际是只知其一而不知其二，抑或是有意加以歪曲和贬低。

(四) 日本德川幕府末期，江户各书房相继出版了种种有关琉球的读物。从现今再版重印的《江户期琉球物资料集览》(本邦书籍株式会社 1981 年版)中可以看到，内含的《琉球奇谭》(天保三年——1832 年、著者米山子)、《琉球入贡纪略》(嘉永三年——1850 年、著者山崎美成)以及《中山国使略》(嘉永三年、富冈手鬲校正)中，也都附有琉球王国属地地图。然而，一个共同的特点是，均是记称琉球三十六岛，而且从正确的地理位置来考察，其西部的岛屿，又均是记至姑米山。

在上述三者中稍有差别的，则是《琉球入贡纪略》中的附图。内中绘有从福建沿岸向外延展的五山：花瓶山、彭佳山、钓鱼台、黄尾山、赤尾山。但所记名称均在表示地理位置的圈形之外，用以和琉球三十六岛的

① 高桥庄五郎：《尖阁列岛ノート》，第 199 页。

② 参阅同上书，第 197—199 页。

名称（一律标在圈内）相区别。此外，则是在上述五山的左侧，绘有从大陆向外延展的里麻山、台山、鱼山、夙尾山、南杞山，也是把名称标在表示位置的圈形之外。进而，该图在圈内标注奇界的岛屿下边，还明确记称："由此为琉球之地，五间切也"；在圈内标注"德之岛"（度姑）的下边，还记称"从奇界至渡名喜为十一岛，乃大岛支配，十一岛之村数计二百六十村，土人称之为小琉球。南方台湾之南部有小琉球山，与之不同"等等。①

上述"琉球物"的作者之一米山子，是日本对琉关系密切的萨州人，其书中对琉球三十六岛的记述，也可以说是从另一种角度，验证了陈侃对古代中琉疆界的记载。这说明从陈侃进呈《使琉球录》开始，中国官方明确记载中琉疆界之后，历时上下数百年，琉球王国的西部疆土便是截止到现今的久米岛。

（五）1970 年，日本著名外交史家、前任日本外务省官员鹿岛守之助，出版了多卷本《日本外交史》第 3 卷，其中第四章为"琉球诸岛归属问题"，并附有《琉球诸岛图》。内中详列了奄美大岛、冲绳群岛、宫古群岛等三大群岛的各个岛屿名称，其西部疆界也是仅有自古以来便被确认的久米岛，而没有列入现今日本某些著书中的钓鱼岛等岛屿。这进一步说明，只要不是别有用心，任何一位古代琉球问题的研究者，都不能不承认钓鱼岛等岛屿，自古便是中国领土。

"古人日以远，青史字不泯。"陈侃进呈的《使琉球录》，不仅明确地记载了中国古代对钓鱼岛等岛屿的发现和利用，而且得到了后世中外学者、官员乃至中琉两国政府的确认。

三　日本林子平《三国通览图说》中绘制的钓鱼岛

日本天明五年（1785 年），林子平出版的《三国通览图说》及其所附地图，可谓日本现今保存的最早的有关古代琉球、朝鲜和虾夷（现今北海

① 以上见《江户期琉球物资料集览》第 1 卷内所收重印原版图绘。

道）地理情况的文献。时至近代，据说日本与美国就小笠原群岛的归属问题进行交涉时，林子平上述著书中的地图，曾作为力证而起了至关重要的作用。1995 年 12 月至翌年 3 月间，笔者有幸根据校际交流协议，前往日本早稻田大学进行课题研究时，得机查阅了《三国通览图说》的诸种刊本、抄本，为便于同行研究，现将有关该书珍本及其地图着色，简单介绍如次：

早稻田大学中央图书馆内，现今收藏《三国通览图说》的种种刊本、抄本。从卡片目录检索可知，至少有以下八种：〔1〕仙台宝文堂版本，昭和五十二年六月，内附五枚地图，原本现今收藏在东北大学附属图书馆内；〔2〕丛文社刊本，昭和五十三年七月，卡片上写有“北方未公开古文书集成”；〔3〕第一书房刊本，昭和五十四年七月，卡片上写有“收入《新编林子平全集》2 地理卷”；〔4〕天明六年，和装大本，卡片上写有“附书名《三国舆地胜览》图五枚”；〔5〕天明六年，和装大本；〔6〕江户文学研究会编，洋装小本。此外，尚有写本，和装本二种。经翻阅对照，其中编目为ル3・1547・1—6 的《三国通览图说》，附名“《三国舆地胜览》图五枚”一书，是为珍本。该书现为木盒装存，上有黑墨笔署名《三国舆地全图》，盒盖儿内侧书有“长泽纯的”，显系原为个人所有。

该书为和式装订（装订线在右侧），花纹纸封面，书名为刊印字体：“《三国通览图说》附图五枚・全”。内中有“三国通览图说序”，文末署名：“天明丙午之夏东都侍御医桂川甫周国瑞”。

书中尚有“题初”，署名：“天明五年乙已秋九月仙台林子平述”。

全书内容之后，刊有“右总计五图四说天明五年乙已秋仙台林子平图并说”。

下方有凹凸二章方印，一者为“不朽书文”，二者似为“越垣之道”。此外，复有“天明丙午夏东都术林须原屋市兵卫梓”字样。

其所附五图为：《三国通览舆地路程全图》《朝鲜国全图》《琉球国全图》《虾夷国全图》《无人岛全图》。

上述五图皆刊印如下字样：“仙台林子平图天明五年秋东都日本桥

北室町三丁目须原屋市兵卫梓”。五图下方并有“上毛桐生村长泽纯藏书”印章，以示所有。

现今东京大学图书馆内，也收藏种种刊本、写本。如〔1〕天明五年抄本；〔2〕天明六年抄本；〔3〕大正十二年东京裳华房刊本；〔4〕天保十二年抄本（卡片上写有“东都书林申椒堂藏版”）；〔5〕天明丙午夏东都书林须原屋市兵卫刊本及其抄本等等。这种情况说明，林子平的《三国通览图说》适应当时日本社会的需求，实可谓不胫而走，以致民间转抄，官方人士也有收藏。经比较对照，东京大学图书馆编目为J30・452、书名也是《三国通览图说附图五枚全》者，与早稻田大学的上述藏书，是为同一年代刊本，同为原版珍品。该书盖有印章“旧和歌山德川氏藏”，也系原为个人所有。

林子平在“题初”也即现今所说的前言中写道：“大哉，地理之重要”，在于“居廊庙与国事者，不知地理，则治乱有失；率士兵从事征伐者，不知地理，则安危有失；跋涉者，不知地理，则迟速之际有失”。进而又称：虾夷、琉球、朝鲜，此三国“与本邦接壤，实为临境之国也。盖本邦之无贵贱文武而当知者，此三国之地理也”。且“从政入三国之人，怀此图时，则三国之分内可了然如在目睫，可泰然至彼，是小子作此图示于世人之所以也”。这段自序，可谓明确地说明了林子平作《三国通览图说》的根本目的。

据日本学界研究，林子平着手写作《三国通览图说》，前后总计花费了二十年的时间，时至日本天明五年（1785年）才得以脱稿付梓，而为之作序的桂川甫周国瑞，乃是幕府将军德川家治的“法眼”（爵位）御医。由此似可推断，该书当时便已受到官方重视，当年的幕府将军或许也读过此书。因为有如前述，现今东京大学收藏的珍本，便是和歌山德川氏收藏的。

进而，从《三国通览图说》的附图着色及其说明上，又可以看出林子平乃是一个非常严谨求实的地理学者。

首先，就《三国通览舆地路程全图》来看，其中将琉球明确地记称为琉球国。这说明林子平根据历史记载和现实，对琉球国与日本的关系作了实际定位，并把琉球国的疆土范围，从北至南皆绘成浅棕色，以与北部日本列岛的浅灰绿色相区别。与此同时，在琉球北起奇界岛的旁边，还特意标出了“以下为琉球之地”。而在琉球南部疆土宫古、八重山两个大岛的旁边，又特意标出“琉球所有”，以区别于中国沿海岛屿(浅红色)。

特别值得注意的是，在该图标有“ケイロウ山”(鸡笼山)以东的海面上，绘有五个小岛屿，虽然没有标明岛屿名称(在《琉球国全图》上明确标出，见下文)，但同为中国大陆及其沿海岛屿的浅红色，使人一目了然。此外，从中国福建至琉球国的二条海路上的小岛屿，包括上述的五个岛屿，也皆为中国大陆的浅红色。不过，台湾、澎湖三十六屿及小琉球和标写鸡笼山假名的岛屿，则是浅黄色(《琉球国全图》中也是如此)。考其原因似为台湾曾被荷兰殖民者霸占过，在林子平的意识中，似乎与中国大陆及其沿海有所不同的缘故。然而，即或如此，也是接近中国大陆及沿海岛屿的着色。此外，林子平把琉球以东的无人岛屿即小笠原岛，也绘成浅红色，并标有“无人岛本名小笠原岛，有八十余屿”。这和把台湾及其附属岛屿绘成浅黄色，似乎出乎同样的意识，也即日本人发现小笠原较晚，与本土有所不同的缘故。

与上述情况不同的是，日本北部的“虾夷国”，则是浅棕色，而接近日本本州的又澳嶋、国後、択捉、得撫、樺太岛(库页岛)，也是浅棕色。但现今北海道的南部，也即标有“松前”字样的地方及小岛屿，则绘成与日本列岛相同的浅灰绿色。这恰好反映了当时日本行政所及的范围。此外，朝鲜国及竹岛则为浅黄色，并在竹岛旁边特别标上了“朝鲜所有”。上述种种，说明林子平在绘制《三国通览舆地全图》时，是很求实的。

再就林子平所绘制的《琉球国全图》而言，也和上述地图一样，将中国大陆及明确标出花瓶屿、彭佳屿、钓鱼台、黄尾山、赤尾山等五个岛屿的地方，以及上述五个岛屿北部的里麻山、台山、鱼山、凤尾山、南杞山等，一律绘为浅红色。而琉球三省及三十六岛，则仍为浅棕色，并在北起奇界岛的旁边再次注明了"是ヨリ琉球ノ地"(以下为琉球之地)。进而,则在图中明确标出各岛名称:奇界、永良部、大岛、佳奇吕广(麻)、德岛、乌奇奴、由论、由吕、叶壁山、粟国、渡名喜、椅山、琉球本岛……。其中,还特别在大岛旁边,详细注明了"从奇界至渡名喜十一岛,皆大岛所支配,十一岛之村数,恰为二百六十村,土人自称小琉球,南方台湾以南有小琉球,与是不同"。由此可见,林子平的地理概念和所属意识相当清楚。

这里,应该就便说明的是,现今日本出版的《新编林子平全集》第2卷中所收的地图,似根据东京大学图书馆收藏的上述第〔5〕种刊本的写本。该写本的编目为J30·998,从抄写的内容和附图的完整上看,当是诸多抄写本中的善品。其所绘制的地图(编号为B57899)上,盖有"东京帝国大学图书"的园形图章(中间有一"印"字),且有"南葵文库"的印章,但地图上没有署明制图的年代日期。此外,其在名为《数国接壤一览之图》上,将台湾附近的"小琉球",绘成了与琉球同一颜色的浅棕色。而在名为《琉球三省并三十六岛之图》中,又将台湾附近的"小琉球山",改绘成接近琉球群岛的浅棕红色。这种轻微的着色上的差别,可能是林子平在正式付梓出版前的绘图,也可能是抄写本作者的无意疏忽。但无论是哪种可能性,凡是图中标有花瓶屿、彭佳屿、钓鱼台、黄尾山、赤尾山,以及北部里麻山、台山、鱼山、凤尾山、南杞山的地方,都与中国大陆为同一浅红色。

现今,日本学界有谓,林子平的绘图着色并无国界意识。然而,这是违背常识的诡辩。因为从一般常识的角度来判断,地图着色便是为了区别。再者,林子平所绘制的地图,如《朝鲜国全图》《琉球国全图》等,本身就是所指国家的地图,而且在上述图中,还特意在竹岛处标明"朝鲜所有";在奇界岛处标明"以下为琉球之地"等等,岂非更是明确的国土意识?由此可见,当年的林子平,乃是以其丰富的地理知识和严谨的治学态度,为后人留下了不可替代的历史证据。

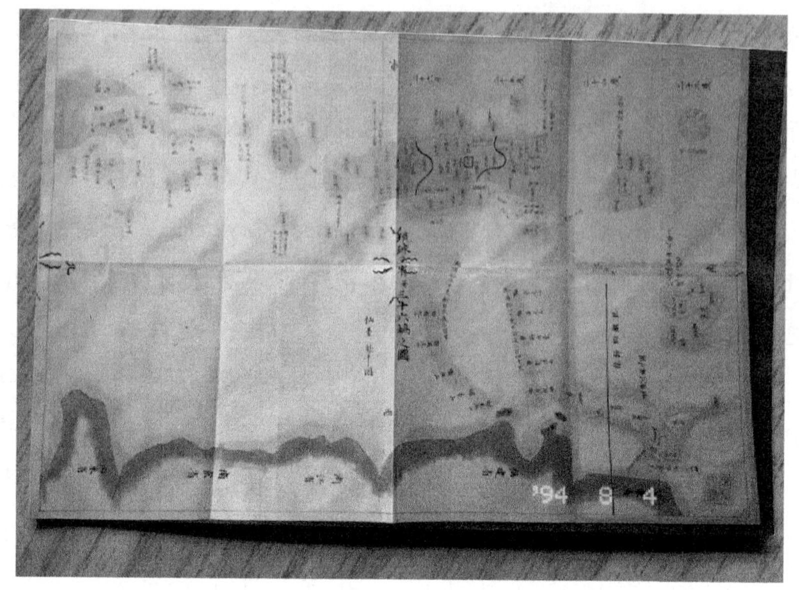

林子平《三国通览图说》中的附图。

四　钓鱼岛及其附属岛屿是中国固有领土的论证纲要

前言

第一部分　钓鱼岛及其附属岛屿的地理位置

（解说词）

1. 钓鱼岛及其附属岛屿（附示意图、照片）

2. 钓鱼岛及其附属岛屿在中国大陆架上、琉球海沟（地图、放大绘制）

3. 地质结构为台湾北部大屯山、东有琉球海沟、观音山脉延伸入海之凸出部分（示意图）

第二部分　中国人最先发现并利用钓鱼岛

（解说词）

1. “黑潮”主流、支流（附示意图）

2. 中国人对航行方向的总结：“去必孟夏，来必季秋”（陈侃：《使琉球录》等文摘）

3. 徐福东渡的传说与琉球贝冢内发现的中国古代刀币(照片)

4. 指南针的发明与中国的航海造船技术(照片)

5. 西方人对中国航海造船的记述(附文摘)

6. 东南亚国家发现中国古代陶器(附文摘)

7. 隋大业六年远征琉球的记载及当代学者对“高华屿”即钓鱼岛的认定(图书文摘)

8. 明代洪武年间“天使数次远临”(文摘)

9. 明代永乐元年《顺风相送》的明确记载(文摘)

10. 历次《使琉球录》中的记载(文摘)

第三部分　中琉疆界纪实及日绘琉球地图

(解说词)

1. “古米山,乃属琉球者”(文摘)

2. “钓鱼岛,小东小屿也”(文摘及琉球诸岛图)

3. “琉球世守东隅……天造地设,界水分遥”(文摘)

4. “福建往(琉球)……望见古米山即其境”(文摘)

5. “黑水沟……中外之界也”(文摘)

6. “海面西距黑水沟与闽海界”(文摘)

7. “琉球三十六岛”(文摘及琉球图)

8. “境内三府三十六岛”及《琉球国全图》(文摘及附图)

9. 清代乾隆年间《坤舆全图》,内中“好鱼须”(钓鱼岛)、欢未须(黄尾屿)、车未须(赤尾屿)皆与大陆同一颜色(照片)

10. 日本天明五年(1785年)林子平所绘《琉球三省并三十六岛图》

11. 1832年日本萨摩藩米山子著书中的琉球图

12. 1970年日本外交史专家、前外务省官员鹿岛守之助著书中的琉球图

第四部分　钓鱼岛是中国的海防区

(解说词)

1. 倭寇流窜中国沿海(附图绘)

2. 明洪武七年，靖海侯吴桢率兵将倭寇逐至“琉球大洋”及“至琉球设防”（文摘）

3.《万里海防图》《海防一览》（放大复制）

4.《沿海山沙图》（放大复制）

5.《福建沿海山沙图》及明末《福建海防图》（放大复制）

6. 台湾“山后大洋北，有山名钓鱼台，可泊大船十只”（四库全书本照片放大复制）

7. 清同治二年湖北巡抚官修《皇朝中外一统舆图》

第五部分　日本是怎样非法占据钓鱼岛群岛的

（解说词）

1. “无主地”谎言之惯例

(1) 日本柳原前光向政府报告：“琉球人在清国领地台湾被杀害”，而日本政府则称：“台湾土番部落，乃是清国政权不逮之地……故将之视为无主之地”（《日本外交文书》）

(2) 1907年，日商西泽吉次聚众强占我国东沙群岛，毁我渔民设施，宣布“发现”“无人岛”，并将岛名篡改为“西泽岛”（文摘）

2. 1878年（明治十一年）日本设置参谋本部，其“管西局”负责调查、编绘从朝鲜至中国沿海的地理地势，以备“有事之日”（文摘）

3. 1885年（明治十八年）日本外务省秘令冲绳县勘查钓鱼岛，拟在钓鱼岛树立“国标”（《日本外交文书》原文及译文）

4. 同年日人古贺辰四郎申请“拜借”钓鱼岛（文摘）

5. 同年9月上海《申报》之《台湾警信》（照片、放大文摘）

6. 同年10月日本外务卿主张树标之事“应予缓办”（原文及译文）

7. 同年12月日本内务卿、外务卿批复冲绳县：“目前无需建立”国标（《日本外交文书》原文及译文）

8. 1894年（明治二十七年）古贺辰四郎再请租借钓鱼岛，被冲绳县退回（文摘）

9. 1895年（明治二十八年）日本内阁同意侵占钓鱼岛（《日本外交

文书》）

10. 同年4月中日签订《和马关条约》，日本割占台湾、澎湖列岛（条约文本复制）

第六部分　中国有权收回固有领土

（解说词）

1. 我国政府对钓鱼岛群岛主权的声明（文摘）

2. 联合国大陆架条约（文摘），钓鱼岛群岛是中国领土

后　语

（一）本书能够出版，得力于臧佩红副教授。从文选的收集、整理到编排、复制和文字校订、删改，都是她耐心而认真完成的。在笔者双目几近失明的情况下，无此种帮助，这项工作是不能实现的。师生情谊之深重，难得难得。

（二）本书的署名不过是个符号，因为国内外学者的相关研究（包括史料汇编），对笔者都产生了不同的影响，而且本书还收录了与肖伟、张耀武和刘志强等研究人员的合作成果。这里一并表示感谢。

（三）历史研究不仅是回顾，而且是前瞻。"人贵有自知之明"，一个民族、一个国家也是如此。在现今世界大变迁的时代，正确地认识自己，正确地认识历史，更显得十分重要。倘若本书使读者有所感触，便是对我等学子的最大奖励。

米庆余

2018 年元月